La
"French Atlantic
Affair"

Ernest Lehman

La "French Atlantic Affair"

traduit de l'américain
par Muriel Lesterlin

Tchou

2, rue du Pont-Neuf, Paris 1er

Tchou

2, rue du Pont-Neuf, Paris 1er

Sommaire

*à une femme, Jackie,
et à nos fils, Roger et Alan,
avec tout mon amour.*

Première Partie
LE PLAN

" Je vous l'assure, le passé n'est que cendres. "
CARL SANDBURG

" Devenons solidaires, ou nous irons à notre destruction ."
JOHN FLETCHER

Chapitre Premier

Nul ne saura probablement jamais comment tout cela avait commencé. Peut-être par une plaisanterie acide qui n'avait fait rire personne.

« Pas très drôle... », avait murmuré l'un d'eux.

Puis, le propos trouvant insidieusement son chemin dans son esprit, il avait poursuivi :

« Mais savez-vous que c'est peut-être tout bonnement une idée géniale... ?

— Pardon ?

— Hé ! Hé !

— Allons donc !

— Je maintiens.

— Tu dérailles. »

Alors de rire : parce que, là, ça devenait vraiment drôle. Mais ils en étaient venus à croire sérieusement que ce n'était peut-être pas une si mauvaise idée. Et peut-être même, leur seul espoir.

A l'origine, il n'y avait qu'eux quatre : Craig Dunleavy et sa femme Betty, et les Kleinfeld, Herb et Harriet — unis dans l'adversité par le chômage, le même goût des boissons fortes, et un répertoire apparemment inépuisable de plaisanteries caustiques à l'endroit de la NASA, du Sénat des Etats-Unis, du Pentagone et de tout autre service officiel susceptible de se trouver à l'origine des coupes sombres intervenues dans le budget du programme spatial.

Les héros de Houston et les as de la propulsion à réaction se retrouvent en plein désarroi quand ils sont arrachés de leur univers. Il en va de même pour leurs épouses ou leurs maîtresses complètement imbriquées dans leur mode de vie. Les Dunleavy et les Kleinfeld ne s'étaient jamais souciés — que ce soit matériellement ou émotionnellement — de se préparer à l'éventualité de la catastrophe qui les balaya, ni aux ridicules humiliations qui s'ensuivirent.

Le plus terrible ne fut pas le dernier coup d'œil sur leur maison, ou le premier (Oh, *non !*) sur le nouvel appartement. Ce ne fut pas seulement la vente *(Je ne peux pas)* des objets qu'ils avaient aimés ou la location d'autres qui les laissaient indifférents. Ce ne fut pas non plus *(Je n'arrive pas à y croire)* les emplois qu'il fallait prendre, ou ceux *(Je n'arrive pas à y croire)* pour lesquels on les refusait. Il n'y avait rien de bien terrible dans le fait, voyons les choses en face, de se trouver pauvre. Tout le monde, *un* jour ou l'autre l'a été.

Mais qui a envoyé les hommes sur la Lune ou des sondes sur les planètes ? Qui a partagé les jours et les nuits de ceux qui ont fait cela pendant toutes les années où ils le réalisaient ?

Ce qui était perdu à tout jamais, ce n'était pas ce qu'ils avaient accompli et partagé avec orgueil. Ce qui était disparu pour toujours, irréversiblement mort — Dieu ! depuis combien de mois ? Combien d'*années ?* —, c'était l'espoir raisonnable de retrouver la chance de le faire ou d'y participer à nouveau.

C'était cela le pire de tout. Le reste faisait simplement partie de l'horreur, de cette triste réalité que toutes leurs années de formation ne pouvaient leur servir à rien, qu'il n'existait plus de monnaie d'échange à leur spécialité. Les coupures de presse, leurs curriculum vitæ, leur renommée, ne servaient qu'à faire naître le malaise chez leurs interlocuteurs :

« Je regrette, je comprends votre problème, monsieur, mais mettez-vous à ma place : je me sentirais gêné de savoir qui se trouve là, en train de servir mon essence ou de nettoyer des pare-brises... » Ou : « Je ne peux pas, mon vieux. Je ne pourrais pas supporter de voir quelqu'un de votre qualité se tenir derrière mon comptoir, vous me comprenez n'est-ce pas ? »

Bien sûr qu'ils comprenaient.

Ils étaient des morts-vivants.

Pour Craig et Betty, Herb et Harriet, il n'y avait plus rien d'autre à faire que de paresser sur la plage de Venice, en laissant le soleil de Californie endormir leur paranoïa. Car, bien entendu, il va de soi que vous n'avez pas le droit de glisser dans le désespoir avec une peau dorée au soleil tout au long de l'année, quand votre miroir, de même que tout le monde, ne cesse de vous répéter que vous avez une mine splendide. D'ailleurs, comment entendre la panique monter en soi quand les vagues se brisent sur la plage dans un fracas tel que vous ne pouvez même plus vous écouter *penser* — à moins de vous étendre à une centaine de mètres du bord de l'eau, ce que vous ne faites presque jamais.

Ils aimaient déjeuner tard. Au « Brown Bagger » ou au « Cheese and the Olive ». Ils prenaient une table au soleil et chassaient leur anxiété à grand renfort de chablis frais. Betty Dunleavy et Herb Kleinfeld s'observaient parfois en se demandant ce que ça pourrait donner entre eux, tandis que Craig et Harriet jouaient au même petit jeu. Ils rentraient ensuite chacun chez soi, puisant à ce souvenir une ardeur renouvelée à leurs ébats amoureux avant de cuver leur vin dans le sommeil jusqu'à la nuit. Celle-ci venue, il était enfin temps d'aller dîner chez « Jay » et de se mettre aux boissons sérieuses, et peut-être d'aller ensuite voir un film, ou de rester là, à regarder la télé ou à écouter de la musique en buvant à en perdre la raison avant d'aller se coucher, jamais tous dans le même lit bien qu'ils en aient souvent plaisanté. Ils terminaient alors leur journée, non pas en faisant l'amour tendrement, mais en se prenant avec une sauvagerie bestiale avant de sombrer dans un sommeil sans rêve.

Ils n'avaient pas perdu de vue que l'argent leur filait entre les doigts. Pas moyen d'ignorer *cela*. Mais faire quelque chose pour y remédier temporairement, quelque chose de minable ou de dégradant, leur devenait de plus en plus impossible. Ce fut probablement ce qui les conduisit à envisager sérieusement cette idée ridicule. A en devenir obsédés. Plus ils la discutaient, plus elle leur paraissait réalisable. Puis vinrent un jour, une nuit, un instant où ils n'eurent plus conscience d'avoir insensiblement glissé dans la folie.

Bien sûr que tout cela était insensé.

Mais ça leur paraissait si beau. Ce serait comme de renaître. Un nouveau départ. Une autre chance fabuleuse. « *Bon sang,* quelle idée ! » « Hé ! fais gaffe... » « Sûr que nous pouvons le faire. » « ... Sacré bon Dieu ! tu renverses ton vermouth sur mon sein gauche... ton gin, alors. » « Mais c'est vraiment fantastique ! fais-nous la bise... »

Le premier outsider sur qui Craig Dunleavy osa tester l'idée leur était totalement inconnu, un directeur de supermarché au chômage près duquel il prit un verre dans un bar de Hermosa Beach en attendant qu'on répare la courroie du ventilateur de sa voiture. Il se sentait en sécurité parce que l'homme était ivre, n'avait aucune idée de son identité et qu'il ne le reverrait jamais. De plus, Craig lui raconta qu'il s'agissait du *Queen Elizabeth 2.*

Sur l'instant, il regretta d'avoir parlé. Par la suite, il devait être heureux du réconfort que l'incident lui apporterait. Mais à ce moment-là, dans ce bar de Hermosa Beach, par une après-midi pluvieuse, il se demandait s'il allait jamais réussir à se débarrasser du type.

« Ne me prenez pas tellement au sérieux, pour l'amour de Dieu ! lança Craig en riant. Allez, je vous offre un autre verre.

— Ça n'est pas un autre verre que je veux. Je veux être *dans* le coup. »

Dunleavy dévisagea l'étranger aux traits épais un bref instant, puis lui dit :

« Très bien, écrivez votre nom et votre adresse sur cette boîte d'allumettes...

— C'est dingue.

— Et n'oubliez pas votre numéro de téléphone pour le cas où je me trouverais retardé ou s'il y avait un pépin quelconque.

— Ne vous inquiétez pas. J'attendrai. »

Dunleavy prit la pochette d'allumettes et y jeta un coup d'œil :

« Marty Josias ?

— Appartement 4 C, répondit l'étranger.

— Joe Smalley, se présenta Craig Dunleavy en lui tendant la main.

— Vous savez, Joe, que vous êtes super-génial ? »

Dunleavy lui répondit par un sourire et s'en alla.

Quand il arriva au garage, sa voiture était prête. Il jeta la pochette d'allumettes au loin et fonça vers le nord, pressé de mettre le plus de distance possible entre lui, Hermosa Beach et Marty Josias.

Oui, leur histoire tenait debout. Et ils ne devraient pas rencontrer beaucoup de difficulté pour la faire accepter par d'autres. S'il y avait un jeu auquel Craig Dunleavy s'était toujours montré de première force, c'était bien à celui de faire partager ses rêves.

Tous ceux qui le connaissaient depuis un temps aussi lointain que celui du collège, avaient toujours été persuadés qu'il deviendrait célèbre un jour ou l'autre. Mais le tout était de savoir s'il se distinguerait dans les affaires, les sciences, ou les prisons fédérales. Aujourd'hui, à quarante et un ans, toujours mince, bronzé, il avait gardé cette apparence de bon jeune homme qui lui avait permis d'escroquer nombre de gens de Long Beach à San Diego du temps où il pratiquait l'abus de confiance en faisant souscrire des dupes à des petites sociétés immobilières ou de tout nouveaux équipements de recherche-et-de-développement-dans-le-secteur-duconditionnement-d'instruments. Tandis que les actionnaires se trouvaient rapidement au bord de la ruine, lui, mystérieusement, commençait à prospérer. Tout cela, avant d'atteindre vingt-six ans. Des lunettes à monture en corne, une voix douce, une pipe toujours allumée, et un style vestimentaire un peu sport, sans trop, dissimulaient une âme ravie de ses larcins. Le fait qu'il puisse devenir un brillant ingénieur aérospatial lui était parfaitement étranger à cette époque. Il ne parvenait tout simplement pas à comprendre comment on pouvait supporter la contrainte d'un travail fatigant pour gagner de l'argent, alors que c'était tellement plus drôle de le voler. Il le faisait en fondant sur des tours de passe-passe des sociétés par actions dont il détournait artistiquement les fonds, salué d'un concert de lamentations sur le chemin des coffres bancaires quand les compagnies se retrouvaient inévitablement en banqueroute.

Ce fut seulement après son second mariage, qui venait de se terminer comme le premier, qu'il se fit accrocher au « Luau », à Beverley Hills, par une blonde du tonnerre qui s'appelait Betty Wilkerson, fraîchement divorcée depuis deux jours, et que sa vie prit un brusque virage sur le droit chemin. En dehors du plaisir qu'il prenait à sauter cette fille, il aimait aussi parler avec elle jusqu'à 5 heures du matin, la regarder. Il ne se lassait pas de la regarder, ni de l'écouter. Il adorait l'écouter ou penser à elle. Elle occupa bientôt toutes ses pensées. Alors, il n'eut plus qu'une idée en tête : l'épouser. Car il se sentait prêt à tuer tout homme qui se serait approché d'elle. Ce fut à ce moment qu'elle lui annonça sa décision de rompre leur liaison parce qu'il n'était, pour appeler les choses par leur nom, qu'un voleur avant la lettre.

Il n'avait pas le choix. Il fit sa maîtrise à Standford, et obtint son doctorat au M.I.T. pendant qu'elle vivait avec lui à Boston. Ils firent une étape à Las Vegas, assez longue pour se marier et aussi pour permettre à Craig de gagner 11 000 dollars contre un donneur de blackjack, suant et ivre de rage, avant de s'envoler pour Coco Beach à la recherche d'une maison dont la NASA, bien entendu, réglerait les frais en même temps qu'elle assurerait sa formation.

Pendant les huit années suivantes, dont la moitié passée à Cap Kennedy et le reste à Houston, il s'éleva au rang de la « Liaison technique entre les systèmes de véhicules et le contrôle de mission ». Une fausse-couche de Betty mit fin à leur premier et unique essai de faire un enfant. Fier de son travail, Craig se laissait emporter à en relever les défis et ne s'écartait plus jamais réellement de la voie étroite du droit chemin.

En fait, cela lui arriva tout de même une fois d'essayer : lors d'un des derniers vols Apollo. Il semble qu'il ait connu quelqu'un à Fort Worth, qui connaissait quelqu'un à La Havane, qui disait avoir un client en Amérique du Sud prêt à payer 100 000 dollars un caillou lunaire de une livre. Sa tentative d'approche d'un des prochains héros de l'astronautique américaine n'aboutit pas plus loin que sur un nez en compote et une coupure sous son œil gauche. Ça aurait pu être bien pire si ce crétin rigide avait officiellement ébruité l'affaire. Il n'en fit probablement rien afin que les toubibs ne s'attardent pas sur les jointures douloureuses de sa main droite et le déclarent inapte pour la mission imminente. Mais Betty en eut vent par les commérages des épouses et envoya Craig dormir dans son bureau pendant trois semaines au bout desquelles il mendia son retour à la chambre conjugale.

Il est assez étonnant que Herb Kleinfeld n'ait jamais prêté attention à Craig Dunleavy avant que les jours fastes ne fussent définitivement révolus pour eux. Ils se rencontrèrent au milieu d'une vingtaine de types soigneusement vêtus, le regard cave, au début de l'âge moyen, qui firent quatre jours durant le pied de grue au service du personnel de la Oxidon Petroleum, dans le quartier des affaires de Los Angeles, même pas en vue d'un poste disponible, mais dans le simple espoir d'une interview, des fois que, avec l'aide de Dieu, une opportunité se présente, que ce soit en Alaska ou en Iran.

Le premier goût commun qu'ils se trouvèrent, tenez-vous bien, fut celui du beurre de cacahuète. Puis vinrent le quintette de George Shearing, les Cincinnati Reds, l'after-shave au citron musqué. Ils découvrirent enfin qu'ils étaient nés à deux jours d'écart et à 16 kilomètres de distance, dans le même comté d'Orange, en Californie ; et qu'ils avaient fréquenté deux collèges rivaux depuis toujours dont ils avaient été, l'un et l'autre, de brillants élèves.

Ils envoyèrent donc au diable la Oxidon Petroleum et partirent à la recherche d'un bar accueillant. Ils s'aperçurent alors que les années de Craig à Cap Kennedy et à Houston avaient coïncidé, parallèlement, à celles passées par Herb, à l'autre extrémité du même programme spatial, au Laboratoire de propulsion à réaction de Pasadena et au Centre de recherches électroniques de Cambridge, où il avait manipulé, dans le calme et l'anonymat, tout un matériel sophistiqué allant du convertisseur d'analogues en digitaux jusqu'à de gigantesques circuits intégrés pour la télémétrie par données multiplex. Mais tout cela se passait avant que, pour eux, le système solaire ne s'assombrisse et leur devienne aussi inaccessible que s'il se rétractait sur lui-même.

Une réunion générale des Dunleavy et des Kleinfeld devenait

inévitable. Elle se fit au « Dale's Secret Harbor » au cours d'un dîner de trois heures copieusement arrosé. Par la suite, ils devinrent tout aussi inévitablement inséparables, en fonction d'une attraction mutuelle puissante tous azimuts. Betty admirait la silhouette élancée de la brune Harriet au regard noir magnétique, et Harriet se trouvait sous le charme de l'œil bleu de la blonde et gracile Betty. Quant aux hommes, chacun d'eux sentait, en tout bien tout honneur, de bonnes vibrations circuler entre lui et la femme de l'autre. La seule réserve aurait pu venir de l'inquiétude de Harriet à la pensée que son bonhomme de mari ne soit un peu trop naïf pour détecter la spéciosité dans le bagou de Craig Dunleavy. Mais, bien entendu, elle y devint aussi sourde que lui et finit par s'enticher de ce projet insensé avec le même aveuglement que les autres.

A la suite de l'épisode de la courroie de ventilateur cassée et de la scène du bar de Hermosa Beach par une après-midi pluvieuse, Craig ne supporta plus de s'en tenir aux discours. Il fallait en finir avec les palabres, prendre son souffle avant de plonger. C'était le moment ou jamais. Ils passèrent donc à l'action.

Seuls, en couple, ou tous les quatre de concert, ils commencèrent à infiltrer tous les lieux potentiels de rassemblement des désenchantés. Ils prospectèrent tout d'abord les agences pour l'emploi de villes comme Pasadena, Burbank ou Glendale. Ils assistèrent pendant des nuits entières à des parties de poker à Gardena, se fondirent à la faune du Swingles à Sherman Oaks ou à celle du Swap Shop * à Tarzana, se pardonnant les uns les autres leurs plaisirs lubriques qu'ils ne considéraient que comme des produits annexes de leur prosélytisme. Ils allèrent prendre leur dry-martinis et leurs margaritas dans toutes les boîtes propices à leur quête, mais aussi dans certaines qui ne l'étaient pas du tout, se déplaçant parfois pendant les week-ends aussi loin vers le nord que New Port Beach ou, au sud, jusqu'à San Francisco. Il leur arriva, sur le chemin du sud, de participer à des groupes de rencontre à Esalen ; d'assister à des conférences de promotion des ventes de l'E.S.T. **. Ils s'arrêtèrent même deux jours au Sandstone Ranch de Topanga Canyon pour faire du nudisme au soleil durant le jour et passer des nuits orgiaques au nom de la libération sexuelle. Mais ils gardaient toujours l'œil aux aguets et l'oreille à l'affût des signes révélateurs de vies bouleversées chez des gens qui se refu-

---

* *Swap Shop* : endroit où les couples échangent leurs partenaires.
** *E.S.T., Ehrard Seminar Training* : l'un des groupes de développement de la conscience qui ont fleuri sur la côte ouest des Etats-Unis au cours de ces dernières années. (N.d.T.)

saient à sombrer dans le désespoir et la résignation. Ils apprirent à détecter un regard triste dans un visage bronzé et souriant, à soupçonner les sanglots de la nuit dissimulés par une jovialité diurne excessive et à repérer les mains tremblantes à force de lever de trop nombreux verres. Ils apprirent également à utiliser leur charme et leur prestance physique pour séduire dans l'intimité ceux qui leur ressemblaient assez pour se rallier à leur rêve, ceux qui paraissaient capables d'aller jusqu'au bout, les vrais intrépides, ceux qui, comme eux, n'avaient plus rien à perdre. Aux élus, ils dévoilaient peu à peu leurs batteries, mais avec prudence, comme on appâte le poisson pour lui faire avaler l'hameçon avant de le ferrer. Ils commirent quelques erreurs, bien entendu. Mais relativement peu.

Quand leur champ d'action commença à se rétrécir, Craig sortit son vieux petit carnet noir — celui de Herb était en cuir marron — et ils commencèrent le recensement de leurs relations depuis les premiers jours de leurs débuts, quand Craig recrutait les laissés pour compte de la Hughes pour des travaux d'assemblage et que Herb se démenait derrière son compteur de la Standard. Ils furent stupéfaits du nombre de types qui se retrouvaient sur le pavé alors qu'ils auraient juré qu'ils feraient une brillante carrière. Une malédiction pesait-elle sur le pays ?

En six mois, leur nombre augmenta de quatre à dix-neuf, et le pli fut pris d'utiliser des noms de code. A Noël, ils se comptèrent vingt-huit qui se sentaient aussi à l'aise dans leur nouvelle identité qu'ils s'étaient trouvés mal dans leur peau dans l'ancienne. En mai suivant, le groupe de conspirateurs qui se rencontrèrent secrètement pour la toute première fois en se logeant dans plusieurs motels des alentours de Twentynine Palms, en Californie, se composait de quarante-deux hommes et de trente-six femmes, tous mariés entre eux pour la plupart, tous sans enfants, ce qui ne voulait pas dire sans vie sexuelle, et tous irrévocablement engagés dans le film. Craig et Betty et Herb et Harriet, bien entendu, portaient le total à quatre-vingt-deux personnes. Ils étaient convenus que pour parvenir à un bon fonctionnement de l'opération, il leur fallait encore environ une centaine de coéquipiers de leur trempe. Dans ce but, un comité officieux fut formé, afin de recruter à l'échelle nationale, tandis que les Dunleavy et les Kleinfeld se chargeraient plus particulièrement de réunir le matériel et d'établir le plan opérationnel. Ils ne se rencontrèrent plus que deux fois par la suite : la première au cours d'un week-end prolongé d'un jour férié, à Colorado Springs, où ils prétendirent tenir une conférence pour le réarmement moral ; la seconde, à Baja, en Californie, où leur réunion passa pour un banquet d'une association de mordus de la pêche en haute mer. Au cours de cette ultime réunion, alors que l'équipe totalisait cent soixante quatorze membres, il fut constaté qu'ils disposaient d'armes en assez grand nombre ainsi que de faux papiers et de cyanure. Ils avaient également constitué une impressionnante réserve d'explosifs puissants : chemite, pentolite et trinitrotoluène — bien cachée dans un silo des environs de Bakersfield, en Californie. Ils décidèrent donc à l'unanimité que le début des opérations prendrait place trois mois plus tard, le 10 juillet exactement.

Cela leur laisserait le temps de mettre leurs affaires en ordre et de faire leurs adieux sans éveiller de curiosités avant de se rendre, qui par avion, qui par train, prendre place à bord du *Marseille*. C'était le 10 juillet que ce paquebot de 65 000 tonneaux, orgueil de la Compagnie française atlantique, devait lever l'ancre de New York à destination du Havre.

La phase la plus difficile et la plus longue de toute l'opération, curieusement, ne fut pas celle de la mise au point des milliers de détails du plan. L'accès de Dunleavy à quelques-uns des ordinateurs les plus sophistiqués du pays avait parfois transformé l'impossible en un jeu d'enfant. C'était ahurissant de constater le nombre de relations dont on pouvait disposer sans s'en être jamais douté, et incroyable aussi de s'apercevoir que le criminel sommeille de si près sous la peau de l'homme civilisé. Plus vous êtes en nombre, plus les chances s'accroissent pour que l'un d'entre vous possède le talent nécessaire, ou connaisse quelqu'un qui le maîtrise, pour surmonter l'obstacle qui se présente à l'improviste et menace de détruire le rêve. Mais, bien entendu, la conscience omniprésente du fabuleux trésor à conquérir entretenait leur détermination, fouettait leurs appétits et les rendait intrépides.

Ce ne fut pas l'élaboration du plan ni sa préparation matérielle qui firent surgir les vrais problèmes. Ils s'étaient parfaitement débrouillés de tout ce qui pouvait se calculer, s'inventer, se dessiner, se photographier, se mémoriser, se photocopier, s'acheter, se fabriquer, se voler, se mettre au point ou se cacher dans des valises. Le seul véritable obstacle auquel achoppèrent Craig Dunleavy et Herb Kleinfeld, de même que le groupe tout entier, fut celui du facteur humain : cette vérité inéluctable qu'il existe des limites au-delà, ou plutôt, en deçà desquelles, nombre d'entre eux n'étaient pas prêts à aller — particulièrement ceux qui avaient passé la plus grande partie de leur vie en étant de braves gens.

Ils ne rencontrèrent pas de difficulté du côté des fanas de la gâchette, des sportifs sanguinaires qui prenaient habituellement plaisir à mettre de magnifiques cerfs ou autres animaux inoffensifs à leurs tableaux de chasse. Pour ceux-là, il ne s'agissait guère plus que d'une autre forme de chasse. Quant à des types comme Lou Foyles et Wendell Cronin, dont les M16 avaient parsemé le delta du Mékong de cadavres, il ne restait pas grand-chose au monde qui soit capable de leur faire bouger un cil. Mais avec les sentimentaux, ce fut une autre paire de manches. Il fallut les travailler au corps, les endoctriner, les rééduquer. Le mot atrocité dut être redéfini à leur usage comme signifiant *nécessité*. Il fallut leur donner une fièvre qui ne les quitte plus.

Au bout du compte, il avait fallu des mois de larmes amères et d'angoisse ; des jours et des nuits de plaidoyers et de persuasion, de cruauté verbale et d'aménité, de cris et de soupirs, de drogues et d'hypnose, avant que les cent soixante-quatorze ne soient tous convaincus, jusqu'au dernier, et convenus solennellement entre eux que le plan ne saurait aboutir au succès et que eux, les conspirateurs, ne pourraient réaliser leur rêve et obtenir leur liberté permanente, que s'ils étaient, les uns et les autres, prêts à accepter sans hésitation d'avoir à tout jamais les mains tachées de sang.

Chapitre II

Ses amarres avaient été larguées pendant que la fête battait encore son plein. Il s'éloigna de son mouillage, du brouhaha et de la pluie de confettis, du ciel sale caché par les tours de verre et d'acier, et descendit sereinement l'Hudson vers la mer. Il allait enfin pouvoir respirer à nouveau, retrouver la solitude, cap à l'est vers le bateau-phare Nantucket. Au cours de la nuit, il s'engagerait sur la route Charlie et tracerait son sillage dans les eaux familières et la splendeur estivale de l'Atlantique Nord. Cinq jours plus tard, si Dieu et la mer le voulaient, si ceux qui le dirigeaient et ceux qu'il transportait se montraient bon envers lui et l'utilisaient intelligemment, il serait à nouveau de retour dans sa France bien-aimée.

Le Français trapu en uniforme qui, de sa passerelle de commandement, regardait devant lui rouler le gonflement paisible des flots, se sentait inhabituellement euphorique ce jour-là et, en vérité, pourquoi ne l'aurait-il pas été? Il était de nouveau en excellente santé. Il commandait un bateau somptueux dont il était amoureux et qui, sans aucun doute, lui rendait son amour. Son état-major et son équipage représentaient non seulement ce qui se fait de mieux mais ils étaient réellement charmants. Les passagers qu'il avait observés pendant qu'ils franchissaient la passerelle d'embarquement lui avaient tous semblé beaux et sans souci, tout à fait du genre qui transforment une traversée de routine en un pur voyage d'agrément. L'économie française était florissante. Le franc, aussi solide sinon plus que l'or. La Compagnie française atlantique naviguait sur les sept mers avec une suprématie sans précédent. Et, avant longtemps, son merveilleux navire verrait sa copie

conforme fraîche émoulue des chantiers navals de Saint-Nazaire :
le paquebot *Bordeaux*.

Si Charles Girodt n'avait pas ouvert une bouteille de Veuve
Cliquot pour se joindre, sur le pont-promenade, aux festivités
qui avaient précédé l'appareillage, c'est qu'il n'éprouvait nul besoin
de boire du champagne. Il était déjà suffisamment grisé par le
sentiment de son haut rang sur la trajectoire du destin. N'avait-il
pas survécu, en le surmontant, au pire qui pouvait lui arriver ?

Deux ans plus tôt, la carrière de Girodt — spectaculaire ascension d'une rapidité sans égale du rang de lieutenant de 2ᵉ classe
jusqu'au sommet de la passerelle du *Marseille* — s'était trouvée
brutalement menacée par des troubles de santé, apparus sans crier
gare, que son médecin et ami, Henri Cachon, ne put reconnaître
que pour ce qu'il fut bien obligé de nommer des symptômes de
l'andropause. D'innombrables sautes d'humeur allant de la joie
exubérante à une profonde mélancolie, des crises de larmes mystérieuses et des colères effrayantes sans fondement durent être trai-
tées rapidement et discrètement avant que la direction de la
Compagnie française atlantique ne s'en inquiète.

Girodt avait rapidement présenté au directeur général une
demande de congé de six mois — qui lui avait été accordée sans
délai — sous prétexte d'accompagner sa femme, Josette, dans
une station thermale près de Langenthal en Suisse, pour la veiller
pendant qu'elle se remettait d'une dépression nerveuse. Henri
Cachon avait rendu de fréquentes visites à Girodt pour lui prescrire divers médicaments, y compris des sels de lithium, et, dans
le temps qu'il s'était imparti, avait réussi à lui faire retrouver totalement son équilibre. Et bien plus que cela, insista un Girodt
exultant dans l'avion qu'ils prirent pour regagner Paris, il se
sentait mieux que remis à neuf.

C'était certainement l'exacte expression de la vérité ce jour-là.
Jamais appareillage du port de New York ne l'avait vu d'une
humeur si radieuse. Comment aurait-il pu savoir, ou même soupçonner, que sur les sept mille neuf cent soixante-dix bagages
embarqués dans les cabines de tourisme et de luxe ainsi que dans
les appartements de grand luxe de son paquebot, six cent douze
étaient aménagés de compartiments secrets?

Le premier soin des cent soixante-quatorze — qui se trouvaient
répartis de long en large du bâtiment, côté bâbord et côté tribord,
de la proue à la poupe, sur tous les ponts, en première ou en
classe touriste — avait été d'en extraire tout leur arsenal personnel
de revolvers ou d'armes automatiques et d'explosifs, ou quoi que
ce soit d'autre qui leur était assigné, et de le mettre soigneusement
sous clé à portée de la main.

Cela fait, ils étaient allés se mêler aux autres passagers, s'abandonnant aux plaisirs des buffets munificents dressés pour le déjeuner dans les grandes salles à manger. Ce fut là que la tension et l'excitation commencèrent à se saisir d'eux. Il leur suffisait de se regarder dans les yeux pour savoir où ils se trouveraient et à quoi ils s'occuperaient les uns avec les autres dans si peu de temps, et la raison pour ce faire. L'impatience les gagnait. Il leur tardait qu'il soit 14 heures.

Le début de la vie nouvelle qui serait bientôt la leur devait se marquer de manière inoubliable. Aussi étaient-ils convenus de le célébrer tous ensemble, au même moment, dans l'intimité de leurs cabines, dans la luxure de l'acte qui préside à la création d'une vie nouvelle. A 2 heures de l'après-midi, rassasiés de nourriture et merveilleusement grisés par les vins et le champagne, ils se rejoindraient tous dans le grand cri d'extase qui scellerait leur connivence et leur détermination d'aller jusqu'au bout de leur rêve, quel qu'en puisse être le prix.

A la suite de ce prologue exaltant, fourbus et rayonnants d'optimisme, ils utilisèrent les douces heures ensoleillées qui précédaient le dîner à se promener, attentifs, vérifiant avec désinvolture tous les points stratégiques, satisfaits de constater que le paquebot *Marseille* ne leur réservait aucune surprise désagréable. Tout leur paraissait très familier, tout était bien identique aux diagrammes, aux photographies et aux épures qu'ils avaient étudiés et, beaucoup plus important, à la maquette géante qu'ils avaient dû, tristement et à regret, détruire avant leur départ pour New York. La salle des communications, la timonerie, la passerelle, la salle des machines, tout cela se trouvait bien là où ils s'attendaient à le trouver. L'heure n'était pas encore venue de pénétrer dans les endroits interdits. Ils les connaissaient parfaitement. D'ailleurs, d'ici peu, dans quelques heures à peine, ils s'y trouveraient pour de bon.

Ils se rencontrèrent comme prévu, par petits groupes, dans les deux vastes bibliothèques des premières et des touristes, allant et venant entre 5 et 6 heures, à peine remarqués par ceux qui n'étaient pas l'un d'entre eux. Ils révisèrent leurs consignes, comparèrent leurs impressions, échangèrent leurs observations, mais bavardèrent surtout paisiblement et aimablement, d'un ton anodin, comme des passagers qui viennent de faire connaissance. Aucun observateur fortuit n'eût été capable de déceler le lien ténu qui les différenciait des autres : une chaleur et une complicité dans le regard, où se mêlait peut-être une pointe de timidité, nées de cette délicieuse certitude partagée que chacun d'eux avait fait l'amour cet après-midi-là à 2 heures.

Quand ils regagnèrent leurs appartements ou leurs cabines pour se reposer et se détendre avant de se préparer pour le dîner et l'autre début, le vrai, tous étaient pénétrés du sentiment qu'ils venaient de passer une merveilleuse journée, l'une des plus belles de leur vie.

Aucun d'eux ne devait plus jamais connaître pareil bonheur.

Chapitre III

Les vins fins coulaient à flots dans la luxueuse salle à manger Luxembourg où régnait la bonne humeur. S'il avait remarqué quelques exceptions à cette dernière, Pierre Frontenac, le chef de réception, voulait les ignorer. Il s'efforçait de ne pas prêter attention à des passagers comme Harold Columbine ou William H. Berlin, docteur en médecine, et son épouse, Mme Julie Berlin.

M. Columbine, le très célèbre romancier américain, auteur de best-sellers volumineux ayant le sexe pour sujet principal, se trouvait en proie à de nombreux soucis quand il prit place à une table dressée, sur sa propre requête, pour une seule personne : le premier, qu'on le reconnaisse ; le deuxième, qu'on l'ignore ; le troisième, qu'il puisse ne pas découvrir — dans la salle à manger Luxembourg ou à travers les six night-clubs et les deux discothèques, et Dieu sait combien de bars, en première ou en classe touriste — *la* femme disponible, belle, excitante et consentante qu'il rêvait de rencontrer depuis maintenant deux mois. Cette dernière préoccupation était d'ailleurs l'unique raison de sa présence à bord de ce bateau plutôt qu'à celui d'un avion à réaction — quelles que soient les salades qu'il ait racontées sur son besoin de détente à son directeur de collection, son éditeur, son avocat, son agent, sa quatrième épouse dont il vivait séparé — et à cette liaison new-yorkaise qui lui pesait et dont il espérait bien qu'*elle* se séparerait de *lui* pendant la longue enquête qu'il allait mener en Espagne.

Seulement sa première soirée en mer et, déjà — il sentit l'inquiétude le prendre — il se surprenait à reluquer, à une table proche, une fille qui n'était même pas seule. Un type l'accompagnait. Il faisait une tête de mari. Ils s'adressaient à peine la parole et ne se regardaient pas davantage. Après tout, rien n'interdisait de la regarder : format miniature mais, bon sang ! quels immenses yeux bleus et quel visage ! Le reste se révélerait sûrement de premier choix. Il descendit son Gibson d'un trait et se dit qu'il aimerait la serrer de près au moins une fois, ne serait-ce qu'une seule fois.

Il semblait que Billy Berlin et Julie soient en froid. En fait, elle avait décidé de ne lui adresser la parole que pour l'essentiel, et ce soudain mutisme inexpliqué l'avait, lui aussi, plongé dans un silence gêné. Cela faisait à peine deux heures qu'elle venait de découvrir que son quelque peu infantile mari de trente-sept ans, médecin gérontologue, contrairement à sa promesse, avait clandestinement introduit et dissimulé à bord du bateau : non pas une livre d'héroïne ou une once de cocaïne, ni même un kilo d'herbe, pas davantage que l'une des filles plus que mûres et sexuellement frustrées de ses patients — celles-là faisaient le siège de son cabinet de consultations et poussaient même le toupet (mais de qui se moquait-on ?) jusqu'à lui téléphoner à leur domicile ! —, rien de cet ordre, non, son Billy ne ferait rien de semblable. Ce qu'il avait emporté et caché dans une grande valise, sous des chaussettes et des sous-vêtements, n'était rien d'autre que son maudit *émetteur-récepteur,* plus connu des cinglés du monde entier sous le nom d'Atlas-210, simple élément du précieux et ruineux fourbi de radio-amateur installé dans son cabinet de travail de leur maison de Bel-Air.

Une fois de plus, tout juste comme lors de leur voyage en Alaska ou des vacances d'hiver à Mauna Kea, et de ces deux semaines à Tahiti dont elle avait espéré que ce serait le paradis, il s'apprêtait, de toute évidence, à lui fausser compagnie en faveur de quelques dizaines de radio-amateurs amis, triés sur le volet, sur cette bonne vieille fréquence de 20 mètres. Seulement, cette fois-ci, Julie allait en tirer une vengeance exemplaire : pour le moins, elle remettrait l'équipement au commandant. « Ça n'est pas légal sur un bâtiment français, votre honneur. Monsieur, commandant, c'est une violation des règlements F.C.C. * et des Accords internationaux réciproques — ou de toute autre convention entre nos deux grandes nations. » Elle n'aurait pas en vain assisté à toutes ces réunions de radio-amateur où Billy l'avait traînée. Elle

---

* F.C.C. : *Federal Communications Commission* — commission fédérale de surveillance technique et de moralité des émissions de radio et de télévision ainsi que des compagnies de télégraphe et de téléphonie qui sont, aux Etats-Unis, des sociétés privées.

avait *écouté*. Il n'y avait rien d'autre à faire, là, qu'à écouter. Et encore écouter.

La deuxième phase des représailles allait littéralement l'anéantir. Ainsi qu'elle-même peut-être bien, mais elle en savourerait chaque minute ! Rien que d'y songer, elle en frissonnait de volupté anticipée. « Mais *qui* donc était cet homme, seul à une table, et *pourquoi* la dévisageait-il avec autant d'insistance », se demanda-t-elle comme si elle ne l'avait pas très bien compris. Elle décida qu'elle le découvrirait le soir même, fût-ce la dernière chose qu'elle ferait.

Il ne pouvait s'en prendre qu'à son trop bon caractère. Il ne se sentait pourtant pas contrarié, non, tout juste un peu agacé. Au cours de sa carrière de maître à bord de grands paquebots de ligne, personne n'avait jamais réussi à le convaincre d'inviter des passagers à sa table au cours de la première soirée de traversée — et pourtant, c'est ce qu'il venait de permettre à Pierre Broussard, du bureau de New York, de l'en convaincre :

« Naguère, lui avait-il dit, la traversée de l'Atlantique prenait de sept à huit jours, ça laissait le temps de faire connaissance. Mais aujourd'hui, cinq jours, et pouf, c'est fini. Pourquoi ne pas leur offrir Charles Girodt et l'atmosphère Françat vingt-quatre heures plus tôt que de coutume ? Rappelez-vous, mon cher Charles, que nous sommes maintenant en concurrence avec des hôtesses de supersoniques en minijupes faites dans autant de tissu que celui des soutien-gorges qu'elles ne portent d'ailleurs plus — et qui vont à deux fois la vitesse du son.

— Plutôt que de rivaliser, je préférerais voyager avec elles », avait répliqué Charles Girodt juste avant d'accepter.

Au milieu de cette réunion expérimentale, Girodt mangeait distraitement ses moules à la marinière. Il était encore trop sous le coup de son euphorie diurne pour se trouver ennuyé du caquetage de la femme assise à sa droite, une rondouillarde et insipide bavarde d'environ quarante-deux ans. Girodt prenait tout cela avec calme. D'une part, l'expérience de Pierre Broussard approvisionnerait la table du capitaine avec un nouvel échantillonnage d'hôtes pour chaque soirée en mer, et Girodt savait que cette femme sortirait de sa vie sous peu pour ne plus y reparaître. D'autre part, si celle-ci s'arrêtait de lui parler, il se pouvait que la conversation des autres convives se révèle encore plus plate.

Il la laissait donc poursuivre, sans imaginer que, d'une certaine manière, elle allait transformer sa vie à tout jamais.

Elle s'appelait Helen Wabash, Mme Ralph Wabash. Elle poussa

la candeur jusqu'à lui expliquer qu'elle avait pratiquement *obligé* le chef steward à la faire asseoir à sa table ce soir. Non pas que son mari n'en fût pas digne, il avait tout de même été vice-président de la California Chemical Bank and Trust Company avant que ces scélérats d'employés ne poussent la banque au désastre. Malheureusement, pour avoir abusé au déjeuner de ce merveilleux buffet, Ralph ne pouvait ce soir assister au dîner...

« Mais je suppose que ce qui vous intrigue *vraiment*, commandant, dit-elle quand ils en furent aux cerises flambées, c'est de savoir pourquoi je me suis *invitée* à votre table ce soir.

— Mais je ne doute pas que ce soit pour le plaisir de ma compagnie, répliqua Girodt.

— Eh bien, oui, bien entendu, il y a de cela. Mais pas uniquement, fit-elle sans le moindre humour. Voyez-vous, il y a quelque chose que je *dois* vous dire, que je ne peux vraiment pas garder pour moi.

— Je vous écoute, madame Wabash. J'espère que ce sera agréable à entendre.

— Commandant Girodt, continua-t-elle en baissant la voix sur le ton du commérage, promettez-vous de ne pas vous moquer de moi si je vous confie quelque chose de très, très absurde ?

— Je vous en donne ma parole d'honneur.

— Et vous ne révélerez jamais que c'est moi qui vous l'ai dit ? »

Il sourit :

« Jamais.

— Mon Dieu, eh bien... j'ai *surpris* une conversation aujourd'hui. J'ai une manie, qui rend Ralph furieux, celle d'écouter ce qui se dit autour de moi, en fait, d'écouter aux portes...

— La vie serait bien triste sans cela, soupira Girodt.

— Quoi qu'il en soit, poursuivit Helen Wabash, cet après-midi, comme je faisais mes trois tours de pont pour éliminer mon excès de poids, en m'arrêtant pour reprendre mon souffle, je me suis trouvée sous une fenêtre de cabine entrebâillée. C'est-à-dire que... je ne me trouvais pas exactement en dessous, mais que je m'en suis approchée en entendant un bruit de voix. Je ne peux pas m'en empêcher, capitaine...

— Nous sommes nombreux à ne pas le pouvoir, madame Wabash.

— Cet homme, celui auquel je pense, tenait alors des propos qui m'ont paru si choquants qu'il faut que j'aie mal compris. Il disait à quelqu'un, j'ignore à qui, je n'ai pu voir que *lui,* il disait : " Les passagers ne doivent jamais se douter de ce que nous projetons, ou ils feraient tous front pour nous combattre et il y aurait des morts. " (Elle hocha la tête d'un air sinistre.)

C'est ce qu'il disait : " Il y aurait des morts. " Je sais que ça a l'air ridicule et hystérique, mais c'est ce que je lui ai entendu dire. »

Le capitaine la regarda sans sourciller, conscient qu'il battait des paupières beaucoup plus rapidement qu'à l'ordinaire. D'un ton extrêmement calme, il demanda :

« Dois-je comprendre que vous avez vu cet homme ?

— Tout juste, dit-elle avec empressement. Je me suis rapprochée de la fenêtre et dès que j'ai pu le voir j'ai tourné les talons aussi vite que possible. J'étais bouleversée. Je souhaite que cela m'apprenne à ne plus écouter aux portes. »

Il lui tapota la main et lui adressa un sourire rassurant :

« Vous n'avez rien fait de mal, croyez-moi, madame Wabash. Et je suis certain que ce que vous avez entendu, ou cru entendre, ne saurait tirer à conséquence.

— Je suis vraiment très heureuse de vous l'entendre dire, capitaine. Et je suis bien soulagée d'avoir finalement pu vous en parler.

— Vous m'en voyez heureux. »

Il attendit quelques instants que le cognac qu'il venait d'avaler ait eu le temps de le réconforter avant de demander d'un air détaché :

« Croyez-vous que vous pourriez me décrire le monsieur dont vous avez surpris les propos ? Peut-être s'agit-il de quelqu'un que je connais.

— Oh, je peux faire mieux que ça, dit Helen Wabash. Tenez, c'est lui, là-bas, assis à cette table d'angle. Le brun, avec des lunettes à monture en corne et un joli bronzage. Voyez-vous qui je veux dire, en compagnie de cette ravissante femme en jaune pâle ? »

Girodt dirigea son regard dans la direction indiquée, attendit que des stewards sortent de son champ de vision et, avec un détachement affecté, observa l'homme qui n'était autre que Craig Dunleavy.

« Ah, oui, dit-il en hochant la tête. Il a tout à fait le type d'un individu dangereux. »

Il gloussa en se tournant vers elle :

« De même d'ailleurs que sa ravissante compagne. »

Helen Wabash joignit ses gloussements aux siens. Puis tous deux éclatèrent franchement de rire.

A la fin du dîner, quand ils se levèrent de table, Girodt se sentait certain de n'avoir pas manifesté la moindre inquiétude. Quant à Helen Wabash, elle se sentait tout aussi certaine qu'il allait prendre des mesures adéquates.

Ce qu'elle s'empressa de raconter à son mari un peu plus tard ce soir-là, au milieu d'un petit groupe dans le salon où se trouvaient Herb et Harriet Kleinfeld.

La convocation du commandant pour Craig Dunleavy lui parvint encore plus tôt qu'ils ne s'y attendaient : à 21 h 50.

Le plan entra immédiatement en action.

Chapitre IV

Charles Girodt servit du cognac pour deux et déposa un verre sur la table proche du fauteuil de Dunleavy avant d'emporter le sien pour aller s'asseoir de l'autre côté du bureau. Il dégusta une lampée de cognac en observant Dunleavy occupé à allumer sa pipe. Ils ne cherchaient ni l'un ni l'autre à se préparer silencieusement au combat ou à gagner du temps. Girodt trouvait que le bel Américain brun assis devant lui ne paraissait pas le moins du monde troublé ou curieux de la convocation intempestive que lui avait adressée le maître de bord. Girodt ne l'avait pas encore catalogué comme adversaire, mais se disait que s'il en devenait un, il se révélerait probablement redoutable. Dunleavy ne ressentait ni nervosité ni appréhension, mais prenait intimement la mesure du degré de trac qui peut pousser un acteur à donner le meilleur de lui-même. Conversations, rêves et projets faisaient maintenant partie d'un monde révolu. Un autre s'ouvrait devant lui. Dunleavy se trouvait en face de la première des nombreuses minutes de vérité qu'il aurait à affronter dans les jours à venir. Il voulait gagner. L'échec ne pouvait rien signifier d'autre pour eux que la mort : celle de l'esprit comme peut-être aussi celle du corps.

« Monsieur Dunleavy, vous me voyez très embarrassé, commença Charles Girodt. Un membre de mon équipage m'a rapporté vous avoir entendu tenir des propos au sujet d'un projet que vous auriez, et qui pourrait se révéler déplaisant pour les passagers, et risquerait même d'entraîner violence et mort d'homme. Vous me pardonnerez de mentionner des ouï-dire dans une conversation comme celle-ci. Néanmoins, vous comprendrez qu'en tant que commandant de ce bâtiment, j'ai cru devoir me plier à la formalité de ce bref entretien avec vous afin de réfuter ces ragots et de pouvoir dormir avec la conscience tranquille du marin qui se loue du devoir accompli. Vous pouvez rire de moi si le cœur vous en dit, et je le comprendrai. Mais c'est l'unique raison pour vous avoir demandé cette entrevue à une heure aussi indue. »

A part le bruit de succion de Dunleavy sur sa pipe pour l'empêcher de s'éteindre, on n'entendit pendant quelques instants aucun autre son dans les quartiers du capitaine que le bruissement de l'air conditionné et le craquement presque imperceptible de la lutte du paquebot géant pour fendre les flots. Il but une gorgée de cognac et reposa le verre devant lui en regardant son hôte :

« Aucun mal ne sera fait à vos passagers par moi ou mes collègues, dit-il d'un ton aussi pondéré que possible. Il ne se passera rien de déplaisant ni de violent de notre fait, tout au moins aussi longtemps que nous obtiendrons une totale coopération de *votre* part, commandant, et de tous les membres de l'état-major et de l'équipage du *Marseille,* ainsi que de la direction de la Compagnie française atlantique à Paris, New York ou n'importe où ailleurs. »

Charles Girodt hocha lentement et mécaniquement la tête, se refusant à accepter le message que lui transmettaient tous ses organes vitaux : que la vie qu'il avait connue et aimée depuis cinquante-quatre ans venait brusquement de prendre fin pour faire place à un inconnu vaguement menaçant.

« Je vous assure, monsieur Dunleavy, dit-il sur un ton aussi aimable qu'il put, que la coopération vient aussi naturellement que la respiration à ceux qui sont assez heureux pour être employés par la Compagnie française. Nous sommes ici pour vous servir. Nous ferons de notre mieux pour vous rendre, ainsi qu'à vos amis, ce voyage aussi plaisant que possible.

— A ce que je vois, commandant, vous préférez que nous perdions un peu de temps à éluder l'inévitable vérité. Moi, je veux bien si ça peut vous rendre les choses moins pénibles. Vous ne me croirez peut-être pas, commandant Girodt, si je vous dis que j'éprouve une grande admiration pour vous et vos semblables. Je tiens encore·à vous assurer qu'il n'entre aucune animosité personnelle dans ce que nous allons faire. »

Girodt avait de plus en plus de mal à se débattre avec son message interne.

« L'animosité, fit-il en essayant de sourire sans y parvenir, se trouve en contradiction totale avec l'esprit que nous nous efforçons de maintenir sur la flotte de la Française atlantique,

L'animosité ne se rencontre pas en mer. Reprendrez-vous un peu de cognac, monsieur Dunleavy ?

— Vraiment, commandant, pourquoi refuser de voir les choses en face ? dit Dunleavy qui, en constatant sa souffrance, trouvait inutile de la prolonger.

De plus, il savait qu'en cet instant les autres avaient disposé de suffisamment de temps pour se rendre maîtres de la situation.

Dunleavy interrompit un geste soudain que venait de tenter le commandant en tendant le bras vers une des sonnettes dont s'ornait son bureau par :

« Non. A votre place je n'en ferais rien. »

Girodt ramena sa main en arrière et se frotta le visage, comme s'il voulait en effacer l'expression douloureuse qui commençait à s'y inscrire.

« Vous avez parlé de " coopération ", monsieur Dunleavy. Peut-être pourriez-vous être un peu plus explicite en me disant ce que vous entendez par là.

— Bien volontiers, commandant, dit Craig Dunleavy en se mettant debout, pris d'un besoin de marcher. Je vous suggère de prendre des notes sur ce que je vais vous dire, afin d'éviter tout quiproquo. Ce bloc sur votre bureau, dit-il en le désignant du doigt, fera l'affaire. »

Il attendit que Girodt prenne un stylo et ouvre le bloc.

« Je vous écoute, monsieur Dunleavy.

— Je vais tout d'abord vous donner un aperçu. J'ai, avec un groupe de collaborateurs — dont je vous tairai le nombre pour l'instant, mais il est important et suffisant — investi votre bateau. »

Charles Girodt rejeta le stylo sur le bureau et leva les yeux vers l'Américain avec une expression d'ennui et de profonde incrédulité, s'efforçant de se convaincre lui-même de l'impossibilité de cet exposé.

« Allons donc !

— Votre réaction me flatte, commandant. Elle me donne le sentiment que vous considérez comme impossible à faire ce que nous avons réalisé.

— J'ai essayé de me montrer courtois, monsieur Dunleavy...

— Avancez donc jusqu'au hublot, commandant, et regardez la lune. Observez sa position. S'il vous plaît, faites ce que je vous demande. »

Girodt dévisagea Dunleavy, puis sortit de son fauteuil et se rendit au hublot.

« Il y a une demi-heure, dit Dunleavy, la lune se trouvait à tribord. Vous pouvez voir qu'elle se trouve maintenant à bâbord.

— Cela ne signifie rien, dit Girodt que la colère gagnait.

— Mes hommes, fit Dunleavy calmement, c'est-à-dire ceux d'entre nous qui se trouvent maintenant dans la timonerie et le kiosque de navigation, ont apporté une altération à la course du navire. »

Sans un mot, Girodt se dirigea rapidement vers son bureau et décrocha l'un des nombreux téléphones qui s'y trouvaient. Il pressa un bouton deux fois et dit :

« Le commandant à l'appareil. Qui êtes-vous ?

— Premier officier Henri Ferret, lui répondit-on.

— Se trouve-t-il des personnes non accréditées sur la passerelle en ce moment ?

— Oui, commandant.

— Combien ?

— Trois, monsieur.

— Je veux qu'on les en chasse immédiatement.

— Je crains que ce ne soit pas possible, commandant.

— Refoulez-les, Ferret.

— Ils sont armés, monsieur.

— Tous ?

— Absolument.

— Avez-vous changé le cap ?

— Oui, commandant.

— Je n'ai jamais donné pareil ordre, Ferret.

— Je sais, commandant.

— Le nouveau cap est mis sur ?

— Au sud-est, monsieur. A 145 degrés.

— Au sud-est...

— Oui, commandant. »

Girodt regarda le combiné du téléphone dans sa main, et le raccrocha violemment en proférant des obscénités qui n'avaient pas effleuré ses lèvres depuis de nombreuses années.

« Dunleavy, dit-il d'une voix dure, enjoignez à vos hommes d'évacuer la passerelle sur-le-champ et de nous remettre leurs armes. Il est encore temps de considérer cet attentat comme une farce inspirée par l'ivresse et de s'en tenir là. Mais tout autre altération de la course de ce bâtiment ne saurait être tolérée. Peut-être n'avez-vous pas conscience de la gravité des conséquences de vos actes.

— Pardonnez-moi, commandant, dit Dunleavy en hochant la tête d'un air las. Je n'ai plus la patience d'écouter vos boniments. Je préciserai tout d'abord que nous nous sommes emparés de toutes les armes à feu de ce navire. Ce qui signifie que vous êtes, ainsi que votre équipage, sans défense. Ce qui signifie qu'il est parfaitement grotesque de rester planté là à me dire ce que vous ne sauriez tolérer. Ce qui signifie que nous sommes maîtres à bord. Veuillez donc vous asseoir, commandant. Et reprendre votre bloc et votre stylo, commandant. Et cesser de perdre du temps, car j'ai beaucoup à vous dire. Allons, commandant. Ne m'obligez pas à sortir un objet de ma poche et à le braquer sur vous. Je me sentirais ridicule. »

Girodt serrait les lèvres et contemplait Dunleavy fixement. Il finit par se détourner et aller s'asseoir derrière son bureau.

« Très bien, fit-il d'un ton glacial. Videz votre sac. Et n'oubliez rien. Peut-être aurez-vous ensuite l'obligeance de vous retirer avant que je fasse quelque chose que nous pourrions tous deux regretter.

— Bloc et stylo, commandant. Quant à des menaces, remettez-les donc à plus tard.

— Je vous écoute », dit Girodt.

Dunleavy ralluma sa pipe et commença à parler en marchant de long en large :

« La passerelle, bien entendu, n'est qu'un des nombreux centres vitaux que nous avons investis. Nous contrôlons totalement, par exemple, la salle des transmissions. Je vous suggère de vérifier ce que je vous dis quand je vous aurai quitté, ne serait-ce que pour satisfaire votre curiosité. Toutes les radiocommunications avec les stations de votre compagnie et avec son siège à Paris se poursuivront comme si de rien n'était. Il en ira de même pour tous les contacts avec les bâtiments navigant : gardes-côtes, marine militaire, radio marine, etc. Il est absolument impératif, commandant, notez-le expressément, que personne, je répète, personne au monde en dehors de ce bateau, ne sache qu'il se passe à bord du *Marseille* quoi que ce soit d'anormal. Les liaisons radiotéléphoniques seront normalement assurées, mais ceux d'entre nous qui contrôleront votre standard couperont tout appel comportant la moindre suggestion indésirable. Le service télex sera également normalement assuré par vos officiers de transmissions. Nous ne voulons pas que vos passagers s'étonnent de ne pas recevoir les cours de la bourse ou toute autre nouvelle du monde. Jusqu'au moment qui nous conviendra, nous voulons que les passagers, les bureaucrates de la Compagnie française atlantique et le reste du monde croient le *Marseille* sur sa route habituelle. Est-ce que tout est bien clair jusqu'ici, commandant Girodt ?

— Malheureusement, oui, fit Girodt. Mais tout cela est aussi pitoyable que casse-cou et voué à l'échec. Il me suffirait de m'assurer que vous ne regagniez pas votre cabine vivant, et tout serait terminé.

— Vous pouvez me tuer, ou n'importe lequel d'entre nous, six ou dix, et nous serons immédiatement remplacés par des dizaines d'autres. Voyez-vous, commandant, j'ai un très net avantage sur vous. *Je connais notre nombre, vous pas. Je connais personnellement chacun de nous, vous pas.* Nous sommes disséminés d'un bout à l'autre de ce bateau, aussi anonymes que n'importe quel passager, tous hautement spécialisés, lourdement armés et plus que motivés. Je ne voudrais pas que vous, votre équipage ou n'importe quel passager, en veniez à une fatale méprise quant au sérieux de nos intentions. En fait, pour l'instant, les passagers doivent tout ignorer de la situation et l'équipage devra se comporter en conséquence. Mes compagnons ont dans leur garde-robe de quoi se vêtir en membre de l'équipage ou de l'état-major si nécessaire. Rien d'anormal ne saurait attirer l'attention des passagers si vous vous montrez coopératif. Il est essentiel que vous gardiez toujours présent à l'esprit que tout le monde à bord de ce bateau sera considéré comme otage. Non seulement une vie nous répondra d'une autre si nous devions en arriver là, mais nous exécuterons sommairement quiconque se mettrait en travers de notre chemin. Est-ce bien compris ?

— Et si je n'avais pas compris, si je vous disais que je trouve vos propos incohérents, que feriez-vous, monsieur Dunleavy ? Me revolveriseriez-vous ou me pendriez-vous pour manque d'intelligence à saisir les prétentions ridicules d'une bande de fous ? Vous mériteriez, ainsi que vos compagnons, d'être traités comme des demeurés mentaux. Il faut vraiment une certaine sorte de débilité mentale pour croire qu'un bateau aussi grand et aussi reconnaissable que le *Marseille* peut être détourné de sa route vers l'Atlantique Sud sans être reconnu par des dizaines de navires de plaisance ou marchands ou Dieu sait combien d'avions ou de bâtiments de guerre ! »

Dunleavy sourit sans chaleur :

« Pardonnez-moi de vous le dire, mais votre bien-aimé *Marseille* ne représente pas plus qu'un fétu de paille sur l'océan. Néanmoins, nous aurions encore considéré le plus infime hasard qu'il puisse être repéré comme contraire à nos plans si nous n'avions appris que son navire jumeau, le *Bordeaux*, devait faire, au cours de cette semaine et de la suivante, un voyage d'essai secret dans l'Atlantique Sud.

— Vous ne pouvez pas savoir cela ! s'écria Girodt, se sentant soudain trahi par il ne savait qui. Personne ne peut savoir cela. Même moi, je suis supposé l'ignorer.

— Mais vous le savez pourtant, lui répliqua Dunleavy avec un calme exaspérant. Et si vous le savez, pourquoi ne le saurais-je pas ? Pourquoi l'un de mes compagnons ne connaîtrait-il pas quelqu'un à Nice dont le frère serait membre de l'équipage des essais ? Et si je suis au courant, je puis vous assurer que tout officier de marine digne de ce nom navigant sur l'Atlantique doit l'être de même.

— Ce n'est pas possible, dit Girodt.

— J'en serais bien étonné, rétorqua Dunleavy, après tout le mal que nous nous sommes donnés pour *répandre* ce prétendu secret, commandant. »

Girodt se refusa à lui donner la satisfaction d'un commentaire.

« Mais, comme deux précautions valent mieux qu'une, poursuivit Dunleavy, mes hommes enlèveront à la nuit l'illustre nom du *Marseille* de la proue et des cheminées. Nous n'avons pas encore décidé si nous repeindrions les cheminées d'une autre couleur. Cela implique quelque chose de dégradant, comme s'il s'agissait d'un vol de voiture. »

L'angoisse qui s'empara de Girodt à l'idée de cette mutilation de son bateau était plus qu'il ne pouvait dissimuler. Il se prit la tête entre les mains :

« Mais pourquoi, pourquoi nous faites-vous cela ? gémit-il.

— Vous en serez informé en temps voulu, répondit Dunleavy. Pour l'instant, qu'il vous suffise de savoir que si nous agissons ainsi, c'est afin de nous permettre de commencer une autre vie, loin des Etats-Unis, dans un pays qui refuse l'extradition et sera ravi de nous recevoir. Avez-vous d'autres questions à me poser avant que je rejoigne ma femme et mes amis ?

— Oui, dit Girodt d'un ton las en abaissant les mains de son visage. Que ferons-nous si les passagers venaient à avoir vent de l'affaire et que nous nous retrouvions face à une situation d'hystérie collective ? »

Il s'en voulut immédiatement d'avoir demandé le moindre conseil à cet homme.

« Ayez ce soir une série d'entrevues avec les membres de votre état-major et de votre équipage, dit Dunleavy. Vous les informerez de mes consignes, du besoin absolu du secret et, vous me pardonnerez le mot, d'*obéissance*. Faites cela, et tout se passera très bien, nous n'aurons, ni vous ni moi, à traiter avec le délire de gens apeurés. Ce qui pourrait tourner très mal, ne croyez-vous pas, commandant ? »

Charles Girodt se perdit un instant dans la vision cauchemardesque de femmes en larmes, d'enfants et d'hommes hurlant, s'écroulant sous le feu de pelotons d'exécution ou précipités pardessus bord. Il reprit ses esprits en sursautant.

« Oui... oui... »

Il se leva avec l'intention de dire : " Ce sera tout. " Mais ce qui lui échappa fut ;

« Est-ce que ce sera tout ?

— J'espère que non, commandant, sourit Dunleavy. J'espère que nous aurons demain une journée agréable et ensoleillée. Bonne nuit. »

Girodt le regarda sortir d'un œil fixe en se disant intérieurement : " Comment ce salopard ose-t-il me sourire ? "

Puis il pressa sur son bureau le bouton de l'interphone qui le reliait à son aide et dit dans le haut-parleur :

« Venez ici tout de suite. »

Ils dansaient au son de la musique de l'orchestre *Quartier Latin*, les yeux dans les yeux, leurs corps ondulant face à face à quelques dizaines de centimètres de distance. Mais sous peu, contrairement aux autres danseurs de la discothèque, ils se retrouvèrent étroitement enlacés. Elle s'accrochait à lui tout autant pour se retenir du vertige que lui avaient donné trois dry-martinis que pour sentir l'érection virile qu'il pressait contre elle.

« Je suis tellement étourdie, dit Julie Berlin, que j'ai du mal à me tenir debout. Est-ce que je peux me tenir sur vos pieds plutôt que sur les miens ?

— Vous devriez vous allonger, répondit Harold Columbine en lui caressant l'oreille de ses lèvres, et je sais exactement où. »

Il l'embrassa dans le cou, et Julie voulut lui dire de se montrer prudent, que l'on pourrait les voir, mais elle n'avait pas vraiment envie qu'il le soit et, de plus, le seul qui aurait pu les surprendre ensemble, c'était Billy. Et Billy dormait comme une souche dans leur appartement de première classe. Ça n'avait pas été si simple d'attendre qu'il se soit endormi pour partir, ni de laisser un mot, imprécis quant à l'heure, disant qu'elle se rendait à la bibliothèque pour écrire quelques lettres. Elle avait dragué Columbine au bar du « Café Montmartre », ou peut-être était-ce *lui* qui l'avait draguée *elle*. Le suivre dans la relative sécurité de la classe touriste s'était révélé presque tout aussi simple. Après deux verres, elle s'était remise de sa première surprise de découvrir qui était en réalité cet homme au regard gourmand, et ne se sentait plus en état de réfléchir à quoi que ce soit. Elle n'éprouvait plus que des sensations, érotiques en majeure partie.

« J'ai la tête entre les jambes, pensa-t-elle à mi-voix en ondulant sur le tempo de la musique.

— C'est une constatation ou une invitation ? demanda-t-il.

— Mêlez-vous de ce qui vous regarde, fit-elle avec un sourire béat.

« — Très bien, dit-il en jetant un coup d'œil sur sa montre-bracelet. »

Presque minuit et demi. Il était temps de passer à l'attaque. Ça commençait à lui faire mal aux couilles de bander dans son pantalon étroit. Pendant toutes ces années, au cours de ses escapades de ses prisons conjugales et de ses permissions de voyager seul, il n'avait jamais avant cette nuit rien levé aussi vite ni aussi facilement que ce ravissant petit lot. Ce n'était peut-être pas le gabarit à concourir pour un premier prix de beauté, mais elle avait vraiment beaucoup de chien. De plus, elle était mariée, donc sans problème. Et elle ne demandait que ça. Et sait-on, avec un peu de veine, ça pourrait même être un bon coup.

« Allons dans ma cabine, dit-il, voir si un verre vous remettra en forme.

— Harold, bredouilla-t-elle, auriez-vous l'intention de faire de moi un personnage de votre prochain best-seller porno ? »

" Mais qu'est-ce que je raconte ! pensa-t-elle. Je suis complètement pétée. Si Billy pouvait me voir, ou même m'entendre, il serait atterré... Qu'il aille au diable ! "

« J'en déciderai, disait Harold Columbine, à la suite de l'essai que nous allons faire cette nuit.

— Je vous plais, Harold ? Je vous plais beaucoup ?

— Eh bien, je dois dire, à ce point-là... »

Il prit dans la sienne sa main qui se trouvait sur son épaule et, relâchant son étreinte sur son dos, s'écarta d'elle de quelques centimètres pour la guider vers la partie inférieure de son corps qui s'était pressée contre le sien. Elle y attarda une main caressante.

« Mon Dieu ! fit-elle admirative.

— 416, sur le pont supérieur, murmura-t-il. Allez-y la première. Je vous rejoins dans dix minutes. »

Il écarta sa main et y glissa la clé de sa cabine.

« Allez. »

Elle l'embrassa à pleine bouche avant de s'éloigner. Il se tenait sur le bord faiblement éclairé de la piste de danse, moins pour regarder se mouvoir ses hanches souples pendant qu'elle s'avançait au milieu des tables vers la sortie que pour laisser le temps à son érection de retrouver un profil plus décent avant d'entreprendre lui-même la traversée. Mais pour une fois dans sa vie d'homme d'âge moyen, la gravité se refusait à battre en brèche les effets de ses désirs libidineux.

" Sa main en était responsable, se dit-il. Celle-là a plus de pouvoir dans sa seule main gauche que Ruth dans son corps tout entier. "

La musique s'arrêtait, il fallait quitter la piste. Malgré la saillie que présentait sa silhouette, il réussit l'exploit de traverser la salle en passant inaperçu. Mais quand il sortit dans le couloir brillamment éclairé en se trouvant à quelques pas de deux femmes endimanchées qui attendaient leurs époux devant les toilettes des messieurs, il partit résolument dans la mauvaise direction plutôt que d'exhiber sa concupiscente personne devant leurs yeux.

Cinq minutes plus tard, force lui fut de constater qu'il ne saurait plus retrouver son chemin. Consumé par le désir ardent de regagner sa cabine pour y mordre la main qui l'avait caressé, il résolut de demander son chemin sur place et sur l'heure, sans se soucier de ce que sur la porte marquée *Transmissions* figurât également la mention *Entrée interdite*. Il fit irruption si brusquement dans la salle que les hommes braquant leurs affreux revolvers sur les officiers radio n'eurent pas le loisir de les dissimuler à sa vue.

« Houp... je suis désolé », dit-il en sentant son cœur chavirer, tout en sachant, avant même de voir l'expression de leurs visages qu'il était trop tard pour s'excuser.

Le grand paquebot traçait son sillage vers le sud-est sous le clair de lune tandis que ses milliers de lumières rivalisaient d'éclat avec un ciel constellé de joyaux. Le doux et lent roulis du bateau et la légère vibration hypnotique de ses parois berçait les rêves de Julie Berlin profondément endormie sur le grand lit de la cabine de luxe de Harold Columbine. Il était plus de 3 heures du matin quand, les brumes du gin s'estompant, elle se réveilla. Elle bondit du lit, ahurie, alluma les lumières, consulta sa montre-bracelet et maîtrisa une panique naissante. Elle regarda alentour :

« Harold ? interrogea-t-elle. Hello ? » fit-elle en jetant un coup d'œil dans la salle de bains.

Il ne se trouvait pas non plus dans le salon.

Elle glissa sa main sous sa jupe. Culotte intacte. Elle la baissa pour explorer entre ses jambes. Tout était sec, propre, net. Personne ne l'avait touchée. " C'est un peu fort ! " pensa-t-elle. La mémoire lui revint : l'immonde salaud lui avait donné sa clé uniquement pour se débarrasser d'elle. Dans le flash plein de flou qui lui vint à l'esprit, elle le voyait entraîner une autre femme plus voluptueuse qu'elle hors de la piste de danse et la suivre dans sa cabine. Quelqu'un allait lui payer ça...

Il lui semblait que sa tête allait éclater et elle avait la bouche sèche et amère. Elle se glissa dans le corridor, désert à souhait, mais dont la lumière crue frappa ses yeux comme des poignards de feu. Quand elle entra dans l'appartement, Billy ronflait doucement, sans avoir bougé d'un pouce de la position dans laquelle il se trouvait, des heures plus tôt, quand elle l'avait quitté. Elle se dévêtit en rageant et jeta ses vêtements en tas dans un placard, éteignit les lumières, et se glissa dans le lit, se jurant avant de s'endormir de faire payer tout cela cher à Billy, le lendemain.

Chapitre V

Dans le petit bâtiment en stuc, à Audierne, sur la côte Ouest de la France, Bernard Delade se leva de son poste de commandes et s'avança vers les fenêtres dont il entrouvrit le store vénitien afin de pouvoir regarder au-dehors. Il cligna des yeux dans le soleil levant puis promena son regard sur le vaste champ planté d'antennes qui s'étendait presque jusqu'au sommet des falaises surplombant la mer. Il observa attentivement l'antenne en V tournée à l'ouest, en direction du premier palier de points de comptes rendus de la route suivie par la flotte de la Compagnie française sur l'Atlantique Nord au cours des traversées New York-Le Havre. La position des deux bras de l'antenne en V paraissait parfaitement normale. Delade referma le store vénitien et retourna prendre place à son poste radio. Le bizarre flottement, la basse position du S-mètre indiquée par les signaux en provenance du *Marseille* au cours de son rapport de point devaient probablement être imputés, décida Delade, aux phénomènes imprévisibles engendrés de nos jours par la dégradation du cycle des taches solaires. Il ne pouvait avoir aucune raison de soupçonner que le *Marseille*, filant plus de 30 nœuds dans des eaux calmes, était déjà sorti de l'étroit lobe émetteur-récepteur du faisceau hautement directionnel de l'antenne en V.

Le rapport de position que Delade venait à l'instant de retransmettre à Paris — dicté sous la menace depuis la salle de transmissions du bateau — était inexact de près de 400 mille marins.

Ce matin-là, Filomena Mandrati, une petite Milanaise rondouillarde de vingt-six ans, qui servait comme femme de chambre de la classe touriste depuis près de deux ans, agit ainsi qu'elle n'aurait jamais dû le faire et comme elle n'aurait plus jamais l'occasion de recommencer : elle se laissa séduire à manger quelque chose entre les repas. Filomena se soumettait à un régime strict qui la faisait mourir de faim. Elle ne supportait ces privations et se refusait les plaisirs de la table que dans le seul but de plaire à Enrico. Elle était en adoration devant un petit commis de restaurant de la salle à manger Vendôme. Filomena aurait fait n'importe quoi pour Enrico, et il y avait de nombreux endroits à bord de l'immense *Marseille* où ils se retrouvaient tard dans la nuit pour cette unique raison : faire plaisir à Enrico.

« Allons, goûtez cela, j'insiste », avait dit Mme Gwendolyn Parker à Filomena en plaçant tout d'abord un croissant sur une petite assiette puis en versant une tasse de thé chaud.

La jolie dame blonde de Californie s'était montrée si amicale envers Filomena qu'elle avait eu bien du mal à lui résister avant de succomber :

« Il sera fâché, et il me battra, avait-elle essayé de plaisanter.

— Enrico vous battrait ?

— *Si, si*. Il me veut aussi maigre comme lui, comme un bout de bois. »

Elle aurait dû se montrer moins bavarde, mais la dame américaine l'écoutait avec tellement d'attention, en mangeant délicatement son petit déjeuner que Filomena n'avait pu se retenir de babiller. Elle avait commencé par parler de sa mère et de son père, puis de ses oncles et de ses tantes, et des cinq frères et des quatre sœurs. Puis elle avait dit comme elle se sentait honteuse de peser 73 kilos, ce qui l'avait conduite à parler de Enrico. Sans plus réfléchir, elle s'était mise à raconter comment, la nuit précédente, dans une coursive de la cale, il avait remarqué quelque chose qui ressemblait à une chaîne d'explosifs. Il n'en soufflerait certainement pas mot, car il était descendu là-dedans pour se ravitailler à sa cachette de marijuana. Un jour, il se ferait sûrement pincer. Tout serait alors fini pour elle et son cher Enrico. Enrico serait probablement très en colère s'il apprenait qu'elle avait raconté cela. Son nom de famille ?

« Senestro. Enrico Senestro, Signora Parker. Vous ne le dénoncerez pas ? Ils le débarqueraient s'ils savaient qu'il cache de l'herbe. Il irait en prison.

« — Ne vous inquiétez pas, mon enfant. Bien sûr que non »,
dit Gwendolyn Parker avec un sourire rassurant.

Ce fut alors qu'elle commença à insister pour que Filomena
partage son petit déjeuner.

Il ne restait plus d'espoir à présent pour la rondelette petite
Milanaise. Elle avait beau s'efforcer de s'occuper à tourner et
retourner les oreillers du lit, elle savait qu'elle n'aurait pas la
force de refuser. Il était même possible que, avant de partir faire
le ménage de la cabine voisine, elle avale les trois pâtisseries
qui restaient sur le plateau d'argent.

« Tenez, Filomena, dit Gwendolyn Parker en lui tendant la
petite assiette, goûtez-y seulement, et redites-moi ensuite que vous
n'en voulez vraiment pas. »

Elle retint momentanément la tasse de thé.

« *Grazie* », dit Filomena en regardant fixement le croissant
doré.

Elle le prit lentement, s'efforçant de paraître détachée, alors
qu'elle salivait en songeant au merveilleux goût moelleux de la
pâte feuilletée. Elle regarda la dame américaine avec un petit
sourire embarrassé et porta le croissant à ses lèvres. Elle ouvrit
la bouche et, avec un secret frisson d'abandon, elle caressa le
morceau de croissant du bout de la langue avant de le croquer.

L'expression de surprise et d'agonie qui se refléta instantanément dans ses yeux obligea Gwendolyn Parker à se détourner
pendant les quelques secondes de grand silence qui précédèrent
la mort de la jeune fille et sa chute sur la moquette.

Gwendolyn Parker bondit alors vers la porte fermée de la salle
de bains contre laquelle elle toqua en appelant :

« George ? »

La porte s'ouvrit devant son mari : un homme aux cheveux
flous, âgé de quarante-huit ans, qui portait une petite moustache
et avait les yeux bleus. Il alla rapidement s'agenouiller près du
cadavre allongé sur le sol, puis se releva en interrogeant sa femme
du regard. Elle commença d'une voix tremblante à lui raconter
ce qui s'était passé et poursuivit ses explications pendant qu'ils
se rendaient de part et d'autre du lit pour dégager le drap du
dessus des couvertures.

« Il l'a découvert accidentellement la nuit dernière. Senestro.
Enrico Senestro. Un commis de notre salle à manger...

— C'est noté. »

Ils apportèrent le drap au-dessus du corps et l'enroulèrent dans
ce linceul.

« Elle est la seule à qui il en avait parlé jusqu'ici.

— Il vaut mieux que tu en termines seule avec cela, dit George Parker, je vais aller m'occuper de lui. »

Il se leva pour aller prendre dans le placard un veston qu'il enfila. Avant de sortir, il vint l'embrasser sur le front et lui tapota doucement les cheveux :

« Allons, Gwennie. Allons, c'est fini...

— Sois prudent, lui dit-elle. Pour l'amour de Dieu, George, je t'en prie... »

Elle attendit que la porte se referme derrière lui. Puis, tandis que ses mains continuaient d'enrouler dans le drap ce corps doux et encore tiède à la poitrine pleine, elle craqua et se mit à pleurer.

En dépit des instructions formelles dictées la nuit précédente par Craig Dunleavy, Charles Girodt n'avait pas voulu les révéler à tout son équipage du haut en bas de l'échelle. Il craignait des réactions imprévisibles, particulièrement de ceux de la coquerie et des mécaniciens dont certains avaient la tête près du bonnet. Il redoutait de se trouver en face d'une hystérie et de crises de nerfs qui risquaient de dégénérer en violence et de compromettre la sécurité de ses passagers. Il avait donc choisi d'adopter la ligne de conduite qui lui paraissait la plus sage : convoquer les membres de son état-major responsables des différents services du bâtiment. Ils se trouvaient maintenant tous réunis dans ses quartiers.

Il attendit patiemment que son second, André Leboux, ait terminé de lui faire, très sérieusement et dans son style fleuri coutumier, son rapport sur les exercices du matin avec les canots de sauvetage. Les passagers s'étaient montrés très coopératifs au cours de la manœuvre, rapporta Leboux, ils avaient agi avec beaucoup d'empressement, si bien que l'ordinateur Orion 98 de la timonerie donnait un temps écoulé — depuis la première seconde de l'alarme jusqu'à ce que tous les canots de sauvetage soient théoriquement remplis, mouillés, et en sécurité au large du bateau — de 13 minutes 4 secondes et 8 dixièmes. Ce qui représentait deux minutes de plus que le record de 11 minutes, 9 secondes et 3 dixièmes établi l'année précédente au cours d'une traversée est-ouest par les passagers et l'équipage du *Marseille*.

Charles Girodt félicita Leboux de cette excellente performance puis, s'adressant à l'assemblée, raconta aussi succinctement mais fidèlement que possible tout ce qu'il savait sur les détestables circonstances survenues à bord du *Marseille*, tout en se doutant que, parmi les hommes présents, certains devaient en savoir plus que lui. Il les trouva tous d'un calme admirable. En plus du second capitaine, Leboux, il y avait là le radio-chef Christian Specht ; le chef mécanicien Pierre Demangeon ; le commissaire de bord Emile Vergnaud ; le médecin-chef du bord Yves Chabot ; le premier lieutenant Henri Ferret ; le second lieutenant Jacques Dulac ; et le troisième lieutenant Lucien Plessier.

« Je serais heureux d'écouter vos questions ou vos suggestions, dit le maître du *Marseille* à la fin de son exposé.

— Commandant, dit le chef mécanicien qui fut le premier à prendre la parole, supposez que ce Dunleavy bluffe. Rien ne nous prouve que lui, ou ses complices, recouraient réellement à la force si nous leur résistions.

— Avec votre permission, rétorqua le radio-chef Christian Specht, je puis vous apporter quelques lueurs sur ce point.

— Nous vous écoutons, lui répondit Girodt.

— La nuit dernière, un passager de première classe, un nommé Columbine, a pénétré par erreur dans la salle des transmissions. Mes hommes m'ont rapporté qu'il a été assommé violemment et emporté. Ils semblaient très pessimistes quant au futur immédiat de ce M. Columbine. Je voudrais également ajouter *ceci* à ce que le commandant Girodt vient de nous exposer : l'efficacité et la compétence avec lesquelles ces bandits ont pris en main mon service est stupéfiante. Je crains de devoir affirmer qu'ils en savent plus que mes propres hommes sur nos appareils, leur fonctionnement, et les fréquences utilisées. Nous n'avons pas affaire à des dilettantes. Il ne faut pas nous faire d'illusions là-dessus.

— Commandant Girodt », fit le deuxième lieutenant, Jacques Dulac en levant la main pour demander la parole.

Sur le signe de tête qui la lui accordait, il poursuivit :

« Parmi l'équipage et les passagers, il y a bien quinze cents hommes. Ne pourrions-nous encercler ce groupe qui nous menace et qui ne dépasse certainement pas deux cents personnes ? Pour quoi ne pas les acculer dans un recoin du bâtiment et les y enfermer ou les jeter par-dessus bord ?

— Comment ferez-vous pour les identifier, Dulac ? le questionna Girodt. Rien ne les distingue des autres passagers. Ils ne se dévoilent jamais que par groupes de deux ou trois. Ils se déguisent parfois en membres de l'équipage, avec des uniformes, des perruques, des moustaches. Dites-moi leurs noms et où les trouver, j'essaierai alors de répondre à vos questions.

— Il est donc évident, continua Jacques Dulac, que notre premier objectif, c'est de mettre au point un système pour les repérer. »

On frappa à la porte.

« Entrez ! », lança Girodt sur un ton irrité.

Léon Carpentier, l'ordonnance du premier capitaine, glissa la tête par la porte entrebâillée, et ravala sa salive à la vue de toutes ces ficelles dorées :

« Excusez-moi, commandant, bredouilla-t-il.

— Que se passe-t-il ?

— Diverses choses, commandant. Une dame, commandant, une passagère de première classe, une Mme Berlin, demande à vous rencontrer, et aussi...

— Je ne peux recevoir personne maintenant, Carpentier. Dites-lui que nous la recontacterons plus tard.

— C'est ce que je lui ai déjà dit...

— Très bien. Alors, vous pouvez disposer...

— Il y a également un appel téléphonique, commandant. Sur ce poste-là, commandant. J'ai répondu que vous étiez occupé, mais le monsieur insiste en assurant que vous serez libre pour lui. Un M. Dunleavy, commandant.

— Oui, merci Carpentier, ce sera tout. »

Girodt attendit que son ordonnance soit sorti puis, après un bref regard circulaire sur les hommes qui se trouvaient là, il décrocha le téléphone :

« Commandant Girodt à l'appareil.

— Bonjour commandant, dit Craig Dunleavy.

— Je n'y vois rien de bon, rétorqua Girodt.

— Mes gens, continua Dunleavy, me rapportent avoir noté certains indices qui laissent supposer que vous n'avez pas encore suivi mes instructions quant à la notification de la situation à tout votre équipage. Je veux croire que vous projetiez de le faire aujourd'hui, commandant. Mais dans le cas contraire, je tiens à vous informer que nous avons sélectionné, au hasard, dix membres subalternes de votre équipage, parmi les hommes de pont et les mousses — et qu'il en sera disposé selon que vous vous serez rangé ou non à mes consignes d'ici à 2 heures de l'après-midi. C'est bien compris, commandant ? »

La main de Girodt se crispait sur le combiné du téléphone comme s'il voulait le briser :

« Oui. Oui. Parfaitement.

— Je tiens également à ce que vous sachiez qu'aucun de nous n'a pris plaisir à devoir se débarrasser de la jeune fille italienne et de son petit ami Senestro. Ne prenez pas la peine de les rechercher, car ils ont réellement disparu. Je ne vois aucun avantage à ces morts, à moins que vous teniez à les citer en exemple au reste de votre personnel... »

Girodt se sentait prêt à éclater de rage :

« Je dois raccrocher, maintenant, dit-il.

— A bientôt, répondit Dunleavy. »

Girodt reposa le combiné sur l'appareil et attendit que les battements de son cœur se soient calmés avant de reprendre la parole. Puis, sans regarder personne, il dit :

« Nous avons maintenant affaire à des assassins. »

Les autres baissèrent les yeux et fixèrent leurs mains sans mot dire.

« On vient juste de me poser un ultimatum, continua Girodt. L'équipage tout entier doit être informé de la situation exacte du détournement avant 14 heures. Je laisserai à chacun de vous le soin de le faire auprès de tous les hommes et les femmes sous vos ordres. Il faut qu'ils comprennent bien tous que rien de tout cela ne doit transpirer pour les passagers. Plessier, vous vous occuperez des stewards.

— A vos ordres, commandant, répondit le troisième lieutenant.

— Il est inutile que je m'étende davantage sur les affreux détails de cet ultimatum, puisque nous allons agir ainsi qu'on nous le prescrit. Jusqu'à ce que je, ou que l'un de nous, trouve une alternative raisonnable, telle sera notre politique. Mais il est vital que chacun de nous garde présent à l'esprit qu'il ne saurait y avoir qu'un seul dénouement à cette affaire : que tous ces immondes porcs finissent soit au fond de l'océan, soit à Paris, devant un peloton d'exécution. Plus tard, je vous prie, rappelez-moi ce que je viens de dire. A présent, nous reste-t-il quelque chose à discuter ? »

Yves Chabot, le médecin-chef du bord, tenta de leur apporter une note d'espoir :

« Je me rends compte qu'en ce moment, à l'exception de Craig Dunleavy et probablement de sa femme, les identités des conspirateurs nous sont inconnues. Mais si nous réussissons à les percer, je tiens à vous rappeler que si notre hôpital dispose de moyens pour sauver des vies, ses armoires renferment également de quoi donner la mort. Mes poisons mortels et mes seringues hypodermiques seront à votre disposition, messieurs. »

Ce fut sur cette note menaçante que Charles Girodt leva la séance.

Mais il ressentait une pénible et confuse impression de déconvenue. En raison peut-être de la tranquille assurance d'Yves Chabot ? Pourquoi s'était-il, une fois de plus, laissé aller à imaginer que l'œil pénétrant de son médecin-chef du bord était resté braqué sur lui tout au long de la réunion ? Comme s'il avait le pouvoir de lire à travers lui, en lui, pour s'assurer qu'il ne craquait pas devant le stress. Girodt n'avait jamais avoué à Yves

Chabot, ni à personne d'autre de son état-major, la vérité sur son long congé. Pourquoi s'obstinait-il à lire la suspicion dans les yeux du médecin ? Il devait couper court à ces fantasmes. Il fallait qu'il cesse de projeter ainsi ses propres angoisses sur les autres.

Un quart d'heure plus tard, le premier capitaine se trouvait en train de contempler Julie Berlin de l'autre côté de son bureau. Elle s'efforçait vaillamment de l'intéresser à son monologue, longue complainte à propos de son mari. Préoccupé de ses problèmes immédiats autrement plus importants, Girodt faisait un effort épuisant pour rester attentif.

« Madame Berlin, lui dit-il sur un ton las, je ne voudrais pas vous paraître indifférent ou désobligeant, mais je ne peux m'empêcher de penser que vous ne me rendez pas visite uniquement pour me raconter que vos huit années de mariage ne furent pas toujours idylliques. J'ai une fille qui est mariée et vit en Avignon, elle est à peu de chose près du même âge que vous. Je dois dire que je trouve rien moins qu'agréable ses incessantes disputes avec son mari, Paul, quand ils nous rendent visite à Paris. Néanmoins, alors que je ne peux rien pour venir en aide à ma fille, je m'efforcerai de faire ce que je peux pour vous, ma chère madame Berlin, sous réserve toutefois que vous me précisiez ce que vous attendez de moi.

— C'est vrai, pardonnez-moi, je crains de m'être laissée aller à battre la campagne. »

" Battre la campagne, l'expression est faible Julie, tu as fait bien plus que t'éloigner de son sujet, tu as littéralement déchargé ta rate devant ce monsieur en uniforme — en oubliant complètement que tu ne te trouvais pas en face de ton rêveur de Billy, ni de ce baratineur de Harold Columbine qui n'a même pas eu la décence de paraître dans la salle à manger au petit déjeuner, te privant ainsi de décharger ta bile sur ce paillard. " Celui-là, elle s'en occuperait plus tard.

« C'est tout simple, commandant, poursuivit-elle. Le docteur Berlin, mon mari, a caché quelque chose dans notre cabine qu'il n'a pas légalement le droit d'utiliser sur ce bateau. Tout ce que je veux, c'est que vous le lui retiriez, que vous le confisquiez, que vous le jetiez par-dessus bord, que vous en fassiez ce que vous voudrez avant qu'il n'ait une chance de pouvoir s'en servir. »

Charles Girodt fronça les sourcils. Il n'avait pas vraiment envie d'en écouter davantage. Les surprises, aujourd'hui, il en avait plus qu'assez. Mais il se sentait obligé de poser la question :

« Qu'a-t-il dissimulé, madame Berlin ? Quel est cet objet que vous voulez que je lui prenne, madame Berlin ?

— Son Atlas-210, dit-elle.

— Son quoi ? fit Girodt ébahi.

— Son Atlas-210, le truc le plus récent parmi les émetteurs-récepteurs de radioamateur. Il se trouve que celui-ci est diaboliquement compact. Il ne pèse guère plus de 3 kilos. Tous les radioamateurs amis de mon mari en possèdent un. C'est leur joujou favori. Ils ne font pas un pas sans leur petit Atlas-210, les maudits casse-pieds. Ils se parlent depuis leurs voitures, depuis leurs bateaux. Je me dis parfois que le seul moyen pour que Billy me parle *à moi,* serait que, moi aussi, je m'offre un Atlas-210. Croiriez-vous que pour notre septième anniversaire de mariage...

— Excusez-moi, l'interrompit Girodt. Vous dites que votre mari projetait d'utiliser cet appareil sur le *Marseille ?*

— Il refusera d'en convenir, vous pouvez en être sûr. Tout comme il m'avait promis de ne pas l'emporter. Mais je sais fichtre bien que c'est ce qu'il a l'intention de faire. Je l'ai entendu établir des horaires avec tous ses correspondants de la côte Est et de la côte Ouest, c'est-à-dire de New York et de Californie. Je l'ai entendu dire qu'il allait pirater, c'est l'expression qu'ils emploient pour parler de transmissions illégales. Vous comprenez, il ne pouvait pas demander au gouvernement français l'autorisation d'opérer à partir d'un paquebot français. Il peut le faire sur des bateaux américains en utilisant ses indicatifs radioamateur américains, en signalant qu'il se trouve en déplacement en mer. Mais ça ne marche pas sur le *Marseille.* Aussi vous devriez le lui enlever avant qu'il ne nous fasse avoir des ennuis, à lui et à moi, avec les autorités françaises. Je vous montrerai où il le cache. Bien entendu, ce n'est pas la peine de lui dire que c'est moi qui vous ai vendu la mèche. D'accord, commandant ? »

Girodt sentit son sang ne faire qu'un tour et se dit qu'il ne devait pas se laisser hâtivement gagner par l'euphorie :

« Si je vous comprends bien, cette radio... ce... cet Atlas-210, peut *envoyer* des signaux aussi bien qu'en recevoir, madame Berlin ?

— Tout autour du monde, si les conditions atmosphériques le permettent, répondit Julie. C'est une petite boîte d'environ 23 centimètres de large sur 8 de haut, dans laquelle se trouvent réunis un émetteur et un récepteur. Au cours de joyeuses vacances en Alaska, il se mettait d'ordinaire à parler avec un quelconque crétin des îles Vierges juste au moment où, le soir, je venais de me préparer pour sortir dîner. A Moorea, pendant que les autres faisaient de la plongée sous-marine, lui, comme chaque jour, parlait avec son vieux pote Vlad de Moscou. Et de quoi se parlaient-ils ? Ben voyons, de leur Atlas-210 ! »

Charles Girodt se leva brusquement comme s'il avait à faire quelque chose d'urgent :

« Madame Berlin...

— Oui, commandant ? fit-elle en se levant également.

— Je voudrais que vous me promettiez de ne rien révéler de votre visite, ou du sujet de votre visite, à qui que ce soit sur ce bateau, y compris à votre mari.

— Mais... qu'y a-t-il de mal à cela ?

— Aucun. Il se pourrait même qu'il en ressorte quelque chose de bon, de très bon même. Mais il me faut le temps d'y réfléchir. Je ne peux pas en parler maintenant. Vous avez ma parole que tout se passera selon vos vœux. Voulez-vous me donner la vôtre de ne rien dire à personne pour l'instant ?

— Je ne comprends vraiment pas... mais... oui, très bien. Vous avez ma parole.

— Merci, dit Girodt en lui offrant son bras pour la conduire à la porte. Merci beaucoup, madame Berlin.

— Vraiment de rien, dit Julie en haussant les épaules, complètement ébaudie. Je veux dire, vous pouvez compter sur moi.

— Au revoir, madame Berlin. Vous aurez bientôt de mes nouvelles. »

Dès qu'elle fut partie, Girodt s'avança vers son bureau, décrocha le téléphone et composa le numéro de la salle des transmissions. Quand on décrocha à l'autre bout du fil, Girodt repéra à un cliquetis révélateur qu'on écoutait sa ligne.

« Allô ? entendit-il.

— Ici le commandant Girodt. J'aimerais parler au radio-chef.

— Un instant. »

Puis il entendit la voix de Christian Specht s'annoncer.

« Christian, voulez-vous venir faire une partie d'échecs avec moi, si vous n'êtes pas trop occupé pour l'instant ? J'ai besoin de me changer les idées. »

Après un très bref temps mort à peine décelable :

« J'en serai ravi, commandant.

— Très bien. Je vous attends. »

Il entendit Specht raccrocher, puis à nouveau le léger déclic.

" Nous vous damerons le pion, bande de salauds, et nous aurons votre peau ", se disait-il intérieurement avec un élan de conviction en replaçant le combiné sur le téléphone. Il reconnaissait très bien les premières impulsions d'une crise de folie, mais il s'en moquait. Il voulait détruire Dunleavy lui-même, de ses propres mains.

Chapitre VI

Assis dans son bureau au vingt-deuxième étage de la tour Française, au nouveau cœur du Paris des affaires — toujours un peu amer de ne se trouver qu'au vingt-deuxième étage et non pas au faîte de la Françat, au vingt-sixième étage — Georges Sauvinage tira quelques bouffées sur l'odorant cigare coincé entre ses lèvres épaisses. Il décida que Fidel Castro avait au moins un mérite : produire de quoi remplir des humidificateurs. Les excès de table auxquels se livrait Sauvinage depuis de nombreuses années pour adoucir ses nombreux sujets de mécontentement, avaient donné à son visage et à son corps de quarante ans les rondeurs d'un bon vivant jovial qu'il n'était malheureusement pas. Il baissa les yeux sur le fouillis d'affaires en souffrance qui jonchaient sa table de chêne clair, émit un rot d'adieu attendri au souvenir de la mousse au chocolat par laquelle il avait terminé son déjeuner, et saisit le premier bout de papier qui se trouvait à portée de sa main boulotte. C'était un autre télex.

Pourquoi l'ennuyait-on avec ces bagatelles ? Tout paraissait futile à Sauvinage. Rien n'avait d'importance. C'était la seule manière qu'ait trouvé le directeur général adjoint de la Compagnie française atlantique pour se consoler de son sentiment d'infériorité. Il ne réussissait pas même à le compenser à l'aide de gros havanes, costumes Cardin et déjeuners à la « Tour d'Argent », pas plus que par une huit cylindres grand sport gris argent, d'ailleurs bien au-dessus de ses moyens. Il lui fallait encore considérer indigne de son attention tout ce qui pouvait arriver jusque sur son bureau. Il observait avec mépris la feuille de papier qu'il tenait dans sa main, vaguement agacé par les bruits de brise-béton qui provenaient des sempiternelles constructions de tours à La Défense, et par ceux qui montaient des boulevards périphériques où la circulation se faisait chaque jour de plus en plus dense. Un jour, il défierait la gravité du destin et monterait quatre étages plus haut, dans un bureau insonorisé par des doubles fenêtres, avec une moquette épaisse et des peintures originales et, bien entendu, une secrétaire jeune et voluptueuse qui n'aurait d'intérêt que pour les hommes mariés et surtout pour les gros.

Le télex émanait de Bernard Delade de la station d'Audierne. Sauvinage bougonna à l'instant où il lut la signature. Le petit radio était un obséquieux raseur avec des grands pieds qui se fagotait d'une manière déprimante avec des vêtements bon marché. Sauvinage avait dû le supporter tout au long d'un déjeuner quand l'homme était venu passer un congé de Noël à Paris. Le télex disait :

Ai intercepté rapports émanant de divers bâtiments situant le Marseille *faisant route au sud dans les parages de 36° Nord, 65° Ouest, à 1 200 Zoulou. Attendu que ça pourrait être le* Bordeaux, *erreur compréhensible, cela place pourtant le* Bordeaux *tout à fait hors des indications de route des essais telles que m'ont été transmises lundi dernier. Prière m'indiquer nouvelle route du* Bordeaux. *Delade.*

Comment diable aurait-il pu *lui,* savoir ce qu'ils entendaient faire avec le *Bordeaux ?* Depuis quand transmettait-on de telles informations au directeur adjoint ?

Sauvinage mâchonnait son cigare humide avec rage en gribouillant sa réponse sur un bloc sténo vierge.

Aucune indication sur changement dans route Bordeaux. *Routes essais à discrétion du capitaine. Sauvinage.*

Il déchira la page et relut le message. Ça tenait debout sans trahir son manque d'information. Il appuya sur un bouton qui se trouvait sur son bureau et, quand sa secrétaire entra, il lui tendit le message pour qu'elle le transmette par télex. C'était une femme âgée, informe et négligée. Si à sa seule vue, Sauvinage ne s'était pas immédiatement repris à s'apitoyer sur son propre sort, il aurait peut-être pu, ne serait-ce qu'un instant, avoir l'esprit assez clair pour penser que le *Marseille, hors de sa route,* était bien le *Marseille dérouté,* et non le *Bordeaux.*

Est-ce qu'elle ne pourrait pas au moins, se dit-il, se teindre les cheveux et les ramasser en chignon ?

Le *Marseille,* ses cheminées orange et noires resplendissantes sous le soleil éclatant, croisait rapidement sur le flot calme de l'Atlantique, plein nord des Bermudes. Sur la mer apaisée par une légère brise de sud-ouest, la visibilité était au moins de 20 milles. Loin sur l'horizon, le skipper d'un cargo norvégien qui faisait route vers Oslo braqua ses lunettes sur le paquebot géant qu'il apercevait au nord-ouest et il lui vint à l'esprit que l'énorme vaisseau semblait ne pas avoir d'identification visible, ni sur sa coque ni sur son pont le plus élevé. Mais le Norvégien repoussa cette idée comme grotesque et sortit son mouchoir pour nettoyer les verres externes de ses lunettes.

Près de la piscine, sur le pont-promenade supérieur de ce paquebot de ligne sans nom, Harry Grabiner, son visage sans âge et son corps efflanqué copieusement enduits de crème solaire, était en train d'ajuster sa chaise longue de manière à s'y trouver dans une position qui lui permette de se livrer confortablement à l'exercice de juge de son concours de beauté privé. Deux fois par jour, au cours de ces traversées transatlantiques, par temps assez clément pour le permettre, Grabiner élisait la « Miss *Marseille* du Matin » et la « Miss *Marseille* de l'après-midi », parmi les dames en bikini qui se trouvaient autour et dans la piscine. Elles ne recevaient d'autre prix qu'une place de choix dans le musée des fantasmes de Grabiner. Au cours des onze ans pendant lesquels le président chauve et ratatiné de Grabiner & Goldstein avait fait l'aller-retour entre New York et Paris, il avait couronné jusqu'à soixante-quinze reines de beauté dont les âges variaient de quinze à cinquante ans. Dans la galerie de ses fantasmes, il avait dû forniquer avec soixante-quatorze d'entre elles. Une blonde platinée d'environ trente-huit ans s'obstinait à disparaître de sa mémoire à chaque fois qu'il voulait l'essayer. Il décida finalement que cela tenait au fait qu'elle lui rappelait la sœur de sa femme. Ces petits plaisirs innocents aidaient Grabiner à supporter la monotonie de ses fréquents voyages aux défilés de mode parisiens. Il se sentit frustré en constatant qu'il ne pouvait pas observer la piscine depuis son poste d'observation favori : le soleil lui dardait ses rayons insoutenables droit dans ses yeux bleus fragiles.

" Cela ne m'était jamais arrivé auparavant, pensa-t-il. Cette piscine *m'appartient,* de même qu'un point de vue clair sur les ravissantes. Pendant onze ans le soleil de juillet se trouvait dans mon dos pour les festivités du matin, et personne n'a demandé à Harry Grabiner la permission de changer la place du soleil dans le ciel. "

Il se souleva sur un coude pour héler un garçon :

« Apportez-moi un Bloody Mary, commanda-t-i',

— Oui, monsieur.

— Et dites-moi, poursuivit-il, savez-vous si par hasard ce bateau serait dérouté ? »

Le garçon, qui s'appelait Philippe, blêmit, mais cela passa inaperçu sous le soleil.

« Je vous demande pardon ?

— Le soleil, le soleil se trouve à la mauvaise place, marmonna Grabiner. Je veux savoir si ce bateau est dérouté.

— Ah, pour ça, oui, monsieur. Nous courons une bordée pour compenser un changement dans les courants. »

Et il tourna rapidement les talons pour aller chercher la commande. Le steward en chef leur avait bien expliqué, au cours de son exposé, qu'un passager leur poserait des questions de temps à autre. Mais il n'avait pas imaginé qu'il puisse avoir peur à ce point de répondre par un mensonge à une question.

Harry Grabiner se rallongea sur sa chaise longue en grommelant et ferma ses yeux irrités. Que la « Miss *Marseille* du Matin » aille au diable ! Il attendrait l'après-midi et n'en baiserait qu'une pour ce jour-là.

Anthony Palazone, ancien employé de la McDonnel Douglas Corporation ; Al Tomlinson, naguère ingénieur de sécurité pour Rockwell International ; Carmel Ferrante, jadis dessinateur chez Texas Instruments, pénétrèrent dans le dernier compartiment étanche de tribord avant à 11 h 50. Ils y étaient arrivés en passant par un tunnel latéral, puis par des bouches d'accès qui les avaient conduits aux réservoirs de fuel et par des réserves d'eau qui formaient la double cale du navire sur toute sa longueur. Avec leurs visages barbouillés de suie et leurs chemises et leurs mains noires, nul n'aurait pu douter en les trouvant là qu'ils fussent bien membres de l'équipage. Ils transportaient leurs provisions de plastic, détonateurs et rouleaux de fil électrique dissimulés dans des seaux sous des chiffons sales.

La douzaine de compartiments étanches qui se trouvaient derrière eux, vers la poupe, avaient déjà été aménagés sur tribord en vue d'une éventuelle destruction. Palazone avait si artistement implanté la pentolite et la chemite en les revêtant d'un enduit gris-blanc, et Tomlinson avait peint si habilement le fil électrique de manière à ce qu'il ne soit pas discernable derrière les tuyaux, les cloisons, les seuils de sabords et les réservoirs après lesquels étaient accrochées les charges de plastic, qu'il aurait été difficile à quiconque — excepté à un infortuné commis de restaurant — de repérer le réseau dévastateur même en connaissant son existence. Jusque-là, Carmel Ferrante n'avait pas eu la moindre raison de tendre la main pour sortir le revolver qui se trouvait dans sa poche. Ils n'avaient pas rencontré âme qui vive en chemin. Quand ils en auraient terminé avec ce compartiment, ils en seraient exactement à mi-chemin de leur but. Il leur resterait à piéger tout le côté de bâbord.

« Il y en a une bien bonne qui vient de me traverser l'esprit, fit Anthony Palazone en façonnant une poignée de pentolite comme s'il modelait de l'argile. On balance le jus dans ce machin et, au lieu de péter, il fait long feu.

— J'en ai une meilleure, répliqua Carmel Ferrante. Il explose, les cloisons éclatent, deux millions de tonnes d'eau s'engouffrent dans le navire, mais au lieu de couler en 70 secondes comme le prévoit l'ordinateur, il continue à flotter.

— Comment cela ? C'est ridicule, dit Tomlinson qui tenait un couteau entre ses dents et une pince coupante dans la main droite.

— Qui a prétendu le contraire ?

— Je sais pourquoi il continue à flotter, continua Palazone, à cause de toutes les balles de ping-pong du pont promenade.

— Très drôle, Tony, fit Tomlinson sans rire. Vous savez ce que ferait Dunleavy si cette camelote ne coulait pas le *Marseille ?*

— Ouais, il se tuerait, lança Palazone.

— Penses-tu ! rétorqua Tomlinson. Il tuerait l'ordinateur.

— C'est bien plus drôle », dit Palazone.

Puis il sortit un mouchoir et essuya la sueur qui ruisselait sur son front.

Elle ne pouvait pas supporter de voir tout le monde prendre si manifestement du bon temps. Ça ne leur suffisait pas de tirer des pigeons d'argile ou de s'ébattre dans la piscine, ou de crosser des balles de golf dans un filet, il fallait encore qu'ils *rient.* Sa rage augmentait de les voir si ostensiblement *heureux.* Tandis qu'elle arpentait le pont, manifestement seule, il lui restait juste assez de bon sens pour se rendre compte qu'elle ne se trouvait pas loin de se laisser aller à sa manie de battre la campagne.

" Je me sens coupable pour avoir dénoncé Billy et son Atlas au capitaine, et c'est bien normal. Je me sens coupable pour ce que je comptais faire avec ce M. Columbine la nuit dernière ; et ça, c'est anormal puisque nous n'avons rien fait. Je me sens aussi coupable parce que je ne suis pas heureuse, ainsi que le sont tous ces autres voyageurs. Je *devrais* pourtant être heureuse : je suis diplômée de Smith et j'ai passé trois ans sur le divan du Dr. Albert de Grooning. " Non, tout cela n'avait rien à voir.

Les choses étaient plus simples : son malaise tenait à ce qu'elle n'avait pas vraiment cru Billy quand il lui avait dit de déjeuner sans lui parce qu'il se sentait l'estomac chaviré. Billy ne lui mentait jamais. Ne pas tenir ses promesses, ça lui arrivait. Mentir, jamais. Mais il venait de lui mentir aujourd'hui. Elle continuerait à se sentir mal à l'aise, mal dans sa peau et malheureuse jusqu'à ce qu'elle sache exactement pourquoi il avait fait quelque chose qui ne lui ressemblait pas.

Entre l'âge de deux et trois ans (pas très consciente de ce qui se passait, la date exacte ne s'était pas gravée dans sa mémoire), la petite Juliette Harrison décida qu'être vivant était dangereux. Elle ignorait qu'on ne pouvait être autrement. Elle ignorait encore tout de la mort. Son univers se situait autour d'une maison de douze pièces, à Mamaroneck, dans l'Etat de New York. Les mêmes actions d'une petite fille provoquaient sur cette terre des résultats impossibles à prévoir : grande joie, peur ou colère, coups, confusion ou tristesse.

Quand vous criiez *bouh !*, par exemple, en courant derrière papa, et qu'il se tournait vers vous avec ce merveilleux sourire et vous enlevait dans les airs en riant aussi fort que vous, vous ressentiez une joie sans pareille. Mais, parfois, faire *bouh !* derrière maman ou tante Jessie donnait un autre résultat : elles sursautaient en se tournant vers vous avec un air fâché qui vous glaçait. Et elles vous disaient de ne pas faire *ça* sur un tel ton colère que vous étiez très malheureuse. Et quand vous faisiez *bouh !* avec Amy, qui était encore plus petite que vous, elle vous flanquait une gifle à vous faire pleurer. Il fallait prendre garde à qui vous faisiez *bouh !* Ça pouvait être dangereux.

Et parce que vous les aimiez tant, embrasser papa et maman en vous blottissant contre eux qui vous le rendaient, vous faisait chaud au cœur et trembler de plaisir. Mais que vous en fassiez autant avec votre ami Jamie, parce que, lui aussi, vous l'aimiez, et votre maman et la sienne se mettaient à vous crier dessus : « Julie ! Jamie, vilain garçon ! arrêtez *ça* ! viens ici Julie ! » Alors, vous vous sentiez malade, ahurie et honteuse. Oui, il vous fallait vraiment faire très attention à qui vous embrassiez, à qui vous étreigniez, très attention à *tout* quand il vous arrivait d'être vivant. Il y avait tant de surprises...

« Mais nous avons tous été élevés ainsi, Julie.

— Je sais cela, docteur.

— Alors qu'essayez-vous de me dire ?

— Je crois que je l'ai épousé parce qu'il était sécurisant, prévisible et sécurisant.

— Auriez-vous préféré quelqu'un sur qui vous ne puissiez pas compter, qui vous fasse peur, quelqu'un de dangereux ?

— Peut-être. Qui sait ? C'est possible. Mais comment le savoir ? Je n'aurai jamais le courage de faire ce qu'il faut pour cela. Je ne prendrai jamais un tel risque. *Vous* le savez bien, n'est-ce pas ?

— C'est vrai.

— J'en suis bien certaine. Si vous prétendiez le contraire, je ne vous croirais pas. Ça ne vous ressemblerait pas. Pourquoi croyez-vous donc que je vous ai choisi, *vous* ? Cette ville grouille d'analystes. J'en avais échantillonné une demi-douzaine. Mais la plupart m'effrayaient. Pas vous. Vous ressemblez à Billy. Je sais d'avance ce que vous allez dire...

— Vous auriez dû rester chez vous et éclaircir tout cela par vous-même, alors. Ça vous aurait économisé 50 dollars de l'heure.

— Jusqu'à vos plaisanteries sont les mêmes.

— Pourquoi avez-vous peur d'avoir un enfant ?

— Quoi ?

— J'ai dit pourquoi avez-vous peur d'avoir un enfant ?

— Qui a dit... ? Qu'entendez-vous en disant que c'est *moi* qui ai peur ? D'où tirez-vous l'assurance que la peur vienne de *moi ?*

— Et juste maintenant, que ressentez-vous ?

— De la colère, ça ne se voit pas ?

— Quoi d'autre ?

— Je suis effrayée.

— Vous êtes déjà mariée depuis quelques années. Pourquoi n'avez-vous pas eu d'enfant ?

— Vous ne m'avez pas entendue ? J'ai dit que cela m'effraye.

— Regardez-moi, Julie.

— Je vous regarde. Vous me filez la trouille.

— Je croyais que vous me trouviez sécurisant et prévisible.

— J'avais tort. Vous ne l'êtes pas. Vous êtes comme tout le monde.

— Par exemple ?

— Tout le monde. On ne peut faire confiance à *personne.* N'importe qui est dangereux. Je l'ai toujours su. Même vous, espèce de salaud. Comment *osez-vous* me dire que c'est ma faute. Ça a toujours été celle de Billy. C'était prévisible. Je le savais avant même que nous nous mariions. Il n'a jamais voulu d'enfant. Ce qu'il veut, c'est être l'enfant...

— Vous saviez cela ?

— Oui.

— Il vous l'a dit ?

— Il n'avait pas besoin de me le dire. Je le savais.

— Et vous l'avez tout de même épousé ?

— Oui.

— Alors, pourquoi ne voulez-vous pas d'enfant de lui ?

— Qui dit que je... ? Eh bien, je suppose que... parce que...

— Pourquoi ?

— Parce que je voulais me garder une porte de sortie.

— Je ne comprends pas.

— Que si, bon sang ! vous comprenez très bien.

— Pourquoi ne voulez-vous pas d'enfant de lui ?

— Parce que je pourrais vouloir rompre ce mariage. N'est-ce pas *évident,* pour l'amour de Dieu ?

— Voulez-vous dire pour connaître quelqu'un de dangereux, qui soit imprévisible et excitant ?

— Oui ! oui ! oui !...

— Qu'est-ce qui vous en empêche ? Qui vous en empêche ?

— Moi. Moi seule.

— Pourquoi ?

— Par peur.

— De quoi ?

— Je ne sais pas.

— Vous êtes certaine que c'est par peur ?

— Oui. Non, je n'en suis pas sûre.

— Quelle autre raison pourriez-vous avoir ?

— Je ne sais pas.

— Quelle autre raison pourriez-vous avoir ?

— Billy.

— Billy vous en empêche ?

— Nom de Dieu ! qu'est-ce qui vous prend aujourd'hui ? Vous semblez ne rien comprendre à ce que j'essaie de vous dire.

— Comme par exemple ?

— Comme Billy. Que je l'aime. Que c'est *ça* qui m'arrête.

— Ah, maintenant, je comprends.

— Il serait temps.

— Oui, bien sûr. Parce que vous aimez Billy, vous ne pourrez jamais savoir ce qu'aurait été un mariage à un type dangereux et excitant. Alors, vous en voulez à Billy. Vous êtes en colère contre lui aussi bien de sa profession, que de sa marotte, et même au lit. Mais aussi longtemps que vous n'avez pas d'enfant, vous pouvez toujours vous en sortir pour essayer cet autre type. A cela près que vous ne pouvez pas, parce que vous aimez Billy. Maintenant, j'y suis.

— Ce sera tout ?

— Êuheuh.

— Alors dites-moi : quel bien puis-je tirer de tout cela ?

— Je ne vous ai jamais promis que ce serait facile, Julie. »

Après quelques milliers de dollars et au bout de plusieurs années, elle n'avait tiré de tout cela aucune certitude éblouissante. Mais elle avait appris à comprendre ses doutes et leurs origines. Elle savait maintenant se battre avec les subterfuges de sa conscience, et poursuivrait son introspection jusqu'à ce qu'elle sache exactement ce qu'elle voulait faire de sa vie. Elle avait pensé que ce voyage pourrait peut-être lui apporter la lumière. Que cela pourrait arriver à Paris, ou pendant une merveilleuse semaine à Saint-Jean-Cap-Ferrat, ou à Rhodes ou à Corfou, ou encore à Mykonos. Peut-être finalement s'enfuirait-elle par cette porte de sortie, mais peut-être aussi la refermerait-elle de l'intérieur à tout jamais.

Peut-être est-ce *déjà* arrivé, se disait-elle maintenant, en arpentant le pont du *Marseille*. Elle ignorait *quoi* exactement, mais Dieu sait qu'il lui arrivait quelque chose. Et *cela* s'était produit dès l'instant où Billy et elle avaient embarqué à bord de ce navire. Elle hâta le pas, cherchant des yeux quelqu'un portant la veste blanche et la casquette de la Compagnie française atlantique capable de lui indiquer le plus court chemin pour se rendre au numéro 416 sur le pont supérieur.

Ce n'était que juste un peu avant le déjeuner, en transférant le contenu de son sac de soirée de la veille dans celui d'aujourd'hui, qu'elle avait retrouvé la clé de la cabine de Harold Columbine. Son absence de la salle à manger pour la seconde fois de suite lui avait paru encore plus frustrante que le mystère du mensonge transparent de Billy. Eh bien, elle allait lui rapporter sa clé en personne. " Sur le sujet du sexe, Harold Columbine, vous ne me paraissez fortiche que sur le plan de l'écriture ", s'apprêtait-elle à lui lancer. Ensuite, elle irait trouver son mari et demanderait pourquoi il avait tenu à rester seul dans leur appartement pendant l'heure et demie que ça prenait pour aller de l'œuf en gelée jusqu'à la crème caramel.

Cinq minutes plus tard, elle frappait doucement à la porte du 416. Personne ne la connaissait sur ce pont. Elle n'avait aucune inquiétude à se faire. Elle frappa un peu plus fort. Peut-être faisait-il partie de ces écrivains qui s'envolent en l'air avec des somnifères. Pas de réponse. Elle consulta sa montre-bracelet. Presque 2 heures de l'après-midi. C'était ridicule. Elle fouilla dans son sac à main. Elle sentit la clé sous ses doigts quand on lui demanda :

« Puis-je vous être utile, madame ? »

Elle laissa la clé au fond de son sac et leva les yeux vers le steward avec un sourire forcé :

« Pas vraiment, dit-elle. A moins que vous puissiez me dire où trouver M. Columbine, le passager du 416. »

Le steward la dévisagea longuement comme s'il ne l'avait pas entendue. Puis se décida enfin à répondre :

« M. Columbine a demandé à ne pas être dérangé.

— Oh, je vois, fit-elle en se demandant pourquoi elle ne le croyait qu'à moitié. Merci.

— De rien, madame. »

Elle le regarda s'éloigner. Puis quand il eut disparu par une porte d'escalier des cabines, elle sortit la clé de son sac et, après avoir observé les alentours, l'introduisit dans la serrure. " C'est de la folie ", pensait-elle en ouvrant lentement la porte et en appelant : « Harold ? Etes-vous là ? » Elle referma la porte sur elle et inspecta l'appartement : pas un signe de vie dans le salon. Elle alla jusqu'à la porte ouverte de la chambre à coucher : vide. Le couvre-lit pas défait. Un Kleenex froissé s'y trouvait. Elle s'avança jusqu'au lit, ramassa le mouchoir et y vit les traces de son rouge à lèvre de la veille. Tout dans cette pièce se trouvait exactement en l'état où elle l'avait laissée. Même le froissement du dessus de lit où elle s'était allongée et endormie. Elle mit le Kleenex dans son sac, laissa tomber la clé sur le lit, jeta un coup d'œil dans la salle de bains vide, et sortit de la cabine sans être vue.

De retour sur le pont-promenade, elle trouva une chaise longue libre et s'y allongea en essayant de mettre de l'ordre dans ses pensées. Pas de doute, elle avait un problème qu'elle n'arrivait pas à cerner. Il fallait qu'elle en parle à quelqu'un. Mais à *qui ?* Sûrement pas à Billy. Elle imaginait leur dialogue :

« *Qui* a disparu ?

— Ce célèbre romancier avec qui j'ai failli coucher la nuit dernière.

— J'ignorais que tu le connaissais.

— Je ne le connaissais pas jusqu'à ce qu'il me drague la nuit dernière.

— Mais tu écrivais des lettres, la nuit dernière. Je me souviens que tu me l'as dit.

— Non, Billy. Je n'écrivais pas de lettres. J'ai dragué Harold Columbine au bar du " Café Montmartre ". Nous sommes descendus danser dans les classes touristes, puis je me suis rendue dans sa chambre pour l'y attendre mais il n'est pas venu. Je viens juste de me rendre dans sa cabine avec sa clé et...

— Une seconde ! Tu as presque *couché* avec lui la nuit dernière ?

— Oui, Billy.

— Très bien, Julie. Tu gardes la maison et les caniches. Moi je prends l'Atlas. »

Non. Il n'y avait pas de doute, elle ne pouvait pas en parler à Billy. Mais alors, à qui ?

Chapitre VII

« Oui, docteur Berlin, mais de quoi parlez-vous, vous autres amateurs ? » Quand d'ordinaire on lui posait cette question, il se disait alors qu'on ne pourrait pas comprendre et changeait de sujet. Mais parfois, rarement toutefois, il lui arrivait de tomber sur des gens qui pigeaient quelque chose à son violon d'Ingres. Ceux-là, il n'arrivait plus à s'en débarrasser. Et il racontait en long et en large le sentiment que lui procurait ce pouvoir de se projeter à travers le temps et l'espace, sans souci de la distance ; esprit, corps et conscience, errant à travers le monde comme un esprit cosmique. Ce pouvoir — pouvoir dénué de toute noirceur — de savoir que sa voix résonne dans un haut-parleur d'une pièce lointaine à Bombay, ou que, par une fenêtre ouverte, elle peut être entendue par quelqu'un qui passe en dessous dans une rue de Johannesburg, ou qu'elle retentit à l'intérieur d'un igloo au milieu des solitudes glacées du pôle Sud.

L'ici et maintenant, les limitations physiques et géographiques dans lesquelles sont coincés tous les humains, cessaient d'exister pour lui dès qu'il se plongeait dans l'action sur 20 mètres par une belle nuit de printemps, quand les taches solaires dansent leur ballet et que l'ionosphère se montre d'humeur réfléchissante et laisse passer les ondes courtes vers l'Europe, le Moyen-Orient, l'Antarctique et l'Australie et, parfois, l'Afrique se faufilait par l'autre côté, et plus tard, l'Extrême-Orient et l'Indonésie. On ne pouvait jamais savoir. Il fermait les yeux, ou scrutait, hypnotisé, le haut-parleur. Et il les écoutait et leur répondait : voix dans la nuit, sa nuit, tandis que la lune pénétrait dans son bureau par la grande antenne directive qui se dressait au-dehors au milieu de la pelouse. Et sa longue journée de travail au bureau et à l'hôpital avec ceux qui mouraient un peu plus vite que d'autres, ses angoisses flottantes et ses symptômes somatiques, le problème indéfinissable de ses relations avec Julie, tout cela cessait alors d'exister pour le moment.

Et tandis que c'était *sa* nuit en Californie, c'était demain matin à Oslo et Hil se préparait à aller déblayer la neige devant son garage afin de pouvoir se rendre à son travail. C'était la fin de l'après-midi du lendemain à Brisbane et Tommy venait juste de rentrer chez lui du laboratoire après une journée pluvieuse. Toshi, à Kyoto, venait, lui, de terminer le dîner de demain. Et plus tard, Phil lui parlait depuis sa voiture en roulant à travers les jungles de Malaisie pour aller chercher Margaret qui prenait sa leçon de français à Penang ; et Phil baissait la vitre de la voiture pour lui faire écouter les bruits de la rue de Penang, assis dans son bureau de la maison de Bel-Air, alors que son voisin écoutait les informations de 23 heures sur la deuxième chaîne. Bon sang ! Et on lui demandait de quoi ils parlaient entre eux. De choses sans importance peut-être, mais c'était drôlement chouette.

Il s'était pourtant secrètement posé cette même question, ainsi que d'autres. Très souvent. Oui, très souvent. Bien qu'il ne fût pas exagérément enclin à l'introspection, Billy Berlin n'en restait pas moins *lucide* de certaines incongruités (ou s'agirait-il réellement de persistance ?) dans sa passion pour le radioamateur. Il s'était laissé entraîner à ce violon d'Ingres par un camarade de classe au cours de sa deuxième année au collège de Pacific Palisades. Cet ami avait depuis longtemps déserté au profit de la stéréo haute-fidélité et de la tétraphonie. Il avait continué, avec la prospérité financière de l'âge adulte, à remplir son manoir de Trousdale Estates d'une musique assez assourdissante pour empêcher toute communication, excepté peut-être celle du toucher.

Les mois d'études passés à préparer l'examen pour l'obtention d'une licence de la Commission fédérale des communications n'avaient en rien entravé son travail scolaire normal. Il faisait non seulement partie des bons élèves, mais réussit encore à sortir du collège en obtenant son diplôme avec mention. Son père et sa mère qui le voyaient opérer tard dans la nuit avec une réprobation muette (ils avaient admis à une ou deux reprises que cela valait mieux que de le voir traîner avec des garçons de son âge à se défoncer et à démolir la Porsche ou à se démolir le portrait ou les deux), lui offrirent pour fêter cette réussite un émetteur-récepteur Collins KWMI-, qu'il utilisa pour ses liaisons avec l'Etat d'Oregon. Il opérait de son dortoir, avec une petite antenne à dipôle fixée à l'extérieur de la fenêtre quand il n'était pas plongé dans ses livres. Mais il sortait tout de même de temps à autre pour apprendre à coucher avec les filles sans déconvenue.

Sa première station importante fut celle qu'il monta à son retour à la maison de Pacific Palisades et à son entrée à l'école de médecine de l'université de Californie du Sud. Mais l'étude de la médecine se révéla trop exigeante pour lui permettre de poursuivre ses jeux sur les ondes de la radio amateur. De plus, son père venait d'être attteint par la longue et maligne maladie qui l'emporta. Quand Billy commença son internat à l'hôpital du comté de Los Angeles, la radioamateur lui sembla devoir disparaître de sa vie à tout jamais. Et quand sa mère décida de vendre la grande maison pour s'installer dans un appartement qui donnait sur l'océan, Billy se débarrassa de tout son équipement en se disant que tout a une fin.

Julie Harrison surgit dans sa vie à l'improviste, par pur hasard. Son internat terminé, il faisait partie de ces docteurs en médecine novices qui se prélassent au soleil de la Californie en réfléchissant à quel parti prendre pour leur carrière. Billy hésitait entre se lancer dans la recherche au centre de gérontologie de l'université de Californie du Sud et s'établir à son compte comme médecin gérontologue dans la vallée de San Fernando, quand, un soir, *elle* lui apparut, littéralement comme une apparition, à l'autre bout d'une pièce où il y avait foule : adorable créature de vingt-deux ans.

Cela se passait dans le living-room d'une maison de Rustic Canyon, au cours d'une fête, avec buffet de vins et fromages, donnée par une ex-petite amie en l'honneur de son nouveau fiancé. Il vit Julie, assise seule dans un coin, négligée par le cavalier qui lui avait été attribué au hasard, un type que Billy ne connaissait même pas. Elle se sentait un peu perdue car elle arrivait de l'Est avec ses parents et n'avait aucune relation en Californie.

« Nous allons arranger *cela* », lui dit Billy.

Il avait su dès la première seconde qu'il allait l'épouser. Sa beauté lui coupait presque le souffle. Devant cette divine Tanagra, il sentait sa modeste stature devenir colossale. Et, lors de leur troisième rendez-vous de cette semaine de leur première rencontre, son sexe lui parut énorme quand il fut en elle. Bien qu'il n'en fût pas parfaitement conscient à cette époque, sa manière de parler le charmait : il lui semblait que ce subtil mélange de promptitude de répartie et d'aimable insolence n'existait que pour son usage personnel. Enfin une fille avec laquelle vous pouviez communiquer tout en vous faisant tenir à distance, avec qui vous pouviez être intime mais sans jamais de familiarité *excessive*.

Elle lui rappelait presque la radioamateur.

Il emprunta assez d'argent à sa mère pour installer sa jeune épouse dans une modeste maison de Westwood, tandis que *lui*, installait les bureaux de son cabinet de consultation dans une maison beaucoup moins modeste de Beverley Hills. Le Dr William Hoving Berlin, spécialiste en gérontologie, débutait sa carrière.

Julie s'occupait de leurs plaisirs, des réceptions, des week-ends à Laguna Beach ou à Balboa ou à Palm Springs, et de tous les nouveaux amis qu'ils pouvaient se faire. Il restait étonné de voir combien tout le monde l'aimait. Alors que c'était lui le Californien tandis qu'elle venait de New York, c'était pourtant elle qui modelait et animait leurs relations mondaines. Lui, il s'occupait de l'argent. Il affluait — une vraie mine d'or, ces vieillards bronzés — et leur faisait prendre à tous deux un sentiment d'importance. Non seulement il était médecin, titre déjà honorable en soi, mais spécialisé dans une discipline relativement assez nouvelle et exotique pour alimenter des conversations animées et interminables pendant les dîners de réception. Existe-t-il une seule personne qui ne désire pas savoir comment ne pas vieillir ou qui, ayant fait cette chose folle, ne veuille pas savoir comment retrouver la jeunesse ?

Ils menaient ensemble si joyeuse vie qu'ils ne semblaient pas se soucier de ce qu'ils parlaient bien peu de, comme on dit, fonder une famille : leurs deux caniches nains qui répondaient aux noms absurdes pour des chiens de Yin et Yang n'en étaient peut-être qu'une répétition préliminaire. Ils ne semblaient pas non plus se soucier de ce que leurs rapports sexuels se faisaient de moins en moins fréquents et de moins en moins chaleureux. Mais tout cela n'était que faux-semblants.

Ils s'en souciaient.

Ils refusaient de l'admettre, mais ils s'en souciaient.

Chacun à sa manière chercha un dérivatif à l'angoisse qui l'envahissait.

Julie se rendit chez Albert Grooning.

Billy commença un recyclage en radioamateur.

Et après cela, rien ne fut plus tout à fait pareil.

Pourquoi Billy s'était-il spécialisé en gériatrie et en gérontologie plutôt qu'en orthopédie, en pédiatrie ou en cardiologie ? Julie pouvait raconter à qui voulait l'entendre comme c'était simple. Surtout à lui. Elle en connaissait toutes les raisons. Et quand ils eurent acheté une maison plus grande dans Chalon Road à Bel Air, Billy, inexplicablement pour lui sinon pour elle, repartit sur les ondes en s'équipant d'un pylône avec antenne grand gain et un Henry 2K-4 commandé par un émetteur-récepteur Drake TR-4C. Julie pouvait expliquer ça également.

Mais elle ne faisait bénéficier Billy de sa perspicacité que si elle était en colère après lui, ou très fatiguée, ou après le départ du dernier invité à une soirée ratée si elle avait trop bu. Elle se lançait alors dans l'autopsie de leurs amis et de celle de Billy pendant qu'elle se déshabillait. Autrement, il lui fallait y réfléchir par lui-même. Et il était bien trop occupé pour en trouver le temps.

Les seuls moments pendant lesquels Billy Berlin aurait pu se consacrer à l'introspection, ou à une réflexion personnelle, se situaient au cours de ses vingt minutes de trajet de chez lui à son cabinet, de ce dernier aux hôpitaux puis au sanatorium, puis à son cabinet et son domicile. Or, dans sa voiture, il laissait toujours ouvert son émetteur-récepteur de radioamateur 2 mètres FM afin de parler avec les gars des environs de Los Angeles branchés sur le translateur de fréquences Henry. Ça lui était arrivé une fois de le laisser fermé deux jours durant. Deux jours pendant lesquels il s'était creusé la cervelle pour trouver un thème d'article original et provoquant qu'on lui avait demandé de faire pour le *Journal of the Institute.* Un titre avait tenté de forcer les blocages de son conscient. Et, en dépit de ses résistances, avait fini par faire surface. Billy avait alors immédiatement rallumé sa radio et ne l'avait plus jamais refermée par la suite : sinon pour parler, du moins pour écouter.

Il n'écrivit jamais l'article.

Ses occupations ne lui en laissaient pas le temps, expliqua-t-il.

« Tu n'as jamais une minute à toi. Qu'est-ce que tu cherches à fuir ? Serait-ce moi ?

— Ne sois pas stupide, chérie. Occupé et actif, je l'étais bien avant de te rencontrer. Tu n'as rien à voir là-dedans !

— Si, beaucoup.

— Voyons, mes patients ont souvent besoin de moi. *Très* souvent. Ils ne sont pas de la première jeunesse ni en bonne santé. Exact ?

— Admettons.

— C'est peut-être pour cela que j'aime autant mon métier et y consacre beaucoup de temps. Parce que je me sens indispensable...

— Tu veux que j'te dise, Billy, pourquoi tu as choisi la gériatrie... ?

— Pas maintenant. Il se fait tard...

— Parce qu'ils sont vieux et vont mourir quoi qu'il advienne. Sous peu pour la plupart. Ils le savent, et toi aussi et leurs familles également. Aussi, personne, toi y compris, ne peut jamais dire que tu as *perdu* un patient. La situation est sans risque pour toi, c'est une bonne *planque,* c'est pour *ça* que tu l'as choisie. Ce n'est pas vraiment parce que *tu* leur est nécessaire à *eux.* C'est *toi* qui as besoin d'*eux*...

— Tu as peut-être raison. Je n'en sais rien. Mais qu'est-ce que ça change puisque nous avons la santé ? (Il réussissait toujours sans grand mal à ne pas laisser voir sa colère. Julie n'y aurait rien compris de touté manière. Elle se serait effondrée sous le coup de la surprise. De plus, il trouvait imbécile de se laiser aller à la colère.) J'y réfléchirai un de ces jours.

— Quand cela ? Quand la fréquence 20 mètres n'existera plus ? Ou un jour de panne d'électricité ? Tu ne vas tout de même pas prétendre que ce n'est pas pour m'éviter *moi*, que tu t'es remis à la radio quand nous avons emménagé ici ? Que tu avais besoin de quelque chose pour te détendre...

— C'est *vraiment* relaxant. Ce n'est qu'un divertissement, Julie. Un simple divertissement. Ça n'est pas la peine d'y chercher des significations cachées. Tu sais, un cigare n'est parfois pas autre chose qu'un cigare. Raconte *celle-là* au Dr de Grooning. Mais ne lui dis pas qu'elle est de moi, ça ne serait pas vrai.

— De qui est-elle ? D'un correspondant de Boston ? ou de Stockholm peut-être ?

— Non, Sigmund Freud. Elle est d'un très célèbre Viennois.

— Très drôle ! Je vais me coucher.

— C'est pas une mauvaise idée.

— N'oublie pas d'éteindre les lumières quand tu auras fermé ton récepteur.

— Qui parle de mon récepteur ?

— *Moi*. A la minute. Bonne nuit. »

S'il ne l'avait pas laissé voir, il avait pourtant été fou de rage après elle, cette nuit-là. Mais pas la moitié de ce qu'il l'était juste maintenant pour l'avoir fourré dans un pareil guêpier en allant bavasser sur son Atlas-210 auprès du commandant Girodt. Et ce casse-pieds d'officier radio qui ne lui lâchait plus les basques ! Mais Julie ne saurait jamais rien de cette colère. Ça risquait d'envenimer les choses entre eux. Or, il l'aimait, et l'aimerait toujours. En dépit de tout. Quel que puisse être ce tout ! Un de ces jours, il faudrait qu'il essaie d'élucider de quoi il retournait.

« Je ne suis pas un héros, monsieur Specht, lança-t-il franchement. J'ai une mauvaise vue, le muscle flasque, le genou faible et du sang de lapin. Vous n'avez pas le droit de venir me proposer... ce pacte suicidaire... »

Quand un steward était venu le trouver sur ordre du commandant pour lui enjoindre de ne pas quitter sa cabine, de s'y trouver seul, et de ne pas souffler mot, pas même à sa femme, de la visite qu'on allait lui rendre, il avait tout d'abord cru à l'une des farces de Julie. Puis, quand le chef radio avait verrouillé la porte derrière lui en arrivant, et s'était mis à lui narrer les détails invraisemblables de la capture du *Marseille,* il avait commencé par l'écouter avec un étonnement amusé avant de se laisser gagner peu à peu par la curiosité. Mais cela se passait vingt minutes plus tôt. Maintenant, il n'éprouvait plus que la colère défensive d'un trouillard en face d'une menace.

« Et à supposer qu'ils découvrent ce que je fais, comment croyez-vous qu'ils réagiront ? »

Christian Specht haussa les épaules :

« Vous pouvez l'imaginer aussi bien que moi. Parmi les solutions les plus simples pour se débarrasser d'un homme à bord d'un navire en pleine mer, choisissez-en une, et vous aurez probablement votre réponse.

— Merci, dit Billy Berlin. Merci beaucoup. »

Il allait et venait dans le petit salon de son appartement, en essayant de ne pas regarder cet officier radio. Avec son calme olympien et son sourire ironique qui semblait tout prendre à la légère dans une situation pourtant dramatique, il lui tapait sérieusement sur le système.

« Je veux dire : pourquoi devrais-je risquer ma vie parce que vous avez été incapables de rester maîtres de votre bâtiment ? C'est la chose la plus ridicule que j'aie jamais entendue.

— Je comprends votre point de vue, docteur Berlin, dit Specht. Ce qui nous ramène à la question critique : êtes-vous ou non prêt à faire cet effort pour nous ?

— Et n'essayez pas de me faire accroire que ce n'est pas ma femme qui vous a parlé de cette radio. »

Specht se leva en disant :

« Je vais donc retourner chez le commandant pour lui expliquer que vous trouvez cela trop dangereux pour vous.

— Rasseyez-vous un instant, lui dit Billy Berlin sur un ton exaspéré.

— Très bien, fit le chef radio en obtempérant.

— Pourquoi ne pourriez-vous, ou l'un de vos hommes, prendre mon appareil, et le dissimuler quelque part et opérer depuis vos quartiers, si vous ne pouvez le faire depuis la salle de radio ?

— Eh bien, tout d'abord, dit Specht, mes hommes et moi ne sommes pas familiers avec les techniques et les procédures de la radioamateur. Nous nous ferions repérer sans tarder. Mais il y a plus important. Nous sommes sous surveillance constante. Ils épient chacun de nos mouvements. Nous serions découverts en un rien de temps. Tandis que *vous*, il n'y a aucune raison pour qu'ils vous suspectent. A condition, bien sûr, que vous soyez discret et cachiez soigneusement votre matériel sous clé quand vous vous absentez.

— Et Julie, ma femme ? C'est une fille adorable mais bavarde, comme vous devriez maintenant le savoir.

— Le commandant Girodt s'occupera personnellement de votre

femme, répondit Christian Specht. A présent, pourrais-je connaître votre réponse définitive, docteur ?

— Bon sang ! C'est oui, et vous le savez bien. Bien que je vous l'accorde à contrecœur, avec appréhension et bien du pessimisme. Je fais de la radioamateur depuis plus de vingt ans, et voici la première fois que je le regrette. »

Ce qui n'était vrai qu'en partie.

Christian Specht s'était levé et se trouvait déjà près de la porte.

« Où allez-vous ?

— Porter les bonnes nouvelles au commandant, dit Specht. Tandis qu'il fera chercher Mme Berlin pour la mettre au courant, je vous préparerai un résumé des informations qui vous seront nécessaires. Pendant ce temps-là, mes hommes verront comment glisser du câble coaxial jusqu'ici par le circuit électrique afin de vous raccrocher sur notre dipôle auxiliaire.

— Sans vous faire repérer, n'est-ce pas ?

— Nous ferons de notre mieux, docteur.

— Je souhaite que vous fassiez mieux que ça, monsieur Specht. »

Il déverrouilla la porte pour laisser sortir l'officier radio, et la referma derrière lui, avant de se diriger vers le placard où, manifestement sans succès, il avait voulu cacher son appareil à Julie. Une angoisse profonde, née de l'éventuel danger de mort, lui nouait les tripes mais disparut rapidement devant le flot de problèmes immédiats qu'il allait maintenant devoir affronter. Il lui faudrait se prétendre radioamateur américain, opérant depuis une station maritime mobile à bord d'un navire fictif croisant sur l'Atlantique. Il pria le ciel qu'aucun de ceux à l'écoute des fréquences de marine marchande dans la salle de transmissions du *Marseille* ne tombe sur l'écho de ses signaux dans la bande amateur voisine. Et, plus important que tout, s'il réussissait à établir le contact avec un opérateur radioamateur aux Etats-Unis ou ailleurs, il fallait mettre au point un message qui leur apporterait du secours sans alerter les organismes de presse internationaux de sa présence sur les ondes.

Il soupesa cette merveille grise et noire de 3 kilos : circuit intégré connu sous le nom de Atlas-210 (ou plus exactement 210x), effleura d'un léger baiser le dessus de vinyl noir de son coffret d'aluminium avant de le poser sur la table en murmurant :

« C'est pas le moment de me lâcher, mon trésor. »

Les lumières de la salle se rallumèrent doucement à la fin de la projection. Les sept cents places du cinéma n'avaient été remplies qu'aux trois quarts pendant cette matinée, et la plupart des spectateurs qui remontaient les allées vers la sortie se sentaient vaguement coupables. Non seulement ils avaient fait un déjeuner beaucoup trop copieux, mais ils venaient de passer deux heures assis à regarder un insipide navet au lieu de profiter de l'air marin et d'un soleil resplendissant ou de prendre un peu d'exercice. La salle fut presque totalement déserte en à peine une minute. Dans les trois premiers rangs de la travée centrale, quatre-vingt-neuf hommes et femmes, arrivés très tôt pour occuper ces sièges, ne bougèrent pas *après* s'être levés.

Un homme grand et athlétique, avec un visage avenant et des cheveux courts roux cendré, se leva de la place qu'il occupait dans une travée latérale et descendit l'allée pour venir faire face au groupe. Il portait une chemisette blanche à manches courtes, un pantalon de coton bleu et des espadrilles bleues. D'un air parfaitement décontracté, il observa le fond de la salle pour s'assurer que personne d'autre ne se trouvait à la traîne. Herb Kleinfeld s'adressa enfin à son auditoire :

« C'était plutôt rasoir, hein ?

— Je n'en sais rien, lança une blonde bronzée au visage couleur du cuir tanné, j'ai roupillé tout le long de ce foutu machin.

— Bravo, Francine ! lança quelqu'un d'autre.

— Très bien. Simplement afin que je sache qui est qui et où nous en sommes, j'aimerais que tous les membres de la Loge Canyon Numéro Trois lèvent la main. »

Quatre-vingt-neuf personnes levèrent la main.

Sûr maintenant qu'il n'y avait pas d'intrus dans l'assemblée, Herb Kleinfeld poursuivit :

« Parfait. Je vais maintenant vous faire part de ce que je compte dire aux autres membres de notre loge quand je les rencontrerai après le dîner. Tout d'abord, l'oncle Julian a quitté Los Angeles hier par Air France, et se promène probablement dans les rues de Paris à l'heure qu'il est. Ensuite, MM. Thompson, Nesser et Teitelbaum ont achevé aujourd'hui la première partie de leur exposé et pensent arriver sous peu à une conclusion satisfaisante. Enfin, parce que le premier capitaine de ce navire a mis son équipage au courant des dernières nouvelles, il vous faudra beaucoup de prudence dans les mots que vous utiliserez pour faire des mots-croisés dans les lieux publics. Des questions ? »

Un costaud à la mine rubiconde leva la main.

« Oui, John ?

— Herb, fit l'armoire à glace, serait-il déplacé de vous demander s'il y aurait eu des pertes au Cambodge dont nous ne soyons pas au courant ?

— Je ne pense pas que ce sujet soit d'un grand intérêt pour l'instant, répondit Kleinfeld.

— Très bien, Herb.

— Bon. Ce sera tout. On se retrouve à la soupe, les amis. »

Kleinfeld remonta rapidement l'allée et sortit par le vestibule du fond. Les autres se dispersèrent en empruntant plusieurs sorties. Tous étaient satisfaits de savoir que leur contact avait quitté Los Angeles pour Paris et que la moitié du *Marseille* se trouvait maintenant avec assez de T.N.T. accroché à ses flancs pour l'envoyer par le fond. L'avertissement de se tenir sur leur garde et de la boucler avait été bien reçu : s'ils étaient l'ennemi de l'intérieur, il s'ensuivait qu'ils seraient encerclés par l'ennemi de l'extérieur.

Bernard Delade augmenta au maximum son gain RF et prit un filtre cristal plus large, mais ça ne changea rien. Il réceptionnait le *Marseille* juste au-dessous du niveau statique, à environ Q3S2, ce qui ne pouvait donner une indication sûre. Il enclencha la commande TRANSMISSION et appuya sur la touche Auto en demandant à FNRC de rester en ligne. Il se leva de son poste pour aller débrancher le bruyant conditionneur d'air de la salle radio, retourna à son récepteur et brancha une paire d'écouteurs, tendit la main vers la prise du coaxial qui se trouvait sur le mur et passa de l'antenne en V sur la Yagi omnidirectionnelle quatre éléments. Puis il coiffa les écouteurs et demanda à FNRC de lui donner environ une minute de test. Il ajusta rapidement la résonance de son émetteur à la nouvelle antenne et se mit à l'écoute. Le *Marseille* résonnait clairement sur S7 maintenant. Tandis que l'opérateur du navire continuait à indiquer Vs, Delade jeta un coup d'œil sur le cadran indicatif de l'antenne rotative, et s'aperçut qu'il avait oublié de l'orienter à l'ouest. La grande Yagi se trouvait toujours orientée au sud, telle qu'il l'avait laissée depuis ses contacts de la veille avec plusieurs navires de croisière de la Française atlantique. Il actionna le levier vers la droite pour diriger l'antenne à l'ouest : silence sur la deuxième section de points de compte rendu de la route Atlantique Nord du *Marseille*. A sa stupéfaction, il capta un signal à 5db sur S9 comme le pinceau franchissait une position considérablement au *sud*-ouest qui retomba à un faible S3 quand le pinceau arriva sur une position plus au nord. Il redirigea rapidement l'antenne vers le sud et donna au *Marseille* un report de 5 sur 9 en leur disant de poursuivre leur transmission.

Le second radio Marcel Fox jeta un coup d'œil agacé sur les deux hommes qui l'observaient dans la salle de transmissions encombrée du *Marseille,* et transmit, les mains tremblantes, un message qui indiquait une fausse position du paquebot à 43° N, 58° O,. Quand il eut terminé, il rendit le morceau de papier à l'étranger qui le lui avait donné. L'homme fit un signe de tête à celui qui se trouvait derrière lui, et ils retournèrent prendre place devant la porte.

Bernard Delade télexa ce rapport de position à Paris, et en envoya copie au Havre, Southampton et New York. Avant de terminer son émission avec FNRC, il tourna le pinceau plus au nord afin d'avoir le cœur net sur ce bizarre phénomène d'affaiblissement de signal. Comme il piétinait sur les haut-parleurs, Bernard sentit monter en lui la résolution d'appeler Paris au téléphone, pour voir ce que le siège social pensait de la situation. Mais il ne put s'y résoudre à l'idée de devoir parler avec ce fat de Sauvinage.

" Mon cher Bernard, aurait dit celui-ci sur son ton snob, pourquoi me dérangez-vous pour des questions de reports de signaux et d'antennes directionnelles, alors que vous savez très bien que je n'y connais strictement rien ? (Son cher Bernard, mon cul !) Je ne suis pas radio, je suis directeur. Cela m'est parfaitement indifférent de savoir la direction de votre antenne aussi longtemps que je connais celle du *Marseille.* "

Que Paris aille au diable ! Il appellerait Lisbonne et Londres pour procéder à une triangulation sur les signaux du *Marseille* avec leurs détecteurs d'ondes des Açores et des Bermudes. Mais pas maintenant. Le lendemain matin. Maintenant, il avait envie de rentrer chez lui pour dîner tôt. Il partirait dès que son jeune assistant, Jean Patri, arriverait pour le relever.

Dans les dix minutes précédant l'arrivée de Patri, Bernard Delade changea d'avis et envoya un nouveau télex à Paris, à Georges Sauvinage :

Caractéristiques directionnelles bizarres dans signaux radio du Marseille *me poussent respectueusement à vous suggérer prendre contact par radiotéléphone avec capitaine Girodt pour vérifier position et cap du bâtiment. Si mauvaise audition, essayer liaison par Açores. Delade.*

Peut-être cette dernière phrase ferait-elle remuer son gros cul à Sauvinage.

Le grand paquebot filait droit au sud sous le chaud soleil de l'après-midi, les pales de ses hélices actionnées par ses turbomoteurs l'entraînant à une vitesse de 33 nœuds.

A fond de cale, une équipe fraîche de plastiqueurs amateurs poursuivait stratégiquement la mise en place de leurs charges destructrices sur les cloisons du bâbord. Dans la cambuse, bien au-dessus d'eux, trois laveurs de vaisselle lyonnais négligeaient temporairement leur ouvrage pour discuter, avec bravade, d'un plan qu'ils tramaient pour s'emparer des fusils qui restaient encore en service au tir aux pigeons et, ainsi armés, abattre les pirates de sang-froid. Quand l'un d'eux, un nommé Louis, demanda qui étaient les pirates et où on pouvait les trouver, ses compagnons le dévisagèrent un moment en silence, puis tous trois replongèrent les mains dans leur eau sale.

Dans une petite cabine sans fenêtre située à l'arrière sur le pont B, Harold Columbine gisait attaché sur un lit, épiant le bruit assez proche des moteurs du bateau. La vue encore brouillée par le formidable mal de tête qui provenait du coup par lequel ils avaient failli lui défoncer le crâne, un sourire imperceptible se dessinait pourtant aux commissures de ses lèvres pleines. Ça lui avait pris plus de quatorze heures, mais il avait finalement réussi. Il avait élaboré un plan pour échapper à ses deux gardiennes déguisées en matrones mal attifées, portant perruques grises, qui lisaient des romans dans une édition de poche, un magnum calé sur les cuisses. Il lui faudrait cependant attendre encore un peu, jusqu'au moment où elles lui détacheraient les poignets. C'était sacrément ennuyeux.

« Hé ! » lança-t-il sur un ton sec.

Les deux femmes levèrent les yeux.

« Laquelle de vous deux, mes poulettes, voudrait venir me grimper ? »

Elles l'observèrent pendant un moment puis se replongèrent dans leur lecture.

Chapitre VIII

« Elle est telle que le commandant l'a décrite. Pourquoi ne me suis-je pas arrêté à sa hauteur ? »

Lucien Lanoux s'immobilisa, se retourna, et se décida à s'avancer jusqu'à la jolie jeune femme allongée dans la chaise longue, les yeux fermés. Comme tous les stewards, Lanoux répugnait à déranger des passagers assoupis. Mais il ne pouvait se permettre de commettre une erreur :

« Excusez-moi, je vous prie. »

Julie Berlin ouvrit les yeux :

« Oui ?

— Pardonnez-moi, mais seriez-vous, par hasard, madame Berlin ?

— Par hasard, c'est bien moi.

— Je ne voulais pas vous réveiller...

— Je ne dormais pas, je ne faisais que réfléchir, dit Julie. Qu'est-ce que vous avez à me proposer, du thé, du café, du chocolat chaud, ou une leçon de français ? »

Le steward efflanqué jeta un coup d'œil à la ronde et, constatant que personne ne pouvait les entendre, il dit :

« Le commandant Girodt m'a chargé de vous transmettre un message. (Julie se redressa.) Il aimerait que vous vous rendiez tout de suite à l'hôpital du bord pour y rencontrer le médecin-chef dont le nom est Yves Chabot. Je vous conduirai jusqu'à lui.

— Rappelez-moi votre nom ?

— Lucien, madame. Lucien Lanoux.

— Lucien, vous direz au commandant que je vais très bien, et que je n'ai nul besoin de voir un médecin.

— Mais il le faut, madame. Le commandant m'a ordonné de vous conduire. Il dit que c'est urgent. Je vous devancerai, et vous me suivrez à quelques pas. »

Julie haussa les épaules.

« Comme vous voudrez, Lucien. »

A leur arrivée à l'hôpital, le steward confia Julie à une séduisante femme aux yeux sombres vêtue d'une blouse blanche très élégante.

« Geneviève Bordoni, se présenta l'infirmière en chef.

— Très heureuse, fit Julie en se disant qu'elle ressemblait plus à un mannequin de Courrèges qu'à une infirmière.

— Voulez-vous patienter un instant, madame Berlin. »

Elle disparut par la porte ouverte d'un bureau d'où elle ressortit quelques secondes plus tard en priant Julie d'y entrer. Elle pénétra dans une pièce d'aspect riant, lambrissée de chêne clair, où Yves Chabot l'accueillit en souriant, debout devant son bureau :

« Merci d'être venue, madame Berlin. Je suis le docteur Chabot.

— Ne me remerciez pas, répondit Julie sur un ton amène. Je suis là sur commande. »

Elle serra la main tendue, se sentant vaguement réconfortée par la fermeté de sa poignée de main et la vivacité de son regard. " Il est trop beau, pensa-t-elle, pour être un bon médecin. "

« Je vais essayer de me montrer aussi bref que possible, dit Chabot. Voulez-vous passer par là, s'il vous plaît, demanda-t-il en désignant du geste le cabinet d'examen qui se trouvait à gauche de son bureau.

— Mais pourquoi ?

— Pour examiner votre gorge.

— Mais je ne suis pas du tout malade, docteur.

— Croyez-moi, madame Berlin, pendant que je vous transmettrai les messages du commandant Girodt, il vaut mieux que j'aie l'air de vous examiner pour un quelconque malaise dans le cas où quelqu'un d'indésirable viendrait rôder par ici. C'est vraiment préférable.

— Sans vouloir vous offenser, docteur, je me demande pourquoi le commandant ne me rencontre pas lui-même plutôt que de me parler tout d'abord par l'entremise d'un steward et par vous ensuite.

— S'il vous plaît... par là ? » fit-il en montrant le cabinet d'examen.

Julie y pénétra avec un sourire un peu médusé, et prit place dans le fauteuil de cuir noir que Chabot lui désignait. Le docteur lui introduisit immédiatement un thermomètre dans la bouche, sans lui laisser le temps de protester, s'assit devant elle sur un haut tabouret métallique, saisit son poignet droit dans sa main pour prendre son pouls, et commença à parler :

« Le commandant vous aurait entretenue de cela personnellement s'il n'avait pas jugé plus sage de ne pas vous rencontrer lui-même pour l'instant. Mais on le surveille plus ou moins assidûment. La dernière chose qu'il souhaiterait serait que les gens qui l'épient se posent des questions quant aux relations qu'il pourrait avoir avec *vous*. Il s'agit de votre mari, madame Berlin...

— Je m'en doutais... murmura Julie, gênée par le thermomètre.

— Le commandant m'a recommandé de ne pas entrer dans plus de détails que dans ceux que je vais vous donner. J'espère que vous respecterez ce souhait pour l'instant. Il se trouve que certains passagers du *Marseille* se montrent en ce moment, disons, assez désagréables envers le commandant et son équipage. Nous ignorons, à une ou deux exceptions près, qui sont ces gens, leur nombre, mais ils ont investi certains secteurs de commandes de cette traversée. Nous ne pouvons plus communiquer librement avec nos bureaux à terre, ni avec aucune des autorités maritimes, que ce soit par les voies radio normales ou par liaisons radiotéléphoniques, parce que... votre température est normale, madame Berlin... »

Il venait d'entendre s'ouvrir la porte du bureau extérieur. Il mit un doigt devant ses lèvres pour lui recommander le silence et retira le thermomètre de sa bouche.

« A présent, poursuivit-il, voulez-vous ouvrir la bouche très grand et faire a-a-a-h... »

Il avait pris une spatule pour lui maintenir la langue et braquait une torche électrique pour lui éclairer la gorge.

« A-a-a-h..., fit Julie en observant derrière le médecin un homme au visage dissimulé sous d'énormes lunettes noires qui venait d'apparaître sur le pas de la porte.

— Ce n'est pas méchant, fit Chabot sans se retourner. Pas méchant du tout. Juste une petite rougeur qui ne tardera pas à disparaître. Fumez-vous, madame Berlin ?

— Très rarement, docteur. En fait, pratiquement jamais.

— C'est une des manières les plus sûres de réduire le corps médical à la famine, plaisanta-t-il en se détournant d'elle. Oui, monsieur ? Vous désirez une consultation ?

— Non. Ça va. Poursuivez, fit l'homme qui se tenait sur le pas de la porte à les regarder.

— Je n'en ai plus pour longtemps, fit Chabot avec affabilité. Voulez-vous patienter dans la salle d'attente ?

— Continuez ce que vous êtes en train de faire, répondit

l'homme qui avait un léger accent texan. Je reviendrai peut-être plus tard ou peut-être pas.

— Très bien », dit Chabot.

Il se tourna vers Julie qui s'était levée et, posant ses doigts de chaque côté de son cou, lui demanda de tourner la tête à fond de droite à gauche et de gauche à droite. Julie obtempéra en ne quittant pas du regard l'homme qui continuait à les observer du pas de la porte.

« Parfait, fit Chabot. Voulez-vous vous rasseoir, je vous prie.

— Une minute, dit-elle en écartant le docteur pour aller se mettre en face de l'homme qui se tenait toujours sur le pas de la porte :

— Vous savez quoi ? lui lança-t-elle. Si je me trouve ici, c'est parce que je ne me sens pas bien. Et de voir un type bizarre me *dévisager* pendant qu'on m'examine n'est sûrement pas pour me faire sentir mieux. Pourquoi ne pas aller consulter la direction du comité des fêtes si vous avez besoin d'une petite récréation ? »

La bouche de l'homme se fendit sur un sourire glacial qui découvrit de vilaines dents jaunes ébréchées :

« Madame, vous êtes *vraiment* malade, dit-il avant de s'éloigner. »

Chabot attendit jusqu'à ce qu'il entende la porte extérieure se refermer. Puis il passa devant Julie pour entrer dans son bureau s'assurer que l'homme était bien parti, après quoi il revint dans le cabinet d'examen.

« Bravo ! lança-t-il à l'adresse de Julie.

— Merci. Etait-ce l'un d'eux ?

— Je n'en serais pas surpris.

— Il aurait besoin d'un bon dentiste, et d'un psychiatre *aussi*, dit Julie en se laissant aller dans le fauteuil de cuir noir. Où en étions-nous... ? »

Chabot se repercha sur le tabouret métallique :

« Quand vous avez parlé au commandant Girodt de la radio de votre mari... euh... de cet émetteur...

— Emetteur-récepteur, précisa Julie.

— Le commandant a immédiatement pensé que cet émetteur-récepteur pourrait nous permettre d'informer secrètement le monde extérieur de nos problèmes...

— Mon Dieu...

— Notre radio-chef, Christian Specht, a eu un entretien privé avec votre mari, aujourd'hui...

— Pendant que je déjeunais... laissa-t-elle échapper avec soulagement.

— Exact. Et votre mari a accepté d'opérer clandestinement sur une station de radio-amateur depuis votre appartement.

— Mon Dieu ! J'aurais mieux fait de me taire !

— Madame Berlin, voici l'occasion de devenir une héroïne. Mais pour qu'il en soit ainsi, vous devrez faire tout ce que nous vous demanderons, ou plutôt, tout ce que nous vous demanderons de ne pas faire.

— Si vous me laissez commander autant de soufflé au Grand Marnier que j'en ai envie, je ferai tout ce que vous voudrez, docteur. »

" Peut-être, se disait-elle, que si je ne prends pas tout cela trop au sérieux, ça conjurera le sort. "

Yves Chabot était ravi de la voir prendre les choses ainsi. Ça lui simplifiait la tâche.

« La première chose que je vous demanderai de me promettre, ainsi qu'à vous-même, est de ne souffler mot *à personne* de l'existence de cet émetteur-récepteur, et encore bien moins du fait que votre mari l'utilise secrètement. Et quand je dis personne, j'entends personne. Il n'y a qu'au commandant Girodt et à moi que vous puissiez faire confiance. Il n'est pas un passager de ce bateau qui ne pourrait faire partie de nos ennemis. Ils possèdent jusqu'à des uniformes qui leur permettent de se faire passer pour l'un d'entre nous. Le commandant et moi, ainsi que le reste de l'équipage, ferons notre possible pour répandre la nouvelle que votre mari est obligé de garder la chambre en raison d'une mauvaise grippe. Nous espérons que ça justifiera son absence. Si le docteur Berlin était découvert, on ne peut pas dire ce qu'ils feraient de lui.

— Mon petit Billy, fit-elle d'un air triste. Pourquoi voudrait-on faire du mal à mon petit Billy ? Lui, ne ferait pas de mal à une mouche. Il se contente de tenir la main à de très vieilles dames et à de très vieux messieurs pour les accompagner le plus doucement et le plus gentiment possible jusqu'à leurs tombes. Et quand il rentre à la maison le soir après une dure journée à la maison de repos ou au sanatorium, il boit un verre de petit-lait et puis va s'asseoir devant son superbe récepteur et son superbe transmetteur, et il appelle CQ et QRZ et Dieu sait quelles autres lettres fascinantes de l'alphabet jusqu'aux petites heures du matin. Et il est tellement prévenant et discret quand il se glisse dans le lit qu'il ne me dérange jamais, ou si peu. Suis-je assez immonde ? Oui, je le suis. Et je n'ai pas l'intention de l'être. Qu'est-ce qui me prend, docteur ?

— C'est l'inquiétude.

— Vous croyez ?

— Bien sûr.

— Pour Billy ?

— Bien entendu.

— A cause de ce qui pourrait lui arriver ?

— Exact.

— Parce que si je n'étais pas allée jaboter auprès du commandant au sujet de l'émetteur-récepteur, Billy ne se trouverait pas dans ce pétrin ?

— C'est tout à fait ça.

— Qu'est-ce qui pourrait arriver à Billy, docteur ?

— Vous voulez la vérité ou un soufflé au Grand Marnier ?

— Les deux, dit-elle.

— Plusieurs membres de l'équipage ont disparu. Et nous avons de sérieuses raisons de craindre qu'ils aient été assassinés.

— Grand Dieu !

— Il y avait une jeune fille de vingt-six ans parmi eux.

— Quelle horreur... gémit Julie.

— Je suis navré, fit Chabot en lui tapotant la main.

— Ça me retourne, je ne me sens pas très bien... »

Le docteur se leva et se rendit dans son bureau dont il revint avec un petit verre à moitié plein qu'il tendit à Julie. Elle le prit et l'observa en demandant :

« Cognac ?

— C'est excellent pour les maux de gorge », dit-il en opinant du chef.

Elle l'avala en faisant d'horribles grimaces :

« Mais qu'est-ce que je vais faire ? Dites-moi ce que je dois faire.

— C'est tout simple, dit Chabot calmement : aider votre mari s'il en a besoin. Le laisser seul s'il le désire. Il va se trouver très occupé, sur le qui-vive, peut-être un peu inquiet...

— Je n'ai pas été très gentille avec lui ces temps derniers, dit-elle les lèvres un peu tremblantes. Je me sens... un peu... je ne trouve pas l'expression en français...

— Morveuse ? »

Elle leva les yeux vers lui, et, de concert, ils éclatèrent de rire.

« Là-dessus, dit Chabot, je dois prendre congé. »

Comme Julie se levait, il la prit familièrement par le bras pour la raccompagner en disant :

« J'espère que nous nous reverrons souvent.

— J'en serais ravie.

— N'hésitez pas à venir me voir si vous cherchez quelqu'un à qui parler ou avec qui avoir peur...

— D'accord.

— Et nous aurons peut-être besoin de vous comme messager entre votre mari et nous.

— Dites-moi la vérité, dit-elle. Croyez-vous que tout se passera bien ?

— Oui », répondit-il.

A la porte de la salle d'attente, il prit sa main dans les siennes :

« Au revoir, je dirai au commandant que vous avez été une patiente admirable.

— Merci, docteur. »

Elle sortit en passant devant la beaucoup-trop-jolie infirmière-chef de la réception et se dirigea vers l'ascenseur. Le cognac commençait à lui faire de l'effet. Mais cette douce sensation de chaleur et de réconfort, fallait-il l'attribuer au cognac ou au Dr Yves Chabot ?

« Qu'est-ce qui s'est passé ? demanda Yves Chabot à Geneviève Bordoni après le départ de Julie.

— J'ai essayé de l'arrêter, répondit l'infirmière-chef, mais il n'a rien voulu entendre. Il est entré d'autorité.

— Et je suppose qu'il n'a pas donné de nom ?

— Absolument aucun.

— Bon. Appelez-moi le commandant, s'il vous plaît. »

Il rentra dans son bureau et venait juste de s'asseoir à sa table de travail quand le téléphone sonna. Il décrocha le combiné :

« Chabot à l'appareil.

— Girodt.

— Le patient suit le traitement comme prescrit.

— Merci. »

Et ils raccrochèrent. Chabot se leva et se rendit dans le cabinet d'examen. Un parfum suave flottait-il encore dans l'air alentour du fauteuil de cuir noir maintenant vide, ou était-ce un effet de son imagination ? Après un instant d'hésitation, comme pour éloigner ce parfum de ses pensées, il saisit une bombe aérosol et vaporisa la pièce d'un fin brouillard désodorisant.

Bobo Crépin avait beau saliver et se passer les lèvres sur la langue, il ne retrouvait pas le moindre arrière-goût du savoureux cassoulet qu'il avait pris à son dernier repas. Il avait une trop bonne digestion. Deux heures après le déjeuner, il ne lui en restait plus qu'un désir de se remettre à table. A cinquante-neuf ans, Bobo avait été vigile de sécurité sur plusieurs paquebots de la Française atlantique depuis plus de vingt-deux ans. Il n'avait jamais eu l'occasion de sortir son revolver de son holster. Il avançait dans la semi-pénombre de l'entrepont, l'estomac agité de délicieux frissons tandis qu'il échafaudait son menu pour le dîner du soir.

Prendrait-il un coq au vin ou une sole meunière ? Ou peut-être un bœuf bourguignon et des fraises des bois comme dessert ? Il goûta un peu de blanquette de veau, laissa fondre un morceau de foie gras dans sa bouche, et s'apprêtait à attaquer un steack au poivre quand il entendit des bruits provenant d'un tunnel latéral, sur sa droite, qui lui firent abandonner momentanément la table du dîner. Des bruits étouffés de marteaux et de voix masculines. Un peu à contrecœur, Bobo Crépin s'enfonça dans l'ombre du tunnel latéral en allumant sa torche électrique. Un trou d'homme était ouvert. Il se pencha au-dessus de l'ouverture sans mot dire, et écouta. Le martèlement étouffé s'arrêta, mais il lui sembla entendre parler.

Bobo Crépin se recula, hésitant. Au briefing du matin, toutes les forces de sécurité du navire avaient reçu ordre d'ignorer tout ce qui pourrait leur paraître bizarre et, par-dessus tout, de ne pas intervenir. Après vingt-deux ans de service, Bobo avait ressenti cet ordre comme une insulte à son honneur. Il introduisit son corps replet par le trou d'homme et entama avec précaution la descente de l'échelle de fer vers la cale. Il entendit distinctement quelqu'un dire : « Silence. »

Arrivé au bas de l'échelle il appela : « Holà ? » sans recevoir de réponse. Il entendait le chuintement lointain des turbodynamos, ponctué par instants des gémissements des plaques de la coque. Il avança dans l'ombre, explorant l'obscurité sous le faisceau de sa torche électrique. Aux affres de la faim venaient maintenant se mêler celles de la peur. Il passa devant plusieurs réservoirs d'eau et fonça sur sa droite avec une surprenante agilité. Il déboucha soudain devant trois hommes qui se tenaient adossés aux parois de la coque. Leurs visages étaient couverts de suie et leurs vêtements sales. A leurs pieds, il vit des seaux dans lesquels il y avait des chiffons, des rouleaux de câble, et d'autres objets que Bobo n'identifia pas immédiatement. Ils lui souriaient avec amabilité.

« Eh bien, dit l'un des hommes, vous tombez bien. On a besoin d'aide. »

Bobo trouva qu'il parlait français avec un fort accent américain. Il fit quelques pas en avant :

« De l'aide ? Qu'est-ce que vous voulez dire, de l'aide ? Je suis du service de sécurité. Qu'est-ce que vous fabriquez ici ?

— On essaie de fixer ce foutu machin et ça nous donne du fil à retordre. Ça vous ferait rien de nous donner un coup

84

de main ? Là. S'il vous plaît, fit-il en s'avançant et en lui lançant un rouleau de câble autour de la main gauche. »

Bobo transféra sa torche électrique dans cette même main pour libérer la droite qu'il dirigea vivement vers l'étui de son revolver :

« Qui êtes-vous ? Personne n'a le droit de descendre ici, à moins que...

— Tenez ! Attrapez ça !

— Je ne veux pas... ah... »

Le couteau qui venait de perforer l'estomac de Bobo Crépin lui coupa instantanément sa faim.

Chapitre IX

Quand elle regagna la cabine, Billy l'attendait. Les premiers instants furent un peu tendus : ils s'observaient du coin de l'œil. Elle lui expliqua qu'elle était au courant de la situation, et de ce qui allait se passer dans leur cabine. Il lui dit combien il regrettait d'avoir emporté son appareil pour ce voyage, mais que ça finirait peut-être par se révéler comme une heureuse initiative. Ce à quoi elle répliqua sur un ton assez grinçant. Il eut un air si enfantin et désarmé, tellement aux antipodes d'un Yves Chabot, qu'elle se sentit de la peine pour lui. Puis pour elle. Puis elle se mit à pleurer en songeant qu'ils étaient devenus presque étrangers l'un à l'autre. Et la révélation de la plaie qui venait de s'abattre sur le *Marseille* risquait de peser lourdement entre eux.

« Allons, voyons, chérie, dit Billy en lui prenant le visage entre ses mains. Ne t'en fais pas. Tout se passera bien. »

Il commença par embrasser ses joues humides, puis ses lèvres, puis il leur parut plus confortable de s'étendre sur le lit où ils restèrent un moment enlacés avant de penser qu'ils seraient encore plus à leur aise en se déshabillant. Pendant l'heure et demie qui suivit, tandis que le soleil descendait sur l'horizon occidental du ciel, à tribord du bâtiment, ils retrouvèrent le rythme familier des mouvements de leurs corps soudés ensemble. Mais quand elle commença à jouir avec une sauvage intensité, en criant « Billy, Billy... », c'étaient les images de Yves Chabot et de Harold Columbine qui dansaient sous ses paupières.

« J'ai froid et envie de pisser, dit Harold Columbine. Allons, un bon mouvement.

— Pensez à une scène de votre dernier livre. Ça vous réchauffera.

— Allons, beauté, détachez-moi que je puisse aller au petit coin.

— Je vous ai détaché quand nous vous avons donné à manger. Il est trop tard maintenant.

— Vous ne m'aviez détaché qu'un bras. Sil vous plaît. Il n'y a pas de fenêtre dans les toilettes. Vous n'avez rien à craindre.

— Laisse-le y aller, Marge, dit l'autre femme. Il me casse les oreilles.

— Vous voyez ? Voilà une poule qui comprend la vessie d'un homme. Ça vous plairait d'en apprendre davantage sur ma vessie, Marge ?

— Profitez-en pour vous rincer la bouche pendant que vous y serez.

— Brrr ! je grelotte.

— Tenez-vous tranquille si vous voulez que je vous détache.

— On gèle de froid, là-dedans. Voudriez-vous me donner mon veston ?

— Vous n'avez pas besoin de votre veston pour aller aux toilettes.

— Je vous en prie.

— Donne-lui son sacré veston, Marybeth.

— Très bien.

— Fouille d'abord ses poches.

— Vous allez trop souvent au ciné, les poulettes !

— Allons, asseyez-vous.

— Voudriez-vous cesser de pointer ce truc sur moi ?

— Asseyez-vous.

— Un portefeuille, un peigne, un stylo, un peu de monnaie, quelques bonbons, annonça la femme qui fouillait ses poches.

— Très bien, voilà, dit l'autre femme en lui tendant son veston.

— Pourquoi tout le monde est-il si gentil avec moi ? dit-il.

— Et ne vous enfermez pas !

— Vous promettez de ne pas me regarder ?

— Allez-y. »

Une fois dans la salle de bains, il tira la porte sur lui, souleva le couvercle de la toilette, et se soulagea parce qu'il en avait vraiment besoin. Il tira la chasse d'eau et alla se laver les mains dans le lavabo. Son image renvoyée par le miroir n'avait rien de réjouissant : l'œil injecté et la barbe de plusieurs jours qui lui envahissait les joues comme un chaume dru lui faisaient une figure patibulaire. Il prit un essuie-mains immaculé sur le porte-serviettes et, au lieu de s'essuyer les mains, le trempa dans la cuvette du lavabo. Puis il sortit son stylo de la poche intérieure de son veston et en retira le capuchon.

Après son quatrième best-seller et son premier million de dollars, judicieusement placé sur divers fonds d'épargne rémunérateurs, il s'était mis en tête qu'il devenait une proie tout indiquée pour des kidnappers. Il commença par mettre en place un réseau d'alarme électronique de la cave au grenier de sa maison de Wesport. Paré sur le plan du domicile, il s'occupa de celui du monde extérieur : les trottoirs de New York et les incursions nocturnes dans les paradis des bas-fonds demandaient aussi quelques précautions. S'ensuivirent de nombreuses rencontres avec M. Moretti dans un garage de East Orange, dans le New Jersey, qui était une véritable mine de gadgets plus tordus les uns que les autres.

Depuis deux ans qu'il possédait ce stylo, il n'avait jamais eu, Dieu merci ! besoin de s'en servir. Il n'avait fonctionné, accidentellement, qu'une seule fois. A ce souvenir, en dépit de sa situation précaire dans cette salle de bains légèrement malodorante, il eut du mal à ne pas éclater de rire. Il se trouvait assis, en compagnie de Walter Zeitlin, dans le bureau de Himmelberg, sur le point de signer les contrats qui auraient donné à la maison d'édition Himmelberg vingt-cinq pour cent de ses droits d'auteur sur les éditions de poche, quand, fort heureusement, il sortit le mauvais stylo de sa poche par erreur et appuya accidentellement sur le bouton. Pendant les trois heures qu'il avait fallu au service de sécurité de l'immeuble pour faire disparaître le gaz de la Maison Himmelberg, Zeitlin, un agent astucieux, qui croyait aux signes et aux présages, avait téléphoné à Michaelson de chez B & B, et lui avait fait reconsidérer une précédente proposition de contrat qui n'avait pas abouti, et avait réussi à traiter pour cinq volumes sans droits pour l'éditeur sur les éditions de poche. Le petit stylo avait déterminé lui-même sa propre insignifiance : c'était maintenant d'une division de blindés et d'un dispositif de télédétection dont Harold Columbine aurait eu l'emploi pour veiller sur ses biens.

Il retira du lavabo la serviette trempée de sa main gauche, tandis que de la droite il entrebâillait la porte de la salle de bains en disant : « Je me sens beaucoup mieux », en même temps qu'il pressa sur le bouton qui éjecta la cartouche dans la chambre. Le bruit de l'explosion et les cris indignés des femmes retentirent en même temps :

« Oh, mon Dieu, qu'est-ce que... ?

— Oh, oh, oh, oh,... »

Puis elles commencèrent à suffoquer et haleter misérablement. Il se couvrit le visage avec le linge humide et, à quatre pattes, avança à tâtons dans la chambre. Il se découvrit un instant un œil pour se repérer et eut la rapide vision des deux femmes qui se frottaient les yeux en trébuchant au milieu du nuage d'un gris bleuâtre qui emplissait la pièce, perruques de travers, leurs revolvers abandonnés sur le plancher où elles les avaient laissés choir. Puis, tenant la serviette étroitement serrée contre son visage, il s'avança vers la porte, commençant lui aussi à se sentir proche de la suffocation.

« Au secours, haleta l'une des femmes.

— Oh, je... oh, oh, je ne peux pas... *oh*... », gémit l'autre.

Il manipula la serrure à tâtons, réussit à ouvrir la porte et sortit dans le couloir d'un pas chancelant en lançant :

« Par ici ! »

Puis il prit une profonde inspiration avant de leur lancer la serviette humide et de prendre ses jambes à son cou. Il ne regarda derrière lui qu'une seule fois : juste à temps pour apercevoir les deux femmes s'écrouler sur le plancher du couloir, les mains sur leurs visages grimaçants de douleur, et poussant des gémissements aigus, tandis que les premières traînées de gaz délétère commençaient à sortir de la cabine.

Ça leur apprendrait qu'à jouer avec le feu on se brûle !

A l'hôpital du bord, un endroit aussi bon qu'un autre où se rendre avec une bosse sur le crâne et une histoire abracadabrante, il se vit accueillir sans surprise par ces mots : « Oui, nous sommes au courant », de la part d'un certain Dr Yves Chartreuse, ou Dieu sait quoi ! Et par une œillade provocante de l'infirmière-chef qui avait vraiment du chien. On lui donna aussi des aspirines. Plus tard, après qu'un steward lui eût ouvert la porte de sa cabine et qu'il vit sa clé sur le lit, il se rappela Julie et son joli petit cul.

Si elle avait eu la moindre classe, elle l'aurait attendu.

Herb Kleinfeld décrocha le téléphone de sa cabine avec un léger pincement au cœur et composa le numéro de Dunleavy. Bien qu'il fût pratiquement certain que le système téléphonique intra-muros n'était pas sur écoutes, il l'utilisait cependant le moins possible.

« Oui ? répondit Betty Dunleavy.

— Il est là ?

— Une seconde. »

Tandis qu'il patientait, il regardait par le hublot les nuages teintés par les couleurs du crépuscule naissant auxquels le roulis du bateau donnait une allure bizarre.

« Oui, fit la voix de Dunleavy.

— Il y a du nouveau. »

Après un silence, Dunleavy reprit :

« Dans cinq minutes. Au salon du pont-promenade couvert.

— Très bien », fit Kleinfeld en raccrochant.

Harriet, étendue sur le lit, le regardait. Elle ne portait rien d'autre qu'un slip. Il alla vers elle et se pencha pour l'embrasser :

« Tu dois vraiment partir ? murmura-t-elle.

— Oui.

— Je commence à me préparer pour le dîner.

— Non, reste comme tu es. Je reviens. »

Elle souriait en le regardant. Il se pencha sur elle et baissa son slip pour l'embrasser. Avec un soupir, elle lui passa les mains derrière la nuque. Se sentant proche de l'érection, il s'arracha à son étreinte :

« Il faut que j'y aille », lança-t-il.

Quand il arriva dans le bar américain du pont-promenade couvert, Dunleavy s'y trouvait déjà, assis à une petite table, dos au mur devant un dry-martini. Son hâle avait foncé. Il portait un complet bleu et blanc avec une chemisette et des espadrilles bleues. Kleinfeld s'assit à la table voisine. Ils pouvaient ainsi se parler sans que nul se doute, dans la salle à moitié pleine, qu'ils étaient ensemble. Quand le garçon lui eut apporté un Scotch avec des glaçons, Kleinfeld commença :

« Jerry et Lou s'occuperont de la timonerie cette nuit. Lambert et Finney de la passerelle. Jackson et Wright de la radio. Les salles des machines sont aussi prises en charge, je ne sais plus par qui, mais tout est au point.

— Tu as dit qu'il y avait du nouveau ?

— Oui, mais je voulais d'abord m'assurer que tu étais au fait de la situation générale. Les immersions se feront pendant le dîner, vers 21 heures.

— Me voilà au point, fit Dunleavy lourdement.

— Autre chose : Leonard Horner a repéré un ingénieur radio en haut de l'un des mâts d'antennes, il y a environ trente minutes. Il raccordait du câble à un truc quelconque. Horner l'a fait descendre et a fait venir Christian Specht pour lui demander des explications. Il paraît qu'ils avaient besoin d'une antenne auxiliaire parce que le navire se trouve si éloigné de sa route qu'il ne pourrait plus maintenir sa liaison radio.

— Sans problème, dit Dunleavy.

— A présent... (Kleinfeld but une bonne rasade de Scotch). Il s'agit de Gwen Parker.

— Qu'est-ce qui lui arrive ? dit-il en plissant les yeux.

— Elle est en train de craquer, Craig. Complètement. George n'arrive plus à la raisonner. Il est venu me trouver dans ma cabine. Il était inquiet de ce qu'elle puisse compromettre nos plans. Elle n'avait jamais vu personne mourir auparavant. George pense que c'était une erreur de la laisser utiliser du poison.

— Très bien, c'était une erreur. Demain il fera jour.

— Tu ne comprends ce que je veux dire, Craig...

— Alors, dis-le clairement.

— Elle ne veut plus prendre part à notre affaire. Mais elle veut également nous empêcher de poursuivre. Elle risque de faire des idioties. George ne savait plus quoi faire. C'est pourquoi il est venu me trouver.

— Continue.

— Il n'y a plus rien à dire. »

Craig Dunleavy demeura un instant silencieux à regarder fixement le fond de son verre, la bouche dure :

« Qu'est-ce que George pense de Gwen ?

— Je viens de te le dire, Craig.

— Non, je veux dire... si je m'occupais de Gwen... comment George le prendrait-il ? »

Kleinfeld le regarda sans mot dire puis, détournant les yeux sur ce qui restait dans son verre :

« Je pense que nous aurions un problème sur les bras. Emotionnel. Surtout après coup. Je ne pense pas qu'il le supporte. Si tu veux savoir exactement ce que j'en pense, je ne crois même pas qu'il y survivrait. »

Dunleavy opina, l'air sombre.

« Tu en as parlé à Harriet ? demanda-t-il.

— Je ne lui en ai pas soufflé mot.

— Continue comme ça », dit-il après l'avoir regardé un instant en silence.

Puis il vida son dry-martini, posa quelques pièces sur la table, se leva et s'éloigna.

Kleinfeld resta assis, à siroter son verre. Mais il ne bougea pas quand son verre fut vide. Il pensait que Harriet l'attendait mais qu'il ne serait plus bon à rien avec elle maintenant. Il perdait tous ses moyens quand il avait la nausée.

George Parker entrouvrit la porte de la cabine et jeta un coup d'œil au-dehors.

« Oh, je pensais un peu que c'était toi, Craig. Entre, fit-il en écartant la porte pour laisser passer Dunleavy qui observa la pièce d'un coup d'œil circulaire :

— Où est-elle ?

— Dans la salle de bains, dit Parker en refermant la porte à clé. »

Puis il s'avança vers lui en se passant nerveusement les doigts dans les cheveux clairsemés qui ne cachaient plus que partiellement son crâne constellé de taches de rousseur.

« Ecoute, vas-y doucement, s'il te plaît, Craig. Elle est vraiment bouleversée.

— Je comprends, George. »

Il s'avança jusqu'à la table de chevet où il avait repéré la lettre. Il la prit et la parcourut rapidement. Elle était de l'écriture de Gwen, adressée au commandant du *Marseille*. Elle racontait toute l'affaire en citant des noms. Dunleavy la rejeta sur la table et se détourna. Parker l'observait.

« Tu ne la déchires pas ? demanda-t-il.

— A quoi bon ? Elle en écrirait une autre, ne crois-tu pas ? »

Comme il ne répondait pas, Dunleavy redemanda :

« Ne crois-tu pas, George ?

— C'est probable, fit Parker doucement en détournant les yeux.

— Dis-lui que je suis là, veux-tu ? Et puis, George, tu nous laisseras en tête à tête pendant environ un quart d'heure. A ton retour, si nous ne sommes plus là, attends-nous ici.

— Qu'est-ce que tu comptes faire, Craig ? demanda Parker d'une voix pleine d'appréhension.

— Je vais avoir une petite conversation avec elle.

— Mais tu prendras les choses *en douceur* ?

— Bien sûr, George. »

Parker alla frapper à la porte de la salle de bains :

« Chérie, tu m'entends ? (Il frappa de nouveau) Chérie ?

— Qu'est-ce que tu veux ? demanda-t-elle d'une voix lasse.

— Chérie, Craig est ici, Craig Dunleavy. »

Elle ne répondit pas.

« Tu m'as entendu ? reprit-il.

— Oui.

— Veux-tu sortir ? dit-il sans obtenir de réponse. Craig voudrait te parler. Tu viens, chérie ?

— Très bien, dit-elle finalement.

— Voilà. En douceur, hein Craig », recommanda-t-il avant de s'en aller.

La porte de la sale de bains s'ouvrit sur Gwen. Elle avait le visage pâle et tiré, ses longs cheveux blonds tombaient librement sur ses épaules. Elle portait une sortie de bain jaune pâle, courte et légère, ceinturée à la taille, qui s'ouvrait sur ses jambes nues en laissant voir ses cuisses. Ce fut en voyant ses cuisses que Dunleavy sut comment il allait s'y prendre.

« Où est George ? demanda-t-elle sans pouvoir soutenir le regard de Dunleavy.

— Il revient dans un moment.

— Hé bien... je suppose que tu sais...

— Bon sang, Gwen, je suis désolé. Je n'aurais jamais voulu que cela t'arrive, à toi. »

Il avait parlé d'une voix si douce qu'elle tourna les yeux vers lui :

« Je vis un enfer, Craig. Et je n'arrive pas à m'en sortir, et je ne peux plus le supporter. »

Elle attrapa une bouteille de gin à moitié vide qui se trouvait sur la table de chevet et s'en versa dans un verre.

« Combien faudra-t-il encore que j'avale de ça avant de me sentir mieux ? dit-elle avant de boire son verre d'un trait, hoquetant sous la brûlure de l'alcool, tandis qu'il l'observait attentivement. Je voudrais dormir, poursuivit-elle, ne plus penser, être morte. Je veux rentrer chez moi. Je ne veux pas savoir pourquoi ou comment, mais je veux rentrer chez moi, dit-elle d'une voix qui commençait à trembler. Nous allons tous rentrer chez nous, Craig. Avant qu'il ne soit trop tard, s'il n'est pas déjà trop tard. Plus je bois de ce gin, plus je vois les choses clairement, et ce que je vois, c'est que nous allons tout laisser tomber et rentrer chez nous.

— Tu n'as peut-être pas tort, dit Craig calmement. Peut-être même as-tu raison. Et je vais y réfléchir sérieusement cette nuit, si tu m'en laisses le temps. »

Elle cherchait à lire sur son visage s'il parlait sérieusement.

« Oh, je t'en prie, Craig, dit-elle en hochant la tête d'un air malheureux, ne me fais pas marcher. Je t'en prie, ne fais pas ça.

— Mais pourquoi, ferais-je ça, chérie, à un moment pareil ? » dit-il en lui passant un bras autour des épaules.

Il attrapa la bouteille et reversa du gin dans le verre qu'elle tenait encore dans sa main :

« Avale ça, veux-tu ? »

Elle but à nouveau d'un trait.

« Je commence à me sentir mieux, dit-elle avec un débit qui devenait légèrement bredouillant. N'est-ce pas ridicule ? Tu me dis quelques mots et... ou peut-être est-ce le gin...

— Viens, allons faire un tour sur le *Sun Deck*.

— Pourquoi ?

— J'ai à te parler.

— Pourquoi pas ici ?

— Je veux te parler seul à seul. George va revenir d'un instant à l'autre.

— Mais chéri, regarde ce que je porte.

— C'est ravissant.

— Mais je n'ai rien en dessous.

— C'est parfait comme ça. Viens.

— Où est ma clé ?

— Tu n'en auras pas besoin. Allons-y. »

Dans le couloir, il l'entraîna vers l'ascenseur. Elle le retint : « Non. Pas l'ascenseur. Les gens. Prenons l'escalier. Je ne suis pas habillée.

— J'aime la manière dont tu n'es pas habillée. »

Elle tourna les yeux vers lui et il la prit par la main pour l'aider à monter l'escalier. Elle portait des sandales à hauts talons et son court peignoir faisait paraître ses jambes encore plus longues qu'elles ne l'étaient. Sur le palier, il ne lâcha pas sa main bien que sa marche ne fût pas trop hésitante en dépit de l'alcool qui devait lui chavirer la tête. Leurs paumes se joignirent étroitement et leurs doits s'emmêlèrent tandis qu'ils avançaient vers la poupe.

« De quoi veux-tu me parler, Craig ?

— J'espère que nous allons dans la bonne direction. Oui, je crois.

— De quoi veux-tu me parler, Craig ?

— Il m'est venu une idée qui pourrait nous rendre tous, toi et moi en particulier, beaucoup plus heureux au travers de cette épreuve que nous traversons en ce moment. Je voulais avoir ton avis.

— Je te le donnerai. Dis-moi de quoi il s'agit et je te le donnerai.

— Nous y voilà. Juste ici. C'est charmant et désert et nous pourrons parler tranquillement. »

Il l'entraîna vers le fond du *Sun Deck,* complètement à l'arrière du gaillard d'arrière. Dans le courant de la journée, l'endroit était occupé par les fanatiques de bains de soleil. Il était en cet instant, dans l'obscurité, totalement désert. Au-delà du bastingage, à plus de 40 mètres en dessous, le *Marseille* traçait un long sillage d'écume bouillonnante qui semblait s'éloigner d'eux.

« Regarde, il n'y a pas âme qui vive ici.

— Et il ne fait même pas froid », dit-elle.

Il l'emmena jusqu'à un mur qui se trouvait à environ 4 ou 5 mètres du bastingage. Elle s'y appuya pour se reposer, et il se tourna pour lui faire face :

« Comment te sens-tu ?

— Je ne sais pas, dit-elle. Bien, je suppose. Je ne sais pas. Quelle importance ? Mmm..., ça fait du bien cette brise, tu ne trouves pas ? Je t'écoute, Craig ?

— Gwennie, regarde-moi.

— Très bien, je te regarde.

— Te rappelles-tu de la première nuit de notre rencontre ?

— Veux-tu parler de ce « Swap Club » dans la Valley ?

— Tout juste.

— Mon Dieu, Craig, c'était le paradis, tu étais merveilleux.

Ça s'était passé à l'époque où ils recrutaient par tous les moyens qui leur venaient à l'esprit. Il avait échangé Betty contre Gwen, et Betty avait pris George. Les orgasmes de Gwen avaient la violence de crises épileptiques.

« Qu'est-ce que tu dirais de reprendre des relations échangistes ? A partir de cette nuit ? »

Il vit qu'elle ne le quittait plus des yeux.

« Ceux à qui ça ne plaît pas n'y sont pas obligés, poursuivit-il. Mais ceux qui le veulent...

— Mais Craig, je croyais...

— Je sais. Il y a un an, il ne pouvait plus en être question. Cela aurait pu nuire à la mise au point de notre projet. Mais j'ai changé d'avis. J'ai envie qu'on remette ça. Tu comprends ce que je veux dire ? »

Elle avait maintenant la respiration courte.

« Oui, je crois comprendre.

— Je veux t'avoir dans mon lit chaque nuit. Toute la nuit.

— Oh, Craig... o, chéri... si je n'étais pas tellement ivre... »

Elle le regarda dans les yeux, à la recherche du passé. Il se rapprocha d'elle et passa sa main gauche derrière sa tête pour presser sa bouche sous la sienne. Sa main droite partit explorer les plis de sa sortie de bains à la recherche de son clitoris. Tandis que leurs langues se mêlaient, elle se pressait contre sa main. Elle se mit à gémir doucement, puis s'écarta de l'étreinte, la respiration haletante :

« Arrête... On pourrait nous voir...

— Il n'y a personne ici. Et quand bien même y aurait-il quelqu'un. Viens ici, toi. »

Elle se jeta dans ses bras, lui passa les mains derrière la tête et commença à l'embrasser lentement sur la bouche. Il lui mit les mains sur les fesses pour la serrer étroitement contre lui. Elle murmura contre sa bouche ouverte, le faisant profiter de relents de gin :

« Qu'allons-nous faire pour George et Betty ?

— Ne t'inquiète pas de ça. Je leur parlerai. Je sais comment m'y prendre.

— Tu sais toujours comment t'y prendre, hein ? murmura-t-elle. Oh... arrête-toi, chéri... arrête...

— J'aime ce peignoir... beaucoup... j'aime la manière dont il s'ouvre là...

— Ah... Dieu... nous ferions mieux de rentrer... Craig, chéri, George doit nous attendre. Nous ferions mieux... Oh, mon Dieu... »

Elle mouillait sous son étreinte et son gémissement lui emplissait les oreilles.

« Oui, chuchota-t-il. Maintenant... oui, maintenant...

— Oh, Dieu, je suis tellement paf... tellement étourdie... c'est merveilleux, gémit-elle. Merveilleux...

— Avançons par là, murmura-t-il en la guidant de sa main libre vers le bastingage. Assieds-toi là-dessus que je puisse...

— Oh, chéri, Dieu, ne l'enlève pas...

— Je vais t'aider... Oh hisse. Très bien. C'est parfait...

— C'est si... Dieu ! J'ai peur de regarder en dessous... Oh, oui, laisse-la là... laisse-la là... Oh, toi...

— Tiens-moi par la nuque. Tiens-toi...

— Oh, chéri... chéri... c'est merveilleux... »

Assise sur le bastingage elle écartait de plus en plus cuisses en s'accrochant à lui.

« Oh, Craig... Craig... »

Elle haletait et ses paupières battaient de plus en plus vite et il sentait naître en elle les premières contractions profondes. Il se colla entre ses jambes écartées.

« Prends-moi et mets-moi dans toi, dit-il d'un ton pressant. Aide-moi. »

Il enleva brusquement sa main.

« Oh... où as-tu... oh, je... Je vais... oh, ciel, je vais jouir... Craig, je...

— Aide-moi, vite ! Mets-moi dans toi.

— Ohoh... criait-elle, ohoh... »

Elle lui entoura convulsivement les reins avec ses jambes et, avec une hâte qui ne connaissait plus de prudence, elle lui lâcha la nuque pour aller saisir l'objet de sa convoitise. Elle n'eut pas le temps de constater qu'elle n'aurait rien trouver qui puisse combler son attente palpitante. Ça n'avait d'ailleurs plus grande importance. Rien ne pouvait plus interrompre son orgasme. A l'instant même où ses premiers râles de plaisir lui déchirèrent les tympans, il porta rapidement les mains derrière son dos, lui saisit les chevilles qu'il écarta brusquement en les soulevant et poussant. Elle bascula cul par-dessus tête dans l'horrible vide. Le son décroissant de ses gémissements s'interrompit net sur une saillie d'acier de la coque où sa tête se fracassa avant qu'elle ne sombre dans le flot houleux où il la vit s'engloutir.

Il alla se laver les mains dans les toilettes des messieurs du salon Bretagne, évitant soigneusement de croiser son propre regard dans le miroir surmontant le lavabo. Puis il se rendit au bar où il commanda un double dry-martini devant lequel il se mit à attendre que cesse le tremblement de ses mains. Le petit homme maigre aux yeux larmoyants assis sur le tabouret voisin du sien avait son compte. Le verbe haut, il se répandait en invectives, prenant à témoin le barman qui se réfugiait dans un sourire de commande :

« J'ai trop roulé ma bosse, Roland. On ne me la fait pas. Pas sur la traversée de l'Atlantique Nord ! Non, monsieur ! Je vous le dis, nous sommes déroutés de un million de milles. Et on peut me balancer tous les boniments qu'on voudra sur des courants et des corrections de route ou tout ce qu'on voudra, j'suis pas client. Harry Grabiner n'est pas un pigeon. Et Harry Grabiner, c'est *moi,* et vous savez *qui je suis,* Roland. C'est moi le type qui vous dit maintenant qu'il ne veut pas de glace dans le prochain, si vous plaît, môssieur » fit-il en tendant son verre au barman.

Il se tourna vers Dunleavy :

« Qu'est-ce qui n'va pas, mon pote ? Vous les avez à zéro ?

— Je ne connais rien qui puisse motiver cela, répondit Dunleavy.

— Vous n'avez jamais entendu parlé d'un bateau dérouté ? Ça ne vous secoue pas ? Ça ne vous empoigne pas, ça ne vous atteint pas, juste là ? fit-il en agrippant Dunleavy au pli de l'aine.

— Bas les pattes », lui dit Dunleavy calmement.

L'homme le dévisagea, attendant un sourire.

« Je vous demande pardon ?

— J'ai dit : bas les pattes, ou je vous mets les tripes à l'air.

— Eh bien, vous ! dit l'homme avec un rire rauque mais en retirant sa main. Vous êtes pire que ce bateau détourné. Vous marchez encore plus à côté de vos pompes que ce bateau de grenouilles hors de sa route. »

Dunleavy se leva du tabouret et s'éloigna. En fait, plus il rencontrerait d'emmerdeurs de ce calibre sur le *Marseille,* mieux ça vaudrait pour lui... tous les m'as-tu-vu, les ordures, les déprédateurs de la vie. Il n'y aurait pas beaucoup de monde pour déplorer leur mort à ceux-là.

Quand Dunleavy frappa à la porte, George Parker lui ouvrit immédiatement. Pendant un instant, l'homme parut ahuri. Dunleavy passa devant lui pendant qu'il jetait un coup d'œil dans le couloir avant de refermer la porte.

« Où est-elle ? demanda-t-il.

— Je l'ai conduite voir Betty », dit Dunleavy.

Il se dirigea vers la table de chevet sur laquelle se trouvait encore la lettre et la clé de la cabine dans un cendrier à côté.

« Eh bien, comment ça s'est passé ? demanda Parker. Je suis revenu ici tout droit, mais vous étiez partis. Qu'est-ce qui s'est passé ? Comment va-t-elle ?

— Tout s'est passé pour le mieux, dit Dunleavy en mettant la lettre et la clé dans sa poche. Elle va aller beaucoup mieux, George.

— Mais comment va-t-elle en ce moment ? A cette minute ? »
Son regard plein d'appréhension ne quittait pas Dunleavy.

« Elle va beaucoup mieux.

— Tu en es bien certain ?

— Si tu ne me crois pas, pourquoi ne l'appelles-tu pas ? dit-il en désignant le téléphone. Vas-y, appelle-la.

— Non, fit Parker en secouant la tête, ça va bien. Mais j'aimerais savoir ce qui s'est passé. Ce qu'elle compte faire maintenant...

— Elle ne bougera pas, George. Tout est arrangé. Maintenant, il faut que nous ayons une petite conversation, toi et moi.

— Comment as-tu pu t'y prendre pour la faire changer d'avis, Craig ?

— Ne parlons pas de ça ici, George. Allons faire un tour, j'ai besoin de marcher.

— De marcher ?

— *Et* de parler. Sur le *Sun Deck*. D'accord ?

— Comme tu voudras, fit Parker en haussant les épaules. »
Dunleavy ouvrit la porte de la cabine et attendit.

« Crois-tu que j'aurai besoin d'un chandail ? demanda Parker.

— Non, répondit Dunleavy. Ça ne te serait d'aucune utilité là où tu vas. »

Il s'effaça pour laisser passer Parker afin de l'évaluer de dos. Puis il le prit par le bras et ils partirent en direction du *Sun Deck*.

Il l'estimait à environ 70 kilos.

Chapitre X

Miss Ruth Anne Hartwell de Modesto, Californie, demanda et obtint une liaison radiotéléphonique navire-terre depuis la cabine du salon du pont-promenade couvert du *Marseille,* avec un Mr. James Heck, propriétaire d'un saloon dans Lexington Avenue à New York. Au cours de sa conversation — écoutée dans la salle des transmissions plus par curiosité que par nécessité, Miss Hartwell se borna à dire à son petit ami qu'elle allait bien et s'amusait beaucoup. Dès qu'elle eut raccroché, James Heck prit une poignée de pièces de 25 cents dans sa caisse, et sortit dans la rue pour se rendre à une cabine téléphonique publique. Il forma le numéro d'une autre cabine publique, à Phoenix, dans l'Arizona, et dit à l'homme qui répondit en s'identifiant sous le nom de Stanley que Ruthie se portait à merveille. Le nommé Stanley raccrocha et, par l'automatique international, demanda le numéro d'une boutique spécialisée dans les objets d'art et d'artisanat de l'Asie du Sud-Est, située dans la rue des Beaux-Arts à Paris, en France. Un homme attendait là cet appel téléphonique depuis son arrivée par le vol en provenance de Los Angeles : Julian Wunderlicht. Le message de Phoenix se résumait à ces trois mots : nous sommes prêts.

Chapitre XI

Assis devant un Perrier à une table de terrasse de la brasserie Lipp, Julian Wunderlicht rêvassait en regardant cette foule de jeunes filles minces à longs cheveux et de jeunes gens élégants et bronzés qui flânaient dans la douceur du crépuscule d'été. Il décida que nulle vague et confuse appréhension ne viendrait troubler son plaisir de se retrouver à Paris, sur ce boulevard Saint-Germain, au milieu de gens qui ne semblaient préoccupés que des plaisirs de la table, de la bouteille et de l'amour, ou de se singulariser par le chic de leurs vêtements. Ni les uns ni les autres n'avaient envisagé dans leurs plans, pas même Dunleavy ou Kleinfeld, que le P.-D.G. puisse être absent de Paris pour une semaine, parti à Antibes réconforter une épouse dont la mère venait juste de trépasser. Nul n'aurait pu prévoir cet impondérable. Il n'allait certainement pas se laisser préoccuper par cela pour l'instant. Il n'y avait aucune raison de douter que ce directeur adjoint, ce Sauvinage sur qui on avait canalisé son appel en l'absence du P.-D.G., ne pourrait recevoir ses instructions pour les soumettre à un conseil d'administration tout aussi rapidement et efficacement que son supérieur.

Wunderlicht était optimiste de nature. Quand il entreprenait quelque chose, il allait jusqu'au bout. Il avait convoqué Georges Sauvinage en ces lieux. Georges Sauvinage ne pouvait tarder à arriver. Une tête bien faite avait permis à Julian Wunderlicht de bien se sortir d'événements plus difficiles qu'un simple changement accidentel dans un plan. C'était un bel homme de quarante-huit ans, avec des cheveux blonds grisonnants et une charmante pointe d'accent allemand qu'il avait dû cultiver pour ne pas la perdre au cours des années passées chez Lockheed Missiles & Space qui l'avait fait venir de Stuttgart comme le *wunderkind* de l'autopropulsion. Les mois passés à faire la queue au bureau de chômage à la suite des restrictions du programme spatial et des fermetures d'usines, pas davantage qu'une année ignominieuse comme vendeur de voitures d'occasion, n'avaient réussi à altérer son sourire et sa bonne mine. Quand on supprime l'emploi auquel vous aviez été formé, dans lequel vous étiez expert, vous pouvez toujours trouver autre chose à faire, et le faire bien également. Dans le cas présent, le travail était venu au-devant de lui.

Quand Craig Dunleavy était venu rôder sur le parking des voitures d'occasion pour la première fois, par un mémorable après-midi de mai, il semblait vraiment n'avoir rien d'autre en tête que la possibilité de se débarrasser de six véhicules appartenant à des amis à lui, à la date du 8 juillet. Wunderlicht s'était montré aussi serviable et sociable qu'à l'accoutumée. Il n'avait aucune raison de se conduire autrement puisqu'on le payait pour ça. Le lendemain même, Herb Kleinfeld s'était présenté avec une requête identique, pour quatre voitures, cette fois, et pour la même date. Aussi Wunderlicht n'avait-il pas été surpris outre mesure de les voir revenir ensemble quelques jours plus tard, ni par leur invitation à déjeuner.

Il ignorerait toujours par quelle anecdote sur son passé ou par quelle qualité personnelle il avait pu les séduire à ce point. Seule une élémentaire courtoisie semblait les avoir empêchés de bâiller d'ennui, pendant qu'ils buvaient leurs cocktails, en l'écoutant narrer par quelles aimables prouesses sexuelles il avait réussi à soutirer une Cadillac Seville à une richissime veuve de La Jolla, son aînée de quinze ans. En fait, ils n'avaient commencé à lui marquer de l'intérêt et de la sympathie que quand il raconta comment il avait finalement dû vendre cette bon sang de voiture afin de pouvoir continuer à s'offrir les vêtements luxueux et les bons vins dont, malheureusement, il avait coutume de faire son ordinaire. A l'exception de ses compétences techniques, de ses prises de bec avec l'administration de la Lockheed, de balivernes sur le tableau de chasse de sa joyeuse vie de célibataire et, bien sûr de son dédain pour un rôle de commissionnaire en véhicules terrestres, il avait très peu parlé de lui.

Quoi que ce soit qu'il ait pu dire, ou *ne pas* dire — le vocabulaire de Wunderlicht ne s'encombrait pas de notions de remords ou de morale — entre le cocktail de crevettes et le café, il se sentait tout à fait certain que Craig Dunleavy et Herb Kleinfeld n'auraient pas, au petit bonheur, fait une proposition aussi stupéfiante à n'importe quel vendeur de voitures d'occasion. Si cette mission ne ressemblait en rien à quoi que ce soit qu'il avait entrepris jusquelà, il se pensait néanmoins tout à fait capable de la mener à bien, autrement il n'aurait jamais accepté les 25 000 dollars sur lesquels ils s'étaient mis d'accord.

En voyant l'homme replet au costume froissé et aux cheveux noirs huileux qui traversait le boulevard en se dirigeant vers la table qu'il occupait à la terrasse de la brasserie Lipp, Wunderlicht sut immédiatement que ce devait être Sauvinage. Son apparence coïncidait si bien à la morosité désenchantée de la voix qui lui avait parlé au téléphone que Wunderlicht l'aurait reconnu même s'il n'avait pas porté un journal plié sous le bras comme convenu. Wunderlicht se leva pour l'accueillir en le hélant.

« Wunderlicht ? fit Sauvinage en nage et irrité.

— Lui-même. Asseyez-vous, je vous en prie, monsieur Sauvinage. Vous prendrez bien un verre », dit-il en dégageant une chaise pour son hôte involontaire.

Wunderlicht parlait bien français, grâce à cinq ans passés à la Sorbonne à l'époque de ses études, mais avec assez d'accent pour ne laisser aucun doute sur son origine germanique. Quand on éplucherait les listes des étrangers récemment arrivés en France, on s'arrêterait à des noms de consonance allemande et on ne prêterait probablement pas beaucoup d'attention aux Américains venant de Californie, et encore bien moins à celui qui voyageait sous l'identité d'emprunt d'un nommé James Taggart.

« Je suis en retard pour dîner comme vous pouvez l'imaginer, marmonna Sauvinage, en installant son opulente personne sur la chaise. Un calva, s'il vous plaît » demanda-t-il au garçon. Puis il jeta un coup d'œil à sa montre et tourna les yeux sur son hôte : « Je dispose exactement de dix minutes, Wunderlicht, pas une de plus, pour apprendre de vous, un parfait étranger, l'information qui se révélera si " vitale " pour mon avenir à la Compagnie française mais qui, malheureusement, ne saurait même être suggérée par téléphone tant elle est " délicate ". J'aime autant vous dire que si vous êtes agent d'assurances ou journaliste...

— Nous avons détourné un de vos bateaux.

— ... ou un petit malin en quête d'un voyage aux frais de la princesse pour Tahiti sur nos croisières d'hiver...

— Sauvinage.

— ... il vaudrait mieux briser là, car je ne peux pas supporter l'expression maussade de ma femme quand je suis en retard pour le canard à l'orange.

— Nous avons détourné le *Marseille*, insista Wunderlicht.

— Oh, pour l'amour de Dieu ! dit-il sur un ton irrité. Assez de...

— Je vous suggère de m'écouter attentivement, le coupa Wunderlicht. Si quelque chose vous échappe, dites-le moi, je répéterai. Dès que j'aurai terminé, je demanderai une communication téléphonique à votre intention. Vous pourrez ainsi vérifier l'exactitude de ce que je vais vous dire. J'ajouterai, dit-il en voyant Sauvinage se tortiller sur sa chaise en observant les alentours, qu'il serait suicidaire de votre part de même *penser* à la police.

— Eh bien, pour éviter ma mort précoce, aboya Sauvinage fou de rage, si vous vidiez votre sac ? »

Wunderlicht but une gorgée de son eau Perrier et commença à narrer l'histoire de l'investissement du *Marseille* avec un calme exaspérant. Les promeneurs du boulevard Saint-Germain auraient pu croire en regardant les deux hommes que l'Allemand blond était en train d'expliquer au Français brun que sa femme le quittait pour lui, tant le Français paraissait atterré. Il semblait ne plus rien voir autour de lui et, l'œil fixe, restait perdu dans une contemplation aveugle de l'autre côté du boulevard. Quand le garçon apporta son calvados, il le vida d'un trait sans pour cela sentir disparaître l'angoisse qui commençait à lui nouer l'estomac. Il fallait que cet Allemand mente. Il fallait que toute cette histoire soit une gigantesque farce, que quelqu'un veuille lui faire une sale blague. S'il pouvait seulement s'empêcher de penser aux messages de ce radio, Delade. Il aurait dû leur porter plus d'attention. Il aurait peut-être encore été temps d'intervenir à ce moment-là. On allait le taxer de négligence coupable.

« Vous mentez, vagit-il soudain.

— Laissez-loi finir, dit l'autre calmement. Nous irons ensuite téléphoner.

— Je suis déjà en retard pour le dîner. C'est terrible, dit Sauvinage en sortant un mouchoir pour s'éponger le visage où roulait la sueur.

— Votre dîner, monsieur Sauvinage, est une affaire bien triviale comparée à la responsabilité que je vais maintenant remettre entre vos mains : sauver la vie de trois mille personnes. »

Sauvinage gémit, hochant la tête d'un air désespéré :

« Assez ! Vous êtes déjà allé trop loin. Arrêtez cette...

— Le groupe dont je suis le porte-parole ne s'est pas emparé du *Marseille* pour prouver que c'était possible, comme on escaladerait le mont Everest. A moins que leurs revendications ne soient satisfaites...

— Je ne veux pas entendre parler de revendications. Comment osez-vous me parler de revendications, fit-il d'une voix qui tremblait de peur.

— Monsieur Sauvinage, s'il vous plaît !

— J'en ai *assez* de cette histoire ! éclata-t-il.

— A moins que leurs revendications ne soient satisfaites, le *Marseille*, ses passagers et son équipage iront par le fond », dit Wunderlicht sur un ton égal.

Sauvinage en eut le souffle coupé. Il ne pouvait plus articuler un mot. Il remua les lèvres, sans qu'il en sorte le moindre son, le visage décomposé.

« I-ront-par-le-fond », répéta Wunderlicht en articulant lentement.

Il but une gorgée de Perrier et jeta un coup d'œil sur Sauvinage qui paraissait écroulé sur sa chaise.

« Peut-être voudriez-vous un autre alcool ? »

La réponse du Français sortit sur un ton atone :

« Enoncez-moi ces revendications, espèce d'ordure. Puis je vous ferai jeter en prison. »

Wunderlicht sourit :

« Des collègues à moi nous observent de l'autre côté du boulevard. Si vous faisiez cela, ils risqueraient d'intervenir de manière déplaisante. »

Il vit le Français jeter un coup d'œil apeuré sur la foule des passants et fut satisfait de son petit mensonge. Il prit un ton plus cassant car les atermoiements de Sauvinage commençaient à l'agacer :

« Maintenant, écoutez-moi bien. Voici ce que vous rapporterez au directeur général et au conseil d'administration de votre société. Mais à eux seuls. Toute révélation à la presse ou aux autorités de n'importe quel gouvernement sur l'affaire du *Marseille* entraînerait un désastre immédiat dans l'Atlantique. Est-ce bien clair ?

— Je vous ai bien entendu...

— Parfait.

— ... Mais si vous imaginez que je peux garantir le silence de gens sur qui je n'ai aucune autorité, vous êtes plus stupide que je n'aurais cru.

— C'est là votre problème, monsieur Sauvinage. Tout ce que je peux vous garantir si vous échouez, ce sont les conséquences.

— Nom de Dieu ! Allez-vous me dire ce que vous voulez ? »

Les traits de Wunderlicht se durcirent.

« Il y a environ deux mille passagers à bord du *Marseille*. Nous trouvons raisonnable d'évaluer le prix de leur vie à 5 000 dollars par tête. »

Sauvinage cilla :

« Dix millions de dollars ? fit-il sur un ton de bravade sans conviction.

— Nous compterons pour rien la vie du millier de membres

de l'équipage, celle du commandant y compris, dit Wunderlicht sans l'ombre d'un sourire.

— Votre générosité est sans borne, ricana amèrement Sauvinage.

— Mais pour ce qui est du bâtiment lui-même...

— Oui ?

— Afin d'éviter la destruction totale du *Marseille,* et pour assurer qu'il soit remis sans délai et en bon état entre les mains du commandant et de son équipage, il faudra mettre une rallonge de 25 millions de dollars à cette rançon. Ce qui porte son total à 35 millions de dollars. »

Les deux hommes se dévisagèrent un instant en silence.

« Ce sera tout ? demanda finalement Sauvinage sur un ton dédaigneux.

— Ecoutez-moi bien attentivement, dit Wunderlicht. La somme sera placée, sous forme de lingots d'or, dans la cabine passagers d'un *747* fourni par vos soins. Cet avion, avec sa cargaison, sera parqué à l'extrémité nord de l'aéroport Charles-de-Gaulle, au-delà de la piste 800. Il attendra là, prêt à décoller, avec un plein de carburant pour une autonomie de vol de 15 000 kilomètres. Il n'y aura personne à l'intérieur de la carlingue ni dans un périmètre de 2 000 mètres alentour de l'avion, à l'exception d'une équipe minimale de personnel à terre pour mettre les moteurs en marche — et qui ne fera son apparition que sur l'instruction de la tour de contrôle. Les pilotes seront des hommes à nous. Après utilisation, l'appareil sera remis à la disposition de son propriétaire. Dès que l'avion chargé d'or aura atteint sa destination sans encombre, le *Marseille* en sera avisé. Le navire, ses passagers et son équipage seront immédiatement libérés, selon un processus permettant à mes camarades de quitter son bord en toute sécurité pour leur destination personnelle. Dans le cas où l'avion porteur des 35 millions en barres d'or n'atteindrait pas sa destination en toute sécurité, pour quelque motif que ce soit, rien sur terre ou sur mer ne saurait empêcher une catastrophe. »

Wunderlicht jeta un coup d'œil sur sa droite en tendant la main dans cette direction :

« Regardez l'heure à la pendule du clocher de l'église de Saint-Germain-des-Prés. »

Sauvinage tourna la tête de mauvaise grâce pour regarder le clocher.

« Vous disposez de quarante-huit heures, à dater de cette minute, pour satisfaire nos revendications, poursuivit Wunderlicht.

— C'est impossible, dit Sauvinage en lui jetant un coup d'œil meurtrier.

— Vous ne disposerez pas d'une minute de plus, Sauvinage. Quarante-huit heures. Et maintenant, allons appeler le commandant du *Marseille* par radiotéléphonie pour vérifier la situation à bord. Deux ou trois questions discrètes suffiront. Suivez-moi, je vous prie, fit-il en se levant.

— Toute cette histoire est...

— Allons, le temps avance », le coupa Wunderlicht.

Wunderlicht traversa la contre-allée du boulevard qui les séparait de la station de taxi tandis que l'autre se levait lentement. L'Allemand ouvrit la porte de la voiture de tête en faisant un signe à l'attention de ses amis fantômes de l'autre côté du boulevard, puis adressa un geste d'invite impérative à Sauvinage. Il demanda au chauffeur de les conduire à l'hôtel « George-V ».

Pendant le trajet, il ne s'adressa qu'une seule fois au Français, assis à côté de lui dans un silence renfrogné :

« Sans aucun doute, la Compagnie française, ainsi que diverses autorités légales, tenteront de localiser le *Marseille*, bien que vous ayez été prévenus des conséquences et que le navire ne soit qu'un bouchon sur l'Atlantique. Je dois donc vous rappeler que mes camarades contrôlent l'équipement radar. Toute apparition d'un bâtiment faisant route sur le *Marseille* à moins de 50 milles se verrait sanctionnée par l'élimination de cinquante passagers. Il en irait de même dans le cas où tout avion viendrait à survoler le navire d'une manière qui prête à suspicion. Je regrette de devoir ainsi mettre les points sur les *i,* mais je vous transmets les consignes d'hommes désespérés. »

Sauvinage jeta un bref coup d'œil sur Wunderlicht puis se perdit dans la contemplation aveugle du spectacle de la rue. Il se prenait à souhaiter n'avoir jamais connu que les petits détails qui, jusqu'à ce soir-là, lui paraissaient fastidieux.

Wunderlicht guida Sauvinage au travers de la foule qui se pressait dans le hall du « George-V » jusqu'à un canapé de cuir proche des cabines téléphoniques. Puis il se dirigea vers le bureau vitré où se tenaient trois opératrices et demanda à l'une d'elles l'établissement d'une liaison radiotéléphonique avec le paquebot *Marseille*.

« Votre nom et votre numéro de chambre, s'il vous plaît ? demanda la dame du standard.

— Je règle en espèces, répondit Wunderlicht.

— L'appel est de votre part ?

— De la part de la Compagnie française atlantique pour le

commandant Charles Girodt, dit Wunderlicht qui épela : G-I-R-O-D-T.

— Charles Girodt, répéta l'opératrice.

— Soyez aimable, voulez-vous, de brancher la communication sur l'une et l'autre de ces cabines, là-bas ? Nous sommes deux.

— J'ignore si je peux faire ça, m'sieur, dit la femme en levant les yeux vers lui.

— Je vous en serais infiniment reconnaissant, dit Wunderlicht avec un large sourire.

— Très bien, dit-elle en haussant les épaules.

— Merci. »

Wunderlicht alla s'asseoir sur le divan auprès de Sauvinage. Il sortit un paquet de cigarettes et en offrit une au Français qui refusa d'un hochement de tête. Il en alluma une pour lui et exhala lentement la fumée. Il se sentait étonnamment calme, presque satisfait. Si le travail de ce soir n'était pas exactement celui auquel il avait été formé, il ne l'en accomplissait pas moins convenablement, et c'était certainement plus gratifiant que de chicaner sur 50 dollars avec un acheteur radin sur le prix d'un camion Chevrolet d'occase sous le ciel de Californie. Il promenait son regard sur le hall en l'attardant avec plaisir sur la profusion de femmes élégantes et désirables. A Paris, on dirait qu'elles deviennent encore plus séduisantes après la quarantaine. Il se prit à anticiper avec confiance sur les adorables liaisons qu'il aurait à son retour dans cette merveilleuse ville quand tout serait fini et sa trace définitivement perdue. La voix de la standardiste qui le réclamait vint interrompre le fantasme d'une aventure érotique sur l'épaisse moquette d'un atelier d'artiste de l'île Saint-Louis.

Wunderlicht se dirigea vivement vers la cabine téléphonique de droite en faisant signe à Sauvinage d'entrer dans celle à côté. Les deux hommes décrochèrent le combiné pour entendre la friture métallique de l'établissement de la ligne, puis une voix à l'autre bout annonça :

« Ici le *Marseille*. A vous, Paris. »

Wunderlicht entendit Sauvinage qui disait :

« Allô ? Allô ? Vous êtes bien le commandant Girodt ? »

Une nouvelle voix résonna sur la ligne :

« Ici Charles Girodt. Je vous écoute.

— Monsieur, c'est Georges Sauvinage de la Françat. Je suis le directeur adjoint.

— Oui, Sauvinage, je vous connais de nom. Voudriez-vous parler plus fort, la liaison est mauvaise.

— Monsieur, dit-il en élevant le ton, cet appel est sous écoutes.

— Ici également, répondit Charles Girodt.

— Je vous appelle pour vous dire que je viens juste de recevoir les détails de la nouvelle situation. On m'a invité à vous appeler pour la vérifier de votre bouche, monsieur.

— Qui vous y a invité, Sauvinage ?

— Un de leurs représentants, qui se trouve juste à côté de moi...

— Voudriez-vous en venir au fait, je vous prie, intervint sèchement Wunderlicht.

— Mon commandant, reprit Sauvinage, voulez-vous simplement me dire s'il est vrai que les commandes soient passées dans d'autres mains ?

— C'est exact. Dans d'autres mains.

— Totalement ? demanda Sauvinage.

— Absolument, répliqua Girodt.

— Ne vous inquiétez pas, monsieur, s'écria Sauvinage. Et Dieu vous garde !

— Merci, dit le commandant du *Marseille*. Au revoir. »

Wunderlicht entendit le déclic fait par le combiné reposé par Sauvinage, puis la première voix revint en ligne :

« Ici, le *Marseille*. Nous sommes prêts.

— L'oncle Julian à l'appareil, dit Wunderlicht. Vous me connaissez ?

— Oui, Wunderlicht. »

Wunderlicht regarda sa montre-bracelet et dit :

« L'heure *H* sera, je répète l'heure *H* sera dans exactement quarante-sept heures et vingt et une minutes à partir de... *maintenant*.

— C'est noté, oncle Julian. Merci et, jusqu'à ce que nous nous revoyons, bonne nuit. »

Wunderlicht raccrocha et sortit pour aller régler la communication. Sauvinage était toujours assis à l'intérieur de la cabine quand Wunderlicht revint du standard. Il frappa à la porte que le Français ouvrit.

« Etes-vous satisfait de ce que vous avez entendu ? demanda Wunderlicht.

— Oui, répondit laconiquement Sauvinage sans le regarder.

— Je vous appellerai demain à midi à votre bureau, juste afin de prendre des nouvelles de votre santé.

— J'imagine que l'on ne peut vous joindre nulle part ? essaya le Français.

— Vous imaginez juste.

— Veuillez donc m'excuser », dit Sauvinage en lui claquant au nez la porte de la cabine.

Wunderlicht sourit et s'éloigna. Autant laisser ce pauvre type avoir le dernier mot de la soirée. Ce n'était vraiment pas grand-chose. Il avançait à travers le hall d'entrée en respirant avec délices les capiteux parfums de femmes en se demandant qui Sauvinage allait appeler en premier de son directeur général auprès de sa femme endeuillée à Antibes, ou de son épouse furieuse devant un canard à l'orange trop cuit.

Une brise légère rafraîchissait maintenant la nuit pleine d'odeurs. Il partit sur sa gauche en direction des Champs-Elysées. Il allait jouer un peu le badaud parmi ces merveilleux Parisiens avant de se rendre faire un somptueux dîner dans un restaurant de luxe. Il l'arroserait tout d'abord d'un Clos Sainte-Odile bien frais, puis d'un capiteux Château La-Mission-Haut-Brion 1959, et terminerait sur une bouteille de Dom Pérignon et... et puis...

Il sentit soudain la solitude lui broyer le cœur et accéléra le pas.

Chapitre XII

Une atmosphère de tension régnait maintenant sur la salle des transmissions, aussi sensible que les craquements d'électricité statique émis par les haut-parleurs. Charles Girodt attendait l'arrivée de Christian Specht, en proie à une douleur lancinante qui lui labourait la base du crâne. Le radio-chef venait d'être réclamé par les deux étrangers. Après leur supervision attentive de la communication téléphonique de Girodt avec Paris, ils lui avaient exposé tranquillement la situation dans les mêmes termes que ceux utilisés par Wunderlicht à Paris.

Toute sa capacité d'étonnement devant les actions humaines s'était récemment épuisée. Il lui fallut néanmoins beaucoup d'empire sur lui-même pour taire son horreur devant l'abominable menace de sanctionner la moindre infraction à leurs instructions par la mort de cinquante innocents. A la pensée du jeune docteur Berlin et de sa séduisante épouse, Julie, il sentit ses mains devenir moites. Au nom de quel droit moral se permettait-il de mettre leurs vies en péril, ainsi que celles de nombreux autres, en leur demandant d'établir une radio clandestine à bord du *Marseille* ? Rien, dans aucun manuel ni parmi toutes les traditions maritimes, ne pouvait l'autoriser à se substituer à Dieu.

Pendant un instant, la vision apaisante du panorama qui s'étendait devant la fenêtre de sa chambre à la station thermale de Largenthal se présenta à son esprit. Josette se trouvait à ses côtés ainsi que Henri Cachon. Il repoussa l'image lénifiante comme Christian Specht pénétrait dans la salle des transmissions. Le radio-chef jeta un coup d'œil à Girodt, puis aux deux hommes qui s'avançaient vers lui. Une lueur d'appréhension se joua dans ses yeux. Girodt s'interposa rapidement :

« Permettez-moi, dit-il aux deux hommes. (Puis il enchaîna à l'intention de Specht sans leur laisser le temps de parler :) La Compagnie française, à Paris, a reçu des revendications. Je vous en communiquerai tous les détails ultérieurement, en même temps qu'au reste de mon état-major. Mais, tout d'abord, il semble que ces messieurs désirent vous entretenir de quelque chose. »

Le plus jeune des deux étrangers, un homme au visage terreux qui battait rapidement des cils, s'adressa au radio-chef :

« Monsieur Specht, dès cette minute, et jusqu'à nouvel ordre, vous allez interrompre toutes les communications radio. Cela comprend radiotéléphone, télétype, bâtiments de guerre, garde-côtes, radiophare, radionavigation, sur toutes les bandes et toutes les fréquences. C'est-à-dire un black-out total des transmissions à l'exception du balayage radar. Néanmoins vous resterez à l'écoute de toutes les fréquences, vingt-quatre heures sur vingt-quatre, de façon à recevoir certaines communications qui nous seront personnellement destinées. Vos hommes de quart ont déjà reçu ces instructions. Je compte sur vous pour en informer les autres.

— Très bien », fit Specht après l'avoir dévisagé un instant en silence.

Puis il jeta un coup d'œil à Girodt qui comprit que ses pensées allaient au Dr William Berlin.

« Voudriez-vous nous laisser seuls, maintenant ? dit Girodt aux étrangers. Nous avons beaucoup à faire. »

Sur un signe de tête de l'homme au visage blafard à son compagnon, ils partirent tous deux sans rien ajouter.

« L'antenne est branchée, annonça à voix basse Christian Specht à son supérieur. Dès que nous aurons décidé de ce que nous voulons qu'il fasse, il est prêt à partir sur les ondes.

— Ma décision est prise », lui répondit Charles Girodt.

A 9 heures cette nuit-là, heure du bord, près d'un panneau de cale de l'arrière qui s'ouvrait à ras des flots, deux passagers déguisés en cambusiers assistaient à la décharge des ordures ménagères et autres rebuts dans la mer. Les membres de l'équipage ne firent aucune objection à leur présence, sachant pertinemment qu'ils ne disposaient d'aucun moyen de leur résister.

Coquilles d'œufs, pelures de melons, os de bœuf, croûtes de pain et écorces d'oranges glissaient dans le sillage tourbillonnant du *Marseille* et disparaissaient dans la nuit. Les deux corps enroulés dans des draps que les passagers déguisés avaient transportés là sur une civière bâchée rejoignirent les autres rebuts et coulèrent dès qu'ils touchèrent l'eau.

Avant d'emmener Betty dîner, Craig Dunleavy donna encore plusieurs coup de téléphone à quelques relations pour leur dire que l'oncle Julian prenait du bon temps à Paris et de faire circuler la nouvelle. Mais il ne parla à personne de la disparition de Gwen et George Parker. Pendant ce temps-là, Herb Kleinfeld annonça les bonnes nouvelles à *ses* amis du bord avant de conduire Harriet à la salle à manger Vendôme pour y déguster une langouste arrosée de champagne. Son estomac se portait de nouveau à merveille. Nombre de passagers se sentaient apparemment de bonne humeur cette nuit-là à en juger par la quantité de champagne qui fut consommée dans toutes les salles à manger du *Marseille*. Les sommeliers, en comparant leurs notes, attribuèrent cela à la chaleur inhabituelle et au soleil qui avait brillé toute la journée.

« Je pense qu'il serait très imprudent de ne pas les prendre au sérieux, dit le commandant Girodt aux membres de son état-major réunis dans ses quartiers. Partons du principe qu'ils sont déterminés à se conformer à leurs propos et attendons-nous au pire. C'est-à-dire que la Compagnie française se refuse à, ou ne puisse, réunir 35 millions de dollars. Une seule question se pose : comment faire échec à des individus fantômes, en moins de quarante-huit heures, en évitant que le sang coule à flots sur les ponts du *Marseille* ?

— Vous inquiétez-vous du sang des passagers et de l'équipage ? demanda le deuxième lieutenant Dulac. Ou de celui des fantômes ?

— Que Dieu me pardonne, répondit Girodt, mais celui des fantômes ne m'importe pas. Et maintenant, examinons vos suggestions. Docteur Chabot ?

— Si nous savions qui ils sont, répondit le médecin-chef, et j'entends du premier jusqu'au dernier, les femmes y compris, je chercherai un moyen, sans compter sur les armes à feu que nous n'avons pas, de les liquider tous en bloc. C'est beaucoup d'ambition, je vous l'accorde. Avec votre permission, commandant, j'aimerais préparer un inventaire de tous les produits de l'infirmerie, pour transmission à quelqu'un sur terre qui pourrait avoir l'esprit plus clair et plus imaginatif que le mien en ce moment.

— Excellente idée, dit Charles Girodt. Préparez-le. »

Son regard fit le tour de la table :

« Voyons, Leboux ? »

Le second capitaine se racla la gorge :

« Je suis comme un disque rayé qui ressasse la même musique. Je pense que nous devrions révéler les détails aux passagers, et nous reposer sur leurs motivations pour découvrir parmi eux et éliminer les méchants des bons. Je dois reconnaître que je n'ai pas la moindre idée de la manière dont ils pourraient s'y prendre pour ce faire.

— Je respecte profondément vos opinions, André, dit Girodt, et j'ai peut-être tort de ne pas les partager, mais je persiste à croire que nous ouvririons ainsi la porte à plus d'hystérie que nous ne pourrions maîtriser, et à plus de meurtres que nous ne saurions en supporter. A mon avis, nous leur rendons un grand service en les laissant se prélasser dans l'ignorance du danger qui les menace. Il serait toujours temps de troubler leur tranquillité si cela devenait indispensable.

— J'essaierai donc de faire taire mon disque éraillé, dit André Leboux.

— Emile Vergnaud ?

— Oui, commandant, dit le commissaire du bord. Sait-on pourquoi le commis Senestro a été tué ?

— Nous l'ignorons, Vergnaud. Il ne s'est confié à personne avant de mourir.

— Et la femme de chambre, Filomena ?

— Nous ne savons rien non plus sur elle, dit Girodt, sinon que ce pauvre Senestro couchait peut-être avec elle.

— La dernière fois où l'un de mes subordonnés l'a vue vivante, elle se rendait dans la cabine de deux Américains, les Parker.

— Vous devriez les questionner, Vergnaud. Mais je doute qu'ils vous apprennent quelque chose de significatif.

— Très bien, commandant.

— Ce sera tout ? Pas d'autres suggestions ? lança Girodt à la ronde. Monsieur Specht ? Demangeon ? Ferret ? Dulac ? Plessier ? »

Le chef mécanicien, Pierre Demangeon prit la parole :

« Mon commandant, je suppose que nous ne devons rien dévoiler des dernières nouvelles, sur la rançon et le reste, à l'équipage ?

— Absolument, répondit Girodt. A l'exception, bien entendu, des hommes de M. Specht qui, eux, ne peuvent rien ignorer. Je dois reconnaître que l'équipage se conduit admirablement dans les circonstances présentes. Que ce soit en raison de votre bonne influence sur les hommes, messieurs, ou par peur, ou simplement par manque d'imagination, ils semblent accomplir leurs tâches comme si rien d'extraordinaire ne se passait à bord du *Marseille*.

— Pardonnez-moi, commandant, dit le chef mécanicien, mais je préfère que vous ne vous berciez pas trop d'illusions. Je dois vous dire que *mes* hommes, dans les soutes, sont très énervés de la disparition et de la mort probable du vigile Bobo Crépin. Je suis prêt à parier que si, d'une manière ou d'une autre, des armes se matérialisaient soudain parmi nous, votre très obéissant équipage se transformerait bien vite en une armée secrète de mille guérilleros assoiffés de sang.

— Remercions donc Dieu qu'il n'y ait aucune arme à l'horizon, soupira Girodt troublé par les remarques du chef mécanicien. Très bien, messieurs, dit-il en se levant. Je vous remercie. Docteur Chabot, monsieur Specht, voulez-vous rester un instant.

— Rien de ce que je viens d'entendre, leur dit-il, n'a su entamer ma décision première. L'administration de la Compagnie française détient une liste d'informations sur tous les passagers de cette traversée. J'ignore comment nous pourrons nous y prendre, et je sais que je demande l'impossible, mais il faut absolument nous efforcer à partir de cette liste d'informations de découvrir au plus vite les noms de ceux qui, parmi les deux mille passagers, sont nos ennemis secrets. Ensuite, il faudra trouver un moyen de nous débarrasser d'eux. Messieurs, vous avez une radio à votre disposition, et vous connaissez maintenant sa première mission. Maintenant, avec votre permission, je vais aller dîner. »

En dépit de son mal de tête, Girodt se sentait très satisfait de la manière dont il venait de se conduire.

Vingt minutes plus tard, assis derrière sa table de travail, le Dr Yves Chabot appuya sur le bouton de l'interphone et demanda à Geneviève Bordoni d'inviter Mme Berlin à le rejoindre dans son bureau au plus tôt, afin de lui communiquer les résultats d'analyse de son tubage du larynx.

« De son tubage du larynx ? demanda l'infirmière-chef d'un air ahuri. Est-ce vous qui l'avez, docteur ?

— Non.

— Eh bien, moi non plus.

— Je le sais bien. Et, mademoiselle Bordoni, je sais qu'il est tard, mais soyez aimable de rester à votre bureau jusqu'à la fin de mon rendez-vous avec Mme Berlin. Je tiens à ce que nous ne soyons pas interrompus.

— Je ferai mon possible », dit Geneviève Bordoni.

Peu après, Julie Berlin se rendit à l'infirmerie du bord, puis retourna dans sa cabine annoncer à son mari le résultat de son examen médical : appuyé contre des oreillers, il dînait au lit. Pour n'importe quel curieux, il offrait l'image du passager souffrant et confiné à la chambre et à son circuit de télé vidéo.

Quand Julie eut terminé de lui répéter très fidèlement pour la deuxième fois, l'ensemble des instructions, Billy en était au pamplemousse.

« S'ils veulent croire aux miracles, je n'y vois pas d'inconvénient. Je ferai de mon mieux. Mais ils ne se font vraiment pas la plus petite idée de ce que ça va être difficile.

— Est-ce que je peux t'aider d'une manière quelconque ?

— Ouais, fit Billy. Primo, je ne veux pas te voir ici.

— Rien à faire, protesta-t-elle, je reste avec toi. Si je ne fais pas quelque chose, je deviendrai folle d'inquiétude. »

Le jeune médecin se redressa dans son lit :

« Mon chou, pour cette fois, inutile de discuter, je ne céderai pas. Cette fois, il y a danger. Et s'il advenait que je me fasse piquer la main dans le sac, le microphone aux lèvres, je ne veux pas que tu sois dans le bain. Tu vas te faire une beauté et déguerpir d'ici en vitesse. Paye-toi un dîner fantastique et profite de *tout* ce que peut offrir la Compagnie française altlantique, pirates exceptés. Si j'ai besoin de toi, je te ferai demander. Ne viens surtout pas sans que je t'appelle.

— On n'est pas plus aimable.

— C'est pour ça que tu m'as épousé.

— Je m'disais aussi qu'il devait y avoir une raison !

— C'est bon. Et maintenant, décampe.

— Tu as dis primo. Pourrais-je savoir ce qu'est le secundo ?

— Rien de bien précis, répondit Billy. Mais comme tu disais que tu voulais faire quelque chose pour préserver ta raison...

— Absolument.

— Eh bien, je suis persuadé que le commandant ne verrait pas réellement d'objection à ce que tu trouves quelque moyen de débusquer sur place les mêmes renseignements que je suis supposé obtenir sur les ondes. »

Julie opina lentement :

« Ça m'va. Oui... fit-elle en plissant les yeux, ça m'va tout à fait...

— Holà ! Pas si vite ! Je ne veux pas que tu prennes de risque, c'est compris ? »

Elle lui sourit et, se penchant au-dessus du lit, alla rechercher le goût du pamplemousse sur ses lèvres.

« Te fais pas de bile pour Mata Hari, murmura-t-elle.

— Vraiment ? *Elle* s'est pourtant fait tuer. »

Elle lui tapota le visage d'un air protecteur pour dérider son masque inquiet, puis s'avança vers le placard tout en préparant son plan de bataille.

Elle allait se faire des yeux Estée Lauder « Bleu du golfe Persique », avec ces longs faux cils qu'elle mourait d'envie de porter depuis des mois ; se jucher sur ses nouvelles chaussures de Joseph Magnin aux vertigineux talons métalliques ; enfiler cette robe de chez Giorgio en mousseline de soie noire de Vichy Tiel, vaporeuse et légère. Puis elle partirait à l'aventure... et avec un peu de chance, elle ne serait pas seule ce soir pour l'affronter : un voyou d'écrivain ne se trouvait plus captif, et il faudrait bien qu'il se montre à un moment ou l'autre.

Chapitre XIII

Tremblant intérieurement mais resplendissant extérieurement dans un smoking de Dorso, vernis noirs de Gucci et cravate de velours noir, Harold Columbine descendit lentement le grand escalier de la salle à manger Luxembourg, comme à son habitude prêt à ne pas s'étonner si toute la salle se levait pour l'ovationner. Son estomac barbouillé et ses jambes en coton lui disaient qu'il aurait dû rester au lit. Mais les années passées à inventer des personnages masculins intrépides et infatigables à l'intention de ses lecteurs avaient profondément marqué sa psyché. Il était devenu incapable de se comporter autrement que les créatures mythiques de ses rêves. Il voulait parler comme eux, penser comme eux, baiser comme eux et même, éventuellement, mourir comme eux. Ce qui importait encore plus à Harold Columbine que la critique de ses livres, c'était celle de sa vie. Il tenait par-dessus tout à conserver son image de marque de numéro Un des fêtards.

Il partit en direction de sa table avec un peu d'hésitation — il lui semblait qu'il ne l'avait pas revue depuis des siècles —, tout en évitant l'accueil baratineur du maître d'hôtel. Quand il aperçut Julie Berlin seule à sa table, sa fertile cervelle de romancier imagina sur-le-champ une scène ou lui, la partie coupable, passait devant elle en l'ignorant, et où le personnage nommé Harold Columbine marmonnait entre ses dents : " Cette espèce de... " Mais, revenant immédiatement sur son premier jet, il modifia la scène en réécrivant la ligne : " J'aimerais encore bien sauter cette... " et replaça son personnage dans une nouvelle situation dont il décida qu'elle était définitive. Il s'avança vers sa table et, avec un bel aplomb, lui lança :

« Salut poupée ! Comment ça va, ma douce ? »

Julie leva les yeux sur lui en lui adressant un grand sourire :

« Tiens, salut, Harold ! Quel plaisir de vous voir. »

Que signifiait tant de gentillesse et d'amabilité ? Il en restait un peu décontenancé, et, pour remplir un blanc, il demanda :

« Où est votre mari ?

— Il ne se sent pas bien. Rien de très grave. Une simple grippe. Il a dîné dans notre appartement et m'a donné quartier libre pour la soirée.

— Voilà vraiment ce que j'appelle un mari compréhensif. Je peux m'asseoir avec vous ?

— Je suis étonnée que vous le désiriez, lui répondit Julie qui avait déjà établi son plan pour le manipuler.

— Ecoutez, je viens juste d'arriver, dit-il en s'asseyant près d'elle. Est-ce que j'ai manqué quelque chose d'important ? J'ai l'impression de me trouver quelque part à Stupideville.

— Qu'est-ce qui vous tracasse, Harold ? demanda Julie souriante.

— Eh bien, tout d'abord, est-ce que je ne vous devrais pas des excuses ou, du moins, des explications pour la nuit dernière ? »

Julie lui tapota la main :

« Je pense que votre conduite était parfaitement compréhensible en fonction des circonstances.

— Vraiment ?

— Bien sûr. J'ai joué les allumeuses... et j'ai eu ce que je méritais. »

Il rougit. Grand Dieu ! effaçez ce rougissement. Harold Columbine ne rougit pas. Mais avec ce ravissant visage enfantin et ces immenses yeux bleus innocents...

« Vous continuez à m'étonner, dit-il.

— Très bien.

— A propos de la nuit dernière, commença-t-il...

— Voici ce qui s'est passé le coupa-t-elle. Après vous avoir quitté, j'ai eu froid aux pieds, et je suis vite rentrée dans mes pénates où je me suis écroulée bien vite dans un profond sommeil réparateur. J'imagine votre déception en regagnant votre apartement d'y trouver le lit vide. Toutefois, comme dirait mon mari, autorité médicale sur toutes sortes de sujets, aucun homme n'est jamais mort d'avoir les couilles pleines. »

Il rougit de nouveau et l'observa attentivement :

« Voulez-vous dire que vous n'êtes as allée à ma cabine ?

— Juste pour y laisser la clé sur votre lit.

— Je ne vous avais pas, comme on dit, allumée ?

— Non, Harold. »

Il la regarda droit dans les yeux sans qu'elle les détourne, jusqu'à l'arrivée du garçon qui vint prendre sa commande. Puis il alluma une cigarette et la dévisagea de nouveau :

« Vous savez que vous êtes une mémée pas ordinaire ?

— Qu'est-ce que j'ai fait ? demanda-t-elle en soutenant son regard avec la plus grande innocence.

— Vous avez oublié, ou décidé d'oublier, ou espéré que je n'aurais pas remarqué le tas de mégots de cigarettes à moitié fumées et couverts de rouge à lèvres dans le cendrier qui se trouve à la tête de mon lit.

— La barbe ! fit Julie en grimaçant.

— La plupart des gens s'ingénient à chercher des raisons à me traiter d'ordure, et ils n'ont pas besoin de beaucoup se creuser la tête. Vous, au contraire, vous vous évertuez à me protéger. Allons, n'essayez pas de faire de moi un brave type, bébé. Ce serait ma perte.

— Je serai prudente, je vous le promets. »

— Me direz-vous pourquoi l'avoir tenté ? »

Julie haussa les épaules :

« Il n'y a pas en enfer de plus méchant démon qu'un homme accusé. Or, je pense avoir besoin de vous.

— De moi ?

— Oui. Et cela est en liaison directe avec la raison pour laquelle vous vous êtes volatilisé la nuit dernière.

— Ecoutez, si je vous disais ce qui c'est passé, croyez-moi, vous ne me croiriez pas. »

Julie le regarda avec un petit sourire amusé :

« Harold, je vous croirai même si vous me disiez qu'après avoir reçu un coup sur la tête à vous rendre inconscient, vous avez été gardé prisonnier toute la nuit par deux dames armées d'âge moyen. »

Il la dévisagea un long moment, hochant la tête d'incrédulité.

« Ce n'est pas si mystérieux, lui dit-elle enfin. Nous avons le même médecin. C'est lui qui, à bord de ce navire, colporte les potins mondains.

— Ah bon ! »

Ils attendirent que le garçon ait déposé les cœurs d'artichaut devant lui et soit reparti pour poursuivre. Puis, sur un ton plus sérieux, Julie reprit :

« J'ai une idée. Je voudrais savoir ce que vous en pensez.

— D'accord.

— Vous et moi sommes probablement les deux seuls passagers à ne pas ignorer que des horreurs se trament sur ce bateau...

— Tout ce que j'en sais, c'est le coup que j'ai pris sur le

crâne, et ce que m'a dit le docteur. Je ne fais que me douter du reste.

— J'ai l'intention de vous révéler tout ce que *je* sais, dit Julie. Mais seulement si vous désirez prendre la responsabilité de l'entendre.

— Par simple curiosité, quelles sont les conséquences ?

— Un risque de se faire tuer.

— Diable, je sors d'en prendre.

— Il n'y aura que nous deux, Harold.

— Et votre mari là-dedans ?

— Il est au courant, mais pour des raisons que je vous expliquerai plus tard, nous devons l'éliminer. Nous serons les deux seuls membres de notre armée secrète.

— Je suis déjà un homme marqué, mon chou, vous ne l'ignorez pas ? Je leur ai échappé. J'ignore qui ils sont, mais je leur ai échappé. Ils vont me chercher.

— Et nous allons *les* chercher, répliqua Julie. Au moins, *vous* avez plus que n'importe qui d'autre une bonne raison de fouiner alentour.

— Mais ne croyez-vous pas que cela vous mettra en danger d'être associée avec moi ?

— Sans entrer dans les détails, Harold, je suis déjà, en quelque sorte, en danger. »

Il opina et s'occupa quelques instants de ses cœurs d'artichaut.

« Eh bien, quelle est la ligne générale du plan ? demanda-t-il.

— Simple. Je suis la jeune femme qui se dévergonde pendant que son mari est confiné dans sa cabine. Et vous le paillard notoire en quête de son score habituel. Voilà pour la distribution des rôles.

— Je me demande si je dois me sentir flatté ou insulté, dit-il.

— La nuit porte conseil.

— Très bien. Admettons que la couverture soit bonne. Quel sera notre plan d'action ?

— Sans faire tuer personne, nous y compris, vous et moi allons tenter de découvrir l'identité de chacun des passagers qui sont les membres secrets de cette... mafia du *Marseille*. Et il nous reste moins de deux jours pour ce faire.

— Eh bien ! Et par où commencerons-nous ? Je veux dire : avez-vous un plan d'attaque ?

— L'écrivain, c'est vous. C'est vous qui êtes supposé avoir les idées qui se vendent, pas moi.

— Oui, oui. Mais, d'ordinaire, j'écris sur ce que je connais. Par exemple, sur un couple qui décide des destins du monde pour mille ans pendant qu'il s'envoie en l'air peinardement dans son lit.

120

— Utilisez votre imagination. Convainquez-vous que c'est pour votre éditeur. Pensez un peu à ces droits de livre de poche, Harold ! Allons, un peu de nerf ! »

Il la regarda sans dissimuler son admiration :

« Vous savez que vous êtes une garce ? Une séduisante petite garce. Je peux vous embrasser ?

— Excellente idée, dit-elle en jetant un coup d'œil alentour. Très bon pour notre image de marque. »

Elle lui tendit les lèvres. Et pendant qu'il l'embrassait longuement, elle s'en voulut d'y prendre plaisir.

« Humm, fit-elle, vous sentez l'alcool.

— Non, l'hamamélis. C'est ce produit qu'on a mis sur la bosse de mon crâne.

— Pauvre petit, fit-elle avec un soupçon de sarcasme dans la voix.

— Hé ! fit-il soudain comme illuminé. Ce serait peut-être par là qu'il faut commencer.

— Par où ?

— Ces deux types dans la salle radio. J'ai eu le temps de voir leurs tronches avant qu'ils m'envoient au pays des rêves. Et puis il y a Marybeth et Marge, ces deux chipies qui m'ont attaché après le lit rien que pour se marrer. Celles-là, je n'oublierai pas leurs têtes, même si j'le voulais. Et croyez-moi, j'en ai pourtant bien envie. Elles sont probablement encore dans leur cabine où elles doivent continuer à voir le monde avec une vue brouillée. »

Il s'interrompit un instant, l'air distrait.

« Mon chou, reprit-il, pourriez-vous expliquer à vos petits seins qu'ils devraient cesser de me défier avec cet air arrogant ? »

Elle lui lança un sourire glacial :

« Comment se fait-il que ce soient toujours les plus grossiers, les plus vulgaires, les plus orduriers, les plus obscènes, les plus mufles et les plus rustres d'entre les hommes qui se montrent toujours les plus suffisants ? »

Harold Columbine tenta de prendre ça avec le sourire, mais ses muscles faciaux refusèrent de se plier à pareil effort.

« Mon cœur, dit-il, vous et moi savons que vous paierez cette réplique très cher avant la fin de ce voyage de fous. Mais, pour l'instant, nous n'y reviendrons même pas. D'accord ?

— Comme vous voudrez, trésor », fit Julie avec un sourire amical en lui tapotant la main.

Toute sa vie elle avait laissé échapper des paroles que, aussitôt dites, elle aurait souhaité n'avoir jamais prononcées. Pourquoi Harold Columbine aurait-il été le premier et le seul à ne pas subir ses piques ?

« Je crois que j'ai une idée, dit-elle.

— Vous avez dix minutes de retard.

— Dans le courant de la journée, pendant que le Dr Chabot me faisait son briefing, un homme a pénétré dans son cabinet en se conduisant d'une manière des plus bizarres. J'ai comme un pressentiment qu'il pourrait bien être l'un d'eux. Grand, maigre, un accent texan, et le genre de grandes dents jaunes, ébréchées, que l'on voit très bien serrant un couteau.

— Bon. Qu'avons-nous d'autre pour éclairer notre lanterne ?

— Seulement ce que tout le monde semble savoir, dit Julie. Le meneur du groupe est un passager nommé Craig Dunleavy, un type insaisissable qui fait surface dans les instants critiques pour menacer le commandant. Je suppose que toute personne surprise en sa compagnie serait, pour le moins, sujette à caution. »

Le romancier commença à hocher lentement la tête de droite et de gauche en tambourinant la table de ses doigts.

« L'ennui, dit-il... Je veux dire que, parmi toutes les difficultés, la plus gênante, c'est qu'ils nous repéreront dès notre premier mouvement. Ceux qui se baladent avec des déguisements, qui se mettent des uniformes, des tabliers ou des vestes de serveurs, des bleus de travail ou des galons ou Dieu sait quoi, pour rester l'oreille aux aguets de ce qui se passe autour d'eux, ce sont *eux*. Je ne serais pas surpris que ce soit l'un d'eux qui ait pris la commande de mon dîner. Tandis que nous, nous sommes tout nus. »

Il loucha un instant sur son décolleté en silence, puis lança :

« Vous surtout. »

Julie le regarda en fronçant les sourcils :

« Dites-moi, demanda-t-elle, est-ce que je me fais des idées, ou est-ce que nous ne nous comportons pas parfois comme si toute cette horrible réalité n'était qu'un jeu ?

— Simple instinct de conservation, mon chou. Si vous et moi cessions d'envisager les chances que nous, ou n'importe qui, avons de nous tirer vivants de ce guêpier, nous nous écroulerions. Donc, haut les cœurs ! C'est ça. Coupez. Et pendant ce temps-là, l'un des plus célèbres romanciers américains, de retour dans son ranch, assis auprès de la fille de ses rêves, se débat désespérément contre sa lubricité en attendant la matérialisation d'une idée géniale.

— Je crois que j'en tiens une ! lança soudain Julie. Ecoutez, il y a un bal masqué aujourd'hui à minuit. J'ai vu des pancartes qui l'annoncent partout sur le bateau. Costumés et masqués, nous pourrions nous mélanger avec n'importe qui et errer à travers le navire comme bon nous semble, comme un couple ou comme des égarés, et personne ne pourrait nous reconnaître.

— C'est une si bonne idée, dit-il, que je regrette de ne pas l'avoir eue le premier. Où trouvons-nous les costumes ? »

Julie regardait ailleurs.

« Voici peut-être venir vers nous la réponse à beaucoup de nos questions. »

Harold Columbine suivit la direction de son regard et vit Yves Chabot qui s'avançait vers eux. Son expression était grave quand il demanda s'il pouvait s'asseoir. Ce qu'il fit sur la réponse affirmative de Julie en leur expliquant d'une voix blanche que deux passagers étaient disparus et présumés morts... assassinés. Un couple du nom de George et Gwendolyn Parker.

Harold Columbine et Julie se dévisagèrent en silence.

Yves Chabot commanda un cognac.

Ni les uns ni les autres ne se sentirent d'humeur bavarde pendant un bon moment.

A 1 h 25 du matin, il régnait une atmosphère d'humidité oppressante sur la France. Pour la plupart de ceux qui ne dormaient pas encore, cette touffeur ambiante ne représentait qu'un désagrément passager. Pour trois hommes, elle pesait comme un lourd fardeau sur leurs esprits déjà préoccupés. Tous trois souffraient de la même maladie... l'incapacité d'écarter de leurs pensées deux images mentales contradictoires. La première : un tas de barres d'or bien rangées, représentant trente-cinq millions de dollars. La deuxième : un paquebot transatlantique de 65 000 tonnes explosant et coulant rapidement.

Georges Sauvinage, vêtu de ses seuls caleçons de chez Lanvin, restait assis, en nage, à la table de sa cuisine dans un appartement étouffant du 15ᵉ arrondissement, à boire du cognac en se demandant pourquoi il se trouvait encore debout alors que sa femme, dans la chambre à coucher, s'était endormie sur sa rage de ne pas réussir à lui faire desserrer les lèvres sur son secret. Il avait coupé la sonnerie du téléphone et mis la sonnerie du réveil sur 6 heures. Pourquoi n'allait-il pas allonger son corps fatigué dans le lit et s'accorder l'oubli dont il avait besoin ?

Le cognac avait depuis longtemps engourdi la peine apportée par son coup de téléphone au P.-D.G. à Antibes, née de l'humiliation de n'être même pas cru avant de jurer sur les tombes de ses père et mère. L'alcool avait aussi chassé toute sa tristesse. Celle d'avoir dû se rendre à son bureau, d'y subir dans le silence de l'immeuble les odeurs corporelles des abominables femmes de ménage, pour téléphoner aux membres du conseil d'administration qui avaient accueilli son appel avec la plus grande insolence — on aurait dit qu'il leur tenait des propos obscènes en les avisant de la convocation du président-directeur général à une assemblée extraordinaire pour le lendemain matin à 7 heures. Celle encore de s'asseoir devant la machine à écrire de sa secrétaire, dans le bureau de sa secrétaire, et de taper de ses propres doigts manucurés le rapport sur l'infortune du *Marseille* et les revendications de Wunderlicht... de faire lui-même des photocopies sur cette infernale machine Xerox, tout en supportant la conversation vulgaire de ces deux sorcières, armées de leurs aspirateurs. Voilà où il en était dans la société : réduit au rang de son empotée de secrétaire.

Toutes ces maladies de l'âme s'étaient pourtant dissoutes dans le jus de raisin fermenté. S'il continuait maintenant à boire du cognac en transpirant dans sa cuisine, ce n'était plus que pour chasser de son esprit les deux images mentales contradictoires. Finiraient-elles par céder ?

A des centaines de kilomètres au sud, la même question tourmentait Max Dechambre, président-directeur général de la Compagnie française atlantique, très mal à l'aise sur le siège arrière de la Citroën noire que, dans les faubourgs de Valence, son chauffeur menait pied au plancher dans la direction du nord. Il appliquait un peu trop au pied de la lettre ses recommandations de vitesse. Avec un peu de chance, la voiture négocierait mal un virage et il serait à tout jamais libéré des problèmes que Georges Sauvinage lui avait jetés à la tête. Mais il ne pouvait pas compter sur le chauffeur pour ça.

Dechambre était un petit homme de cinquante-quatre ans, propret, avec un visage aux traits aigus que n'adoucissaient ni sa petite barbe noire ni sa grosse moustache. Derrière ses lunettes à montures en or, ses yeux gris voyaient défiler un paysage de campagne endormie dans la nuit sans y trouver aucun apaisement. Toutes ses défenses s'étaient trouvées mobilisées pendant de si nombreuses années sur l'ennemi du ciel, qu'il parvenait mal à les adapter à une menace venue de la mer. La Françat ne connaissait aucun problème urgent sur l'eau depuis que le pétrole avait atteint un prix plafond et que la dynoturbine Corell-Flambert avait permis une réduction de consommation de soixante pour cent. Leurs *seules* difficultés venaient de ces « jets » qui, à dix mille mètres d'altitude, avaient continué à pomper leurs passagers des appartements de luxe vers les sièges étroits des *DC9*, puis des *747*. L'avènement de *Concorde* menaçait maintenant de porter le coup fatal aux voyages maritimes sur les routes des Etats-Unis et de l'Amérique du Sud.

Il entendit le *Marseille* exploser dans sa tête et en eut le cœur déchiré. Il reprit au début : le *Marseille* voguait sereinement et son cœur se serra à la pensée de ce qu'il coûtait. Comment pourrait-il continuer à marcher sur des œufs avec le conseil d'administration, à finasser avec le ministre des Transports, et à entretenir l'optimisme dans les milieux de la haute finance et auprès du gouvernement alors qu'il allait maintenant peser des tonnes de lingots d'or ?

Payez ou mourez.

Payez *et* mourez.

Il desserra sa cravate et ouvrit son col, étouffant devant les alternatives, sans même entendre la sirène de la voiture de police surmontée d'une lanterne bleue pivotante qui prenait la Citroën en chasse.

L'homme qui, à Paris, avait déclenché tous ces problèmes ne se portait pas mieux. Il gisait nu sur le dos, dans un lit aux draps douteux d'une chambre fétide de l' « hôtel Lefolle », près de la place Pigalle. Les rêves de Julian Wunderlicht ne ressemblaient en rien à la putain à perruque blonde qui s'efforçait en vain à le faire bander. Il en vint à lui dire qu'il était désolé, que ce n'était pas de sa faute, qu'il avait la tête ailleurs. Quand elle lui demanda où et qu'il lui répondit sur un bateau, elle se sentit si insultée qu'elle prit son argent en lui jetant son caleçon à la tête.

Bien loin de là, au sud-ouest, à trois fuseaux horaires de différence, le *Marseille* traçait inexorablement son sillage dans le flot sous une voûte céleste constellée d'étoiles d'un bleu glacial, transportant des hommes et des femmes aux intérêts très divers. La plupart ne songeaient à rien d'autre qu'à jouir pleinement de cette nuit, comme s'il ne leur restait pas longtemps à vivre. D'autres, qui avaient abusé de la table, ne se préoccupaient que de digérer agréablement leur somptueux repas. D'autres s'occupaient à en contraindre d'autres, armes à l'appui, à obéir à leurs ordres. D'autres, en galons dorés, tenaient de brèves séances de travail pour tenter de déterminer une ligne d'action si une hystérie collective venait à éclater. Parmi les trois mille âmes du bord, un seul passager poursuivait un objectif bizarre qui tournait à l'idée fixe : entrer en communication sur les ondes courtes avec un scénariste et producteur de télévision, demeurant à Beverly Hills en Californie, du nom de Brian Joy.

Chapitre XIV

Il pensa prendre une crise de nerfs à attendre que le garçon revienne à la cabine chercher le plateau de son dîner.

Il finit enfin par arriver. Il n'avait pas plus tôt tourné les talons que Billy Berlin bondit hors de son lit et accrocha la pancarte « Do Not Distrub » à l'extérieur de la porte qu'il referma en la verrouillant à double tour. Il sortit son Atlas de dessous le lit ainsi qu'une petite batterie portative. Derrière les draperies qui tombaient jusqu'au sol, il saisit le câble d'arrivée de l'antenne coaxiale et le déroula. Les hommes de Christian Specht l'avaient habilement faufilé par le circuit électrique en utilisant un point d'entrée situé à distance respectable de la cabine. Il fixa l'étrier de raccordement du coaxial sur la prise d'antenne située à l'arrière du poste, brancha le câble d'alimentation dans son réceptacle, le cordon électrique dans la prise murale, posa momentanément le microphone à main Shure 404-C sur la table. Il s'assit sur le bord du lit et régla l'oscillateur de fréquences variables sur la partie émettrice de l'Atlas, sur une graduation juste au-dessous du niveau le plus bas de la bande amateur vingt mètres. Il ouvrit le bouton d'alimentation placé sur le panneau avant, envoyant une onde porteuse test, et murmura une prière irrévérencieuse :

« Vas-y, nom de Dieu ! La chance soit avec toi ! »

Il braqua les yeux sur l'indicateur de tension en retenant sa respiration tandis qu'il augmentait doucement le contrôle de gain du microphone. Il entendit un profond soupir de soulagement s'échapper de ses lèvres quand il vit l'aiguille de l'indicateur balancer sur la droite et atteindre presque au maximum. Un large sourire éclaira son visage. L'Atlas se chargeait sur l'antenne auxiliaire du navire comme dans un rêve. Il allait disposer d'au moins cent vingt watts de puissance émettrice dans une antenne balayant quatre longueurs d'ondes à une hauteur fantastique avec tout l'Atlantique comme réflecteur.

" Pas mal. Pas mal du tout ! " s'extasia-t-il intérieurement.

Il abaissa légèrement le gain du microphone pour réduire les risques de crachements et éviter d'attirer une attention indésirable. Puis il tourna le bouton de réglage de puissance sur la position « transmission » qui lui permettrait de n'avoir plus qu'à appuyer dessus pour transmettre et se trouva fin prêt à se mettre à l'écoute.

Il coiffa les écouteurs, introduisit la fiche du cordon de liaison dans sa prise du panneau arrière, ouvrit le gain radiofréquence et audiofréquence sur la partie réceptrice, saisit le bouton principal de réglage et chercha en tâtonnant à s'aligner sur 14 200 kilohertz dans la bande. Les chuintements de parasites estivaux lui arrachèrent une grimace. Mais un large sourire l'effaça aussitôt : la bande vivait, bondissante de signaux.

Au cours des quelques minutes qui suivirent, Billy Berlin redevint comme un enfant. Il n'avait jamais écouté son Atlas-210 en un point aussi avantageux de l'Atlantique. Il ne put résister à échantillonner les merveilles... Brésil, Maroc, Zambie, Sierra-Leone, îles Canaries, Suède, Sainte-Hélène... des amateurs comme lui sur une seule bande de modulation radiophone, parlant la langue internationale des radioamateurs, l'anglais. Puis il se rappela qu'il avait un travail précis à accomplir et se mit attentivement à l'écoute des Etats-Unis. Il entendit quelques postes, mais faibles et, pour la plupart, en provenance du sud de la côte Est. Il était encore un peu tôt pour la Californie, ou un peu tard, on ne pouvait jamais savoir. Il fit des essais autour de 14 220 : longueur sur laquelle se syntonisait généralement Brian Joy, mais il n'y trouva que des parasites.

Il avait depuis longtemps décidé que Brian Joy était le seul amateur en qui il pouvait avoir confiance pour travailler avec lui dans le secret le plus total que nécessitait cette situation dangereuse. Tous les autres, l'équipe tout entière des amateurs californiens de liaisons radio à grande distance, étaient concierges dans l'âme, leur médisance ne s'arrêtait qu'à une seule porte, celle de la quantité illégale de puissance qu'ils utilisaient. C'était là son opinion personnelle, et il s'y tenait même si personne ne la partageait. Seul Brian Joy y faisait exception. Il pouvait *parler* avec Briney, de *n'importe quoi,* et pas seulement de résistances, de diodes, de sondeurs de deux mètres ou du style de signaux utilisés par ce type de New Delhi. De plus, fait d'importance capitale pour l'instant, il savait que Brian Joy possédait un exemplaire de *The Anatomy of a War*.

Dès que l'idée d'utiliser un code lui était venue à l'esprit, Billy Berlin s'était mis au travail sur *son* exemplaire du livre. Puis, aussitôt que Julie lui eut relayé la « mission » dont le chargeait le capitaine, il s'y était remis fiévreusement. Ce serait leur code personnel de signaux : quiconque capterait leur conversation ne pourrait rien y comprendre. Et s'il arrivait que les conspirateurs occupant la salle des transmissions du *Marseille* tombent accidentellement sur la bande amateur, ils entendraient *quelque chose* mais ne sauraient pas de quoi il retournait.

Il décida que, à tous égards : oreilles ennemies ou amies, il prétendrait opérer dans l'Atlantique Sud, à bord d'un cargo imaginaire : le *Flying Unicorn,* battant pavillon panaméen. S'il venait à être intercepté dans la salle de transmissions voisine, restait à souhaiter qu'ils supposent, devant la netteté des signaux, que le *Flying Unicorn* se trouvait juste au-delà de l'horizon. Tel était du moins son plan — un plan en même temps qu'un espoir et une prière.

Il manœuvra à nouveau, avec précaution, le bouton de réglage à travers la partie inférieure de la bande en murmurant sauvagement : " Allons, Brian ! où diable es-tu donc ? "

Il savait pertinemment que dans cette lointaine maison de style élizabéthain de Beverly Hills, c'était l'heure du cocktail. L'heure pour Brian Joy de se lever de devant sa machine à écrire, même s'il venait d'attaquer la première ligne d'un plan séquence, l'heure de passer à l'attaque du pot de margaritas qu'il avait mis au réfrigérateur vers la fin de l'après-midi. Lui et Maggie, la belle et chaleureuse Maggie — une des rares épouses à réellement *aimer* le dada de son mari — devaient maintenant s'apprêter à aller s'installer dans le bureau. Pendant qu'elle faisait de la dentelle, lui, sirotait ses margaritas assis devant ses appareils, et se grisait lentement à l'écoute de la bande des vingt-mètres. Il communiquait de temps à autre avec un autre amateur, mais se contentait le plus souvent d'écouter. Il écoutait en bavardant avec Maggie. Il leur arrivait parfois de dîner dans le bureau, le récepteur branché, prêt pour l'action. C'était une atmosphère douillette. Brian Joy était l'un des rares membres actifs de la *Writers Guild of America, West,* dont l'épouse savait toujours où il se trouvait : devant sa machine à écrire ou en face d'un récepteur.

Mais où diable ! était-il maintenant ?

Billy approcha le micro de ses lèvres, pressa le bouton, et commença à l'appeler : « W6LS, Lima Sierra, j'appelle W6 Lima

Sierra... Ici W6VC, W6 Victor Charlie mobile maritime Région Deux. Es-tu dans le secteur, Brian ? »

Il écouta, attendit, n'entendant rien d'autre qu'un OA4 du Pérou qui faisait un CQ près de la fréquence. Il répéta son appel, conscient que sa voix tremblait ainsi que sa main qui tenait le microphone. Chaque mot qui s'envolait dans l'air depuis cette cabine équivalait à une invitation à se faire tuer si l'origine venait à en être établie par l'un des pirates de la salle de transmissions voisine.

Toujours pas de réponse. Il jeta un coup d'œil sur sa montre. Sacré bon sang ! et s'il ne réussissait pas à joindre Brian ? Il décida de lancer un appel général :

« CQ aux Etats-Unis. CQ aux Etats-Unis. CQ aux Etats-Unis, de W6 Victor Charlie mobile maritime Région Deux. »

Il répéta son appel pendant trente secondes, puis se mit à l'écoute. Un poisson mordait à la ligne. Il ajusta étroitement les écouteurs sur ses oreilles.

« W6 Victor Charlie, W6 Victor Charlie mobile maritime. Ici WA5JIK, Willie Alpha Five Japan India Kilowatt, WA5JIK appelle et passe à l'écoute de la bande. »

Billy se sentit décharger de l'adrénaline en poussant le bouton :

« WA5JIK de W6VC mm 2. Bonsoir et merci de votre appel. Votre lisibilité est cinq et votre puissance de signal six, ici dans l'Atlantique Sud, Q5, S6. Pas très fort mais clair. L'opérateur est Bill, Baker Ida Love Love. Je fonctionne sur environ cent watts dans un dipôle et vous reçois à bord du cargo *Flying Unicorn* sur un Atlas-210. Comment me recevez-vous ? WA5JIK. W6VC mm 2. A vous.

— Roger Roger. W6 Victor Charlie mobile maritime. Ici WA5JIK qui reprend la ligne. Bonsoir et merci de votre relevé, Bill, vieille branche. Pas très fort vous-même. Je vous donne un Q5, S5. Cinq et cinq, ici à Roaring Springs, dans l'Etat sans bornes du Texas où les filles sont presque aussi belles que le bétail. Le nom de l'opérateur est Jake. Je fonctionne sur deux Kw dans un amplificateur de fabrication maison, le récepteur est un Kenwood TS-820, et l'antenne une Cubical Quad trois éléments d'environ vingt mètres de haut. Qu'est-ce que vous fabriquez là-bas sur ce cargo Bill, et quelle est votre destination ? W6VC mm 2, WA5JIK. »

Les radioamateurs sont d'ordinaire gens courtois mais, devant l'urgence de la situation, Billy bouscula les convenances et, sans faire de réponses aux questions et en oubliant même jusqu'aux indicatifs, il poursuivit :

« O.K. Jake. Tout bien reçu. Jake, je me demande si vous pourriez me rendre un grand service ? Pause.

— Si c'est dans mes possibilités, bien sûr, reprit la voix à l'accent texan doux et plaisant à l'oreille. A vous, vieux frère.

— Jake, vous allez avoir besoin d'un papier et d'un crayon. Voici : je voudrais que vous téléphoniez en PCV, je dis en PCV, à Beverly Hills, Californie, à Brian Joy qui est W6LS, London Sugar. Son téléphone : code régional 213-472 33 97. Ce n'est pas fini. Comment me recevez-vous ?

— Roger Dodger, Bill. Continuez.

— Veuillez dire à W6LS de me retrouver sur 14 220 sans tarder. Si nous n'arrivions pas à établir le contact, dites-lui de me chercher à la première minute de chaque heure. C'est très important. Ce n'est pas fini. A vous.

— Je vous reçois à cent pour cent, Bill. Continuez.

— Dites-lui que si nous établissons le contact, il ne devra rien dire d'autre que des réponses à mes questions. Je répète, il ne devra rien dire d'autre que des réponses à mes questions. Vous avez bien noté ça, Jake ? A vous.

— Roger Roger. Uniquement des réponses à vos questions. Encore autre chose ou ce sera tout, vieille branche ?

— Juste qu'il dirige légèrement son antenne au sud-est. C'est tout. Je reste à l'écoute sur la fréquence.

— Tenez bon la rampe, Bill. W6 Victor Charlie mobile maritime Région Deux. WA5JIK interruption provisoire.

— Ici W6VC mobile maritime Région Deux à l'écoute de WA5JIK de Roaring Springs, Texas. Merci de laisser la ligne dégagée. »

Il passa à l'écoute. Quelques Sud-Américains faibles se mirent à l'appeler. Il se trouvait toujours quelqu'un pour vous appeler quand vous demandiez une ligne dégagée. Il les ignora. Et ils renoncèrent bien vite. Puis il entendit de nouveau le doux accent texan :

« W6VC de WA5JIK. Etes-vous toujours là, Bill ?

— Roger Roger, Jake. Vous êtes Q5. A vous.

— O.K. vieille branche. J'ai parlé à votre ami Brian, qui a l'air d'un drôle de marrant entre parenthèses. Il a dit qu'il fallait d'abord qu'il aille lâcher les vannes. Ha, ha ! Sûr que j'aimerais bien rester dans les environs, Bill, mais la bourgeoise me braille dessus pour que j'aille mettre les pieds sous la table. Aussi vous me pardonnerez, mais je dois abandonner. Heureux de vous avoir rendu service. Merci pour le QSO. A vous retrouver sur les ondes. W6VC mobile maritime, ici WA5JIK qui tire sa révérence. Salut, vieille branche. »

Billy Berlin lui répondit immédiatement par des remerciements chaleureux mais brefs et, juste comme il venait de signer son final, il entendit un bruit qui lui fit penser qu'on frappait à la porte.

Le cœur lui manqua. Il enleva vivement ses écouteurs. Mais ce n'était que la mer dont les vagues s'enflaient et cognaient contre la coque du *Marseille*. Il recoiffa ses écouteurs et commença à se mettre au point pour recevoir la voix enrouée de Brian Joy.

L'excitation qui le gagnait aurait été cruellement refroidie s'il avait su les désagréments que supportait une vieille demoiselle qui répondait au nom d'Aimée Costigan à quelques cabines de la sienne. Les surimpressions en forme d'arêtes de hareng qui s'étaient superposées par intermittence sur l'écran de sa télévision en circuit fermé pendant les dix dernières minutes, en lui gâchant son plaisir de regarder un nouveau film de Paul Newman, l'avaient rendue irritable. Ces interférences lui semblaient une injure à la beauté de la physionomie de Newman et quand, dans une scène, l'acteur retira sa chemise et apparut avec un torse en arête de hareng, miss Costigan décrocha son téléphone pour se plaindre vertement auprès du standard où on lui répondit d'appeler la salle des transmissions.

" Il n'y a vraiment rien de meilleur au monde que de pisser quand on a vraiment envie ", se disait Brian Joy, un grand maigre aux cheveux en brosse et au nez aquilin, en regardant dans la cuvette de la toilette de sa salle de bains dallée de mosaïque, dans sa maison de Beverly Hills. Il continuait à se soulager de son envie tout en se remémorant ce coup de téléphone du Texas. Billy et Julie se trouvaient en principe à bord du *Marseille*. Maggie et lui avaient eu les oreilles rebattues avec ce voyage pendant près de deux mois. Que diable venait faire là-dedans un cargo appelé *Flying Unicorn* ou Dieu sait quoi ? Ça ne tenait pas debout. A moins que... sacré bon sang ! A moins que l'animal ne soit en train de pirater. Sûr, la Compagnie française atlantique *et* le gouvernement français n'avaient pas dû autoriser Billy à opérer comme mobile maritime à bord du *Marseille*. Voilà qui expliquerait la bizarre restriction que le gars du Texas lui avait transmise : « Vous ne devrez que répondre à ses questions. »

Il secoua les dernières gouttes et remonta la fermeture à glissière de sa braguette. Il charriait le Billy ! C'est pas des trucs à dire à son meilleur ami de la boucler et de se contenter d'écouter. Surtout quand son meilleur ami fait partie de ces types qui peuvent s'arrêter de respirer plus facilement que lui de parler. Sauf peut-être quand il se gargarisait avec de l'élixir parégorique ? Il actionna la chasse d'eau, ouvrit la porte de la salle de bains et se rendit dans le bureau.

Maggie s'y trouvait déjà, installée dans le gros fauteuil de cuir, en train de faire de la dentelle aux aiguilles. C'était une rousse solidement charpentée, aux hanches généreuses, avec de grands yeux verts chaleureux et une voix douce. Seul son mari et environ quatorze amies intimes, avec qui elle déjeunait, faisait du shopping et papotait pendant cinq jours de la semaine, pouvaient se douter que, sur le plan sexuel, elle n'appréciait qu'une position dominante. Un garçon du « Bistro », à Beverly Hills, avait eu du mal à en croire ses oreilles quand, en posant une assiette de clams devant une dame à la voix douce, il l'avait entendu dire aux trois autres femmes attablées avec elle : « Chevaucher sa queue me transporte au septième ciel. »

Elle leva les yeux sur lui quand il s'assit à son bureau devant le matériel radio.

« Si tu arrives à le joindre, dit-elle, dis-lui d'annoncer à Julie que les Marksons se séparent.

— Je ne suis pas autorisé à lui dire quoi que ce soit en dehors de ce qu'il me demande, répondit le mari dont la voix réussissait parfois à ne guère différer d'un grognement. Je t'ai déjà indiqué les règles.

— Et aussi qu'on a fait une hystérectomie à Nancy. »

Il lui jeta le genre de coup d'œil qu'elle avait appris à interpréter comme un amoureux coup de poing dans les gencives. Puis il prit le microphone chromé D-104 qui se trouvait branché sur l'émetteur-récepteur Signal-One déjà en route, qu'il utilisait pour entraîner le final, et commença son appel à W6VC mobile maritime sur 14 220 kilohertz. Le gros ampli Henry 3K-A qui se trouvait sur le plancher près du bureau se mit à tressaillir et à vibrer sous chaque mot tandis que deux triodes de 3-500Z mises à la masse envoyaient lentement plus d'un kilowatt de pointe de charge dans l'antenne Telrex directionnelle quatre éléments qui se trouvait sur le derrière de la maison, au sommet d'une tour d'aluminium de vingt-cinq mètres. Puis il écouta.

Haute et claire, la voix de Billy Berlin résonna dans le haut-parleur sur le bureau, chevrotante d'excitation nerveuse, et faisant vibrer la pièce sous un nombre de décibels qui amenèrent Maggie Joy à interrompre son travail de dentelle.

« W6 Lazy Susan, W6 Lazy Susan, ici W6 Victor Charlie mobile maritime Région Deux à bord du cargo *Flying Unicorn*. Je te reçois formidable Briney. Vingt sur neuf. Comment me reçois-tu ? Mes instructions te sont-elles bien parvenues ? A toi.

— Il a l'air bizarre, dit Maggie.

— La ferme, lui dit son mari avant d'enclencher le bouton du microphone. O.K. Billy. Je te reçois étonnamment bien étant donné le peu de puissance. Tu pointes à S9 avec un peu de QSB et pas mal de QRM. La réponse est oui, j'ai reçu les instructions. A toi.

— Es-tu seul, Briney ? Es-tu seul ? »

Il jeta un coup d'œil sur Maggie et haussa les épaules avant de répondre :

« Roger Roger. Seul.

— Briney, ne prononce pas le titre. Je répète : ne prononce pas le titre. Te souviens-tu du livre que nous t'avons offert pour ton anniversaire, il y a deux semaines ? Pause. »

Il interrogea Maggie du regard.

« *The Anatomy of a War* », dit-elle.

Il enclencha le bouton du microphone et dit :

« Affirmatif. Affirmatif.

— L'as-tu près de toi ?

— Attends une seconde », dit-il à Billy Berlin, puis à Maggie : « Où diable est-ce que je l'ai fourré ?

— En haut, je crois. A côté du lit.

— Vas le chercher, et vite, veux-tu ?

— Vous êtes aussi braque l'un que l'autre ! fit-elle en posant sa dentelle et en se levant du fauteuil. »

Il regardait ses fesses rondes pendant qu'elle sortait de la pièce en sentant des idées lui venir à l'esprit.

« W6 Victor Charlie mobile maritime, ici W6 Lima Sierra. Reste à l'écoute, Billy, garde l'écoute. Je cherche. Je l'aurai dans une minute. D'accord ?

— Roger. W6LS. W6VC mm 2 qui passe à l'écoute de la bande. »

Brian Joy entendit une voix faible intervenir sur la fréquence :

« Intervention.

— Pas d'intervention, s'il vous plaît, répondit-il.

— Excusez-moi, dit la voix. »

Il prit la cruche en argent qui était conçue pour un usage plus raffiné et se versa un autre margarita sur les glaçons qui fondaient dans son verre. Il en savourait le goût sec à la bouche et le feu qu'il fait naître dans l'estomac quand Maggie revint avec le livre.

« Bois-en un de plus et tu vas te prendre pour un mobile maritime, dit-elle paisiblement.

— Très drôle ! dit-il en lui prenant le livre d'une main et en avançant l'autre pour la saisir au pubis, mais elle fut plus rapide que lui.

— Hé Billy ! dit-il dans le microphone, Maggie dit que si je prends encore un margarita il faudra que je signe mobile maritime.

— Es-tu seul, Briney ? dit-il d'une voix fébrile. Je répète : es-tu seul ?

“ Et zut ! ” se dit Brian Joy en voyant Maggie se réinstaller dans le fauteuil de cuir.

— Oui, mentit-il. Oui Billy. Et j'ai le livre devant moi sur mon bureau. W6VC de W6LS. A toi.

— Mais quelle mouche le pique ? dit Maggie.

— Silence !

— Toi-même.

Le haut-parleur couvrait leurs voix :

« W6 Lima Sierra de W6 Victor Charlie mobile maritime Région Deux à bord du cargo *Flying Unicorn*. Briney, prends de quoi écrire et note tout ce que je vais te dire, dans l'ordre où je le dis. Je répète : dans l'ordre où je le dis. Et je t'en prie, interromps-moi si tu as besoin que je répète quelque chose. Tu es prêt ?

Voyons, se dit-il : un bloc de papier jaune... *et* un crayon.

« Oui. Prêt. Commence le tir.»

La voix qui lui revint dans le haut-parleur s'exprimait maintenant comme si une force intérieure la sous-tendait, commandant à son crayon avec précision et énergie :

« Page deux, douzième mot à partir du haut, commença Billy Berlin depuis le lointain Atlantique Sud. Page quarante, cent sixième mot à partir du haut. Page quarante-deux, deuxième mot. Page quarante-deux, troisième mot. Page huit, vingtième mot. Souligne-le. Page huit, vingtième mot à nouveau. Souligne-le à nouveau. Page dix-neuf, dernier mot de la page. Page vingt-et-un, dixième mot à partir du haut. Page un, sixième mot. Page un, septième mot. Page soixante-dix-neuf, quarante et unième mot. Page un, onzième mot. Intervalle. Briney, comment te débrouilles-tu ? Pause.

— Transcription fidèle à cent pour cent. Est-ce qu'il y en a davantage ? A toi. »

Oui, il y en avait davantage. Bien davantage encore. Mais après sept mots de plus, Billy Berlin lui dit :

« Briney, il y en a encore pour un bout de temps, et je préfère ne pas continuer tant que je ne suis pas certain que tu as bien compris comment fonctionne le système. Aussi, prends tes notes et ouvre le livre. Je reste en attente jusqu'à ce que tu termines. Donne-moi Roger là-dessus.

— Roger, Roger, Billy. Ça va prendre un moment, aussi ne quitte pas.

— Ne t'inquiète pas. W6 Lazy Susan, ici W6 Victor Charlie qui reste en ligne sur la fréquence. »

Brian Joy abaissa le gain audio du récepteur, prit son exemplaire de *The Anatomy of a War* et l'ouvrit : d'abord à la page deux, puis à la page quarante, puis à la page quarante-deux, revint à la page huit, et ainsi de suite jusqu'à la dernière page inscrite dans ses notes, en comptant rapidement mais attentivement jusqu'au mot indiqué et les transcrivant, un à un dans l'ordre, sur une feuille vierge de son bloc. Son cœur se mit à battre la chamade au fur et à mesure que les mots commençaient à révéler le sens du message. Il saisit son verre de margarita et en avala une généreuse lampée en fixant des yeux les mots qu'il venait d'écrire :

Nos communications doivent rester totalement, totalement secrètes, excepté comme je t'en informerai. Trois mille vies en dépendent, la mienne y comprise.

Il sentit le regard de Maggie posé sur lui.

« De quoi s'agit-il ? demanda-t-elle.

— Je ne sais pas encore », répondit-il en souhaitant qu'elle ne soit pas dans la pièce.

Il remonta le gain audio, prit le microphone, pressa le bouton et dit à Billy Berlin d'une voix qu'il sentait plus grave :

« Message compris.

— Je suis prêt à poursuivre, répondit la voix de son ami. Comment me reçois-tu ?

— Avec des hauts et des bas, mais tu pointes toujours à S9. Billy, attends une minute, veux-tu ? »

Il relâcha le bouton du micro et tourna les yeux vers Maggie :

« Chou, ça peut demander un bout de temps. Si tu commençais à nous préparer à dîner ? »

Elle croisa son regard en silence pendant quelques instants, puis se leva en disant :

« Que dirais-tu d'une salade pour ce soir ?

— Je crois que je pourrais l'avaler.

— Moi aussi, dit-elle en se dirigeant vers la cuisine. »

Il savait qu'elle savait qu'il lui demandait de partir. Ne pas le faire remarquer partait de sa part d'une gentillesse qui les rapprocherait plus tard. Il vida son verre avant de reprendre le micro :

« W6VC mobile maritime de W6LS. Je suis fin prêt pour ta transmission. Vas-y s'il te plaît. »

Ses doigts se serrèrent sur le crayon et il se remit à écrire sous la dictée de la voix qui s'élevait du haut-parleur. Telle page, tel mot ; telle page, tel mot ; telle page, tel mot. Il notait tout, aussi vite que c'était prononcé depuis le lointain bateau en mer. De toute évidence, Billy n'avait pu trouver certains mots dans *The Anatomy of a War*. Aussi annonçait-il : page onze, première lettre du premier mot, première lettre du sixième mot, première lettre du sixième mot, première du quatorzième, première du vingt-et-unième, première du cinquième, première du dix-neuvième, première du troisième, première du troisième, première du cinquième — afin d'épeler juste un seul mot, M-A-R-S-E-I-L-L-E.

Au fur et à mesure qu'il écrivait, Brian Joy s'efforçait de chasser de son esprit ce que des années d'expérience sur les ondes courtes lui rappelait avec insistance : la bande vingt mètres était lentement et subtilement en train de changer. La voix de Billy Berlin commençait à plonger dans la friture tandis que les zones de propagation vers l'ionosphère commençaient à se déplacer avec la venue prochaine de la nuit qui s'avançait à travers les Etats-Unis vers la Californie. Les lèvres serrées et les doigts crispés sur le crayon, il continuait à écrire ce qu'il entendait comme s'il voulait contraindre la bande à rester vivante jusqu'à ce que le contact aboutisse à la fin souhaitée. Ça ne lui demandait aucun pouvoir extra-sensoriel spectaculaire de précognition ou d'intuition pour se rendre compte que, parmi les milliers de contacts qu'il avait établis au fil des ans, celui-ci sortait de l'ordinaire.

Quand Billy arriva enfin au bout de l'interminable message et le lui annonça, sa chemise était trempée et ses doigts perclus d'arthrite. Il lutta pour chasser la fatigue de sa voix quand il annonça à Billy :

« J'ai réussi à tout prendre, Billy.

— Formidable, lui répondit une voix joyeuse. Je passe à l'écoute pendant que tu déchiffres, Briney.

— Ça m'ennuie de te dire ça, Billy, mais tes signaux commencent à faiblir. Il va falloir que je mette toute la gomme, alors, reste à l'écoute.

— Roger Roger. Vas-y. W6LS.W6VC mobile maritime en attente sur la fréquence. »

Une voix rageuse intervint qui parlait avec un fort accent newyorkais :

« Hé ! qu'est-ce qui vous prend les gars ? Savez peut-être pas que c'est une violation des règlements FCC d'utiliser autre chose que du langage courant pour communiquer ?

— Une ligne dégagée serait appréciée, fut la seule réponse de Billy Berlin.

— Les mecs, vous me donner envie de gerber, fit la voix.

— Pourquoi ne la boucles-tu pas ? s'interposa une nouvelle voix sur la fréquence, celle-là, du sud de toute évidence.

— Et si tu allais te faire aimer ? lança le Newyorkais.

— En parlant de règlements FCC, dit l'homme du sud, quel est votre indicatif, monsieur ?

— Tu peux aller te faire foutre, répliqua le Newyorkais. J'abandonne la fréquence à ces connards.

— Quel parfait gentleman ! dit l'homme du sud.

— Ici W6VC mobile maritime Région Deux, reprit Billy Berlin. Une ligne dégagée serait appréciée. »

Brian Joy n'avait rien entendu de tout cela. Il avait baissé la tonalité de son récepteur et s'était resservi un margarita qu'il avait descendu d'un trait. Il n'imaginait pas qu'il en aurait besoin d'un autre. Mais après quelques minutes de comparaison de ses notes avec son exemplaire de The Anatomy of a War pour trouver les mots justes à ajouter les uns derrière les autres sur son bloc, il commença à comprendre, tandis que l'épouvante le gagnait, que ce dernier margarita ne serait peut-être pas celui dont il aurait le plus besoin.

Il venait de lire les mots qu'il avait copiés, les mots qui lui avaient été si laborieusement dictés depuis si loin, et pendant un bref moment il essaya de se persuader que tout cela était une plaisanterie. Mais l'horrible vérité s'imposait. Il se mit à relire, le cœur serré :

Nos communications doivent rester totalement, totalement secrètes, excepté comme je t'en informerai. Trois mille vies en dépendent, la mienne y comprise. Le Marseille a été détourné pour rançon par important groupe de passagers disposant de déguisements et d'armement lourd, leurs identités et numéros de cabine inconnus. Navire hors de sa route cap au sud pour destination inconnue. Tous à bord sommes otages. Je représente le seul moyen de communication avec le monde extérieur pour le commandant et son état-major. Serai tué si découvert. Déjà plusieurs morts violentes. Aviser d'urgence direction de la Compagnie française à Paris de ce moyen secret de communication avec le navire, mais n'informer absolument personne d'autre. Paris est au courant du détournement. Demande-leur transmettre détails complets des termes de l'ennemi et heure limite. Requête suivante du commandant doit recevoir priorité absolue : sous moins de 36 heures ou 40 au plus, d'après liste informations confidentielles que détient Française atlantique sur passagers, que forces terrestres essaient déterminer identités probables et numéros de cabines de tous les passagers susceptibles appartenir au groupe ennemi. Ceci pour permettre prendre dispositions écrasement adversaires par surprise. Toutes les armes entre leurs mains. Demandons urgence suggestions sur méthode garantie de liquidation. Liste produits disponibles dans pharmacie du bord en cours d'établissement. Supposons groupe ennemi composé de 50 à 200 hommes et femmes, probablement tous entre trente-cinq et cinquante ans. Probablement tous Américains blancs. Leader américain se présente sous nom de Craig Dunleavy. Prénoms de deux femmes du groupe : Marybeth et Marge. Commandant suppose groupe composé de gens ayant

*instruction supérieure et probablement pas professionnels du crime.
Immédiatement après la fin de ce message, ferai suggestions déguisées sur autorités susceptibles t'aider, toi et Paris, à obtenir pour
nous informations et instructions désespérément nécessaires. N'entreprendre aucune autre action, sinon mort d'otages. Ennemi contrôle
ici nombreuses lignes radio y compris nouvelles du monde entier.
Forces terrestres devront observer prudence et secret absolus.
Priez pour nous. Fin.*

La fin. Brian Joy baissa la tête. L'esprit soudain bloqué, le
cœur lui manquait. Il se sentait sans volonté, au bord de l'éva-
nouissement. « Trop, c'est trop... gémit-il en secouant la tête, je ne
peux pas... » Puis, tout aussi soudainement, il se redressa en
marmonnant sauvagement : « La ferme, espèce de lope ! arrête de
débloquer ». Puis, essuyant les quelques larmes qui roulaient sur
ses joues, il rouvrit le récepteur et parla dans le microphone :

« W6 Victor Charlie mobile maritime de W6 Lima Sierra.
Es-tu toujours là ? »

Faible mais audible lui parvint cette réponse impatiente :

« Oui, oui, vas-y.

— O.K. Billy, fit-il d'une voix où il réussit à insuffler de la
confiance. Tout parfaitement reçu et compris. Je répète : parfaitement compris. Ne t'inquiète de rien. A propos de mauvaise plaisanterie, tu m'avais parlé de me chercher quelques idées pour mes
prochaines émissions de télé pendant ton voyage. Tu sais que j'ai
toujours besoin de nouvelles scènes, de nouveaux sujets, de nouveaux décors. As-tu quelques suggestions ? A toi.

— W6LS de W6VC mobile maritime à bord du *Flying
Unicorn*. J'ai eu beau me creuser les méninges à propos de tes
émissions, voici tout ce qu'il en est sorti. (Brian Joy prit un crayon
afin d'écrire des notes pour Paris.) Je ne me souviens pas avoir vu
quoi que ce soit à la télé traitant de l'ordinateur le plus grand et le
plus sophistiqué du monde. Il doit se trouver à la C.I.A. ou au
M.I.T. Puis que penserais-tu d'un épisode sur le groupe de
réflexion de la Remo Corporation de Californie ? Et, bien que ce ne
soit pas particulièrement neuf, je crois qu'il doit tout de même
rester un peu de matière à spectacle sur le F.B.I., la Sûreté nationale française, Scotland Yard, Interpol et le service secret de la
Marine. Qu'en penses-tu ? A toi.

— Pas mal, Billy. Pas mal. J'ai tout noté. Maintenant laisse
moi y réfléchir. Peux-tu me fixer un horaire immédiatement ? La
fréquence se détériore rapidement. A toi.

— Très bien, Briney. Prenons l'écoute sur cette fréquence
chaque heure à la première minute au cas où nous aurions besoin

de communiquer. Sur 14 220 chaque heure à la première minute. Donne-moi un Roger là-dessus.

— Roger Roger Roger, se surprit-il à presque crier. Tu disparais rapidement, Billy. 73s. Coule-toi la douce. Amuse-toi bien. Garde le sourire. A bientôt. W6VC mobile maritime. W6LS rend la ligne après très agréable QSO. »

Il fit une grimace de dégoût à la suite de tout ce blabla. Puis il entendit Billy, dans le lointain, annoncer *son* final. Alors, comme un essaim d'abeilles, s'abattirent sur la fréquence les signaux et le caquetage de centaines de radioamateurs qui, médusés, avaient intercepté leur conversation — il en pria Dieu — sans y rien comprendre. Tous appelaient maintenant Billy sans meilleure raison que d'établir une liaison avec un mobile maritime seul dans l'Atlantique. Mais ils appelaient en vain. Il se trouvait probablement déjà dans sa salle de bains à se soulager d'une diarrhée chèrement acquise.

Brian Joy ferma le gain du récepteur, coupa l'amplificateur surchauffé et se leva de son fauteuil de bureau en se sentant les jambes un peu flageolantes. Il emporta le carnet sur lequel il avait noté le message fatidique à travers le living-room et la salle à manger jusqu'à la cuisine. Il y a certains secrets que l'on est incapable de garder pour soi. Maggie se tenait devant la cuisinière où elle observait avec plaisir mijoter des escalopes de veau dans du Marsala. Elle lui jeta un coup d'œil en l'entendant venir.

« Tu n'as pas une mine radieuse, dit-elle.

— On se demande bien pourquoi », fit-il en lui tendant le carnet de notes devant les yeux.

Elle en poursuivit la lecture tout en s'essuyant les mains avec un torchon avant de le prendre dans les siennes. Il l'observa pendant qu'elle lisait le message de Billy comme s'il s'était agi d'une recette de cuisine. Elle ne se laissait jamais aller à l'inquiétude que si elle le voulait bien. Elle lui rendit le bloc-notes en disant :

« Crois-tu qu'il faille prendre tout ça pour un cirque ?

— Je l'ai essayé moi-même, répondit-il avec un hochement de tête. Mais ça n'a fait que m'effleurer l'esprit. Tu as entendu le son de sa voix. »

Elle opina lentement avant de demander :

« A-t-il parlé de Julie ?

— Pas une seule fois, mais je suis sûr qu'elle va bien.

— Sans doute. Avec un mari comme ça pour la protéger !

— Ne sois pas rosse.

— C'est une gourde tu sais !

— Il est peut-être guindé, mais pas idiot.

— Tout ça est tout de même de sa faute.

— Pardon ?

— Bien sûr, dit-elle. S'il n'avait pas la trouille de prendre l'avion, ils ne se seraient jamais trouvés sur ce bateau. »

Il la dévisagea quelques instants en silence avant qu'ils se mettent à rire de concert, rire que la culpabilité éteignit.

« Comment se fait-il que tu me mettes dans le secret ? demanda-t-elle.

— Je ne vois pas pourquoi je serais le *seul* à rigoler », dit-il sur un ton sinistre.

Elle le regarda un instant en silence, puis demanda :

« Mais que faisons-nous à rester plantés là dans cette cuisine ?

— Ce que *toi* tu fais, je l'ignore. Moi, je réfléchis. Il ne m'a pas dit exactement qui appeler à Paris. Je cherche par quel bout commencer.

— Et que dirais-tu de commencer par mes succulentes escalopes de veau ?

— J'ai l'impression que je ne pourrai plus jamais rien avaler.

— Peut-être que si j'en mettais dans ton pot en argent tu l'avalerais par mégarde.

— Tu risques de te faire mettre quelque chose par mégarde si tu n'y prends pas attention.

— J'ai l'impression que ça ne me déplairait pas, dit-elle en lui mettant la main à la taille.

— Ne me touche pas, dit-il. J'essaie de réfléchir.

— C'est tout réfléchi, dit-elle en descendant la fermeture de sa braguette de l'autre main. En premier, tu vas appeler Joe pour lui dire d'appeler le réseau pour leur expliquer que tu as la grippe et que tu ne pourras pas livrer la première ébauche demain comme promis. (Bonjour toi...) Puis tu passeras une dizaine de coups de fil pour trouver qui appeler à Paris et leurs numéros. Puis tu leur téléphoneras à Paris (oh, mon...) et tu leur liras le message. Et puis ils se mettront à te donner des tas d'instructions. Et après cela, tu vas être très, très occupé et tu trouveras peut-être, ou peut-être pas, le temps de dormir une heure pendant qui sait combien de jours (chéri...), et tu vas en oublier de manger sans oublier de boire et tu vas te sentir de plus en plus mal et, au bout du compte, tu vas mourir de faim et d'alcoolisme aigu ainsi que de trop nombreux contacts avec Billy Berlin. Aussi, comme les choses vont se passer exactement comme je viens de les décrire, je ne vois aucune place pour un moment de plaisir dans le peu de temps qu'il nous reste de vie commune, à moins de le prendre sur-le-champ, avant que tu ne commences quoi que ce soit. »

Il la regarda en s'efforçant de rester impassible.

« Je pense que tu veux dire que je devrais aller en haut, et me préparer à utiliser le téléphone qui se trouve près du lit.

— Tu as quelque chose contre ici et maintenant dans la cuisine ? » demanda-t-elle.

Il regarda le sol en fronçant le sourcil.

« Est-ce que ça n'est pas un peu dur et sale ?

— Je l'espère bien, dit-elle en souriant tout en l'aidant à s'allonger par terre. »

« Je suis désolé, madame, dit Ferdinand Bellet, le radio responsable du réseau de télévision en circuit fermé. Je ne peux rien faire si je ne peux rien constater.

— Mais *c'était là,* Paul Newman en était recouvert.

— Chère madame Costigan...

— *Mademoiselle* Costigan. Et si ça recommence, je veux que vous me changiez le poste. Je ne vous laisserai pas de répit que ce ne soit fait.

— Mais certainement, mademoiselle. Certainement. »

Il sortit rapidement sur ces mots, suivi de l'homme qui l'avait accompagné. Un homme qui avait écouté en silence avec beaucoup d'intérêt. Un homme dont la couleur de la moustache et des cheveux n'était pas exactement la même.

Chapitre XV

C'était un charivari de tous les diables : un vrai réveillon de la Saint-Sylvestre au milieu de juillet et en plein Atlantique. Dans l'air du « Cabaret Afrique », saturé d'odeurs de parfums, de champagne et de gin, planaient les signes avant-coureurs de ce qui se passerait plus tard dans l'intimité des cabines.

« Et qui êtes-vous donc, fillette ? hurla l'étranger en déguisement de shériff pour surmonter le vacarme de la musique et des cris.

— Je suis peut-être petite, mais je ne suis pas une fillette, je suis une faaaamme. Je suis madame du Barry, ça ne se voit pas ? Je veux dire, combien y a-t-il de dames en perruques poudrées ? Ou est-ce que vous ne voyez rien à travers ces fentes ?

— Il se trouve que ces fentes sont mes yeux et qu'ils commencent à se croiser. Ou ce bateau chavire ou je suis plus ivre que je ne l'imaginais.

— Ça ira, je me tiens après vous. C'est sûrement une manière de danser bien démodée mais ça nous empêche de tomber. J'ai oublié votre nom ?

— Je ne vous l'ai pas encore dit. Mais à *vous*, je vais vous le dire... c'est Kenny McCracken.

— Salut ! Kenny.

— Et qui êtes-vous donc, fillette ?

— Je vous l'ai déjà dit, je suis la Du Barry. La petite fille de Joe du Barry, dit Julie en faisant un large sourire sous le loup noir qui lui couvrait les yeux.

— Vous êtes jolie à croquer, soupira Kenny McCracken.

— Ce n'est que le costume. Au fait, où se trouve Craig ?

— Craig qui ?

— Comment ça, Craig qui ? Impossible de reconnaître qui que ce soit dans ce tourbillon de lumières clignotantes et sous ces masques. Croyez-vous que ça pourrait être lui, là-bas, avec ce haut-de-forme et ces pyjamas bleus ?

— Je viens de vous le dire, Du Barry, j'ignore de qui vous voulez parler.

— Hé bien, si vous n'êtes pas un ami de Craig, je ferais mieux de vous dire adieu et de m'éclipser.

— Oh non ! vous n'allez pas me laisser *tout seul* ici...

— Bye-bye », fit-elle en l'abandonnant et en partant, au milieu des corps qui se tortillaient sur la piste de danse, en direction d'un Nijinsky en collants noirs et loup blanc qui, en bordure de la piste, observait la foule.

« Troisième essai, fit-elle en s'appuyant contre lui. Et toujours chou blanc. Et vous ?

— La seule chose dont je puisse me vanter serait une invitation de la Lady Godiva que vous apercevez là-bas.

— Celle en collant chair ?

— Tout juste.

— En quoi consiste l'invitation ?

— Un bal masqué en tête à tête dans une petite cabine du Pont-C.

— Il y a pire.

— Regardez de plus près. Lady Godiva est un homme.

— Oh, Harold !... fit-elle en éclatant de rire.

— Et si vous aviez pu entendre nos roucoulades !

— Et que fait-on quand on ne réussit pas du premier coup ?

— Je fais encore une tentative, dit-il. Puis je laisse tomber.

— Rabat-joie ! Cette fois, *vous* allez en dégoter un. Moi, je me mets en chasse du côté des tables.

— A la revoyure. »

Ils partirent chacun de son côté, l'œil aux aguets, l'air décontracté, le sourire aguicheur, comme si l'exercice auquel ils se livraient n'était qu'un jeu. Il fallait bien le prendre comme ça sous peine que des mains moites ou une voix chevrotante ne les trahissent. Elle le vit accroché avec une jeune rouquine costumée en danseuse de claquettes rétro, qui n'avait pas du tout l'air masculin.

Elle allait lentement au milieu des tables, suivie par des yeux masculins concupiscents qui ne se gênaient pas pour la déshabiller du regard en se sentant protégés sous leurs masques. Bien joué ! Mademoiselle Shanneli, applaudissait-elle intérieurement à l'hôtesse du bord qui avait insisté pour qu'elle porte ce déguisement. Elle eut une brève pensée pour Billy et sa dangereuse veille solitaire dans leur cabine. Pensée qu'elle chassa aussitôt devant l'inquiétude qui l'envahissait pour revenir au bal fantasque, au « Cabaret Afrique », où l'orchestre attaquait un arrangement de bossa nova sur l'air de « *Fly me to the Moon* ».

A une table qui se trouvait juste devant elle, deux couples semblaient avoir quelques problèmes. L'un des hommes, déguisé en pirate, a moitié levé tandis qu'une femme en poupée Barbie le tirait pour le faire rasseoir, braillait :

« Vas-y donc toi-même dans la lune... » en agitant son sabre de bois.

La poupée Barbie le tirait en disant :

« Arrête ça... s'il te plaît... Charlie... »

Tandis que l'homme hurlait à la ronde :

« Je ne veux pas *entendre* cette chanson, m'entendez-vous ? Je ne peux pas la souffrir... »

Puis il retomba dans son siège en hochant la tête.

Un pressentiment. Pourquoi ne pas essayer ? Ils *sont* américains, se dit Julie. Elle s'arrêta, baissa les yeux vers eux et dit :

« Pousse-toi, Charles, s'il te plaît », d'un ton paisible qui reflétait une intimité entre eux.

Les autres la regardèrent prendre une chaise à la table voisine et s'asseoir à leur table avec un peu d'ébahissement. Elle soutint l'observation des masques intrigués avec une tranquille désinvolture :

« Alors, comment va ? »

La seconde fille qui se trouvait à la table, une brune en habit d'Arlequin, répondit :

« Bien. Très bien. »

Avec un peu de quant-à-soi, se dit Julie. Mais ils devaient bien entendu se demander à qui ils avaient affaire. Le second homme — Groucho Marx ? — lança :

« Ce qui importe, c'est comment *vous* allez ?

— Je me sentirais beaucoup mieux si Craig se trouvait dans les environs, dit Julie. Pourquoi perdre du temps ? Il vaudrait mieux en finir. »

Le brusque silence lui glaça le cœur.

« Quelqu'un a une cigarette ? lança-t-elle vivement.

— Voilà, dit Groucho en lui lançant un paquet de Pall Mall et en tendant la main pour la lui allumer avec un Zippo. »

Elle souffla sa fumée sur le pirate malheureux qui se trouvait à côté d'elle :

« Allons, Charles, ça ne va pas si mal que ça. »

Il tourna vers elle sa rage alcoolique :

« J'ai horreur de cette saleté de chanson, et ne m'appelez pas Charles !

— Charlie ! protesta la poupée Barbie.

— La ferme, Frances ! grogna-t-il.

— Vous allez la boucler tous les deux, dit Groucho calmement.

— J'ai besoin d'un autre Scotch, dit Charlie.

— Tu n'as plus besoin de rien, dit l'Arlequin.

— Ça va, Betty, lui dit Groucho dont elle semblait manifestement la femme.

— Fran, peut-être que *vous* pourriez m'expliquer, dit Julie en tirant une nouvelle bouffée sur sa cigarette, pourquoi vous restez là à vous ronger les sangs au lieu de réagir ? Qui vient faire un tour avec moi sur le pont ? Betty ?

— Eric ne veut pas, répondit l'Arlequin en secouant la tête.

— C'est *Eric ?* fit Julie. Je croyais que c'était Harpo Marx.

— Pas Harpo, dit l'homme avec impatience. Groucho, bon sang !

— Hé bien, je ne m'en serais pas douté, dit Julie d'une voix moqueuse. Non seulement il ne ressemble plus à Eric, mais on ne dirait pas non plus Groucho. Formidable déguisement.

— Vous savez, Shirley, que vous commencez sérieusement à me pomper l'air ? »

Julie se rendit compte que Charlie, le pirate, s'adressait à elle.

« J'en serais vraiment désolée, Charles, si j'étais Shirley...

— Je te le disais, murmura Frances un peu trop haut à l'autre femme.

— Parlez plus haut, dit Julie. Pas de messe basse.

— Betty aussi vous prenait pour Shirley, dit la poupée Barbie, moi, je disais Charlotte.

— Dieu ! fit Julie en réussissant à rire de bon cœur. Que c'est drôle.

— Je suis heureux de *vous* l'entendre dire, grommela Charlie.

— Vous n'êtes pas Charlotte ? demanda la poupée Barbie.

— Si je le suis, cela m'était sorti de la tête.

— Hé bien, j'y perds...

— Un sacré déguisement, dit Eric Groucho en la scrutant attentivement. Qui êtes-vous ? »

Elle croisa son regard sous le masque :

« Madame du Barry.

— Qui êtes-vous, répéta-t-il. Allons, dites-le maintenant.

— Je ne vous le dirai pas, plaisanta-t-elle en riant, parce que personne à cette table ne me dit pourquoi vous avez l'air sinistres quand vous devriez être joyeux et sans souci. Je me trompe ? Qu'est-ce que vous me cachez ? Est-ce que tout ne va pas comme sur des roulettes ?

— Nous sommes juste un peu désappointés, c'est tout, dit la

poupée Barbie en haussant les épaules. Et un peu ronds aussi... parce que nous n'avons pas été sélectionnés pour cette nuit.

— Parlez pour vous, dit Eric.

— Moi non plus, dit Julie. Et je ne suis pas désappointée pour ça, fit-elle sur un ton raisonneur.

— C'est ce que je me tue à leur expliquer, dit Eric. Si dix personnes suffisent à conduire une action, on en prend une dizaine, on ne va pas utiliser tout le monde juste pour les empêcher de se sentir délaissés. Mais ces deux-là... fit-il en désignant les femmes, se sentent des fourmis dans les doigts à l'idée de les laisser courir sur quelque chose comme des *diamants*...

— *Et* des rubis *et* des émeraudes, dit Frances d'un air gourmand.

— ... à tel point qu'elles ne peuvent pas attendre comme tout le monde. Elle ne peuvent pas *supporter* de se trouver ici à 2 heures du matin au lieu de là-haut, sans avoir rien d'autre à faire que de se la couler douce. »

Julie vit à sa montre qu'il était 1 h 35.

« Tu sais que tu as un cœur de pierre, Eric ? » dit Betty.

Il se tourna vers elle :

« C'est une idée tordue, de toute manière. Craig et Herb le savent très bien. Et s'ils ont accepté ça, c'est seulement parce que quelques personnes que je préfère ne pas nommer deviennent cinglées devant des bijoux. Ça va représenter combien, environ deux ou trois cent mille dollars ? Une misère.

— Admets donc que ça va être chouette de s'y trouver rien que pour voir leurs têtes, soupira Charlie le pirate avec regret. Spécialement celle que va se payer le commissaire du bord quand il comprendra ce qui se passe.

— Oh, le voilà, il faut que je file, il me cherche, dit Julie en se levant d'un bond. A bientôt.

— Qui cela ? dirent les femmes en chœur.

— Mon crétin de mari », lança-t-elle en s'enfuyant.

Elle crut entendre celui qui se nommait Eric interpeller derrière elle :

« Vous ne nous avez même pas dit qui... »

Mais le reste se perdit dans les bruits de la fête.

Eric, Charlie, Betty, Frances, Shirley et Charlotte... Ça en faisait six plus une dizaine à venir dans le bureau du commissaire du bord.

Quand elle arriva près du Nijinsky en collants noirs qui dansait toujours avec la mince danseuse de claquettes, elle lui donna deux bourrades amicales en lui disant très fort :

« A la porte d'entrée dans deux minutes. »

Nijinsky la regarda poursuivre son chemin et la suivit en pirouettant vers la porte à deux battants qu'il atteignit aux dernières mesures de la bossa nova.

Sur l'estrade du cabaret, un homme déguisé en Tyrolien se mit à lutter avec l'animateur pour lui arracher le microphone des mains. Quelques personnes partirent à rire en croyant qu'il s'agissait d'un gag. Le Tyrolien l'emporta et leva le micro en l'air dans un geste de victoire. Au milieu de quelques acclamations et applaudissements, l'animateur de l'orchestre se recula en l'observant avec un sourire contraint. Le Tyrolien arracha son masque et dit dans le microphone :

« Mesdames et messieurs, mon nom est Harry Grabiner... »

Mais des railleries fusèrent immédiatement :

« Remettez votre masque ! C'est de la triche.

— Hou... hou... hou...

— Mesdames, messieurs...

— Il est tout de même plus beau avec son masque...

— Ecoutez-moi... hurla Grabiner.

— Remettez votre masque, et disparaissez...

— Je suis Harry Grabiner et...

— Assis, Harry.

— Et je pense que vous devriez savoir que ce bateau ne va pas où il devrait...

— Vous êtes saoul, Harry. Asseyez-vous avant de tomber...

— On se moque de vous, cria Grabiner d'une voix enrouée. On vous emmène ailleurs, écoutez-moi. Nous sommes tellement loin de... »

Mais sa voix se trouva noyée sous les huées et les sifflets. L'animateur lui reprit le micro des mains et l'orchestre recommença à jouer tandis que Grabiner s'éloignait lentement d'un air contrit vers l'une des sorties et que tout le monde se remettait à danser.

Deux des chahuteurs se levèrent de leur table et rejoignirent Grabiner sur le pont juste devant le cabaret.

« Nous avons entendu ce que vous disiez, et, franchement, cela nous a intrigués, dit l'un d'eux.

— Hé bien, merci messieurs, dit Grabiner dont le visage s'illumina. Je commençais à me sentir l'idiot du village.

— Si ça ne vous fait rien, nous aimerions que vous nous en disiez davantage, dit le second homme.

— Vraiment ?

— J'ai l'impression qu'il se passe vraiment quelque chose de pas catholique...

— Vous avez bougrement raison, répondit Grabiner. Ces abrutis, là-dedans...

— Où pouvons-nous parler ? demanda le premier homme.

— Où vous voudrez. Dans l'un des bars ?

— Je ne pourrais pas avaler une gorgée de plus ce soir, dit le deuxième homme.

— Le pont me convient parfaitement, répliqua le premier homme. Il fait très doux.

— C'est exactement là que je veux en venir, lança Grabiner exultant de joie. Je ne suis qu'un vieux confectionneur de New York. Je ne pourrais pas deviner ce que vous faites tous deux dans la vie, même si vous enleviez vos loups. Mais je ne crois pas qu'il soit nécessaire d'être un vieux loup de mer pour comprendre qu'il ne fait pas une température aussi douce dans l'Atlantique Nord où nous ne sommes pas... nous ne nous trouvons pas dans l'Atlantique Nord.

— Attendons un peu de nous éloigner de ces gens ? » demanda le second homme.

Plusieurs groupes costumés se promenaient par deux ou quatre sur le pont autrement déserté, en proie à une hilarité sans autre raison que l'euphorie passagère provoquée par un abus de champagne et une vacance de l'esprit.

« Mais qu'ils m'entendent, dit Grabiner. Je ne demande que ça. Qu'ils se réveillent tous.

— Nous vous comprenons, dit le premier homme qui observait les alentours à mesure qu'ils s'éloignaient sur le pont qui roulait légèrement.

— Ne vous trouviez-vous pas dans le bar du salon Bretagne ce soir, est-ce que ce n'était pas vous ? demanda le deuxième homme.

— Moi ? interrogea Grabiner.

— Oui, n'était-ce pas vous, juste avant le dîner, au bar, qui racontiez à quelqu'un que nous étions déroutés ?

— Ah, oui, oui, bien sûr. Vous étiez là ? demanda Grabiner d'un air ravi.

— Non. On me l'a répété. Je ne me souviens plus qui. Le barman, peut-être. Je pensais que ça ne pouvait être que vous. Je l'aurais parié.

— C'était bien moi, dit Grabiner avec orgueil.

— Je commence à manquer d'air, dit le premier homme.

— Otez votre loup, vous respirerez mieux, lui répliqua Grabiner.

— C'est pas bête, dit le premier homme.

— Je ne dis jamais rien de bête, fit Grabiner avec un large sourire.

— Il a tout à fait raison, rétorqua le deuxième homme. »

Ils enlevèrent tous deux leurs masques qu'ils mirent dans leurs poches.

« Hein que ça va mieux maintenant, dit Grabiner en souriant et en les dévisageant tour à tour. Vous avez encore plus l'air d'un pirate, comme ça. Et vous, jeune homme, vous ressemblez encore plus à... à...

— Groucho Marx ?

— Oui. Je l'avais sur le bout de la langue, Groucho Marx. Assez de marche pour l'instant. Pourquoi ne pas nous asseoir là et bavarder un peu ? D'accord ?

— Regardez un peu ces étoiles et la lune sur l'eau. C'est si beau, dit le premier homme, que ça vous donnerait envie d'en parler avec Dieu.

— Que diriez-vous de ces chaises longues que voilà ? dit Grabiner.

— Ça vous plairait de parler avec Dieu ? lui demanda le premier homme en s'agenouillant comme pour arranger ses lacets.

— A tout instant, plaisanta Grabiner.

— Etes-vous chatouilleux ? lui demanda le second homme en passant derrière Grabiner.

— Héhé, rit Grabiner. »

Le premier homme le saisit par les chevilles pendant que l'autre le prenait sous les aisselles. Et ils se mirent à le balancer comme pour jouer.

« C'est là, en haut, qu'il se trouve. Hello, Dieu.

— Héhé, rit Grabiner. Les gars...

— Ho ! hisse... fit le premier homme.

— Ho ! hisse... répondit le second en le prenant maintenant par les poignets.

— Attention, dit le vieil homme en riant, tandis qu'ils le balançaient de long en large comme un paquet de linge. Je n'ai pas l'habitude de ça, les gars. »

Il commençait à haleter :

« Je veux dire, bon sang ! qu'est-ce qui vous prend... ?

— Ho ! hisse... continua le premier homme en riant.

— Lâchez-moi, je vous prie. »

Un jeune couple costumé arrivait vers eux en trébuchant le long du pont. Ils gloussaient en s'appuyant l'un sur l'autre comme des enfants.

« Houp là, fit le second homme en riant à gorge déployée et en balançant Grabiner de plus en plus haut.

— Arrêtez-les, cria faiblement Grabiner au couple gloussant qui approchait. Je vous en prie, arrêtez-les. Je commence à me sentir malade...

— Vous n'avez pas honte, méchants garçons ! leur lança joyeusement la jeune femme.

— Je vous en prie... ce n'est pas... attendez...

— Houp là !...

— Allez vous coucher, ou vous ne serez pas frais demain, continua à plaisanter la jeune femme tandis qu'elle s'éloignait avec son cavalier toujours secoués de rire.

— Attendez... cria Grabiner.

— Un... annonça le premier homme.

— " Non ce n'est pas possible ", se plaignit le vieil homme aux étoiles dansantes.

— Deux... annonça le deuxième homme.

" Je vous en prie, mon Dieu... "

— *Et trois.*

" Ce n'est pas possible, ce... "

— Hop là ! »

Harry Grabiner s'enfonça dans la tombe sombre et glacée où il se noya vite en continuant à invoquer Dieu.

Chapitre XVI

Il connaissait un type à la C.B.S. à Hollywood qui connaissait un type à la C.B.S. à New York que l'on pouvait joindre jusqu'à minuit. Mais ce type de New York, l'un des plus anciens vice-présidents, un nommé Leonard Ball ne serait pas de retour à son appartement de Park East, avait-on répondu, avant 11 heures. Ce qui faisait 8 heures du soir à l'heure de Californie. Aussi Brian accepta-t-il de manger une escalope de veau en attendant, et il ne la trouva pas mauvaise. Puis, son ami hollywoodien ayant réussi à découvrir que Leonard Ball dînait au « Twenty-One », il informa Brian de l'appeler là-bas sur-le-champ. Après quelques difficultés avec le standard du « Twenty-One », ils acceptèrent de le brancher sur la table de Ball.

Quand Brian eut annoncé ce qu'il voulait, Ball expliqua qu'il connaissait bien quelqu'un à l'ambassade des Etats-Unis à Paris qui pourrait sûrement obtenir l'information qu'il cherchait, mais qu'il ne fallait pas oublier qu'il était 4 heures du matin là-bas. Comme Brian insista et dit qu'il avait besoin de savoir tout de suite, le type de la C.B.S. lui demanda une minute depuis sa table du « Twenty-One ». Il connaissait aussi une fille au *Herald Tribune* à Paris. Une fille qui écrit toute la nuit et qui dort le jour. Une fille merveilleuse, merveilleux écrivain, qui connaît tout le monde et tout ce qui se passe.

« Oui, mais comment est-ce que je la joins ?

— Laissez-moi essayer, dit Ball. Il se trouve que je connais son numéro personnel à Paris.

— Par hasard, bien sûr ? ironisa Brian.

— Abrégez, voulez-vous, lui répondit Ball. Filez-moi votre numéro. Je lui demande de vous appeler.

— Quand ?

— Tout de suite.

— De Paris ?

— C'est ça.

— Vous blaguez, lui dit Brian.

— C'est ça, je blague. Donnez-moi donc votre numéro. »

Brian le lui donna, raccrocha, et commença à tourner en rond en branchant la bande des vingt mètres qui restait muette. Puis le téléphone sonna et une opératrice lui annonça un appel de Paris.

« J'en suis sur les fesses, lança-t-il à Maggie avant d'entendre cette voix formidable qui venait de quelques années lumière et disait :

— Etes-vous monsieur Joy ?

— Soi-même.

— Ici Lisa Briande du *Herald Tribune*. Lenny me dit que vous avez besoin de moi.

— Vraiment, Lisa, je crois rêver, dit-il. Appelez-moi Brian.

— Dites-moi ce que vous voulez, monsieur Joy. Je suis aux premières loges pour vous le fournir. »

Il le lui dit, et, en moins d'une minute, sortis de son petit carnet noir, elle lui avait donné les noms et les numéros de téléphone dont il avait besoin. Il la remercia mille fois avant de raccrocher et de demander à Maggie :

« Est-ce qu'elle n'est pas formidable ? »

Le numéro un, Dechambre, habitait Neuilly. Sans raison valable, cela demanda près de vingt minutes à l'opératrice de Denver pour obtenir une réponse d'une femme dont la voix exprimait la colère des gens qu'on réveille au milieu de la nuit. Il écouta les éclats de la dispute avec l'opératrice de Paris qui finit par lui traduire que M. Dechambre se trouvait à un autre numéro, à Antibes, sur la côte d'Azur. L'opératrice protesta qu'il était 4 h 25 du matin quand il lui demanda d'appeler cet autre numéro. Il insista et attendit en se désaltérant avec le breuvage de son pot en argent. La femme qui finit par répondre au numéro de Nice parlait au moins anglais, et il l'entendit dire que M. Dechambre était parti en voiture pour Paris, qu'il y serait à l'aube.

« Demandez-lui si elle sait à quelle heure il sera à son bureau demain matin, hurla-t-il à l'opératrice. Demandez-lui à quelle heure ouvrent les bureaux de Compagnie française atlantique.

— Je ne peux pas demander cela, monsieur, répondit l'opératrice.

— Demandez-le lui, nom de Dieu !

— Brian ! intervint Maggie.

— A 8 heures, dit sèchement l'opératrice avant de couper la communication.

— 8 heures, dit-il à Maggie. Cela fait près de quatre heures à attendre, bon sang !

— Si tu n'arrêtes pas de boire... dit-elle.

— Qu'est-ce que tu vas me faire ? »

Il rappela l'opératrice des communications pour l'étranger. Une nouvelle, bien entendu, et lui donna le numéro du type numéro deux, Georges Sauvinage. Il fallut environ un quart d'heure pour obtenir la sonnerie de ce téléphone. Comme au bout de cinq minutes personne ne répondait, Brian dit à Maggie :

« On dirait que les gens ne rentrent jamais chez eux, à Paris.

— Ils devaient se douter que tu allais les appeler.

— Va te faire fiche », lui dit-il avant de se confondre en remerciements auprès de l'opératrice, de raccrocher, de se reverser un verre. Ce sur quoi, il lança un juron retentissant.

Puis le téléphone se mit à sonner. C'était de nouveau cette voix formidable qui disait :

« C'est encore Lisa Briande, j'espère que je ne vous dérange pas.

— Il n'y a personne d'autre par qui je préférerais être dérangé.

— J'ai pensé qu'il valait peut-être mieux que je vous informe que je viens d'apprendre par les infos du *Trib* que Max Dechambre, le directeur général dont je vous ai communiqué le numéro précédemment, s'est fait arrêter par la police à la sortie de Valence il y a quelques heures.

— Arrêter ? hurla Brian. Pourquoi ?

— Excès de vitesse. Pourquoi êtes-vous tellement nerveux ?

— Je ne suis pas nerveux.

— Notre service des informations me dit qu'il a raconté à la police qu'il fonçait pour arriver à temps à Paris pour une réunion très spéciale qui doit se tenir à la compagnie française à 7 heures du matin aujourd'hui.

— A 7 heures du matin ?

— C'est ça.

— C'est très intéressant, dit-il.

— Il n'y a pas de doute.

— Et très gentil à vous de m'avoir rappelé. Qui paye vos notes de téléphone ?

— Mais Lenny, bien sûr, répondit-elle.

— Ce brave vieux Lenny.

— Vous le connaissez bien ? demanda-t-elle.

— Très bien, répondit-il.

— Alors, peut-être ne verriez-vous pas d'objection à rendre un grand service à une très bonne amie de ce bon vieux Lenny.

— Sans aucun doute.

— Peut-être pourriez-vous me dire exactement ce qui se passe, et pourquoi cette réunion extraordinaire à 7 heures du matin à la tour Française. Si c'est un gros coup, ça m'ennuierait de le rater. Vous ne voudriez pas me le faire rater, n'est-ce pas, monsieur Joy.

— Bien sûr que non, Lisa, mon chou.

— Alors vous allez me dire de quoi il retourne ?

— Bien sûr, Lisa. Mais vous n'allez pas me croire.

— Dites toujours.

— Eh bien, la Compagnie française atlantique vient juste de découvrir dans le courant de la nuit, dans la cuisine de la salle à manger des premières classes du paquebot *Marseille,* sur la route de New York au Havre, le chef a découvert un hareng dans l'*île flottante.*

— Merci, monsieur Joy. Vous êtes vraiment, à votre manière, un triste connard. »

Et elle lui raccrocha au nez.

« Pourquoi es-tu si abominable ? lui demanda Maggie.

— Tu ne me trouvais pas si abominable que ça dans la cuisine.

— Qu'est-ce que tu en sais ?

— J'en suis certain. »

un garçon. Les premiers jours quelque chose qu'on me forçais à prendre. J'ai faim.

— Ça ne nous dispense pas, tandis que tu nous plais, Charlie, non plus que d'aligner.

... les espace d'un silence.

Chapitre XVII

« Je ne me sens pas très bien.

— Qu'est-ce que tu as encore ?

— Je me sens un peu nauséeux. J'ai l'impression que le Harry Grabiner ne me réussit pas.

— Tu n'aurais pas dû y toucher. Tu as toujours les yeux plus grands que le ventre. Tu ne sais pas ce qui te convient, et tu ne veux jamais m'écouter. Mais je n'ai pas envie de t'entendre toute la nuit te plaindre de ta maudite indigestion. Pourquoi ne peux-tu donc pas te montrer raisonnable et te contenter de plats simples ?

— Je sais. Je sais bien. L'ennui, c'est que je suis incapable de résister à du Harry Grabiner quand j'en trouve. Peut-être est-ce parce que *j'aime* le Harry Grabiner, même si je ne le digère pas.

— Eh bien ! continue et mange autant de Harry Grabiner que ça te fait plaisir pourvu que tu ne viennes pas t'en plaindre ensuite... où vas-tu ?

— Je vais monter prendre quelques petites choses pour me caler l'estomac.

— Prendre quelque chose. Toujours en train de prendre quelque chose ! Si tu pouvais un peu écouter...

— Vous allez un peu la fermer. Si vous vous croyez drôles, je peux vous dire que vous êtes tout simplement répugnants.

— Ce que tu peux être aigrie et grincheuse, Frances...

— Fous-lui la paix, Charlie.

— Mêle-toi de ce qui te regarde.

— Hé ! ne parle pas à ma femme comme ça.

— Elle n'en peut plus de rester ici au lieu de se trouver là-haut. Elle s'imagine qu'elle manque quelque chose. Dis donc ! Appelons un garçon. Je prendrai bien quelque chose comme du Harry Grabiner. Et toi, Eric ?

— Ça ne me déplairait pas, mais je ne peux pas, Charlie. Mon régime me l'interdit.

— Vous êtes aussi *malades* l'un que l'autre. »

CONTRE-PLAN

« *Seigneur, seigneur, quelle douleur pour moi de me noyer :*
Quel atroce bruit d'eau à mes oreilles,
Quelles abjectes visions de mort dans mes yeux.
J'ai bien cru voir mille horribles épaves.
Un millier d'hommes que déchiquètent les poissons. »

WILLIAM SHAKESPEARE.

Chapitre XVIII

Ils guettaient et attendaient en se dissimulant. Les autres commencèrent à arriver vers 2 h moins 5. Certains venaient seuls, comme l'homme costumé en clown qui venait déposer une montre digitale de grande valeur et une épaisse liasse de billlets de 50 dollars, ou la femme boulotte aux jambes épaisses déguisée en Ophélie qui peinait pour enlever des boucles d'oreilles, bien déplacées avec sa toilette, de ses lobes épais en avançant vers le bureau avec une démarche de canard.

« *Filons d'ici.* » « *Taisez-vous, Harold.* » « *Vous êtes folle à lier.* » « *Et vous, un abominable lâche.* »

Mais ils apparaissaient plutôt par paires, en couples, papa et maman, chérie et trésor, mari et femme, les loups un peu de guingois, et le tulle, la soie, le coton ou le taffetas ainsi que tous leurs dérisoires accessoires pendant lamentablement sous l'effet de la lassitude et de la transpiration. « Quelle nuit formidable, hein Ralph ? Est-ce que ce n'était pas le moment le plus merveilleux, le plus adorable de notre vie ? »

Il ne s'en trouvait plus qu'une dizaine à présent. Dix en tout, dont allait s'occuper Claude Cabachoux tout sourire et amabilité. Il supportait avec équanimité leurs accents abominables et le transfert de leurs richesses du bureau jusqu'aux coffres de dépôt et dans la chambre forte qui se trouvait derrière lui. Depuis combien d'années souriait-il ainsi en se disant qu'il avait bien de la chance de ne pas envier leur fortune et surtout de ne pas leur ressembler ? Le commissaire du bord était vraiment un homme heureux. Il existe peu de gens qui, chargés de veiller sur tant de trésors, semaine après semaine, de traversée en traversée, ne se seraient demandé : " Pourquoi *eux*, pourquoi *ceux-là*, alors que ma Christine adorée et mon merveilleux petit-fils ne possèdent rien ? "

Le devant de son comptoir se trouvait maintenant occupé par des fêtards noctambules. Il essayait d'obliger tout le monde, ouvrait leurs coffres et leur remettait des reçus avec patience et bonne humeur. Mais tous étaient américains, passablement éméchés, et vraiment si grossiers qu'il sentait la colère le gagner en se disant que le commandant ne serait pas fier de lui.

« Ça va, Claude, vous pouvez aller vous coucher maintenant, lui dit derrière son masque un grand Américain à la face rougeaude.

— Mais non, mais non. Tout va très bien. Je suis ici pour vous servir, répondit-il en souriant aimablement.

— Je ne vous le répéterai pas, Claude, dit le rougeaud en se penchant au-dessus du comptoir, bougez vot'cul d'là !

— Oh ! Sandy, tu n'es pas gentil, intervint l'une des femmes sur un ton réprobateur.

— Je veux voir le vieux Claude bouger son cul français dans la minute. »

Claude Cabachoux éclata de rire comme devant une bonne plaisanterie. Il réservait toujours ses rires les plus éclatants à ceux qui, comme celui-ci, apparaissaient au bout de la nuit, à la fin du bal, et se montraient encore plus stupides qu'ils ne l'étaient. Ils avaient besoin de son rire presque autant que lui, sinon les lendemains matins et les jours suivants seraient devenus trop pénibles.

« J'espère que vous vous êtes tous bien amusés ? interrogea-t-il avec un large sourire.

— Qu'est-ce que c'est que celui-là, au fond ? demanda un autre homme en désignant l'objet du doigt. »

Le commissaire jeta un coup d'œil derrière lui et se retourna vers l'homme habillé d'un costume qui aurait pu être celui d'un gardien de prison aussi bien que celui d'un condamné.

« C'est la chambre forte, monsieur.

— Sans blague ? Et vous y mettez quoi ?

— Les bijoux de grande valeur, monsieur. Et les grosses sommes d'argent.

— Comme c'est plaisant, dit l'homme. »

Puis il jeta un coup d'œil circulaire sur l'assemblée en leur lançant :

« Vous ne trouvez pas ça plaisant ? »

Puis il se retourna vers le comptoir et tendit la main en se frottant les doigts et en disant :

« Donnez, donnez.

— Ah, fit Cabachoux avec un hochement de tête. »

Il souriait toujours mais il commençait à entrevoir la situation.

« Les clés. Les clés ! continua l'autre en claquant impatiemment des doigts. Les combinaisons. Tout. »

L'homme remuait ses mains avec un entrain qui déclencha des rires étouffés chez les femmes.

« Non, dit Cabachoux calmement.

— Il a dit non, répéta l'homme après lui.

— Non ! » cria Cabachoux, abasourdi de se retrouver avec un revolver en main.

Il l'avait tiré de sa cachette au-dessous du comptoir sans en prendre conscience, de derrière le panneau secret qui leur était à tous passé inaperçu, et son contact froid lui paraissait horrible au toucher tandis qu'il le pointait sur eux en se reculant.

« Non. A vous tous. Non. »

Un costaud en matador mit la main sur le bras du gardien de prison en lui disant :

« Un instant, Carl. (Et à Cabachoux :) Allons, l'ami, ne rendez pas les choses pénibles, voulez-vous ?

— Vous êtes des porcs ! lança Cabachoux, les lèvres tremblantes tandis que le revolver vacillait dans sa main mal assurée. Je ne suis pas le commandant ni un de ces moutons qui s'inclinent devant vous. Vous mourrez tous avant que cette affaire ne finisse, et certains d'entre vous tout de suite. »

Le gardien de prison posa les mains sur le comptoir en prenant son élan pour sauter par-dessus, mais fut retenu par la jambe par le matador pendant que Cabachoux reculait d'un pas, l'air effrayé. Puis la femme en perruque argentée à qui personne n'avait prêté attention s'élança en criant :

« Arrêtez ! Il est *inutile* d'agir ainsi. Laissez-moi faire. »

La femme déguisée en Du Barry s'était envolée par-dessus le comptoir avec une grâce et une rapidité telles que personne n'avait eu le temps de comprendre ni de s'étonner.

« Reculez, l'avertit Cabachoux en tremblant.

— Cher commissaire, fit-elle en avançant sur lui, souriante, mon cher petit commissaire, je vous en prie, ne nous obligez pas à vous faire du mal. »

Comme elle prenait le revolver de ses mains affaissées, le cœur serré de Nijinsky se remit à battre pendant qu'il se faufilait au milieu d'eux, inaperçu dans la tension du moment. " Cette cinglée, pensait-il, comment vais-je pouvoir l'empêcher de nous faire tuer pour la simple raison qu'elle ne s'envoie pas assez en l'air ? " Puis, bien entendu, la réponse lui vint à l'esprit.

« Eh bien, à présent, dit Julie dont le cœur battait la chamade de peur, ne lui cherchons pas de poux dans la tête pour ça. »

Elle entendit leurs murmures confus d'assentiment derrière elle pendant qu'elle passait un bras autour du commissaire de bord qui pleurait à présent à chaudes larmes et le fit asseoir.

« Donnez-moi les clés, lui dit-elle gentiment. Toutes.

— Oui, fit-il dans un sanglot. Oui. »

Il lui donna son trousseau de clés et elle se tourna en lançant : « Qui les attrape ? »

Le matador baraqué tendit les mains en disant :

« Ici. »

Elle les lui envoya en criant :

« Que tout le monde se rende utile. »

Puis ils l'ignorèrent complètement dans leur précipitation à ouvrir la porte du comptoir et à pénétrer dans l'enceinte. Nijinsky suivit le mouvement vers la chambre forte et les coffres. Mais d'où sortaient-ils leurs fourre-tout de toile, ces sacs aux couleurs étincelantes qui pouvaient contenir une fortune ? De sous leurs jupes ? De leurs chapeaux ? De leurs sacs à mains ? C'était incroyable. Il y avait là de quoi emporter toutes les richesses de la terre.

« As-tu besoin d'un coup de main, mon chou ? demanda Julie à l'une des femmes.

— Tu en as assez fait, chérie, répondit l'inconnue. T'as été simplement super.

— N'exagérons rien, dit Julie en haussant les épaules.

— Dis donc, fit l'autre. Où as-tu mis ton machin-chose ?

— Comment ?

— Tu sais... fit-elle en levant son sac en toile de jute.

— Oh ! rit Julie. C'est à ne pas y croire ! Je l'ai oublié à la dernière minute. Et mon jules aussi. »

La femme l'observa un instant derrière son loup.

« Ça fait rien, dit-elle, t'as vraiment été super.

— Je t'en prie, mon chou, n'en parle pas à Craig.

— T'inquiètes pas. J'm'en vais seulement lui dire : tu sais, Craig chéri, que ta petite Charlotte a tout simplement été super extra ce soir.

— Tu es un amour, dit Julie en lui posant un petit baiser sur la joue, avant de filer vers le fond retrouver Harold.

— Je suis Charlotte, lui murmura-t-elle. J'ignore *qui* vous êtes, mais vous m'appartenez.

— J'en suis malade, soupira-t-il en les regardant s'agiter. Je croyais posséder tout l'argent du monde. »

Ils restèrent ébahis d'admiration en regardant passer dans les fourre-tout des trésors en diamants étincelants, émeraudes et rubis, au milieu des rires hystériques. Il y avait des liasses de billets dans Dieu sait combien de monnaies du monde, qui finissaient par procurer une attraction quasiment érotique. Des paquets de dollars, de francs et de livres, de marks et de gulden, qui crissaient agréablement sous les doigts des pilleurs de chambre forte, tandis que leurs bouches éructaient des grognements de plaisir inarticulés.

On entendait à peine les sanglots de Claude Cabachoux au milieu de leurs rires et de leurs cris d'émerveillement et de convoitise. Ils faisaient à peine attention à la Du Barry et à Nijinsky qui ne faisaient pas grand-chose pour les aider. Ils se contentaient de ramasser un collier par-ci, un diamant par-là.

« Merci, Charlotte.

— De rien, mon chou.

— T'as été formidable.

— Ne le sommes-nous pas tous ?

— Mais toi particulièrement.

— Je te rappellerai ça demain matin.

— Est-ce que ça n'est pas excitant ?

— Cela dépend si on aime l'argent, intervint Nijinsky pour ne pas demeurer en reste. »

Qui aurait songé à compter les têtes et à en trouver deux de trop en un moment aussi faste ? Ils n'étaient rien d'autre que les merveilles masquées qui, le lendemain, deviendraient les héros et les héroïnes du groupe tout entier. Et c'était vraiment une idée géniale qu'avait eue Craig de poster un gardien à l'entrée pour l'interdire aux derniers passagers noctambules afin de leur éviter le spectacle au moment le plus délicat.

« Désolé, madame, nous sommes fermés. Je regrette, monsieur, il faudra garder ça dans votre cabine jusqu'au matin », répondait l'homme au très mauvais accent français qui montait la garde dans un superbe uniforme de commissaire de bord. « Oui. Oui. Je sais, mais il est malheureusement trop tard. Bonne nuit et faites de beaux rêves. »

Il les renvoyait avec une onction de tartufe rejoindre leurs lits en grommelant de frustration, poursuivis par l'image confuse de son sourire déplaisant.

Elle ne l'avait pas du tout remarqué plus tôt et ne lui prêta pas non plus grande attention quand il entra pour leur annoncer qu'il était temps, comme il le dit, d'arrêter de pédaler. *Et allons-y vite et en douceur, mes amis.* Elle ne vit qu'un homme de haute taille, avec une barbe, le nez chaussé de lunettes à montures d'acier, qui portait la casquette et l'uniforme à galons dorés de l'état-major du navire, et s'exprimait sur un ton autoritaire pour se faire entendre et obéir de tous ces enfants démentiels. Ils ramassèrent leurs sacs remplis de merveilles et s'apprêtèrent à partir en bavardant comme des pies jacasses, et en adressant des adieux et des mercis ironiques à la triste silhouette immobile sur son tabouret, la tête baissée de honte.

Le grand homme en uniforme s'approcha de lui et dit :

« Ecoutez-moi bien, monsieur Cabachoux. Vous et votre équipage, ne raconterez aux passagers qu'une seule et même histoire : un système de sécurité a sauté, toutes les serrures sont bloquées, on ne peut rien ouvrir, que ce soit pour un dépôt ou un retrait. Mais on s'efforce de réparer. M'avez-vous bien compris, monsieur Cabachoux ? »

Le commissaire du bord leva les yeux vers lui puis détourna la tête en opinant lentement.

Le grand homme se tourna et dit :

« Ferme tout, Benjy.

— Paré, répliqua le matador en allant fermer les coffres et la chambre forte.

— C'est l'heure d'aller au lit, braves gens, dit le grand homme.

— Si tu le dis, Don, acquiesça le gardien de prison. »

Ils avancèrent vers la sortie. Julie et Harold restaient au milieu du groupe ; s'efforçant de faire n'importe quoi pour avoir l'air de se rendre utiles, ils soutenaient les sacs de ceux qui se trouvaient devant eux tout en enregistrant de nouveaux noms pour les ajouter aux premiers... Ralph et Sandy et Benjy et Don...

Elle se trouvait tout près de l'entrée, de la porte de sortie sur la sécurité, quand il l'arrêta. Il ne l'arrêta pas à franchement parler, mais la manière dont il interposa sa masse devant elle en l'observant attentivement derrière ses lunettes à monture d'acier, et le ton juste un rien trop sec dont il lui dit quelques mots qui paraissaient innocents déclencha des signaux d'alarme à travers tous ses sens :

« Qu'est-ce qui vous presse ? Il n'y a rien de spécial à faire, n'est-ce pas ?

— J'ignore ce que *vous* avez à faire, Don. Moi, je suis très fatiguée, fit-elle sur un ton détaché.

— Restez tout de même un instant.

— Hé bien, je ne pense vraiment pas... commença-t-elle.

— On ne vous demande pas de penser. Ne bougez pas. »

Il souhaitait bonne nuit à tous les autres qui s'en allaient. Elle regardait Harold qui l'observait fixement, frappé de mutisme.

« Si cette migraine ne s'arrange pas, lui dit-elle, vous devriez aller voir le médecin du bord. »

Mais l'homme en uniforme se tourna brusquement et fit signe à Nijinsky de partir. Ce qu'il fit manifestement à contrecœur. Puis l'homme se tourna vers elle :

« Ils s'en donnaient tellement à cœur-joie, et ils avaient travaillé si dur tout cela, que je n'ai pas eu le courage de gâcher leur plaisir. (Il l'avait prise par le bras et la conduisait vers la porte de sortie.) Laisse-les aller dormir en paix, que j'me suis dit. Ce vieux Donny saura bien se débrouiller tout seul. Comme s'ils étaient des enfants qui ont besoin de protection. Est-ce que vous m'auriez imaginé aussi sentimental ? »

Elle se sentait la bouche désagréablement sèche :

« Je n'essaierai même pas de vous imaginer, Don.

— Je suis pourtant tout simple, dit-il en l'entraînant le long du corridor, en fait, en direction de sa cabine. La simplicité même, continua-t-il. Cent pour cent l'Américain naïf, mais qui n'oublie jamais de jolis nichons qu'il a eu l'occasion de voir...

— J'espère bien que non, fit-elle en se sentant prise de faiblesse.

— Il se trouve que je n'oublie jamais non plus la voix d'une garce qui m'envoie promener », dit-il sur un ton soudain effrayant de haine.

Elle leva les yeux et rencontra son sourire glacial qui découvrait des dents jaunes ébréchées en se disant qu'elle allait probablement mourir.

« Et comment va cette angine ? Guérie ? » ironisa-t-il avec satisfaction.

La peur maladive qu'elle ressentait la rendit folle de colère :

« Vous êtes drôlement futé, hein !

— *Et* soupçonneux, *et* curieux, *et* entêté...

— Ça rabattrait drôlement votre caquet de découvrir quelqu'un d'autre sous ce masque. »

Le mouvement de sa main fut si rapide qu'elle n'aperçut que l'éclair de la lame qui alla trancher derrière sa tête le cordon de son masque qui tomba sur le plancher du corridor.

« Ciel ! rit-il doucement, mais c'est Mme Berlin, la femme du médecin. Bon sang ! et moi qui croyais que c'était Lady Macbeth. Qu'est-ce qui vous amène dans les environs, madame Berlin, à une heure aussi avancée de la nuit ? Pourquoi n'êtes-vous pas au lit avec votre petit mari, le docteur, dans votre petit appartement des premières, au cent soixante-quatre ?

— Fichez le camp ! dit-elle.

— Oh ! non, dit-il. Je vous accompagne. Je vous escorte pour m'assurer qu'il ne vous arrive pas malheur en chemin. Je ne vais certainement pas commettre envers vous la même erreur que mes amis à l'égard de votre danseur associé Columbine : le boucler et perdre son temps à blablater que nous ferions peut-être mieux de ne pas nous en débarrasser parce qu'il est trop célèbre sur ce bateau. On ne peut en vouloir à personne de faire travailler ses méninges pour faire la belle quand on a le cerveau assez ramolli pour lui en laisser l'occasion. Mais je vous déconseille d'imaginer qu'il va en aller de même pour vous... »

Il avait dû voir en même temps qu'elle, l'homme et la femme qui s'avançaient à leur rencontre dans l'étroit corridor, mais il ne semblait pas y attacher la moindre importance. Il n'essaya même pas de l'empêcher de leur lancer :

« Aidez-moi, s'il vous plaît ! Cet homme veut me faire du mal. Aidez-moi, s'il vous plaît. Je vous en prie ! »

Le couple se trouvait intimidé et embarrassé par cette femme étrange en costume bizarre que raccompagnait à sa cabine cet officier distingué en bel uniforme.

« Elle ira mieux demain », leur dit-il en souriant.

Et ils passèrent leur chemin non sans éprouver un vague sentiment de compassion pour lui.

Julie pensa à se mettre à hurler après eux, à hurler à l'aide dans les longs corridors déserts de ce navire endormi, mais son étreinte se raffermit et le poignard qu'il tenait dans l'autre main l'en dissuada. Chaque pas les rapprochait de sa cabine, de Billy. Grand Dieu, dormait-il avec sa radio hors de vue, ou est-il en train de... ?

« Ecoutez-moi, lança-t-elle brusquement. Je veux aller dans *votre* cabine, tout de suite, et là, *nous* allons pouvoir nous *expliquer*...

— Vraiment ?

— Ne refusez pas, Don, ou quoi que soit votre nom, allons-y. Je vous promets que vous ne le regretterez pas. »

Il éclata d'un rire moqueur qu'elle ne sut blâmer.

« J'ignore ce que vous avez fait de votre vie, mais vous auriez vraiment dû être actrice ! Je vous ai observée ce soir, et c'était vraiment du grand spectacle. Il faut le reconnaître. Mais maintenant, le rideau est *baissé*. Alors, pas la peine de vous fatiguer. C'est de là que vient l'expression, ma petite dame. C'est fini. Pour vous... ce soir... c'est rideau. »

Ils touchaient presque à sa porte. Mon Dieu, ils allaient atteindre le cent soixante-quatre. Elle ne pouvait rien faire. Grand Dieu... rien...

« Voyons, Don, murmura-t-elle, pourquoi ne pas m'emmener chez vous ?

— Allons... »

Elle lui posa la main sur l'aine :

« Vous ne voulez vraiment pas partager mon angine ? »

Elle crut que sa tête allait exploser tandis qu'il la giflait à tour de bras, et ses grognements furent couverts par son cri d'angoisse. Puis il se recula, la respiration lourde, en lui lançant des obscénités tandis qu'elle sentait des larmes de rage froide lui monter aux yeux. "Oh, vous n'auriez pas dû faire ça, mon bonhomme", se disait-elle intérieurement en secouant sa tête lancinante pour éloigner l'étourdissement, " Vous n'auriez jamais dû faire *cela*. C'était vraiment une erreur... "

« Maintenant, ouvrez la porte, dit-il, doucement, calmement. Et sans dire un seul mot de travers, ou je vous arrache le cœur et je vous le fourre dans le con. »

Elle sortit sa clé et la tourna dans la serrure sans succès. Les verrous de sécurité étaient fermés de l'intérieur. Puis ils entendirent tous deux la voix sourde de Billy :

« Qui est là ?

— Pas un mot de travers, lui rappela-t-il dans un murmure.

— C'est moi. Julie. »

Les verrous cliquetèrent. Les chaînes grincèrent. La porte s'ouvrit. Les lumières les éblouirent. Il portait un pyjama jaune. L'Atlas-210 luisait doucement derrière lui auprès du lit défait. Les yeux clignotant de sommeil et le visage renfrogné, il grommela :

« Mais où diable étais-tu passée ? J'ai...

— Tais-toi, dit-elle en avançant rapidement loin du poignard. Ne dis pas un mot et ferme cette bon sang de radio...

— J'ai réussi à joindre...

— Tais-toi ! qu'importe des résultats de baseball à une heure pareille. »

Elle coupa le bouton d'alimentation de la boîte grise et noire.

« Oh, je ne... fit-il en voyant l'uniforme familier.

— Bonjour, docteur, dit l'homme qui entrait.

— Ne dis pas un mot. Il ne...

— J'ai transmis tout le message, bâilla Billy.

— C'est l'un d'eux ! cria-t-elle.

— Il y a des heures, continua Billy à l'adresse de l'officier qui refermait la porte sur lui.

— Des résultats de baseball et du jazz ! lança-t-elle d'un ton aigu. Nous dépensons une fortune à faire ce voyage et tout ce qui l'intéresse, c'est d'écouter la radio américaine.

— Habillez-vous, docteur, dit doucement l'homme tandis que son regard ne perdait rien de la scène : l'émetteur-récepteur sur la table, le microphone sur le lit, et les feuilles de papier couvertes d'écriture.

— Une minute, fit Billy clignant des yeux vers Julie.

— Et merde ! A quoi bon ? grommela-t-elle en se laissant tomber dans un fauteuil. »

Billy se tourna vers l'homme :

« Voyons, vous n'êtes pas... ?

— Le fils de ma sœur perdait son temps avec ce truc de radio-amateur quand il était au lycée, dit l'homme tout en étudiant la feuille de papier qu'il tenait en main. Il n'y avait jamais moyen de lui faire faire ses devoirs. Il leva les yeux du papier sur Billy et, en agitant la feuille, continua : Vous avez envoyé ça ? Vous avez transmis ça à quelqu'un ? »

Billy lui prit la feuille et la jeta de côté.

« Mais qui êtes-vous ?

— Vous avez envoyé ça à quelqu'un ?

— Julie... ?

— Qui *crois*-tu qu'il soit ? C'est l'un d'*eux*. Je te l'ai *dit*. Mais tu n'as pas fait attention. Tu es toujours si... si... mon Dieu, je suis désolée. Excuse-moi. C'est ma...

— Allons voyons, ne soyez donc pas *tellement* désolée, la petite dame. Puis il continua d'une voix amère : nous ne sommes pas des *lépreux,* vous savez. Nous ne sommes que des spécimens bizarres venus d'une autre planète. Aussi, cessez de déconner. Et maintenant, dit-il en se tournant vers Billy, allez-vous enlever ces pyjamas et vous habiller comme je vous l'ai déjà dit ?

— Pourquoi faire ? lui demanda Billy dont le visage était devenu blême.

— Parce que nous allons nous rendre à une petite réunion. Parce que je ne veux pas qu'on me voie déambuler sur ce bateau avec vous en pyjamas. Ça vous suffit ?

— Quel genre de réunion ?

— Vous et moi, avec votre Sarah Bernhardt d'épouse, allons expliquer à quelques-uns de mes amis...

— Ma femme ne bouge pas d'ici.

— ... exactement ce qui s'est passé...

— Elle n'a rien à voir avec ça.

— ... et puis mes amis et moi déciderons de ce que nous allons faire de vous. Ce qui peut s'appeler en d'autres termes faire d'une pierre deux coups.

— Il s'agit de ma radio, dit Billy. Ma femme n'a rien à voir là-dedans.

— Et le commandant non plus, probablement, dit l'autre sèchement.

— Tout juste, répliqua Billy. »

Les dents jaunes ébréchées apparurent et, au milieu du craquement ténu du bateau et du lointain mugissement de l'eau contre la coque, Julie perçut soudain le déclic d'une lame qui s'ouvrait dans le dos de l'uniforme bleu.

« Une minute ! fit-elle en bondissant sur ses pieds et en se jetant sur sa droite pour ouvrir à la volée la porte de la garde-robe. »

La violence de ses mouvements surprit un instant les deux hommes. Elle attrapa le premier costume qui lui tomba sous la main et, en se retournant, l'envoya à la tête de Billy en criant :

« Enfile ça, bon Dieu ! et *allons* avec le monsieur. »

Billy regarda d'un air un peu ébahi les vêtements qu'il avait attrapés au vol.

« Prépare-toi », lança-t-elle en pénétrant rapidement dans la salle de bains d'où elle dit en haussant le ton : « Je ne voudrais manquer cette réunion pour rien au monde.

— Vous l'avez entendue ? dit l'homme en uniforme en regardant Billy fixement tandis que celui-ci jetait les vêtements sur le lit puis commença à déboutonner sa veste de pyjamas.

— Pour un type aussi petit, lui dit l'homme, qu'est-ce que vous faites comme histoires. »

Billy ne regarda pas l'homme franchement. Il fixait un point par-dessus son épaule gauche en s'efforçant d'avoir l'air détaché. Il se pencha vers le lit, ramassa veste et pantalon et les tendit à l'homme en lui disant :

« Tenez-moi ça... »

Les mains de l'homme se tendirent vers les vêtements sans que son cerveau ne puisse formuler une bonne raison de ne pas le faire. Il était au milieu de sa réflexion pour en trouver une quand retentit derrière lui un grognement d'effort. Il l'entendit trop tard, à l'instant même où un sèche-cheveux électrique se fracassait sur son crâne, juste derrière l'oreille, dans un bruit de ferraille et d'os.

« Il faut le tuer, hurlait Julie en levant à nouveau le séchoir. »

Mais le métal tordu était devenu inutilisable. Elle le laissa tomber sur le plancher en criant :

« Il faut le tuer. Vite... »

Avec un sourd gémissement, le grand corps blessé bascula lentement en avant...

« Mon Dieu, murmura Billy, l'œil fixe.

— Il faut le tuer, gémit Julie. »

La tête blessée heurta le plancher avec un bruit mat et les lunettes à montures d'acier volèrent.

« Fais quelque chose », lança Julie dans un cri rauque.

Des gémissements inarticulés s'élevaient de la bouche ouverte.

« Mon Dieu, dit à nouveau Billy transformé en statue de sel.

— Il faut le tuer », criait-elle en lançant des coups de pieds dans la carcasse écroulée. Dans la tête... la nuque... la mâchoire...

« Arrête, lui dit Billy en la retenant.

— Laisse-moi... fit-elle en se débattant. Laisse-moi... »

Il la rejeta sur le lit tandis qu'elle hurlait :

« Laisse-moi faire...

— Assez ! hurla Billy à bout de souffle.

— Regarde !... » cria-t-elle en voyant les mains crispées qui s'accrochaient au-dessus du lit comme de grands crabes bruns, en hissant le corps gémissant.

Elle bondit du lit sans que Billy puisse la retenir et saisit un tabouret...

« Attends... »

Elle croisa l'ignoble regard de ce corps puissant qui la fixait avec peur en se soulevant sur un coude, la main serrée sur son couteau, la bouche aux dents ébréchées crispée par une grimace de douleur.

« *Vous...* cria-t-elle en frappant avec une force décuplée par la terreur, et en frappant encore, et encore... *vous... vous... vous...* »

Sang, os et bois et éclats de bois et plus rien à frapper.

« ...*Vous...* sanglotait-elle en continuant à frapper la bouillie rouge immobile...

— Julie...

— Oh, oh, oh, soutiens-moi, aide-moi... sanglotait-elle en tremblant d'horreur.

— Mon Dieu.. Julie...

— Aide-moi... Aide-moi...

— Julie... »

Il sortit sa trousse et lui fit une injection intraveineuse.

Quand elle eut enfin trouvé le repos de l'inconscience, il s'habilla et alla réveiller Yves Chabot. Ils rapportèrent un puissant produit nettoyant de la cambuse et, pendant que les veines du cadavre se vidaient de leur sang dans la baignoire, ils nettoyèrent soigneusement la moquette. Un petit peu après 4 heures du matin, sans être vus de personne à leur connaissance, ils transportèrent le corps jusqu'à l'hôpital du bord où Yves Chabot l'enferma dans un énorme réfrigérateur.

Billy Berlin, qui était très fatigué, put enfin aller se coucher.

Chapitre XIX

Max Dechambre était fou de rage. Il lui fallait prendre sur lui pour ne pas bondir sur ses pieds, lancer ses notes à travers la table de conférence et leur hurler : " Comment osez-vous me regarder ainsi ! Comment osez-vous me parler sur ce ton ! Je suis la victime, pas le *voyou*. Ce n'est pas *moi* qui ai fait ça. Ce n'est pas *moi* qui ai commis cette crapulerie contre la Françat. D'*autres* nous l'ont infligée. Je ne vous en fait que le rapport. Je ne suis que le messager des mauvaises nouvelles. Comment osez-vous me regarder ainsi, bandes de méprisables connards prétentieux. "

Mais Dechambre ne s'était pas élevé au rang de président-directeur général par accident. Son ascension vers ce sommet ne s'était pas faite sans exiger de lui quelques admirables et indispensables qualités de caractère. La moindre d'entre elles consistait à dominer ses emportements professionnels jusqu'au moment où, quand ils ne risquaient plus de nuire à sa carrière, il les passait sur sa femme.

Il but une gorgée de café âcre dans la tasse placée devant lui, jeta un coup d'œil en coulisse sur le pâle soleil levant dont les rayons obliques commençaient à éclairer les toits de la ville et la salle de conférence de la tour Française et, refoulant son élan de colère, retrouva sa subtilité et sa promptitude d'esprit. Quand il reposa sa tasse à café, la ligne de son discours était décidée. Il adressa un large sourire aux directeurs et commença :

« Messieurs, vous n'ignorez pas combien je suis enclin à décider seul, je vous remercie néanmoins de votre présence. Ce ne serait pas la première fois que votre sagesse viendrait tempérer mon intrépidité parfois impétueuse. Impétuosité qui, vous en conviendrez, a souvent bien servi notre compagnie. »

Il fit une pause qui ne rencontra pas le moindre signe d'approbation escomptée.

« Vous pouvez appeler ça de la naïveté, prendre ses désirs pour des réalités, l'instinct du joueur qui sommeille en moi, mais je pense sincèrement que le pari vaut d'être tenu. Trente-cinq millions de dollars en lingots d'or représentent une masse trop importante pour disparaître sans laisser de traces. Ils doivent donc se retrouver rapidement. Dans le courant de la nuit dernière et ce matin, il m'est arrivé d'envisager la destruction du *Marseille* et la mort de trois mille personnes, de croire à cette menace. Enfant, j'étais déjà impressionnable. »

Il s'attendait à ce que fuse un rire amical mais n'entendit que le bruit de leurs respirations oppressées.

« Voilà donc, messieurs, poursuivit-il, sur quoi j'avais fondé la suggestion originale et manifestement impopulaire de consigner momentanément les avoirs de la Françat auprès du gouvernement pour obtenir un transfert d'or immédiat à bord d'un avion en attente à l'aéroport Charles-de-Gaulle. C'était aussi simple que ça : payer à ces immondes salauds 35 millions de dollars en or français, récupérer notre navire et ses passagers et l'or ensuite. Puis recouvrer nos avoirs consignés. Cela me semblait si raisonnable que... »

Une porte qui s'ouvrait l'interrompit.

« Non, madame Grillet... » dit-il en fronçant le sourcil.

Elle restait immobile, tremblante, sur le pas de la porte sous les regards impatients qui s'étaient tournés vers elle.

« Pardonnez-moi de vous interrompre, monsieur...

— *Non,* madame Grillet...

— Cela pourrait être impor...

— *Je vous en prie !* »

Sa secrétaire s'éclipsa et Dechambre retrouva son sourire.

« J'étais sur le point de vous dire combien je suis heureux que votre calme et votre sagacité l'aient emporté sur mon impétuosité et combien je suis fier de vous, mes amis. L'austérité morale dont vous faites preuve n'est que trop rare de nos jours. Nombreux sont ceux qui ne détournent pas la tête devant les séductions, et sont prêts à suivre n'importe quel jupon...

— Qu'est-ce que cela vient... ? le coupa Anton Stenger.

— Je vous loue tous de votre rigueur morale et de votre dévotion aux actionnaires que vous représentez. Je conviens avec vous que votre premier souci doit être la santé financière de la Compagnie française, et je conviens également que ce serait faire preuve d'une faiblesse coupable et d'une moralité douteuse que d'accéder aux revendications d'immondes pirates en leur donnant l'argent de gens honorables. C'est *cela*, je le sais, qui vous indispose plus que tout autre chose...

— Max ! s'il vous plaît... intervint Henri Blondeau d'un ton excédé.

— A cette minute, c'est-à-dire à 7 h 40, poursuivit-il, il ne subsiste pas le moindre doute dans mon esprit sur l'issue du vote de ce conseil d'administration, je sais que les termes de la motion rédigée par monsieur Sauvinage vont être rejetés et que vous allez décider de remettre l'affaire entre les mains des autorités compétentes...

— Pourrions-nous en finir, je vous prie ? fit Fernand Ducroux d'un ton irrité. Certains d'entre nous n'ont même pas pris de petit déjeuner.

— Il serait facile, trop facile, d'invoquer les trois mille vies qui se trouvent en balance ou d'autres effets mélodramatiques, poursuivit Dechambre, et d'oublier ainsi nos devoirs et nos responsabilités quant à la solvabilité de cette compagnie, et envers la moralité qui ne transige pas avec les voleurs. Si trois mille personnes trouvent la mort dans cette tragédie, et notez bien que je ne veux pas un instant insinuer que c'est ce qui arrivera — mais s'il advenait que trois mille citoyens de cette planète soient engloutis dans les flots, ils succomberaient pour la cause de la bienséance et de l'honneur que vous prônez ici ce matin. Mais la Françat ne traite pas avec les pirates...

— Ce discours est un tissu de divagations, marmonna Roger Munerot dans sa barbe.

— Grâce à vous, messieurs les administrateurs, continua Dechambre, nos avoirs resteront intacts, et Dieu veillera, soyez-en certains, sur ceux qui dans l'Atlantique espèrent dans les trois couleurs de la France pour les sauver...

— Encore combien de temps allons-nous... ? essaya Alain Bonjalet.

— Je tiens à vous présenter mes excuses à tous pour vous avoir tiré de vos lits de manière aussi intempestive. Mais j'ai jugé la situation suffisamment importante pour justifier votre intervention immédiate afin de protéger l'avenir de cette compagnie...

— Passons au vote, pour l'amour de Dieu ! lança Jacques Faucheron dont les nerfs craquaient.

— Et maintenant, avant la clôture de ces débats, puis-je vous demander, par vote à main levée, de me donner votre parole d'honneur de ne rien révéler à qui que ce soit du drame qui frappe le *Marseille* avant que je vous en donne l'autorisation. »

Toutes les mains se levèrent.

« Roland, votre main droite, s'il vous plaît, dit Dechambre.

— Elle s'est endormie depuis dix minutes, répliqua Barrière.

— Merci, messieurs, dit Dechambre. J'aimerais maintenant avancer une simple suggestion dans l'espoir d'éviter une ou deux heures de discussion...

— Oh, mon Dieu...

— Qui découleraient inévitablement de la tenue des procédures formelles d'exposition des motions et de la rédaction du procès-verbal de cette réunion. Attendu qu'il va de soi que, en tant que votre président-directeur général, je suis pleinement conscient de vos opinions sur toute cette affaire, je demande un nouveau vote à main levée me donnant l'autorisation immédiate, en d'autres termes, me donnant mandat pour prendre en main l'affaire du *Marseille* aussi vite que possible et la résoudre au mieux des intérêts de la compagnie. »

Après un bref temps de pause expectative, il reprit :

« A moins que vous pensiez que plusieurs heures de discussion... »

Toutes les mains se levèrent.

« Merci, messieurs. La séance est levée. Je vous souhaite une bonne journée à tous. »

Il se leva aussitôt et sortit rapidement de la pièce avant qu'ils n'aient compris ce qu'il venait de leur faire.

Qu'ils aillent au diable. Sa propre intégrité ne lui importait plus. Il savait à présent, et en éprouvait une immense satisfaction, qu'il n'était rien au monde qu'il ne ferait pour sauver le *Marseille* et les trois mille âmes en détresse qui se trouvaient à son bord.

En avançant à pas pressés le long du corridor, il jeta un coup d'œil sur sa montre. Dans quatre heures, le nommé Julian Wunderlicht téléphonerait à Sauvinage. Ce serait bien agréable de faire de M. Wunderlicht un homme heureux et satisfait. Cela éviterait de nombreux autres coups de téléphone. Si Dechambre trouvait le suspense nécessaire au théâtre ou au cinéma, il le trouvait parfaitement inutile dans sa vie professionnelle. Maintenant que sa décision était prise, il allait agir en conséquence aussi rapidement que possible et, qui sait, peut-être pourrait-il même aller déguster des cuisses de grenouilles « Chez l'Ami Louis » aujourd'hui sans plus de souci.

Quand il pénétra dans son bureau, sa secrétaire l'attendait, debout près de sa table de travail avec une expression d'appréhension. C'était une petite femme mince de quarante-huit ans, avec des cheveux gris, une peau laiteuse et de grands yeux bruns tristes.

« Appelez-moi le ministre des Transports, tout de suite, lui dit-il. S'il est trop tôt, essayez à son domicile.

— Oui, monsieur Dechambre. »

En s'asseyant à sa table de travail, il constata qu'elle n'avait pas bougé.

« Je sais, madame Grillet, que vous souhaitez vous excuser. Mais je ne le souhaite pas. S'il y a bien quelque chose que je déteste entendre, ce sont des excuses de la part de ceux qui pensent avoir bien fait. (Il leva les yeux vers elle et lui sourit.) Je vous aime bien en bleu marine. Vous devriez en porter plus souvent.

— Merci, monsieur Dechambre, dit-elle l'œil humide de gratitude. Il faudra que j'apprenne à me maîtriser devant les coups de téléphone hystériques. Je suis une proie trop facile pour les excités.

— Dirigez-les sur Sauvinage, fit-il en l'écoutant à peine.

— Celui-là ne voulait parler qu'à vous seul, monsieur, fit-elle en commençant à s'éloigner.

— Lequel ? » demanda-t-il d'un ton distrait.

Elle s'arrêta sur le pas de la porte et se tourna vers lui :

« L'Américain. Ça fait plusieurs fois qu'il appelle de Californie.

— Les Américains adorent dépenser leurs dollars en appels internationaux... »

Il prit son stylo pour faire un brouillon du discours qu'il tiendrait tout à l'heure au palais présidentiel.

« Un certain monsieur Brian Joy... »

Elle l'empêchait de se concentrer.

« Brian Joy. Ce nom ne me dit rien. Je regrette... » dit-il en souhaitant la voir partir.

Mais elle n'en fit rien. Au contraire, elle revenait maintenant vers sa table de travail.

« Il a dit qu'il appelait au sujet d'une affaire extrêmement urgente. C'est pourquoi je...

— Tout est urgent en ce moment, madame Grillet, dit-il en laissant tomber son stylo et en contenant son exaspération. Il est urgent que je parle au ministre des Transports, parce que j'ai quelque chose à lui demander. Il est également urgent que je parle au président de la République...

— Au Président ?

— ... parce que je désire également qu'il m'accorde quelque chose. Aussi, quand ce type de Californie vous dit qu'il s'agit d'une urgent que je parle au ministre des Transports, parce que j'ai aussi, il veut quelque chose. Tout le monde cherche à obtenir quelque chose et c'est pourquoi Sauvinage est là. Maintenant, si vous voulez bien...

— Il a dit qu'il s'agissait d'une affaire trop grave pour en parler à qui que ce soit d'autre que vous, monsieur Dechambre...

— Bien sûr, cela va de soi... dit-il en ramassant son stylo et en fixant son bloc-notes.

— Je lui ai répondu que je ne pouvais pas vous déranger, que vous étiez en réunion. Mais il a prétendu qu'il savait à quel point cette réunion était importante...

— Merci, madame Grillet, en fronçant le sourcil, ennuyé de la distraction qu'elle lui occasionnait.

— Il a dit qu'il savait que vous étiez revenu d'Antibes à Paris dans la nuit en voiture et aviez été arrêté pour excès de vitesse dans votre hâte de rentrer pour vous trouver à temps à cette réunion... »

De Californie, avait-elle dit. Cet homme appelait de...

« Comment avez-vous dit qu'il s'appelle ?

— Joy. Brian Joy.

— Jamais entendu parler de lui, fit-il avec un hochement de tête qui signifiait un congé.

— Il a dit que le problème urgent dont il voulait vous entretenir était probablement le même que celui qui motivait votre réunion de ce matin... »

Dechambre commença à ressentir un picotement prémonitoire dans le bas de la colonne vertébrale.

« Comme j'ignorais tout du sujet de cette réunion, et que je n'ai pas encore la moindre idée...

— Qu'a-t-il dit d'autre ?

— Il a été très prudent, monsieur Dechambre...

— Dites-moi ce qu'il a dit !

— Hé bien, lors de son second appel, quand il a commencé à se mettre en colère...

— Oui ?

— ... et qu'il s'est même montré plutôt grossier avec moi parce que je refusais de vous le passer...

— Continuez...

— ... il voulait que j'intervienne au milieu de la réunion...

— Oui ?

— ... pour vous dire, en privé, qu'un homme vous demandait au téléphone...

— Oui ?

— ... un ami, pas un ennemi, mais un ami qui connaissait un moyen de sauver les trois mille...

— Qui avait *quoi* ?

— Un moyen de sauver les trois mille. J'ignore s'il voulait parler de francs ou de dollars parce qu'il devenait tellement nerveux...

— Madame Grillet, dit-il en se mettant brusquement debout.

176

Pourquoi, au nom du ciel, ne m'avez-vous pas interrompu au milieu de cette réunion ?

— Mais monsieur Dechambre... fit-elle en le regardant d'un air ébahi.

— Où se trouve cet homme ? demanda-t-il.

— A Beverly Hills, en Californie, répondit-elle d'une voix tremblante.

— Avez-vous son numéro ?

— Oui.

— Appelez-le immédiatement.

— Et le ministre des Transports ?

— Ne mélangez pas les questions, lança-t-il sèchement. Faites ce que je vous demande.

— Bien, monsieur Dechambre.

— Et, madame Grillet ?

— Oui, monsieur Dechambre ?

— Je ne sais pas ce que je ferai sans vous. N'oubliez jamais ça.

— Oh, monsieur, oh, monsieur...

— Pour l'amour du ciel, ne vous mettez pas à pleurer. »

Elle partit précipitamment vers son bureau. Il appuya un bouton qui se trouvait sur sa table de travail. La voix de Georges Sauvinage résonna dans la petite boîte brune sur sa table :

« Oui, monsieur. »

Il se pencha au-dessus de l'interphone :

« Etes-vous seul, Sauvinage ? Prenez note, s'il vous plaît.

— Prêt.

— Joignez Creasy immédiatement. N'ayez de cesse de l'avoir joint.

— Le ministre en personne, ou est-ce qu'un de ses assistants fera l'affaire ?

— Creasy personnellement. Personne d'autre.

— Bien.

— Il doit de nombreux services à la Françat. Je passerai l'éponge sur tous en échange de celui-ci. Arrangez-vous pour qu'il comprenne très clairement.

— Oui.

— Il doit, il doit absolument, s'arranger pour m'obtenir une audience avec le président de la République à 11 heures ce matin.

— Avec le président, monsieur ?

— Oui, Sauvinage. Avec le président. Vingt minutes seront suffisantes.

— Quelle raison invoquerai-je ?

— Aucune, Sauvinage. Vous ignorez pourquoi je souhaite cet entretien. S'il insiste, vous pouvez supposer que cela a peut-être à voir avec des rumeurs de scandale dans les plus hautes sphères du gouvernement.

— Bien, monsieur.

— Et si Creasy ne voulait rien entendre, il se peut que vous soyez obligé d'en venir à lui dire : le directeur général vous adresse les amitiés de Suzanne et de ses amis.

— Suzanne qui, monsieur ?

— Sauvinage, contentez-vous de faire exactement ce que je vous demande.

— Bien, monsieur.

— Avez-vous noté ce message personnel ?

— Si le ministre des Transports se refusait à obtenir une audience avec le président de la République, je dois lui dire : Le directeur général vous adresse les amitiés de Suzanne et de ses amis.

— Parfait, Sauvinage.

— Merci, monsieur.

— Ensuite, arrangez-vous pour laisser filtrer une histoire bidon qui servira de couverture auprès des médias d'information pour l'assemblée extraordinaire de ce matin et les divers signes d'activités inhabituelles qui risquent de se produire à l'intérieur et aux environs de la tour Française au cours des vingt-quatre ou quarante-huit heures qui viennent. Cela signifie les agences, les quotidiens du matin et du soir, la télévision et la radio. Utilisez quelques-uns de vos contacts à *France-Soir* et au *Herald Tribune,* ces deux glandeurs du bar du California, et aussi les deux pédales qui traînent tout le temps à « La Coupole ». Je laisse tout à votre discrétion, mais assurez-vous que ça sorte vite. Dites-leur que c'est confidentiel et grave et ne doit pas être divulgué à âme qui vive. La divulgation n'en sera que plus rapide.

— Je comprends bien, monsieur. Mais l'histoire ?

— Les affreuses nouvelles que le directeur général et son conseil d'administration cherchent à dissimuler au public sont les suivantes : les essais secrets du paquebot *Bordeaux* dans l'Atlantique Sud ont révélé de graves défauts dans la construction du navire. Nous sommes en train, à la Compagnie française, de chercher un moyen de sauver la face pour le marché mondial, non seulement pour nos actionnaires mais également pour l'honneur maritime de la France. Est-ce que ça vous paraît tenir debout, Sauvinage ?

— C'est tellement convaincant, monsieur Dechambre, que j'y croirais presque moi-même.

178

— Parfait. Mettez-vous au boulot. Mon téléphone sonne. »

Il le décrocha. C'était Mme Grillet. Elle avait l'homme de Californie en ligne. Est-ce que M. Dechambre voulait prendre la ligne. Il le voulait.

Chapitre XX

Beverley Hills, Californie : 1 h 04 du matin. Une grande confiance en Max Dechambre à la suite de leur entretien téléphonique, plus une absorption de soixante centilitres de tequila mêlés à vingt de triple-sec avaient enfin permis à Brian Joy de trouver le sommeil, couché en chien de fusil contre le dos tiède et les fesses douces de sa femme, Maggie.

New York, Etat de New York : 4 h 04 du matin. Leonard Ball, dans sa chambre à coucher de Park East, émit un ronflement qui l'éveilla presque. En se retournant sur son lit à matelas d'eau, il sentit dans sa somnolence son coude gauche effleurer une épaule douce. Le vice-président de la C.B.S. entendit le murmure d'une voix féminine, mais n'était pas suffisamment éveillé pour l'identifier plus loin que comme n'étant pas celle de son épouse. Il retomba dans le sommeil.

Latitude 26° N., Longitude 57° O. : 6 h 04 du matin. Toujours vêtu de son déguisement de danseur de ballet mais sans masque, Harold Columbine gisait étendu sur son dessus de lit. Profondément enfoncé dans ses rêves, il venait d'entrer pour la quatrième fois dans une phase paradoxale de sommeil depuis qu'il s'était allongé pour attendre une possible visite de sa complice de la soirée, afin de comparer leurs notations réciproques sur leurs aventures nocturnes. Il n'avait douté un instant qu'elle ne mettrait pas longtemps à se débarrasser du grand type déguisé en officier, mais il avait glissé dans la somnolence sans même s'en rendre compte, et s'était profondément endormi au bout de six minutes à peine.

Un pont plus bas, Julie Berlin reposait immobile dans un sommeil chimique sans rêve tandis que, assis sur le bord du lit, en pyjamas jaunes et coiffé d'écouteurs, son mari gardait l'écoute pour entendre une voix qui se taisait.

A quarante mètres plus avant et un pont au-dessous, la femme répondant à l'identité d'emprunt de Louise Campbell, épouse de Don Campbell, de Houston, Texas, s'étira dans son sommeil et tendit un bras à tâtons à la recherche de son mari. Mais sa main ne rencontra que le vide de l'autre côté du lit. Son cerveau embrumé se formula l'explication qu'il se trouvait probablement encore à l'une de ces réunions nocturnes avec Craig et les autres. Mais comme elle s'enfonçait dans une phase de sommeil plus profonde, un malaise se glissa insidieusement dans son âme et empoisonna ses rêves.

Paris, France, 10 h 04 du matin. Dans la Salle des Etats, au premier étage du musée du Louvre, Julian Wunderlicht observe en souriant le portrait de *Mona Lisa*.

Chapitre XXI

A quelques kilomètres à l'ouest du Louvre, Lisa Briande, du *International Herald Tribune* passa en troisième, puis en seconde, puis de nouveau en troisième, et repassa en quatrième.

« Merde ! » s'exclama-t-elle.

Puis, quelques instants plus tard, ce fut le tour de son autre juron favori : *Fuck*. Mais personne ne l'entendit. Elle se trouvait seule au volant de sa voiture.

Elle demeurait à bonne distance de la Citroën noire, maudissant la circulation matinale qui devenait de plus en plus infernale à Paris. Sa filature aurait été moins hasardeuse en serrant la voiture de plus près, mais elle ne voulait pas risquer de donner l'éveil à Max Dechambre. Il semblait déjà très préoccupé. Quand il avait grimpé dans sa voiture à la sortie de l'immeuble, l'expression de son visage ne laissait aucun doute sur la classe de ses ennuis : premier ordre.

La petite Peugeot rouge poussiéreuse qui le suivait n'aurait probablement pas éveillé son attention. Mais si, par malchance, au hasard d'un feu rouge, elle s'était retrouvée à la même hauteur que lui, il aurait pu se faire qu'il la reconnaisse et additionne deux et deux.

Ils s'étaient rencontrés plusieurs fois au cours des deux ou trois dernières années : une fois lors d'un cocktail donné au « Ritz » par la Compagnie française pour présenter à la presse le nouveau commandant du *Marseille,* Charles Girodt. Une autre au cours des cérémonies d'inauguration de la flambant neuve tour Française. Et en diverses occasions dont elle était pour l'instant trop fatiguée pour se rappeler. Mais à chaque fois, il s'était montré envers elle beaucoup plus empressé que ne le demandait le devoir d'un directeur général de se gagner la presse. Ses collègues en avaient conçu une jalousie sarcastique. Elle s'était sentit flattée sur un tout autre plan que son talent journalistique.

Elle dirigeait sa Peugeot au milieu des grondements rageurs d'oxyde de carbone au long des Champs-Elysées en résistant à la somnolence qui la gagnait. Elle plissait ses yeux vert pâle pour les garder ouverts et ne pas perdre de vue la proie qu'elle avait prise en chasse. L'heure à laquelle d'ordinaire elle allait se coucher était passée depuis bien longtemps, et elle se demandait si elle devait bénir ou maudire ce joyaux connard de Californie qui l'avait sans le vouloir branchée sur une histoire qui pouvait valoir la peine et, ce faisant, avait bouleversé l'horaire de son sommeil.

Elle décida de le maudire.

Il aurait pu lui rendre les choses plus faciles. Il aurait pu lui dire ce qu'il savait. Il aurait pu lui dire ce qui se passait vraiment à la Françat, la raison pour laquelle il lui fallait joindre des responsables de la compagnie au milieu de la nuit, ce qu'il savait de l'assemblée extraordinaire du conseil d'administration de si bon matin. S'il avait fait au moins ça, comme elle pouvait l'attendre d'un véritable ami de Leonard Ball, elle n'aurait pas été obligée de se mettre en planque près de la tour, à partir de 6 h 45 du matin, comme un quelconque agent de la Sûreté, uniquement pour observer qui allait et venait. Elle n'aurait pas eu besoin de filer Max Dechambre en ce moment, à 10 h 05 au milieu des embouteillages des rues de Paris, parce qu'elle s'accrochait à la mince présomption qu'il se passait peut-être quelque chose d'important.

Lisa, ma vieille, tu frôles le désespoir. Plus tu approches de la trentaine, plus tu désespères. Ce que tu pourrais faire pour dénicher une histoire qui n'existe peut-être même pas est pitoyable. Vraiment pitoyable.

Quel salaud ce Brian Joy !

Lors de son arrivée à Paris, après quatre ans au collège de Bennington et à l'université de Columbia, à ses débuts au *Trib*, elle était encore assez jeune et sotte pour croire au baratin mondain et aux flagorneries des flatteurs. Ce serait facile, les jours du règne de Mary Blume — une reine aussi belle que pleine de talent — étaient maintenant comptés : Lisa Briande, sous un an, deux au plus aurait la vedette. Comment pourrait-il en aller autrement lui disait-on de toutes parts, avec ce visage, ces yeux-là, ces cheveux, ces jambes, ce corps, et cette prodigieuse intelligence ? Lisa, sois gentille, n'aie pas les dents trop longues, lui avait dit Leonard Ball pendant l'un de ses week-ends à Paris, crois-moi, mon chou, c'est en douceur que tu séduiras les *cochons* et Paris.

Cher Lenny, ce n'est pas par les cochons qu'on réussit à Paris. Les règles du jeu n'y sont pas les mêmes qu'à Madison Avenue. Il n'avait pas compris que Paris ne vit pas au masculin mais au féminin, que Paris est une garce qui tenait aujourd'hui Lisa bien serrée dans ses filets. Les nuits voyaient maintenant rarement Lisa chez Castel ou Régine ou à « La Coupole ». Elle avait bien trop de travail non pas pour décrocher la vedette, mais tout simplement pour se maintenir en place. Ce n'était pas avec une douce voix rauque et de longs cheveux blonds qu'on pouvait espérer faire plus que quelques lignes en page douze. Les orchestres jouaient et le champagne coulait pour d'autres qu'elles. Elle passait la plupart de ses nuits dans son petit appartement, devant sa machine à écrire, à travailler au livre qui lui apporterait la gloire, ou à l'article sur Paris qui détrônerait Janet Flanner. Et quand elle ne se trouvait pas devant sa machine, quand elle rôdait par les rues, dans les bars ou les boîtes, elle devenait une chasseresse à l'affût de l'histoire qui lui permettrait enfin de frapper un grand coup, de subjuguer Paris.

Peut-être que ça n'était pas encore pour cette fois, se disait-elle au volant de sa Peugeot, mais que diable ! la ville n'avait pas d'autre gibier à lui offrir ce matin. Elle arrivait au Rond-Point et la Citroën noire vira sur la gauche pour enfiler l'avenue Matignon puis, sur la droite, la rue du Faubourg-St-Honoré, passant devant les vitrines des boutiques qu'elle ne pouvait même plus se permettre de regarder.

Avec ma veine, se dit-elle avec lassitude, son seul souci risque de se borner à l'achat d'un cadeau. Et pour sa femme, encore, pas même pour sa maîtresse.

Elle dut soudain appuyer sur le frein : devant elle, la Citroën venait de ralentir sans motif apparent. Elle s'immobilisa sur la gauche de la rue, juste devant la vitrine élégante de Louis Féraud. Lisa mit la Peugeot au point mort. Ainsi, il allait donc en définitive acheter quelque chose de chic et de féminin. Puis elle nota un début d'agitation sur la droite de la Citroën, de l'autre côté de la rue, parmi les gardes en superbe uniforme. Ceux qui gardent l'entrée de la cour d'honneur du palais de l'Elysée ; à la fois résidence du président de la République française et siège de son état-major. Les gardes lui parurent en train d'enlever la chaîne qui obstrue l'entrée. Oui, c'était bien ça. Et la Citroën noire redémarra en virant sur sa droite.

Lisa Briande se sentit soudain tout à fait réveillée.

La Citroën franchit le portail et elle la perdit de vue. Elle redémarra vivement et s'arrêta à la hauteur des gardes pour jeter un coup d'œil dans la cour gravillonnée : Max Dechambre descendait de voiture en observant les alentours, peut-être pour se repérer, peut-être pour voir si on l'observait depuis la rue. Puis il monta rapidement les marches de marbre, franchit la large porte vitrée qui s'ouvrait devant lui et disparut à l'intérieur de la résidence du président de la République française.

La Peugeot de Lisa Briande s'éloigna. Ses yeux verts luisaient de plaisir en dépit de la fatigue qui commençait à lui brouiller la vue. De l'autre côté de la Seine, rue Récamier, son lit l'attendait et elle accéléra pour le rejoindre. Elle allait s'accorder quatre heures de sommeil, pas une minute de plus, mais d'un merveilleux sommeil rempli d'espoir. Et puis, quand le reste de Paris se lèverait de la table du déjeuner, elle sortirait de son lit et prendrait un jus d'orange et du café noir pour se préparer à ce qui promettait maintenant d'être le début d'une grande aventure. En fait, se disait-elle avec un sourire intérieur en approchant du pont de la Concorde, il me semble bien qu'elle est déjà commencée.

Assis derrière le grand bureau qui dominait une pièce petite par ses dimensions mais probablement l'endroit le plus important de France, Aristide Bonnard poursuivait sa lecture, avec une désespérante lenteur et un léger mouvement des lèvres, du document de quatre pages — compte-rendu de la situation globale du *Marseille,* rédigé par Georges Sauvinage — que Max Dechambre avait finalement placé devant lui.

Les congratulations d'usage avaient été simples pour les deux hommes. Dechambre connaissait le président depuis de nombreuses années, depuis ses débuts comme délégué à l'Intérieur sous le général Gallois. C'est après les formalités que la situation devint pénible et bien embarrassante pour eux deux. Il n'est pas arrivé souvent, et peut-être jamais, qu'un président de la République s'entende dire par un simple citoyen que le but de sa visite ne peut lui être révélé avant qu'il n'ait solennellement donné sa parole de n'en parler à quiconque, et de n'entreprendre aucune action officielle, sans l'assentiment de son visiteur.

La requête de Dechambre plongea tout d'abord le président dans un étonnement tel qu'il se sentit amusé de l'attitude présomptueuse du directeur général. Puis vint le duel à mots prudents où le pouvoir se heurta à une volonté obstinée. A la fin, plutôt que de perdre un vieil ami en lui signifiant son congé, Bonnard avait capitulé. S'il avait été quelqu'un de moins important que le président de la République française, il l'eût peut-être fait de moins bonne grâce.

Assis dans l'un des deux fauteuils à haut dossier qui faisaient face au bureau, Dechambre ne quittait pas des yeux les traits rudes et familiers penchés sur le rapport de Sauvinage. Il espérait y surprendre un signe d'émotion, de consternation ou de colère. Mais Aristide Bonnard avait appris à contrôler son ancienne spontanéité, il n'offrait jamais que le masque indifférent du joueur de poker expérimenté, ce qui lui valait une réputation de froideur. Il poursuivait sa lecture d'un air imperturbable.

Le regard de Dechambre se perdit à travers les baies vitrées dans la contemplation des rayons de soleil qui jouaient dans les feuillages touffus des arbres du jardin. Seuls le gazouillis des oiseaux et le murmure assourdi des bruits de la circulation sur les Champs-Elysées venaient troubler ses pensées. Il avança discrètement sa main gauche vers la poche intérieure de son veston et tâta le papier qu'il y avait glissé. Un sentiment aigu de culpabilité l'envahit, qu'il repoussa aussitôt.

L'ébahissant message radio du commandant Girodt, que ce bizarre Américain consciencieux, Brian Joy, l'avait obligé à noter de sa propre main après avoir insisté pour que Mme Grillet ne l'écoute pas sur son poste, l'avait excité à la première lecture. Mais, instinctivement, après avoir remercié l'Américain en l'assurant de son action immédiate et de le rappeler pour le tenir au courant, il avait soigneusement plié le message écrit à la main et l'avait serré dans la poche où il se trouvait maintenant. Il n'en avait fait aucune photocopie et n'avait parlé de son contenu à personne. Pas même à Sauvinage ni au président français. A part lui, seul cet Américain de Californie dont la dévotion au secret surpassait la sienne en connaissait la teneur.

Si Charles Girodt était, en mer, seul maître à bord ; à terre, les décisions n'incombaient qu'au directeur général. Or, il ne voulait cautionner aucune tentative hasardeuse de réduction des pirates. Ce message radio, avec ses suggestions d'en appeler à la Sûreté nationale, au F.B.I. et à Scotland Yard représentait une instigation à des fuites, à une publicité mondiale, qui ne pouvaient déboucher que sur des représailles immédiates : des sacrifices de vies humaines ainsi que la perte du *Marseille*. Julian Wunderlicht exigeait une stricte conformité à tous les termes de l'ultimatum. Il l'obtiendrait. Deux de ces termes : secret absolu et non-intervention, reposaient en sécurité dans la poche intérieure du veston de Dechambre. Pour les autres, ils se trouvaient à la discrétion de l'homme assis face à lui, de l'autre côté du bureau, et il allait falloir lui arracher son consentement.

Dechambre fut soudain tiré de sa réflexion par la voix d'Aristide Bonnard :

186

« Déplorable... déplorable. »

Dechambre se retourna vivement vers lui et vit qu'il avait terminé sa lecture. Bonnard braquait sur lui son brûlant regard d'acier gris :

« Tragique et déplorable, poursuivit-il. Je comprends mieux maintenant votre requête de secret, bien que je n'y adhère toujours pas.

— Oui, monsieur le Président, fit Dechambre en soutenant le regard.

— Je suppose que vous n'avez pas informé le ministre des Transports, continua le président sur un ton glacial. Autrement, il m'aurait très certainement exposé la gravité de la situation.

— A l'exception de mon assistant, Sauvinage, répondit le directeur général, et de sept membres du conseil d'administration, vous et moi sommes les seuls en France à connaître ces faits.

— Vous n'oubliez personne ? »

Le cœur de Dechambre ne fit qu'un bond : " Brian Joy ? Comment pourrait-il... ? "

« Ce Wunderlicht », poursuivit Bonnard.

Dechambre soupira intérieurement de soulagement.

« Peut-être que je *préfère* l'oublier, monsieur le président. »

Sans l'ombre d'un sourire, Aristide Bonnard se leva et se rendit vers les fenêtres d'où il promena son regard sur les jardins qu'il aimait.

« Dites-moi, mon ami, afin que nous ne perdions pas de temps. Etes-vous venu dans ce palais simplement pour m'informer de votre décision d'action à l'égard de cette horrible affaire, ou êtes-vous venu ici pour me demander conseil ? »

Dechambre pesa attentivement ses termes avant de répondre :

« Si votre question vise à savoir si ma décision est prise, la réponse est oui, positivement oui, monsieur le Président. Cela ne signifie toutefois pas que je ne sois prêt à examiner tout conseil éclairé que voudrait bien me donner le Président. »

Il observa la silhouette qui se trouvait près de la fenêtre et lui tournait le dos, visage dans l'ombre.

« Exposez-moi votre décision, Dechambre.

— Je serai bref.

— Merci.

— Quinze cent douze passagers et neuf cent dix membres d'équipage qui se trouvent là-bas, dans l'Atlantique sont citoyens français. Leur patrie ne peut se permettre de les laisser mourir.

— Poursuivez, lui dit le président comme il faisait une pause.

— Plus de quinze cents passagers Américains ont les yeux tournés vers le drapeau tricolore qui flotte au mât pour assurer leur sauvegarde et leur protection. La France ne peut se permettre de les laisser mourir.

— J'attends, dit le président.

— Le *Marseille* représente l'orgueil et la gloire maritime de notre grand pays où qu'il navigue. La France ne peut se permettre de perdre cet orgueil et cette gloire. »

Aristide Bonnard se retourna brusquement, mais l'expression de son visage n'était pas clairement discernable dans le contrejour des fenêtres.

« Vous m'avez énoncé, dit-il, ce que la France ne peut pas se permettre, Dechambre. Mais peut-être ne faisiez-vous que m'exposer ce que la Compagnie française atlantique ne peut pas se permettre.

— Vous me permettrez de ne pas partager cette opinion, dit Dechambre en se levant afin de se sentir à la même hauteur que Bonnard, sinon à celle de son pouvoir. Ce que la Françat ne peut se permettre est tout à fait différent. La Françat ne saurait réunir 35 millions de dollars en or sans se trouver en banqueroute. La Françat ne saurait se permettre la ruine financière qui découlerait immanquablement de dommages-intérêts réclamés à la Compagnie française par les héritiers des disparus pour négligence de protection en mer. La Françat ne peut se permettre la perte de prestige et de confiance du public, et le manque à gagner qui s'ensuivrait, s'il venait à transpirer que vous et moi n'avons même pas *envisagé* de payer la rançon. »

Aristide Bonnard le fixa un long moment en silence.

« Je présume, finit-il par dire, que c'est là votre décision. »
Dechambre soutint le regard d'acier gris.

« C'est tout à fait ça, monsieur le Président.

— En dépit de l'absence des 35 millions de dollars dans vos caisses.

— Tout à fait exact, monsieur le Président.

— Et vous avez éliminé la possibilité d'un appel à la Sûreté ou à Interpol où à d'autres services du même genre, en France et aux Etats-Unis.

— Oui, monsieur le Président. »

Aristide Bonnard s'avança vers son bureau et y prit place. Dechambre resta debout, face à lui. Le président leva les yeux vers lui :

« Comment appelez-vous un homme, Dechambre, qui prend une décision qu'il ne peut honorer.

— Dans la circonstance, un homme avisé, j'en ai la conviction, monsieur le Président. »

Une expression songeuse s'inscrivit sur le visage de Bonnard.

« Et supposons que je ne puisse pas, que je sois obligé de vous dire non ? »

Le directeur général haussa les épaules.

« Le président, c'est vous, monsieur le Président. Votre parole est souveraine. Ce qui fait la grandeur du pouvoir de la présidence en détermine aussi la vulnérabilité. Je suis certain qu'il est inutile que je vous rappelle cela.

— La vulnérabilité ? interrogea Bonnard, suspicieux.

— L'opinion publique est crédule, versatile et venimeuse, exposa Dechambre en se mettant à marcher de long en large. L'opinion mondiale a le culte de la personnalité, elle réduit les nations à un homme, une figure de proue : le *leader*. La Chine n'était pas la Chine, mais son président. Cuba, c'est Castro. Les Etats-Unis, leur président. La Jordanie, le roi Hussein. La France, Bonnard. Croyez-vous que la presse internationale dira que le *gouvernement* français ou que la France n'auront rien fait pour secourir trois mille âmes en détresse ? Non, Bonnard en sera accusé. Tout juste comme, pendant des années elle a honni de Gaulle, puis Pompidou et Bonnard aujourd'hui, pour leur soif d'or. Nul n'ignore pourtant qu'il s'agit là de la politique du ministère des Finances qui préfère stocker de l'or plutôt que des monnaies de papier. La presse est si imprévisible et versatile, monsieur le Président, que si vous me disiez *oui,* je ne serais pas surpris de la voir titrer : " La France vient de réduire à néant les accusations portées contre elle depuis des années : elle vient de montrer qu'elle attache plus de prix à trois mille vies humaines qu'à 35 millions de dollars de lingots d'or empilés dans son trésor. " Ce serait magnifique pour la France, mais bien injuste pour vous, monsieur le Président. »

Aristide Bonnard regarda Dechambre en hochant la tête lentement tandis qu'un sourire un peu forcé venait éclairer son visage sévère.

« Dechambre, vous allez me faire la promesse de ne jamais entrer au gouvernement. Je tiens trop à ma réputation de politique le plus retors de l'Europe occidentale.

— Vous me flattez, monsieur le Président. Je ne suis qu'un homme d'affaires, un boutiquier qui s'efforce de sauver son entreprise.

— Oui, Dechambre. Oui, bien sûr. »

Le président se leva, signifiant la fin de l'audience.

Dechambre se pencha en avant pour ramasser le rapport de Sauvinage sur le bureau, et lança tout à trac :

« Ai-je raison, monsieur le Président, de supposer qu'au moment où nous parviendra l'appel de Julian Wunderlicht à midi, nous sommes habilités à lui répondre que ses termes sont honorés ?

— Quand n'avez-vous pas eu raison, ce matin, Dechambre ? demanda le président. J'appellerai le caissier général personnellement et veillerai aux dispositions du transport des lingots pour demain après-midi.

— Puis-je vous demander que cela soit fait pour 13 heures ?

— Très bien. Pour 13 heures.

— Et l'avion ?

— Le ministre des Transports recevra l'ordre de louer un 707 à Air France et de le parquer à Roissy-Charles-de-Gaulle avec le plein et prêt à recevoir le chargement. Aucune explication ne sera donnée. »

Dechambre se sentait légèrement étourdi :

« Je vous suis plus reconnaissant que je ne saurais jamais l'exprimer, monsieur le président.

— Que la France soit remerciée. Allez en paix, Dechambre. Et tenez-moi au courant des événements.

— Bonne journée, monsieur le Président.

— Au revoir, mon ami. Oh ! voudriez-vous me laisser la copie de ce rapport ?

— Mais certainement, monsieur le Président. Certainement. »

Dechambre lui tendit le document qu'il avait ramassé sur le bureau, et le salua de nouveau.

Après le départ de son visiteur, le Président convoqua immédiatement son assistant, M. Dupal, et lui dit :

« Il faut que je parle au président des Etats-Unis de la manière la plus discrète possible. Appelez-le moi immédiatement. S'il était nécessaire, vous direz à ses assistants que cet appel est d'une extrême urgence, qu'il concerne la découverte d'un péril atomique imminent au Moyen-Orient. Est-ce bien clair ?

— Certainement, monsieur le Président. Mais il est cinq heures moins dix du matin à Washington.

— J'ai dit immédiatement, Dupal. »

Quand son assistant eut refermé la porte, le président français appela sa femme à leur résidence d'été de Saint-Germain-en-Laye en utilisant la ligne de son téléphone blanc. D'une voix aimable mais sur un ton sans réplique, il lui enjoignit d'annuler tous ses plans de la journée et d'inviter Jean-Claude Raffin à déjeuner pour 12 h 30. Quelle prenne prétexte, suggéra le Président, que le comité présidé par Mme Bonnard lui avait demandé de rencontrer secrètement Raffin aujourd'hui. S'il disait ne pouvoir accepter l'invitation, qu'elle rappelle le Président sur-le-champ.

Il était parfaitement logique, décida Aristide Bonnard, pour quiconque risquerait de s'interroger là-dessus, que la présidente d'un comité d'enquête sur l'augmentation de la toxicomanie à la cocaïne en France chez les pré-adolescents déjeune en tête-à-tête aujourd'hui, dans son manoir de Saint-Germain-en-Laye, avec le directeur de la Sûreté nationale française. Tout aussi logique, en fait, que l'affreuse migraine dont souffrirait en fin de matinée le président de la République française, et qui motiverait son retour à Saint-Germain-en-Laye pour y faire une sieste peu après midi dans le calme de sa chambre campagnarde.

Chapitre XXII

« Monsieur le Président... Monsieur le Président... Monsieur le Président...

— Hein ? Hein ? Quoi ? Comment ? Oh ! Quelle heure... ? Nom de Dieu ! Monty, regardez l'heure qu'il est.

— Je regrette, monsieur le Président. Je sais bien.

— Pourrai-je *jamais* dormir une nuit *complète ?* Juste une seule... bon sang... de nuit ?

— C'est Aristide Bonnard, monsieur.

— Qu'est-ce qui se passe ? Il est mort ?

— Il attend sur la ligne bleue, monsieur. C'est urgent.

— Qu'est-ce qui se passe encore, sacré bon sang ! Une nouvelle réévaluation du franc ? Qu'il dise à son ministre des Finances d'acheter un milliard de dollars américains, je lui parlerai ensuite.

— Monsieur le Président, il est en ligne, il attend.

— Vous permettrez peut-être, Monty, et le président de la République française ne se formalisera peut-être pas que le président des Etats-Unis commence par aller pisser ?

— Mais faites donc ! Allez-y tout de suite.

— Eh bien ! merci Monty... Où allez-vous ?

— La ligne bleue est ici, monsieur. Le président Bonnard a bien précisé qu'il ne voulait parler qu'à vous seul pour l'instant. Et que personne n'intercepte l'appel. J'attendrai dehors.

— C'est ça, attendez dehors pendant que je m'écrase ! Mais attendez un peu que nous ayons réduit le déficit de notre commerce extérieur. Donnez-moi six mois de suite de surplus dans notre balance des paiements, et l'Europe de l'Ouest viendra vers nous en rampant. Vous m'entendez : *en rampant !*

— La ligne bleue, monsieur ?

— Filez d'ici, Monty !

— Oui, monsieur le Président.

— Allô ? Allô ? Aristide ? Comment allez-vous, cher ami ? Quel plaisir d'entendre votre voix de nouveau. Oui, tout à fait seul. Non, elle couche dans une autre chambre, maintenant. Elle trouvait que son sommeil souffrait de mes conversations téléphoniques. Ah ! Ah ! Comment va Mme Bonnard ? Faites-lui part de mon plus affectueux souvenir, je vous prie. Non, Aristide, vous ne m'avez pas réveillé. Pas du tout, pas du tout. Ici, à la Maison-Blanche, nous nous levons à 5 heures du matin pour attaquer les affaires de l'Etat. Comment ? Non. Non, Aristide, je n'ai pas la moindre idée de la raison pour laquelle vous m'appelez. Comment ? Je ne comprends pas. Que voulez-vous dire ? Sauf votre respect, Aristide, parlez-vous vraiment sérieusement ? Hé bien, cela me paraît difficile. Oui, mais comment vous donner ma parole d'honneur quand j'ignore tout de ce que je promettrai de ne pas divulguer ? Mais, Aristide, est-ce une raison parce que vous l'avez fait pour que je fasse de même ? Pour que je suive sans voir, comme au poker ? Un instant, je vous prie. Que les choses soient bien claires. Voulez-vous dire que vous serez obligé d'interrompre cette communication à moins que je n'accepte de... ? Je comprends. Je comprends. *Bien entendu* que je suis curieux. Ecoutez, pourquoi ne pas me présenter les choses sous un autre angle, Aristide ? Présentez-les moi de manière à ce que je puisse les accepter. Pourquoi ne pas me dire que ce que vous allez me raconter est une confidence de vous à moi ? C'est cela. De vous à moi. Qu'en pensez-vous ? Bien. Parfait. Marché conclu. D'accord, je ne vous interromprai pas. Je ne ferai qu'écouter. Oh ? C'est très long ? Quatre pages simple interligne ou double interligne ? Dans ce cas, je ferais mieux de m'asseoir. Très bien, Aristide, je suis prêt. Allez-y... Humhum... humhum... ohoh... comment ?... Jésus... mon Dieu... oh, mon... non... Dieu tout-puissant... je ne peux pas croire... C'est... c'est... trop... les salauds... c'est horrible... horrible... incroyable... les monstres... oui, je vous écoute. Je vous écoute. Vous avez fini ? Je suis trop choqué. Je ne sais *quoi* dire, pas pour l'instant en tout cas. Oui. Oui, bien sûr que j'ai entendu. Quinze cents et quelques Américains. Humhum. Puis-je vous demander comment vous comptez traiter le problème ? Ah ! oui, vraiment. Hé bien, alors, à part n'en rien dire à personne, que voudriez-vous que je fasse, Aristide ? Je vois. Oui, je comprends. Oui, mais comment voulez-vous que je fasse ? J'entends : même si je tombais d'accord avec vous que dix millions seraient une part équitable du fardeau pour les Etats-Unis, je ne peux en aucune manière changer quoi que ce soit à la politique officielle de ce pays. Politique de refus absolu à tout paiement de rançon *à* qui que ce soit *pour* qui que ce soit ou quoi que ce soit, sur terre, sur mer ou dans les airs. Et même s'il ne s'agissait pas de notre politique nationale, je n'ai pas dans mon trousseau de clés celle de Fort Knox. C'est le Congrès qui la détient. Pas le président. Je sais, mais je regrette, Aristide, je regrette vraiment. La réponse est non. Je regrette. Toutefois, laissez-moi un peu de temps pour digérer tout cela et me remettre du choc. Je vous rappellerai dès que j'aurai l'esprit plus clair. Pour vous *conseiller,* Aristide. Une suggestion peut parfois se révéler utile. Je suis certain que vous ne m'auriez pas appelé si vous ne pensiez pas de même. Je sais. Oui, je sais. Je suis parfaitement conscient de leur nombre. Mille cinq cent quatorze citoyens américains. Laissez-moi un moment de réflexion et je vous rappelle. Je vous rappelle de toute manière. Non, vous n'avez pas à vous inquiéter de cela. Non, non, même pas à elle. Tâchez de garder le moral, mon cher ami. Avec l'aide de Dieu, tout s'arrangera. Je n'en ferai rien, ne vous inquiétez pas. Au revoir, Aristide. Merci de votre appel. Au revoir... Monty ?... Monty ?... *Monty ?...*

— Oui, monsieur le Président.

— Fermez la porte.

— Oui, monsieur le Président ?

— A part vous, qui est au courant de l'appel de Bonnard ?

— Absolument personne n'écoutait, monsieur. C'était...

— Qui est au courant qu'il a *appelé ?* Pas de ce qu'il a dit.

— Alice Lentworth au standard, monsieur. Et Wilma. Elle s'est réveillée quand on m'a passé la communication. C'est tout.

— Expliquez à Lentworth *et* à votre femme que cet appel n'a jamais existé.

— Compris, monsieur.

— Quant à mon épouse, je ne tiens pas à ce qu'elle sache qu'on me réveille aussi tôt. Elle s'inquiète trop de ma santé. Elle n'entendra donc pas parler de cet appel. Vu ?

— Très bien, monsieur le Président.

— A présent, avec qui suis-je supposer prendre le café, ce matin ?

— Les sénateurs Jackson et Wheeling descendent de la Colline, monsieur.

— Oh ! seigneur, je devrais *vraiment* les recevoir. Tant pis, annulez-les.

— Mais, monsieur le Président...

— Sacré bon sang ! Monty.

— Bien, monsieur le Président.

194

— Et convoquez pour le petit déjeuner, à 7 heures : Nolan, Holmes, Fahnsworth, Kemmel, Haig et Knox.

— Nolan, Holmes, Fahnsworth, Kemmel, Haig et Knox. Très bien, monsieur. Et si le corps de presse pose des questions à ce sujet ?

— Eh bien, quelque chose du genre : les Peaux-Rouges vont se montrer plus dangereux que jamais cette année. Aussi, nous avons décidé de nous rassembler autour d'œufs au bacon pour mettre au point le programme de la Maison-Blanche, qui y figurera ou non... Sacré bon sang ! ne me regardez pas comme ça. Préféreriez-vous leur dire la vérité : que la fille de Bonnard, âgée de trente-deux ans a fait une fugue avec un guitariste de Nashville, qui a dix-neuf ans et fume de la marijuana, et qu'elle a rencontré devant l'American Express à Paris ?

— Grand Dieu, non ! Monsieur le Président. Mais...

— Alors inventez ce que vous voudrez. On vous paye plutôt bien, ici. Posez-vous une seule question : pourquoi le président des Etats-Unis déjeune-t-il avec les chefs d'état-major, les responsables de la C.I.A., du F.B.I., et du Service secret de la Marine ? Et puis répondez-y. C'est aussi simple que cela. A présent, bougez-vous.

— Heu... oui, monsieur le Président. »

Chapitre XXIII

Georges Sauvinage s'efforçait de ne pas regarder le téléphone sur son bureau. Il lui suffisait que son visiteur, le directeur général, ne le quitte pas des yeux depuis son poste d'observation, dans un fauteuil de l'autre côté de la pièce. Il était 12 h 02. L'appareil n'avait pas sonné depuis 11 h 35 — quand Marie Latouche, une des standardistes, l'avait appelé pour obtenir des informations. Elle et ses collègues, avaient maintenant reçu un total de trente-sept appels au cours des deux dernières heures de la part de Parisiens qui se plaignaient de ne pouvoir joindre le *Marseille* au téléphone. M. Sauvinage avait-il une idée sur l'heure de reprise du service ? Dites-leur sous peu, avait-il aboyé en raccrochant aussi-tôt.

Il baissa les yeux avec une expression amère sur la pile de telex en provenance de la station d'Audierne. Tous étaient des variations sur le même thème de la part de Bernard Delade :

Ai perdu tout contact radio avec le Marseille. *Attends vos directives.*

Ses réponses n'étaient pas moins monotones :

Panne temporaire des installations en cours de réparation. Gardez votre calme.

Sauvinage était d'humeur morose et n'entrevoyait aucun espoir d'amélioration immédiate. Bien que son rapport personnel ait tenu la vedette au conseil d'administration et qu'il ait été, lui, le premier convié à l'assemblée extraordinaire par le directeur général, il était conscient du fait qu'on s'était contenté de lui jeter un os pour le distraire. Dechambre ne lui avait pas laissé ouvrir la bouche au cours de la réunion. Il ne l'avait pas non plus mis dans la confidence de sa visite au palais de l'Elysée. Un garçon de courses, voilà ce qu'il était. Chargé d'une mission subalterne pour la journée : répandre des bobards idiots sur le *Bordeaux* auprès de la presse. Les sourires narquois qui avaient accueilli ses salades l'avaient laissé très mal à l'aise. Même au téléphone il lui semblait voir les sourires goguenards.

« Mais que diable fait-il donc ? lança Max Dechambre sur un ton irrité.

— Peut-être que sa montre retarde, dit Sauvinage sans le regarder. »

Ce qui le déprimait le plus était la présence physique du directeur général dans son bureau. Elle servait à lui rappeler que jamais auparavant son supérieur ne l'avait gratifié de la moindre visite. Et encore ne se trouvait-il là que pour Wunderlicht.

Une sonnerie de téléphone déchira le silence.

Dechambre se leva de son fauteuil. Un vrombissement s'éleva de l'appareil de Sauvinage. Il décrocha le combiné. Sa secrétaire lui dit qu'un homme demandait à lui parler qui refusait de décliner son identité.

« Passez-le moi, dit Sauvinage. Et ne restez pas à l'écoute. Bloquez tous les autres appels. »

Il se tourna vers une cassette d'enregistrement reliée à l'appareil par un capteur téléphonique, appuya sur la touche d'enregistrement et attendit.

« Bonjour, Sauvinage, lui dit la voix haïe de Julian Wunderlicht.

— Bonjour, répondit Sauvinage. Vous avez cinq minutes de retard. Il est midi cinq.

— Merci, dit Wunderlicht. J'ignorais que l'un des nombreux services fournis par la Compagnie française était l'heure exacte.

— Le directeur général est près de moi, dit Sauvinage. Il est revenu à Paris spécialement pour s'occuper de l'affaire. Il désire vous parler, je vous le passe...

— Pourquoi êtes-vous si pressé de vous débarrasser de moi, Sauvinage ? Ai-je été désagréable avec vous hier soir ?

— Vous n'avez peut-être pas entendu ce que...

— Je vous ai très bien entendu. Mais il me semble que vous ne mettez pas beaucoup d'empressement à me parler. Peut-être préférez-vous que je raccroche...

— Non, je vous en prie, cria Sauvinage, ne faites pas ça. »

Il sentit ses aisselles devenir humides. Si seulement Dechambre ne se tenait pas devant lui en manifestant son impatience. Il s'efforça d'écouter Wunderlicht.

« En fait, mon brave gros, je m'efforce de laisser à votre police suffisamment de temps pour me localiser, de manière à ce qu'elle puisse arriver jusqu'ici et se saisir de moi...

— La police n'est pas...

— Ainsi, je saurai avec certitude si vous avez l'intention de me trahir.

— La police n'est pas prévenue ! lança Sauvinage d'une voix perçante. Le directeur général de la Françat désire vous parler. Puis-je vous le passer, Wunderlicht ?

— Si vous insistez, dit Wunderlicht, je vous dirai donc adieu, Sauvinage.

— Un instant, ne quittez pas. »

Sauvinage remit vivement le combiné entre les mains de son supérieur.

« Max Dechambre à l'appareil, s'annonça le directeur général.

— Ici Julian Wunderlicht, lui répondit-on. Permettez-moi de vous présenter mes sincères condoléances pour la perte récente de votre belle-mère.

— Je vous certifie, Wunderlicht, que toutes vos revendications seront satisfaites, dit le directeur général tout de go. L'or, l'avion, vous aurez tout demain à 13 heures. »

Il y eut un instant de silence à l'autre bout du fil.

« Si vous étiez à ma place, Dechambre, croiriez-vous cette déclaration ?

— Ecoutez-moi, dit Dechambre en serrant le combiné à en avoir les articulations blanches. Tout se passera exactement comme vous l'avez demandé. Je vous le jure. Comprenez-vous ? Vous avez gagné.

— Je n'ai rien gagné, dit Wunderlicht. Les paroles s'envolent. On ne les met pas dans un compte en banque. L'aéroport Charles-de-Gaulle est sous surveillance. Dès que nous aurons constaté ce que nous attendons, alors, et alors seulement, nous aurons gagné. En attendant, vous, monsieur, vous disposez d'un peu moins de trente-deux heures. Faites-en bon usage. A demain, à la même heure.

— Wunderlicht ?... Allô ?... Il a raccroché. »

Dechambre tendit le combiné téléphonique à son assistant qui le reposa sur sa fourche.

« L'insolent salopard », maugréa Dechambre.

Sauvinage interrompit l'enregistrement, se demandant si son supérieur avait menti à l'Allemand, ou s'il avait vraiment un plan secret pour accéder aux revendications en dépit de la motion contraire du conseil d'administration. Mais il se sentait trop déprimé pour y réfléchir. Wunderlicht l'avait traité comme une merde. Tout le monde le traitait comme une quantité négligeable. Et il se sentait vraiment bon à rien.

Dechambre baissa les yeux vers le visage lugubre de son assistant. Il pouvait avoir besoin de sa bonne volonté sous peu. De son silence, aussi.

« Venez, lui dit-il avec entrain. Allons déjeuner. Je connais un endroit qui vous plaira, où personne ne fera la grimace si nous commençons par des doubles dry martinis. »

Sauvinage considéra l'os qui lui était jeté. Il décida de le ramasser.

« Je pourrais en prendre plusieurs », dit-il en se levant.

Son supérieur déjeunait avec lui pour la première fois.

Julian Wunderlicht sortit sur l'avenue George-V. Il souriait toujours intérieurement. Il avança jusqu'à la porte voisine, celle de l'hôtel « Prince-de-Galles ». Il traversa le hall jusqu'à l'ascenceur et monta au sixième étage. Là, il se dirigea vers une porte située près de la fin du couloir et appuya trois fois sur la sonnette. La porte s'ouvrit sur un homme trapu qui avait environ la soixantaine, des cheveux gris coupés en brosse et le teint enluminé. Il portait des caleçons blancs mi-longs et un tricot de corps de même couleur, et tenait des cartes à jouer dans sa main gauche.

« Eh bien ? » demanda-t-il à Wunderlicht en allemand.

Wunderlicht passa devant lui et pénétra dans le petit salon de la suite. Il croisa le regard interrogateur d'un autre homme qui se trouvait dans la pièce, un Européen chauve au crâne rose, âgé de cinquante-sept ans, torse nu dans un pantalon marron informe. Il était assis à une petite table sur laquelle se trouvaient des cartes, des marks allemands en vrac, un cendrier qui débordait, plusieurs verres et une bouteille de gin Wolfschmidt à moitié vide.

Wunderlicht attendit que l'homme en sous-vêtements ait fermé la porte et soit revenu à la table reprendre le jeu. Alors, il se pencha pour saisir la bouteille qu'il éleva cérémonieusement en l'air.

« A partir de cette minute, dit-il, laissez cette gnôle de côté. J'ai l'impression que vous allez devoir piloter sous peu. »

Les joueurs de cartes levèrent les yeux vers lui et virent les étincelles qui dansaient dans son regard. Celui avec le crâne rose chauve éclata de rire en lançant ses cartes en l'air. L'homme aux cheveux gris dit avec beaucoup de solennité :

« Mais nous ne pouvons pas voler. La Lufthansa dit que nous ne sommes pas en condition physique pour piloter. »

Son visage raviné se fendit sur un large sourire. Il tendit la main vers Wunderlicht qui lui remit la bouteille de gin. L'homme en versa dans deux verres.

« La Lufthansa prétend aussi que nous sommes négligents, et une menace envers la vie et la propriété. Je regrette, Wunderlicht. »

Son compagnon chauve et lui furent secoués d'une crise de rire si violent qu'elle se termina en quinte de toux. Puis ils trinquèrent à leur santé et reprirent leur jeu de cartes.

Wunderlicht entra dans la salle de bains et fit couler de l'eau dans la baignoire. Ça ferait son second bain de la journée. Il éprouvait une terrible démangeaison bien embarrassante, et se demandait si elle provenait de ses amours vénales de la nuit précédente.

Elle avait réglé l'alarme de son réveil sur 14 h 30. Mais les hurlements stridents de la sirène d'un car de police qui passait dans la rue de Sèvres réussirent à forcer le barrage de ses protège-tympans, et la tirèrent de son sommeil à une heure moins le quart. Elle resta éveillée assez longtemps pour se souvenir de la raison pour laquelle elle ne s'était accordé que quatre heures à dormir. Elle s'arracha de son lit en vacillant et s'en fut nue dans la salle de bains, où elle enleva ses protège-tympans et avala deux comprimés de Nitraline. Ils la tiendraient debout jusqu'à minuit si nécessaire.

Le jus d'orange était trop froid. Le café trop chaud. Et quand elle téléphona au journal, presque tout le monde était déjà parti s'empiffrer de tripoux au beaujolais. Mais Jimi Brocke, assistant de rédaction pour se faire l'argent qui lui permettait de suivre les cours d'une école professionnelle de coiffure, était là. Il aurait fait n'importe quoi pour Lisa Briande. N'importe quoi sauf l'accompagner dans son lit. Il était en adoration devant elle.

Quoi de neuf et d'excitant ? Rien, vraiment rien. Qui faisait quoi à qui ? Rien que du blablabla. Paris au mois de juillet. Le désert, tu sais bien.

« Alors qu'y a-t-il d'éculé ? dit Lisa en allumant un cigarillo. Allons, Jimi, tu ne tortilles pas de la hanche au " Berri " pour rien. Quels sont les potins ?

— Laisse-moi une seconde de réflexion, Lisa. Voyons, la grande Mary Blume est furax après ton romancier favori, Harold Columbine. Il avait promis de lui téléphoner depuis le *Marseille* et ne l'a pas fait. Et *elle* ne réussit pas à prendre contact avec *lui*. Cela fait plus de *seize heures* que le *Marseille* ne peut être joint par téléphone. Et si elle ne fait pas Columbine, elle est sur un coup avec Norman Mailer. Mais elle ne peut pas faire les deux et elle est malade de ne pas savoir sur quel pied danser avec Harold le prince de la porno. Suis-je suffisamment rasoir, mon amour ?

— T'es pas mal. Continue, mon trésor.

— Jimmy Baldwin et Tom Curtiss collaborent secrètement à un livre de cuisine pour les expatriés. Millicent Murphy, qui doit vraiment s'envoyer en l'air avec quelqu'un qui a ses entrées au palais de l'Elysée, a dit à la secrétaire de Hennessey que le président de la République, pris de malaise il y a environ une heure, est rentré dans son foyer de Saint-Germain-en-Laye. Un natif de Paris, de quatre-vingts ans, en protestation contre la dégradation de la ville, s'est immolé aujourd'hui sur le trottoir, devant un pâté d'immeubles neufs du XVIᵉ arrondissement : il s'est arrosé d'une bouteille de Rémy Martin et a enflammé une allumette...

— Ça devient trop excitant, Jimi, fit Lisa. Je n'en peux plus. Dis-moi, est-ce que par hasard tu n'aurais pas entendu quelque chose, même vague, au sujet de la Française atlantique ?

— La Française atlantique... hé bien, je t'ai déjà parlé du mutisme téléphonique du *Marseille*. Et puis, bien sûr... Mais non, je ne t'ai rien dit de cela, n'est-ce pas ? Comment peux-tu *savoir*, Lisa ? Tu devrais être journaliste, mon lapin...

— De quoi s'agit-il ?

— Hé bien, Walter le génie est arrivé en retard, comme d'habitude, plutôt chargé, pour avoir ramassé des biscuits auprès d'un pote barman, au « Fronton », je crois, ou dans une tinette quelconque. De l'explosif, un scoop, bloquez les marbres, hurlait-il en brandissant son papier en l'air...

— Abrège, veux-tu ?

— Il a écrit un truc brillant pour une manchette à la une. Les autorités de la Compagnie française essaient de dissimuler des malformations, des vices, des défauts dans le jumeau du *Marseille*, à savoir, le *Bordeaux,* à ne pas confondre avec le vin du même vignoble, qui fait un voyage d'essais dans l'Atlantique Sud. En d'autres termes — tous de Walter le génie — le *Bordeaux* est un bide et la Française atlantique tente de le cacher...

— Continue, dit-elle en se sentant soudain envahie d'un cruel désappointement. On dirait que Walter a tout de même fini par soulever quelque chose... continua-t-elle en se disant intérieurement " Ainsi, il ne s'agissait que de cela ".

— Ça, tu peux le dire ! Il a vraiment soulevé quelque chose ! gloussa Jimi Brocke. Après avoir lu son histoire, Hennessey lui a dit : " Walter, je n'y crois pas ". "Que voulez-vous dire ? tempête Walter le génie. Je l'ai vérifié auprès du numéro deux de la Françat, Georges Sauvinage, assistant du directeur général. Il a manqué s'*étouffer*. Il voulait savoir d'où je le tenais. Puis il a admis que c'était vrai, mais que ce serait de la trahison de le publier, a menacé de poursuivre le *Trib* en diffamation et autres sornettes ". " C'est marrant, fait Hennessey. *Vous* me dites que c'est vrai. La Françat l'*admet*. Mais moi, je continue à ne pas y croire. Que pensez-vous de *cela*, Walter ? " " Je n'aime pas ça, fait le génie, en fait, je ne pige pas. " Tu comprends, Lisa, mon amour, je ne fais que rendre *approximativement* la palabre...

— Belle réussite, Jimjam...

— Quoi qu'il en soit... " *Walter,* dit Hennessey, je vous ai abusé. Ainsi que la Compagnie française. Et j'en suis ravi. Vous ne pensez tout de même pas que le *Tribune* aurait attendu tranquillement le retour du *Bordeaux* à Saint-Nazaire et le communiqué en provenance de la tour Française annonçant le résultat des essais à la cantonnade ? Il se trouve qu'il y a, à bord du Bordeaux, un marin parfaitement incompétent. *Nous* l'avons fait embarquer. Et quand le *Bordeaux* a fait escale l'autre nuit à Ténérife, aux îles Canaries, notre correspondant maritime ma appelé, en personne, pour me donner les très secrets et très officiels résultats du voyage d'essais. En fait, le *Bordeaux,* dans chacune de ses spécifications, a surpassé tout ce qu'on en attendait. Il est supérieur au *Marseille* dans toutes ses fonctions : vitesse, maniabilité, stabilité, en *tout*. La Françat ne sait encore *rien* de cela, parce que le *Bordeaux* maintient le silence radio jusqu'à son retour. Mais *nous* le savons. Et cette nouvelle dormira jusqu'à la veille de l'arrivée du *Bordeaux*. Ce sera d'autant plus agréable que c'est rare de publier une exclusivité qui soit aussi une bonne nouvelle. Vous savez maintenant, Walter, mes raisons de ne pas croire à votre histoire. " " Alors, pourquoi, fait le génie déconfit, ce Sauvinage, assistant du directeur général, admet-il ma version, et fait-il un pareil cirque pour l'empêcher de sortir ? " " Vous me prenez pour un devin ? demande Hennessey. Je suis prêt à vous parier à dix contre un qu'il vous a fait un classique numéro d'embrouilles, dans l'espoir que vous vous y laisseriez prendre, afin de détourner notre attention d'une *autre* affaire ennuyeuse pour eux. " " C'est trop pour moi ", gémit le pauvre Walter en déchirant son papier en miettes. " Walter, lui dit Hennessey, pourquoi n'essayez-vous pas de découvrir ce qu'ils veulent cacher derrière ce bidonnage ? " " Non, merci, dit Walter. Ça me donne le mal de mer. A partir de maintenant, je *vole*." Et il est sorti là-dessus, probablement pour aller se noircir dans votre estaminet préféré. Tu es toujours là, ma superbe globuline ?

— Trésor ? J'ai cru que tu n'en finirais jamais, dit-elle en s'efforçant de paraître désintéressée. T'as été rasoir au possible, mon chou. Rappelle-moi de te faire un gros câlin quand on se verra tout à l'heure.

— Si tu t'approches seulement de moi, je crie.

— Salut, Jimjam, fit-elle en raccrochant. »

Elle écrasa son cigarillo tandis que son cerveau se mettait à fonctionner à toute allure, sans que cela soit pour autant totalement dû à la Nitraline mais aussi à des bribes d'informations apparemment incohérentes et dépourvues de relations les unes avec les autres.

Elle feuilleta son répertoire téléphonique de cuir noir, puis composa le numéro qu'elle venait de trouver. Elle se retrouva aiguillée sur la secrétaire de Georges Sauvinage.

Il était allé déjeuner avec le directeur général.

« A quel restaurant ?

— Nous ne sommes pas autorisés à transmettre cette information. Pourrais-je lui dire qui l'a appelé ?

— Nous ne sommes pas autorisés à transmettre cette information.

Elle rappela la Françat et, cette fois, demanda le directeur général, et dit à la secrétaire qui répondit :

« A qui ai-je l'honneur ?

— Mme Grillet. La secrétaire personnelle du directeur général.

— Madame Grillet, je suis Yvonne Longeville, l'assistante du maître des cérémonies du palais de l'Elysée, Pierre Duquesne.

— Oui, madame ?

— Ce matin, juste avant le départ du palais de votre directeur général, il avait été convenu que le président Bonnard appellerait M. Dechambre au restaurant où il déjeune. Malheureusement, M. Duquesne a égaré le morceau de papier sur lequel M. Dechambre avait noté le nom du restaurant. Le maître des cérémonies vous serait infiniment obligé de passer cela sous silence. Puis-je compter sur vous, madame Grillet ?

— Mais certainement, madame Longeville. Certainement. Il s'agit du « Relais de Porquerolles ».

— Bien sûr. Dans la rue de l'Eperon.

— Voulez-vous le numéro de téléphone?

— Oui, s'il vous plaît.

— Six cent vingt et un, dix-sept, douze.

— Madame Grillet, merci mille fois de votre amabilité.

— Mais je vous en prie, madame. »

Elle connaissait le maître d'hôtel et lui téléphona aussitôt.

« Chère mademoiselle Briande, il y a trop longtemps que nous n'avons eu la joie de vous voir.

— Claude, voulez-vous être un ange. Max Dechambre se trouve chez vous, accompagné d'un autre homme...

— Oui, oui, ils sont juste devant moi.

— Où en sont-ils ? A l'entrée, au plat de résistance ou au café ?

— Ils en sont encore à se détruire le palais au dry martini, et n'ont pas encore touché à la vichyssoise.

— Pourriez-vous faire traîner un peu entre les plats, Claude ?

— Pour vous, ma chérie, je les immobiliserai jusqu'au trente et un. Nous fermons en août.

— Et une petite table, d'ici environ trois quarts d'heure, tout près de la leur, c'est possible ?

— Vous serez assise sur leurs genoux.

— Je vous adore, Claude. »

Elle raccrocha et alla se doucher. Elle vibrait d'impatience sous le jet d'eau chaude. Elle prenait conscience, pour la première fois, de son fantastique talent pour le mensonge et l'intrigue.

Chapitre XXIV

Elle ne passait jamais inaperçue sans pourtant chercher à se faire remarquer. A son entrée au « Relais de Porquerolles », les cœurs faiblirent et les virilités frémirent. Les femmes devinrent un peu vertes devant les longs cheveux blonds fraîchement lavés, les seins nus qui pointaient sous la robe de cotonnade fleurie qui s'arrêtait dix centimètres au-dessus des genoux ronds, et la peau encore dorée du soleil de Saint-Tropez.

Se faire inviter à leur table fut un jeu d'enfant, merci, Claude, et aussi *presque* sur leurs genoux. Assise en sandwich entre le fat arrogant et le sire à la triste mine, elle écoutait, suspendue à leurs lèvres, attentive, *intéressée,* leurs insipides radotages avinés. Puis elle décida de les désarmer par son frais babil et les effluves irrésistibles de son Via Lanvin. Dechambre se prêtait bien au jeu. L'autre restait de plomb, sombre, lourdingue, impossible à remuer. En arrivant aux poires flambées, elle se dit qu'il était temps de le faire bouger.

Elle avança délicatement sa main qui se trouvait sous la table sur la cuisse de Dechambre. Il ne la regarda pas. Il se tourna vers Sauvinage à qui, d'une voix un peu rauque, il dit :

« Je regrette de vous déranger, mais ne croyez-vous pas qu'il serait temps d'appeler votre bureau ?

— Je ne vois pas ce qui...

— S'il vous plaît ? »

Sauvinage se leva de table et s'éloigna.

Lisa se serra plus près de Dechambre et sa main remonta plus haut.

« Vous pouvez vous débarrasser de lui ? » demanda-t-elle.

Dechambre la regardait avec des yeux fiévreux, les sens enflammés par les cocktails et le vin.

« Mademoiselle Briande, vraiment, je suis confus. Je ne sais pas exactement quoi...

— Assez de " mademoiselle ". Appelez-moi *Lisa*. Pour l'amour de Dieu, Max, nous ne sommes plus des enfants. Cessez de vous jouer de moi. A chaque fois que nous nous rencontrons... à chaque fois... vous vous jouez de moi. Vous m'excitez, et puis vous partez comme si de rien n'était. Pourquoi agissez-vous ainsi avec moi ?

— Je vous assure, ma chère, fit-il en rougissant de plaisir, que je ne me rendais pas compte. Je suis vraiment ébahi.

— Débarrassez-vous de lui, Max. S'il vous plaît. N'est-ce pas merveilleux ce tête-à-tête ?

— Oui, oui... »

" Mon Dieu, que m'arrive-t-il " ? se demandait-il à part soi.

« Faisons comme cela et voyons ce qu'il en sortira. L'après-midi ne fait que commencer. Je sais que vous êtes un homme très occupé, Max, mais je sais aussi comment je m'occuperais avec vous si vous le voulez. »

Son regard se noya dans celui des yeux verts et il fut surpris par la rapidité et l'énormité de son érection qu'il sentait se développer comme si elle ne devait pas s'arrêter. Sous la main caressante qui vint se poser sur lui, il ne voulut plus rien savoir d'autre que son envie de se retrouver seul avec elle dans un lit, au plus tôt. Au diable Wunderlicht, le *Marseille,* le président, tout. Dieu ! ce qu'il allait lui faire.

« Lisa, murmura-t-il en posant furtivement ses lèvres sur ses cheveux. Il va revenir, fit-il d'une voix rauque. Où pouvons-nous... ? Avez-vous une idée ? »

Il se sentait très incompétent sur ce terrain inconnu.

« Débarrassez-vous de lui, dit-elle. »

Ils s'écartèrent en voyant Sauvinage revenir. En arrivant à la table, il annonça :

« Rien, à part un appel d'une femme qui...

— Ne vous rasseyez pas, le coupa Dechambre. Je préfère que vous soyez au bureau pour le cas où... Vous pouvez prendre ma voiture et me la renvoyer. »

Sauvage hésita, le regard glissant de Dechambre vers la fille, puis à nouveau sur son supérieur.

« Très bien, dit-il. Au revoir, mademoiselle Briande.

— *Ciao* », répondit-elle en lui souriant.

En s'éloignant, il avait à nouveau l'impression d'être un bon à rien.

Dechambre se rapprocha de Lisa et la regarda.

« Voilà, dit-il.

— Bien joué, répliqua-t-elle en glissant de nouveau sa main sous la table.

— Rien de ce qui est important ne s'obtient facilement, dit-il le regard fixé sur ses lèvres humides.

— Vous avez besoin de vous détendre, Max.

— Oh, oui.

— De vous reposer de toute cette tension...

— Oui, Lisa.

— Vous êtes aussi tendu qu'un instrument étiré jusqu'au point de rupture.

— On ne saurait mieux dire. »

Elle ramena sa main sur la table et la posa sur la sienne.

« C'est à cause de cette *affaire* au milieu de laquelle vous vous trouvez, dit-elle avec beaucoup de précaution. Je veux que vous sachiez que je comprends parfaitement votre tourment, et que je ferai tout ce qui est en mon pouvoir pour vous aider. Jusqu'ici, je suis la seule du journal à savoir, et je vais essayer qu'il en continue de même. »

Dechambre aurait souhaité retirer sa main de dessous la sienne. Mais cela aurait été trop évident. Il ne voulait pas qu'elle puisse s'apercevoir de l'alerte soudaine qui s'était emparé de tous ses sens, et déclenchait toutes les sonneries d'alarme dans son cerveau. Son érection disparut aussi vite qu'elle s'était produite et il se trouvait trop préoccupé par d'autres sujets pour en déplorer la retraite.

« Les mauvaises nouvelles se propagent vite, dit-il. Peu importe le nombre de portes qu'on peut s'efforcer de refermer sur elles, ou de lèvres qu'on tente de sceller. »

Il touilla distraitement la lie, qui se trouvait au fond de sa tasse à café.

« Les chantiers navals de Saint-Nazaire le mettront en parfait état, vous pouvez être sûre de cela. Je me souviens du voyage d'essais de l'*Ile de France*, bien décevant, lui aussi. Il a pourtant fini par devenir aussi rapide que le plus grand crack qui ait jamais couru à Longchamp. Ce n'est qu'un mauvais moment à passer, je reste très optimiste. »

Superbe, pensa-t-elle. Jusqu'au ton de sa voix, une fausse légèreté mêlée d'une inquiétude authentique.

« Max, chéri, dit-elle. Je ne vous en veux pas de ne pas me faire confiance. Je suis journaliste et vous le savez. Enlevez la robe, les talons hauts et les faux cils, et vous trouvez...

— Un instrument au point de rupture, fit-il en souriant, dans l'espoir de changer de sujet.

— Une nouvelle race, dit-elle. Celle du reporter. C'est-à-dire quelqu'un qui cherche toujours à savoir ce qu'on tente de lui cacher. Je ne vous blâme donc pas d'essayer de me faire avaler vos bobards sur le *Bordeaux*, Max. Même si ça me fait vraiment de la peine que vous refusiez de faire confiance à l'amie. Je suis *Lisa*, Max. Pas seulement le *Herald Tribune*. »

Il retira prudemment sa main, feignant d'en avoir besoin pour prendre une gorgée d'eau dans son verre.

« Serez-vous fâchée si je vous dis que je ne comprends rien à vos propos ?

— Non, dit-elle. Je promets de ne pas me fâcher, quoi que vous fassiez. Je compatis avec vous, Max. Et comme je vous l'ai déjà dit, je ne veux que vous aider. »

Il la dévisagea d'un air sagace.

« Merci, ma chère. Et maintenant, qu'allons-nous faire de cet après-midi ? Une promenade au bois, une balade à la campagne, ou quelque chose de plus palpitant... comme de prendre un Courvoisier pour arrondir les angles avant le retour de ma voiture ?

— Un Courvoisier. Très bien. »

Elle alluma un cigarillo pendant que Dechambre hélait le serveur pour commander deux cognacs. Ils se retrouvaient presque seuls dans le restaurant. Même Claude avait disparu.

« Au fait, dit-elle en soufflant de la fumée, je n'ai pas soufflé mot à Walter MacMillan quand il a vérifié l'histoire du *Bordeaux* auprès de votre sinistre ami Sauvinage, ce matin.

— J'ignore tout de cela, dit Dechambre, irrité de se retrouver sur un terrain qu'il voulait éviter.

— Si la Françat cherche à faire publier des craques à la Une du *Trib,* et que le *Trib* se montre assez imprudent pour ce faire, qu'ils se débrouillent, dit-elle en se tournant vers lui. Mais convenez, Max, que vous me devez tout de même quelques points pour n'avoir révélé la *véritable* histoire. »

Il lui adressa un sourire glacial et son ton se fit légèrement moqueur :

« J'imagine que voici l'instant où je devrais demander : que voulez-vous dire par " la véritable histoire " ? Que voulez-vous dire par : la déception causée par le *Bordeaux* est une craque pour la une ? Est-ce la bonne réplique, dites-moi, Lisa ? C'est vous l'écrivain. Le *reporter*. Expliquez-moi le scénario. »

Il était temps, décida-t-elle. Temps d'enlever la mouche de la pointe de son sabre de duel et de frapper à l'aveuglette, au petit bonheur.

« Max, Max, dit-elle en hochant la tête lentement, et en tournant vers lui un regard apitoyé. Ne comprenez-vous pas que je *sais* pourquoi vous avez été arrêté pour excès de vitesse la nuit dernière près de Valence... ? »

Il la regarda d'un air déconcerté.

« Ne comprenez-vous pas que je *sais* pourquoi vous avez convoqué une assemblée extraordinaire du conseil d'administration à 7 heures ce matin... ? »

Il ne cilla pas, mais elle commençait à lui faire peur.

« ... pourquoi vous avez rencontré Aristide Bonnard au palais de l'Elysée, ce matin... ? Ce que vous lui avez apporté... ? Ce qu'il vous a accordé... ? »

Dechambre battit des paupières mais réussit à rester impassible.

« Ma chère enfant, vous n'imaginez tout de même pas que j'allais tranquillement attendre de voir les résultats désastreux des essais du *Bordeaux* se transformer en scandale national ? Je ne pense pas avoir réagi impulsivement en me précipitant à Paris pour me concerter avec les directeurs, ni en informant le président des mauvaises nouvelles. Je pense avoir agi sagement, en fonction des circonstances.

— Vous n'aviez aucune mauvaise nouvelle à transmettre au président de la République au sujet du *Bordeaux*. (*Frappe*, Lisa, *frappe*.) Son silence radio ne se terminera pas avant son retour au port. Vous n'avez *aucun résultat*. »

Elle le vit blêmir.

« Max, dit-elle en lui prenant le bras. Ne comprenez-vous pas que je *sais* pourquoi les communications téléphoniques avec le *Marseille* sont interrompues ? »

Elle sentit son bras se raidir.

« Le *Marseille* ? demanda-t-il en s'efforçant de contrôler le tremblement de sa voix. Qu'est-ce... qu'est-ce que cela vient faire avec... avec le *Bordeaux* ? »

Du sang. Mon Dieu. Du sang coule de la blessure. Elle le voit sur son visage. Dans ses yeux. Sang et peur.

« Ne comprenez-vous pas, dit-elle en frappant droit au cœur, que je *sais* ce que Brian Joy vous a dit au téléphone ? »

Il s'écroulait sous ses yeux, le cœur transpercé.

« Brian... Joy... ?

— Oui, Max. Brian Joy.

— C'est impossible, dit-il en secouant la tête d'un air hébété. Je n'en ai parlé à personne. Pas même à Sauvinage. Je ne l'ai même pas montré au président. Je ne lui en ai pas non plus parlé. Même *lui* ne sait pas. Lisa, comment avez-vous... ? S'il vous plaît, il faut que je sache. Cela ne doit pas transpirer. Dites-moi.

— Par Brian, dit-elle calmement. Il m'a tout raconté. »

Il la dévisagea d'un air abasourdi.

« Non... Jamais... Il n'aurait jamais...

— *Tout,* dit-elle. Vous entendez ce que je vous dis ? *Tout.* Nous avons été amants, pendant près de quatre ans, à New York, et ici, à Paris. Il ne me cache rien, encore aujourd'hui.

— Mais *cela ?* Comment a-t-il pu ? A une journaliste ? Un reporter ?

— Il me fait confiance, Max, même si vous...

— La manière dont il m'a fait jurer...

— Il me fait confiance et vous non. Mais je ne vous blâme pas de m'avoir menti.

— Je le devais », dit-il en cherchant toujours à comprendre.

L'homme s'était montré tellement prudent que pas même Mme Grillet n'avait dû écouter sa communication pour la prendre en sténo.

« Eh bien, dit-elle, c'est maintenant devenu inutile.

— Je le devais », répéta-t-il, se sentant humilié devant la jolie femme.

Le serveur vint déposer les cognacs devant eux. Mais ni l'un ni l'autre n'y prêtèrent attention.

Lisa l'observait, supputant sa vulnérabilité et la chute de ses dernières défenses.

« Max, dit-elle, pourquoi n'avez-vous pas montré cela au président ? »

Cela, se demandait-elle, qu'était donc ce *cela ?*

Il la regardait d'un air coupable.

« Lisa, promettez-moi que vous ne lui en parlerez pas. »

Qu'elle n'en parlerait pas à qui ?

« Le président a quitté le palais peu après votre rencontre, dit-elle. Il est rentré à Saint-Germain-en-Laye. Motif : une indisposition passagère.

— Une indisposition ? demanda-t-il sur un ton un peu trop inquiet. Vous en êtes certaine ?

— Oui.

— Pouvez-vous savoir ce qu'il en est exactement ?

— Si cela vous intéresse, bien entendu, dit-elle en tournant son verre de cognac entre ses doigts. Max, pourquoi ne le lui avez-vous pas montré ?

— Vous n'en parlerez pas à Brian Joy, n'est-ce pas ?

— Max, il faut que je sache. Dites-moi pourquoi vous ne l'avez pas montré au président ? *Pourquoi ?*

— Parce que Bonnard n'aurait jamais accepté de payer la rançon si je le lui avais fait lire », laissa-t-il échapper.

Lisa sentit son cœur commencer à battre la chamade.

« Un morceau de papier où se trouve écrit un espoir qui

n'est qu'un leurre, poursuivit-il, représentant pour le président une excellente excuse à garder fermées les chambres fortes du Trésor, à me dire non. Alors que maintenant, l'or *sera* remis aux pirates, le *Marseille sera* sauvé, trois mille vies seront sauvées. En mon âme et conscience, je pense avoir agi au mieux. Charles Girodt ne me comprendrait peut-être pas. Ni votre ami Brian Joy. Mais je suis sûr d'avoir bien fait... »

Il aurait souhaité qu'elle l'approuve, qu'elle lui dise : " Oui, Max, vous avez bien fait, vous avez bien fait... " Mais non...

« Qu'en avez-vous fait ?

— De quoi ?

— De ce morceau de papier... où se trouve écrit un espoir qui n'est qu'un leurre...

— Il est ici, ici, dit-il en se frappant la poitrine à hauteur de la poche intérieure de son veston. La seule copie. Je devrais la brûler. Pourquoi ne l'ai-je pas brûlée ? fit-il d'une voix lasse.

— Oui, pourquoi ne l'avez-vous pas fait ?

— Je ne sais pas, dit-il en secouant la tête lentement.

— Donnez-le moi », dit-elle avec assurance.

Il la regarda d'un air surpris.

Elle ramassa son briquet, l'enflamma, et tendit la main.

« Donnez-le moi, Max. »

Il hésita un instant mais, devant le magnétisme de son regard impératif, il glissa la main dans sa poche intérieure et en ressortit un papier plié qu'il lui tendit en détournant les yeux, comme s'il ne pouvait supporter la vue de cet appel au secours resté sans réponse.

Elle le déplia d'une main en tenant le briquet de l'autre. Elle commença à parcourir rapidement l'écriture nette de Dechambre.

« Vous êtes bien certain que c'est ce que vous voulez ? » demanda-t-elle en poursuivant sa lecture le cœur battant, étourdie par les phrases qui défilaient devant ses yeux.

« Oui, dit-il sans la regarder. Oui.

— Donnez-moi le cendrier. »

Cela lui ferait gagner un peu de temps. Un temps précieux pour arriver au bout de ce message choquant. Mon Dieu, se disait-elle. Sainte Mère de Dieu !

Il poussa le cendrier devant elle.

Elle approcha la flamme du coin supérieur droit de la feuille et la laissa se propager lentement, consumant dans sa traînée les appels au secours du capitaine d'un navire vraiment perdu en mer, tandis que ses yeux attentifs enregistraient dans sa mémoire les mots désespérés juste avant qu'ils ne se transforment en cendres :... *observer prudence et secret absolu. Priez pour nous. Fin.* Elle retourna ce qui restait du papier, le laissa tomber dans le cendrier, et le regarda se tordre en achevant de se réduire en cendres.

« C'est fini », dit-elle calmement.

Pour elle, cela ne faisait pourtant que commencer.

Elle se tourna vers Dechambre et posa ses mains sur la sienne. Il leva les yeux vers elle et fut surpris de la tendresse qu'il lut dans son regard.

« On s'en va ? demanda-t-elle.

— Ma voiture n'est pas encore de retour.

— Très bien, dit-elle. Nous n'avons que faire d'un chauffeur, de toute manière. Nous prendrons un taxi.

— Pour aller où ? dit-il ahuri.

— Pourriez-vous me déposer devant chez moi au passage ?

— Bien sûr, dit-il toujours un peu ahuri.

— Je vous inviterais bien à monter, dit-elle, mais je crains que vous ne soyez trop occupé.

— Oui, dit-il un peu moins étonné.

— J'aimerais pourtant beaucoup vous montrer mon appartement, Max. Peut-être juste un petit moment ? »

Il hésita bien qu'il ne fût plus du tout surpris.

« Nous en parlerons dans le taxi », dit-elle.

Il croisa son regard et sentit sa virilité renaître. Il héla le garçon pour demander l'addition.

Ce n'était que justice, pensait-elle. Dans ce restaurant, elle venait de bien le baiser. Inverser les rôles dans sa chambre à coucher serait de bonne guerre. De plus, il restait quelques détails à lui soutirer. Et la douce main qui tenait la sienne pour l'instant saurait faire des miracles sur lui, lui arracher des cris de plaisir, et lui arracher ensuite ce qu'elle voudrait, et il n'y avait rien qu'elle veuille plus pour l'instant que la liste d'informations sur les passagers.

Cela mis à part, elle était tout à fait lucide sur une autre vérité : en des moments comme celui-ci, quand elle se sentait étourdie par son pouvoir, grisée par l'excitation des triomphes remportés et de ceux à venir, elle ressentait un besoin impérieux de sentir en elle la présence rigide et vivante d'un sexe d'homme, et peu lui importait celui à qui il appartenait.

Leur conversation ne fut pas très animée au cours du trajet du taxi jusqu'à son domicile. Ils étaient bien trop occupés par la découverte de leurs corps.

Chapitre XXV

Latitude 23° N., Longitude 55° O. : 11 h 32 du matin. Il ne pleuvait pas encore mais, à deux mille mètres, une épaisse couverture de nuages noirs laissait prévoir que la pluie ne tarderait pas à tomber. La visibilité depuis la passerelle du *Marseille,* qui roulait et tanguait sur des houles d'amplitude moyenne, n'était plus que de cinq miles.

Quoi que l'on fasse, tout est généralement plus gai quand le ciel est bleu et que le soleil brille. Bien que la plupart des passagers soient devenus grognons pour certains, ou plus simplement maussades pour d'autres devant le mauvais temps, Craig Dunleavy, lui, en était ravi. Il se sentait un peu plus en sécurité de savoir que le navire devenait plus difficile à repérer depuis la mer ou les airs au milieu de ces conditions atmosphériques dont le baromètre indiquait qu'elles n'étaient pas en chemin de s'améliorer. Il se demanda un bref instant s'ils auraient assez de veine pour que la visibilité soit aussi limitée au moment de leur rendez-vous avec l'*Angela Gloria,* ce qui leur permettrait de s'éloigner cachés par le brouillard.

Il se trouvait maintenant en proie à des préoccupations plus immédiates. Il se rendait à une réunion dans le salon du pont-promenade. Une réunion avec le petit noyau de violents, recrutés pour le cas où la situation nécessiterait un recours à une intervention brutale. Herb et lui se pliaient plus ou moins à leurs volontés et les appelaient entre eux les « Têtes brûlées ». Un surnom qui leur était mal approprié en fait, car leurs viscères les guidaient davantage que leurs têtes. Don Campbell avait été l'un d'eux, impatient, prompt à la colère, joyeux de verser le sang inutilement. Maintenant que Don était porté manquant et présumé mort, les « Têtes brûlées » voulaient la peau de Harold Columbine en représailles.

Craig s'était élevé contre cette élimination, arguant du fait que la disparition d'une célébrité notoire risquait de se révéler un acte de provocation prématuré et dangereux, sans réussir à faire la moindre brèche dans leur détermination. Lou Foyles et Wendell Cronin avaient même tourné la logique de Craig en dérision en prenant son contre-pied, alléguant de ce que la mort de Columbine représentait exactement le style de publicité qui pouvait les servir. Représailles préventives, avait invoqué Lou ; quant au choix de Louise Campbell pour les conduire, Wendell Cronin l'avait intitulé le remède approprié.

Si Craig ne réussissait pas maintenant à les convaincre de renoncer à cette idée, peut-être pourrait-il au moins les amener à reconsidérer le choix de Louise. Dans l'état où elle se trouvait en ce moment, elle risquait de ne pas maîtriser sa rage et se laisser aller à une crise d'hystérie qui pouvait compromettre ce satané projet et bien davantage encore.

Dans la cabine cent soixante-quatre, sur le pont des premières, le Dr Yves Chabot, assis sur le bord du lit, écoutait le cœur de Julie. Il prit son pouls et sa tension, puis lui dit qu'elle pouvait se lever, s'habiller et déjeuner de bon appétit, qu'elle était condamnée à survivre.

Billy Berlin qui assistait à l'examen, son récepteur fermé, dit à Julie :

« Je te l'avais bien dit.

— Les épouses des médecins ne croient jamais leurs maris, lui dit Chabot en souriant. Si vous ne le saviez pas encore, croyez-en mon expérience. »

Il se leva.

« Vous n'auriez pas une espèce de pilule pour l'oubli, par hasard ?

— Ces Américains et leurs pilules ! Il vaut mieux que vous vous *rappeliez* la nuit dernière, afin de rester sur vos gardes aujourd'hui. Vous pouvez être sûre que ces gens vont se mettre en chasse pour essayer de découvrir qui elle était, qui était la dame ?

— Il ne s'agissait pas d'une dame, mais de ma femme, dit Billy en fronçant le sourcil d'un air inquiet.

— Je porterai des talons plats et des lunettes noires et pas de slip, dit Julie.

— Et rien d'autre, dit Chabot. Parfait. Personne ne vous prêtera la moindre attention. »

Elle réussit à lui adresser un pâle sourire.

Chabot se tourna vers Billy.

« Que dois-je dire au commandant ?

— Il est 6 h 30 du matin en Californie. Mon ami dort probablement encore. Dès que je réussis à le joindre, *si* j'y réussis, je lui transmettrai... (Il jeta un coup d'œil au papier sur la table) Eric... Charlie... Betty... Frances... Shirley... Charlotte...

— Ça va. Okay ! le coupa Julie brutalement. Il a pigé. »

Billy la dévisagea puis se retourna vers Chabot.

« Et naturellement, je lui demanderai s'il a *lui* quelque chose à *nous* annoncer.

— Bien. Je vous apporterai l'inventaire des produits pharmaceutiques sous peu. »

Chabot se dirigea vers la porte qu'il déverrouilla, puis se tourna vers Julie.

« Ecoutez-moi, jeune dame, si vous ne retrouvez pas votre sourire, votre punition sera de prendre le thé avec moi cet après-midi.

— Vous venez de prendre rendez-vous, lui répondit Julie. Vers 4 heures ? »

Chabot se tourna vers Billy pour lui demander son approbation :

« Docteur ?

— Je vous en prie, dit Billy. Moi, je suis de service. »

Yves Chabot opina et quitta la cabine pour partir à la recherche du commandant.

En prenant le thé avec cette ravissante Américaine, il ne réussirait peut-être pas à lui remonter le moral, mais *elle* l'aiderait sûrement à oublier le cadavre gelé qui se trouvait dans la morgue de l'hôpital.

Betty Dunleavy et Harriet Kleinfeld, qui co-présidaient la réunion dans la salle de jeux, convinrent qu'elles se trouvaient dans une impasse. Comment découvrir une passagère non identifiée quand on ignore même à quoi elle ressemble ? disait Charlie MacGregor à Shirley Lewis. Ils mirent donc un masque à Shirley et Charlie ne fut plus d'accord. Betty Scheirer dit qu'il y avait un peu de ça, mais pas vraiment. Puis Frances MacGregor et Eric Scheirer dirent, remettons un masque à Charlotte Segar. Non. Ça devait être les lumières, la nuit précédente. Mais Carl Swenson dit, je crois qu'elle ressemblait à Charlotte. Je suis peut-être fou. Puis Harriet Kleinfeld lança une bonne idée. Cela coulait tellement de source qu'ils ne comprenaient pas pourquoi ils n'y avaient pas pensé plus tôt. Pourquoi ne pas interroger Olga Shanneli ? L'hôtesse avait fourni pas mal de costumes pour le bal. Elle devait être capable de leur dire si elle avait fourni un déguisement de Madame du Barry la nuit dernière. Et si oui, et s'ils étaient en veine, elle pouvait même se rappeler du *nom* de la garce.

Harold Columbine se promenait d'un bon pas sur le pont-promenade, les jambes légèrement écartées pour contrebalancer le roulis et le tangage du navire. Il respirait à fond et sentait à nouveau son sang circuler sainement dans ses veines. Il portait une chemise noire qui venait de Rome, un pantalon blanc de Beverly Hills, de souples chaussures de sport de chez Gucci de New York, et un foulard de soie blanche, cadeau qui lui avait été adressé par une dame après une nuit voluptueuse dans sa suite, au Carlton de Cannes.

Il se sentait en pleine forme. Une bonne nuit de sommeil lui avait fait retrouver toutes ses forces. Mais il y avait plus que cela : une joie née de la compagnie de Julie Berlin, de conspirer avec elle, de risquer leur vie ensemble. Jouer son personnage, *être* lui-même, *vivre* sa vie au lieu de la projeter dans des fantômes, qui n'existaient que sur le papier. Il souhaitait l'avoir près de lui en cet instant, l'entendre le bousculer avec cette souveraine insolence. Mais son téléphone était décroché quand il avait essayé de l'appeler, à plusieurs reprises dans le courant de la matinée. Il se sentait ragaillardi par la violence naissante de la mer et respirait à pleins poumons, rêvant au plaisir de vivre avec elle.

Elle lui faisait oublier toutes les autres, celles qui craignaient de se cogner la tête en se glissant sous son bureau pendant qu'il téléphonait à l'une ou l'autre de ses ex-épouses, et jusqu'à sa propre légende : Harold Columbine et son yacht, sa Silver Shadow, l'homme couvert de femmes, les plus belles que l'argent puisse acheter.

Mais il était aussi l'homme dont elle avait besoin. Il le savait. La femme-enfant d'un homme-enfant devenait une vraie femme en sa compagnie. Ce fut à cette minute de sa réflexion qu'il décida de la conquérir. Ce jour serait celui dont on dirait plus tard qu'il avait vu naître la décision de Harold Columbine de passer une vie de jouissance infinie, marié avec elle à tout jamais. Oui, ce serait un jour mémorable pour ses biographes.

En continuant son chemin sur le pont-promenade d'un pas alerte tout en prenant plaisir à écouter le son de ses inspirations et de ses exhalaisons, il passa devant les vitres du salon à l'intérieur duquel les « Têtes brûlées » se refusaient à changer d'avis sur quoi que ce soit, y compris au sujet de Louisse Campbell. Le privilège lui revenait de droit, insistaient-ils. L'équité voulait que ce soit elle qui se fasse justice.

Washington, D.C. : 9 h 32 du matin. J. Elton Knox, directeur de l'O.N.I., le Deuxième bureau de la marine américaine, s'était rendu tout droit à son bureau après le petit déjeuner d'une longueur exceptionnelle à la Maison-Blanche. Quand le président lui téléphona plus tard, il l'informa que deux sous-marins nucléaires de la flotte des Etats-Unis croisaient respectivement à sept cents et à neuf cents miles marins de la vaste zone de l'Atlantique Sud où pouvait se trouver le *Marseille.* Le président lui demanda s'il était possible d'aéroporter un ou plusieurs hommes jusqu'à l'un ou l'autre de ces sous-marins et de les parachuter dans l'océan afin qu'ils prennent place à son bord.

Selon J. Elton Knox, c'était réalisable.

Etait-il envisageable, demanda le président, qu'un sous-marin puisse approcher du *Marseille* sans se faire repérer et débarque cette équipe spéciale le long du navire en marche de façon à ce qu'elle puisse monter à son bord sans se faire découvrir ?

C'était dans le domaine des choses possibles bien qu'une telle opération risque de s'avérer délicate, l'informa le directeur de l'O.N.I., et n'ait de chance de réussir qu'au couvert de la nuit. Restait toutefois un point important à déterminer avant même d'envisager une telle entreprise : la position du *Marseille.*

« Et comment peut-on la connaître ? demanda le président.

— Pour autant que survols ou approches maritimes soient interdits pour l'instant, répondit le directeur de l'O.N.I., un repérage visuel me semble exclu ou serait purement fortuit. Toutefois, si nous pouvions intercepter quelques signaux radio en provenance du *Marseille,* nous pourrions déterminer sa position assez rapidement.

— Voici qui explique son silence radio, dit le président.

— Oui, répondit le directeur de l'O.N.I., les signaux radio nous sont indispensables, et ils le savent. Toutefois, Monsieur le Président, il me semble que vous négligez un facteur beaucoup plus important, si vous voulez bien me pardonner de vous le rappeler.

— De quoi voulez-vous parler, John ? s'enquit le président.

— Nos problèmes actuels avec l'O.T.A.N. ne feraient que s'aggraver si le gouvernement français venait à découvrir que le gouvernement américain a une fois de plus manqué à sa parole, et au plus haut niveau.

— Qui avance cela ?

— Le Deuxième Bureau de la Marine l'affirme, répondit J. Elton Knox.

— Je vous suis très reconnaissant de m'informer de cette opinion en privé, le remercia le Président.

— C'est bien naturel, monsieur le Président.

— Soyez assuré que je vais sans retard informer nos compagnons du petit déjeuner de laisser tomber toute l'affaire.

— Je l'ai déjà fait, monsieur le Président.

— Oh, dit le président.

New York, N.Y. : 9 h 32 du matin. Leonard Ball, confortablement installé derrière son bureau de la C.B.S. News dans la 57ᵉ rue Ouest, prit l'appel de Peter Hackenbush, un des correspondants de la C.B.S. à Paris. Est-ce que Ball serait intéressé par trois minutes de Hackenbush par satellite, pour le journal du soir de Walter Cronkite, sur une nouvelle non confirmée mais assez crédible au sujet du nouveau paquebot de la Française atlantique. Le voyage d'essais secret du *Bordeaux* dans l'Atlantique Sud aurait révélé que le navire n'est qu'une barcasse de soixante-cinq mille tonnes, un désastre national potentiel pour la France ?

« Peter, faites un complément d'enquête, il faut que ce soit du sûr à cent pour cent. Ça a l'air d'une sacrée histoire, mais Walter ne la passera jamais sans une confirmation absolue. Rappelez-moi d'ici deux ou trois heures si vous le pouvez, Peter. Et je vous rappellerai si je peux dégoter quelque chose là-dessus ici. »

En raccrochant, il songeait : " La Française atlantique... Paris... la nuit dernière au " Twenty-One ". L'appel téléphonique. L'ami de Tony Salmagandi, quel était son nom ? Brian Joy. Un urgent besoin des numéros de téléphone des directeurs de la Française atlantique à Paris. Pouvait-il y avoir une relation ? "

« Mon chou, appelez-moi Tony Salmagandi à Hollywood, voulez-vous ? Appelez-le chez lui, réveillez-le, demandez-lui le numéro de téléphone de Brian Joy, ça s'épelle J-O-Y. Dites-lui que je l'ai jeté la nuit dernière au " Twenty-One ". Non, attendez un instant. Essayez d'abord les renseignements de Los Angeles pour le numéro de Joy. J'ignore si c'est dans le quartier de Hollywood, Beverly Hills, Bel Air, ou Brentwood. »

Il jeta un rapide coup d'œil sur le *Daily Variety,* ouvrit quelques-unes des lettres de son courrier, des factures pour la plupart,

Celle de « La Grenouille » lui fit l'impression d'un coup de poignard. Il allait falloir qu'il choisisse entre manger ou boire. Il ne pouvait pas se permettre les deux. Au bout de trois minutes la sonnerie de son téléphone résonna. Il décrocha le combiné.

« Vous avez M. Joy en ligne, monsieur Ball.

— Merci, mon chou. Brian ? Ici Leonard Ball.

— Qui ?

— Vous avez l'art d'être vexant. Leonard Ball. C.B.S. News, New York.

— Bon sang, Leonard, vous n'avez jamais entendu parler des fuseaux horaires ? Il est 6 h 30 du matin ici. (C'est pour moi, Mag, retourne te coucher.)

— Moi qui croyais que vous autres, à Hollywood, passiez vos nuits à courir le jupon et à fumer de la marie-Jeanne.

— Vous vivez au royaume des illusions, Leonard. Puis-je savoir pourquoi vous me faites lever à une heure aussi impie ?

— Brian, dites-moi, est-ce que Lisa Briande vous a appelé de Paris ?

— Oui, et je vous en remercie.

— Je vous en prie. Ecoutez...

— Quel genre de fille est-ce, Leonard ?

— Tout ce qu'il y a de plus normale. Le père est président-directeur général de la McClelland Steel, et la mère possède la moitié de Saint-Louis, dans le Missouri. Lisa ne veut pas accepter un sou d'eux ni quitter Paris et revenir se marier au pays avant d'avoir fait ses preuves. Dites-moi, Brian, vous a-t-elle fourni ce dont vous aviez besoin ?

— Oui, Leonard. Je vous ai déjà remercié.

— Et avez-vous joint ces directeurs de la Française atlantique à Paris, que vous étiez si impatient de contacter ?... Allô ?

— Je suis toujours là.

— Vous m'avez entendu ?

— Oui, je vous ai entendu.

— Eh bien... les avez-vous joints ?

— Pourquoi voulez-vous le savoir, Leonard ?

— Je vais vous le dire sans détour, Brian, mais seulement parce que vous êtes un copain de Tony Salmagandi.

— Dites-le comme vous voudrez, mais dites-le. Je voudrais bien retourner me coucher.

— Brian, j'ai entendu parler du désastre qui est arrivé à ce navire de la Française atlantique...

— Vous avez *quoi* ?

— ...et avant que Cronkite ou quelqu'un d'autre n'en parle,

j'ai pensé que je devrais prendre contact avec vous, pour voir ce que vous saviez...

— Ball... par le Christ... bon sang... comment avez-vous pu en entendre parler ?

— Brian, pourquoi croyez-vous que nous entretenions trente-deux personnes dans notre bureau de Paris, uniquement pour nous tenir au courant de la longueur des jupes ?

— Ball, nom de Dieu ! vous n'allez pas passer cette histoire sur notre télé nationale. Il y a trois mille vies dans la balance, deux mille passagers et tout l'équipage de ce foutu *Marseille*...

— Mais de quoi diable parlez-vous donc ?

— Voulez-vous me croire, Ball ? Voulez-vous me faire confiance ? Les salopards qui ont détourné ce navire exécuteront les passagers comme otages à la minute même où leurs radios capteraient la moindre indication que *quiconque,* vous, moi, ou la Française atlantique, a révélé ce qui se passe là-bas...

— " Mon chou, prenez l'écoute, vite, et notez ce qui va suivre. " Un instant, Brian, ne vous énervez pas. Je ne veux pas me disputer avec vous. Je voudrais juste que vous compreniez mon point de vue, et celui de la C.B.S., ensuite, peut-être pourrez-vous m'aider sur le parti à prendre en fonction des circonstances.

— Je vais vous faire gagner du temps. Je *connais* votre point de vue. Il se trouve que je connais aussi celui du commandant du *Marseille*. Ne me demandez pas comment, car ça, je ne peux pas vous le dire. J'ai juré de garder le secret...

— Je respecte cela, Brian. Allez-y, je vous écoute.

— Je ne vous connais pas, Leonard. Et vous ne me connaissez pas non plus. Juste ?

— Juste.

— Nous allons donc devoir nous faire confiance à l'aveuglette...

— Absolument.

— Vous allez devoir me croire sur parole quand je vous dis que des actions ont lieu dans le plus grand secret pour sauver le *Marseille* et ses trois mille passagers, mais si *eux* venaient à supposer...

— Que voulez-vous dire par *eux* ?

— Le groupe qui a détourné le navire. S'ils venaient à entendre sur leurs radios que le *monde entier* est apparemment au courant du détournement, ils se mettraient à soupçonner que *quelqu'un* n'a pas respecté les termes de l'accord selon lequel le secret absolu sera gardé jusqu'au paiement de la rançon. C'est l'un de leurs termes, Leonard. Avec un black-out complet sur les transmissions et les liaisons téléphoniques, ils se sentent certains que personne à terre, à l'exception de la Compagnie française atlantique, qui a le canon d'un revolver pointé sur la tempe, ne sait ce qui se passe en mer. Nous devons garder les choses à ce stade. *Vous* le devez. Et les C.B.S. News aussi. Jusqu'à ce que tout le monde soit sain et sauf ainsi que le navire.

— Vous rendez-vous compte de l'histoire sur laquelle vous demandez le silence ?

— Et comment que je m'en rends compte. Et je peux vous dire aussi le genre d'histoire que vous déclencherez si vous ne gardez pas le silence, et ce qui en résulterait sous votre entière responsabilité et celle de la C.B.S. Montez ça en manchette mais voilez-la de crêpe noir.

— Puis-je vous poser une question, Brian ?

— Allez-y.

— Que diable est exactement votre position dans tout cela ?

— Officiellement ? Aucune.

— Eh bien, que faites-vous dans la vie, si vous me pardonnez de ne pas le savoir ?

— Je suis scénariste et producteur de télévision, et je ne vous pardonne pas de l'ignorer.

— Pour la C.B.S. ?

— Non. Pour A.B.C.

— On ne peut pas plaire à tout le monde.

— Allez vous faire fiche, ainsi que Nielsen. L'audience a tourné en notre faveur.

— Je continue à ne pas comprendre le rôle que vous tenez dans toute cette affaire.

— Et ce n'est pas moi qui vous éclairerai. Du moins, pas avant la libération du *Marseille*. Ensuite, je vous raconterai. A vous plutôt qu'à A.B.C. Parce que je vous dois un service, Leonard. Pour m'avoir branché sur cette demoiselle Briande la nuit dernière. Elle m'a vraiment rendu service. Dites-moi, est-elle aussi séduisante que le son de sa voix ?

— Ça ne vous regarde en rien, Joy. Je vous en ai dit assez comme ça sur elle. Contentez-vous de ce qui se trouve à Hollywood...

— Beverly Hills.

— A Beverly Hills, et de baiser avec vos pareilles.

— Ecoutez, il faut que j'aille pisser. Je peux y aller ?

— Ouais, je suppose.

— Et vous ne passerez rien sur l'histoire du *Marseille*, vrai ? Du moins, pas pour l'instant.

— Pas un traître mot, nom de Dieu. Vous me faites culpabiliser rien que de la connaître, à tel point que je regrette même d'en avoir entendu parler.

— Vous, *et* vos trente-deux employés de Paris.

— Ce n'est pas d'*eux* que je la tiens, Brian.

— Que voulez-vous dire ?

— Je vous appelais uniquement pour contrôler auprès de vous des renseignements, en provenance de Paris, sur la course d'essai catastrophique du nouveau paquebot de la Compagnie française, le *Bordeaux*...

— Hein ?... Oh !... Oh ! *merde*...

— J'y peux quelque chose, moi, si vous avez laissé échapper cette histoire faramineuse sur le *Marseille ?*

— *Merde... Merde...*

— Salut, petit.

— Vous...

— Ne vous en prenez qu'à vous-même, dit-il en raccrochant. Il ouvrit son interphone :

« Vous avez tout noté ?

— Oui, monsieur Ball. Je le tape tout de suite.

— Non. Apportez-moi les notes ici. Je les garde au frais.

— Très bien.

— Et, mon chou, vous n'avez rien entendu, hein ?

— Mais naturellement, monsieur Ball. »

Le téléphone sonna.

« Si c'est lui qui rappelle, je viens juste de sortir. »

C'était Harley Sarineen, le correspondant de la C.B.S à la Maison-Blanche.

« Bonjour, Har. Quoi de neuf ?

— Pas grand-chose, Leonard. Le président a petit-déjeuné pendant deux heures ce matin...

— Il a toujours mangé lentement.

— ... avec les chefs d'état-major.

— Les chefs d'état-major.

— ... et Clark Kemmel de la C.I.A.

— La C.I.A.

— ... et Everett Haig, du F.B.I.

— Le F.B.I.

— ... et J. Elton Knox de l'O.N.I.

— Le directeur du service secret de la Marine ?

— Hé oui !...

— Le directeur du service secret de la Marine.

— Monty prétend qu'ils tenaient une conférence sur la participation de la Maison-Blanche.

— Ciel ! ça me fait penser que je n'ai pas encore pris ma réservation pour les Giants *.

---

* Giants : célèbre équipe newyorkaise de baseball et de football américain.

— Cette explication vous parait crédible, à vous, Leonard ?

— Pour vous dire la vérité, Har, non, je n'y crois pas.

— Je me demandais si vous auriez un tuyau quelconque, ou une idée de ce qui a pu pousser le président à annuler le rendez-vous qu'il avait pris pour le petit déjeuner avec Henri Jackson et Keith Wheeling, qui l'ont drôlement en travers, pour passer deux heures avec les chefs d'état-major, le F.B.I., la C.I.A., et le service secret de la Marine.

— Non, Harley, pas la moindre idée. »

Il raccrocha et sa secrétaire entra avec trois pages qu'elle avait déchirées de son bloc sténo. Elle s'appelait Thelma Stutz, et était d'une beauté déconcertante. Il lui prit les pages qu'il fourra dans le tiroir du haut de son bureau en disant :

« Mon chou, soyez gentille de voir où en sont mes billets d'abonnement pour les Giants.

— Bien.

— Et réservez-moi une petite table au « Twenty-One » pour 13 heures.

— Bien.

— Puis téléphonez à Cronkite et dites-lui de se décommander s'il avait quelque chose de prévu, et de me retrouver là-bas. »

Comme il n'entendait pas de réponse, il leva les yeux vers elle. Son doux visage moka aux grands yeux bruns restait de marbre. C'était l'expression qu'elle prenait quand elle le surprenait à le déshabiller du regard.

« Hé bien ?

— Voyons, monsieur Ball...

— Qu'est-ce qui vous prend, bon sang ?

— Monsieur Ball...

" Ce sacré Walter refuserait probablement d'y faire la moindre allusion, de toute manière, se dit-il. Celui-là et sa foutue intégrité ! "

— Je sais ce que vous pensez, dit-il. Mais il se trouve que vous avez tort.

— J'en suis ravie, dit-elle.

— En fait, laissez tomber la réservation pour le déjeuner. Je mangerai dans mon bureau aujourd'hui. Seul.

— Très bien, monsieur Ball. »

Comme elle s'en allait, il décida de la punir en se privant de la vision de son joli cul et de ses longues jambes noires.

Et si, après tout, Walter avait marché ? Sait-on, peut-être aurait-il réussi à le piéger avec un tas de salades sur le droit du public à l'information ? Pendant quelques secondes, il s'offrit le luxe de la vision de Wallenrod, le visage vert et défait, quittant la N.B.C. en disgrâce. Puis il se prit à regretter de ne pouvoir jamais être assez salaud pour jouer un tour pareil à Brian Joy, qu'il n'avait même jamais rencontré, ni à ces trois mille personnes qu'il ne connaissait même pas.

« Si qui que ce soit dans les environs venait jamais à découvrir à quel point je suis vraiment fleur bleue, se dit-il, je me retrouverais sur le pavé. »

Retourner se coucher n'avait fait aucun bien à Brian Joy. Il n'avait pas retrouvé le sommeil, tout juste une somnolence peuplée de bribes de rêves éveillés plutôt désagréables. L'écoute de la bande des vingt mètres ne lui avait pas non plus apporté de satisfaction. Aucun signe de Billy Berlin dans le doux sifflement matinal de la bande. Assis sur le siège des toilettes, il lisait sans rire une histoire drôle sur les Dodgers * dans la chronique de Jim Murray et s'efforçait de ne pas envisager les conséquences possibles de sa bévue avec Leonard Ball. Il attendait qu'un bon mouvement de la part de ses intestins vienne le mettre de meilleure humeur. Les coups soudain frappés à la porte de la salle de bains coupèrent court à cet espoir.

« Je suis occupé, hurla-t-il.

— Le téléphone, lui dit Maggie au travers de la porte.

— Qui est-ce ?

— Ta petite amie...

— Oh ! bon Dieu...

— Ta nouvelle petite amie de Paris.

— Dans une minute.

— Ecoute, à partir de maintenant, j'aimerais que tu répondes toi-même à tes coups de téléphone.

— Si tu m'avais laissé installer un poste dans la salle de bains comme je le voulais...

— Je lui dis que tu lui réponds dès que tu as fini de lire ton journal, d'accord ?

— Merde. »

Il redit ce même mot quelques minutes plus tard, quand Lisa Briande lui porta un rude choc au plexus solaire. Elle connaissait toute cette sacrée histoire du *Marseille*. Et *vlan !* Max Dechambre avait décidé d'enterrer le message radio en provenance du navire et de ne pas bouger le petit doigt pour aider le commandant Girodt et son équipage à venir à bout de leurs ravisseurs. *Vlan !* Au lieu de ça, Dechambre se berçait d'espoirs de réunir l'argent de la rançon dans des conditions qui ne laissaient pas de beaucoup inquiéter Lisa.

« Merde ! hurla Brian Joy au milieu de la friture du téléphone, au travers des dix mille kilomètres qui les séparaient. J'ai perdu

* Dodgers ; l'équipe de baseball de Brooklyn.

un temps précieux à faire confiance à cet enfant de putain.

— Il croit agir pour le mieux, dit Lisa Briande. De toute façon, j'ai pensé qu'il valait mieux que vous sachiez ce qui se fait *et* ce qui ne se fait pas, ici, à Paris.

— Et c'est pour ça que vous m'appelez ? dit-il avec une amertume irraisonnée. Vous savez, une telle prévenance me confond. Je veux dire, vous connaissez toute l'histoire à présent. Pourquoi vous montrer si bonne envers moi ?

— Croyez-vous vraiment que je pourrais l'utiliser en de pareilles circonstances ?

— Bien sûr. Vous êtes journaliste. Et, d'après vos propos, vous semblez savoir joliment bien tirer les ficelles.

— Vous êtes encore plus déplaisant aujourd'hui que de coutume, monsieur Joy. Qu'est-ce qui vous tracasse ?

— Vous pouvez m'appeler Brian. Ce coup de téléphone, voilà ce qui me tracasse. Le manque de sommeil, aussi. De plus, j'ai, ce matin, vendu la mèche sans le vouloir à votre ami, Leonard Ball.

— Ce n'est pas vrai.

— Très bien, ce n'est pas vrai.

— Et que va-t-il en faire ? demanda-t-elle d'un ton qui lui parut sincèrement inquiet.

— Il a dit qu'il la garderait au frais, mais comment savoir si je peux le croire ? Après tout, vous savez, ce n'est pas moi qui couche avec lui.

— Ça vous arrive de ne pas vous montrer grossier, monsieur Joy ?

— Pourquoi ne m'appelez-vous pas Brian ?

— Je vais raccrocher, maintenant.

— Comme vous voudrez.

— Mais avant, je pense que vous devriez savoir pourquoi j'ai de sérieuses raisons de douter de la réussite du plan de Max Dechambre. Voyez-vous, il est convaincu qu'Aristide Bonnard, le président de la France...

— Merci.

— ... que Bonnard va cracher 35 millions de dollars en or de son gouvernement pour payer la rançon. En fait, je pense que Bonnard a l'intention de doubler Dechambre avec un jeu d'un autre genre, un jeu dangereux.

— Qu'est-ce qui vous fait croire ça ?

— Tout d'abord, l'habitude de la réflexion. Ensuite, vous seriez étonné des bribes d'éléments anodins et sans corrélation apparente qui se publient dans le *Trib*. Comme par exemple Bonnard feignant une migraine aujourd'hui pour se rendre dans sa résidence d'été rencontrer secrètement Jean-Claude Raffin...

— Qui est-ce ?

— Juste le directeur de la Sûreté nationale.

— Humhum.

— Puis Raffin se précipitant ensuite à son bureau et y convoquant les responsables des services spécialisés dans la détection des criminels...

— Venez-en à la conclusion, voulez-vous ? demanda Brian Joy avec impatience.

— De toute évidence, ils sont en train de mettre sur pied un plan d'action pour contrer les conspirateurs, probablement ceux qui se trouvent ici, à Paris ; ce qui risque de déclencher un bain de sang à bord du *Marseille*, pendant que Dechambre s'imagine naïvement que son secret est bien gardé et que son bateau et ses trois mille passagers vont être sauvés par l'or de la France.

— Bon sang, grogna Brian Joy. Et le commandant et mon ami Billy Berlin attendent naïvement que je leur transmette des infirmations qui ne viendront jamais. (Sa voix se fit plus dure.) Eh bien, j'ai un message pour le commandant : tous vos ennemis ne se trouvent pas à votre bord.

— C'est plus ou moins la véritable raison pour laquelle je me suis décidée à vous appeler, Brian, dit Lisa Briande avec plus de gentillesse qu'elle n'en avait montré jusque-là.

— Que diable allons-nous faire ? dit-il.

— Nous ? dit la fille à Paris. *Vous.*

— Moi ?

— Oui. J'ai fait ce que je pouvais jusqu'à maintenant. Ce qui ne signifie pas que je vais laisser tomber. Je continuerai à m'efforcer de faire ce que je peux. Mais je vous ai donné des indications importantes : les mauvaises nouvelles. C'est à vous maintenant de mettre la main sur la liste d'informations sur les passagers.

— Mais de quoi parlez-vous ? N'est-ce pas Dechambre qui la détient à Paris ?

— Il prétend que non. Le seul exemplaire se trouve au bureau de New York de la Française atlantique. Je lui ai tiré les vers du nez dans le courant de l'après-midi. Elle contient toutes les informations confidentielles qu'ils peuvent réunir sur chaque passager, ordinairement sans que le passager s'en doute le moins du monde...

— Parfait. Et alors ?

— Débrouillez-vous pour sortir cette liste du bureau de New York sans éveiller leur attention. Ensuite, il ne vous restera plus qu'à trouver aux Etats quelques types de génie capables de la

226

boucler tout en analysant cette liste et en y découvrant quels sont ceux, à bord de ce bateau, dont il faut se débarrasser.

— Et comment je vais m'y prendre pour décrocher ça ?

— Je suis à Paris, Brian.

— Et moi, à Beverly Hills.

— Mais Leonard Ball se trouve à New York, répliqua Lisa Briande.

— Leonard Ball ? hurla-t-il.

— Vous m'avez dit qu'il est déjà au courant de tout.

— Il ne sait rien de Billy et de son émetteur-récepteur secret. Bon sang, il ne manquerait plus que ça...

— Il ne vous a pas encore trahi, que je sache ? Et je ne crois pas qu'il le fera. Je devrais connaître Leonard assez bien, n'est-ce pas ?

— Ecoutez...

— Après tout, ce n'est pas vous qui couchez avec lui, pas vrai ?

— Je regrette d'avoir dit ça. Vous me pardonnez ?

— Bien sûr. Vous étiez simplement jaloux.

— Je le suis toujours.

— Prenez deux aspirines.

— Je pensais que vous deviez raccrocher.

— Mes trois minutes ne sont pas terminées. Vous l'appellerez ?

— Lisa ?

— Oui ?

— Comment se fait-il que vous n'ayez pas révélé l'histoire dans votre journal ?

— Je ne sais pas très bien. Peut-être parce que j'aimerais aller à New York sur le *Marseille* l'été prochain.

— J'aimerais bien vous y rencontrer.

— Dites-moi, allez-vous appeler Leonard Ball ou non ?

— Oui. Dites-moi, vous avez entendu ce que je viens de dire ?

— Je vais raccrocher, maintenant.

— Attendez une minute. Promettez-moi d'abord de rester dans l'ombre de Dechambre et de faire ce que vous pourrez pour aider son foutu plan de rançon à *bien* se passer. D'accord ?

— Je le croyais un tel enfant de putain.

— Il l'est. Supposez que je fasse chou blanc ici ? Il faut que *quelqu'un* sauve le *Marseille,* ou nous ne nous rencontrerons jamais à New York.

— Au revoir, dit-elle avant de raccrocher.

Chapitre XXVI

Paris, 17 h 45. Il les entendit arriver dans le bureau aux murs gris, aux raclements de gorge qu'ils faisaient derrière lui, mais il ne se retourna pas tout de suite. Debout devant la fenêtre, il promenait un regard distrait sur les marronniers verts au milieu desquels éclataient des fleurs rougeâtre, remâchant sa rancœur pour l'homme dont le portrait officiel pendait au mur non loin de lui.

Jean-Claude Raffin tirait sur sa pipe froide qui lui mettait dans la bouche le goût amer du ressentiment. Le poids des lourds secrets dont Aristide Bonnard avait chargé ses épaules lui pesait comme une camisole de force. Le président faisait preuve d'autant d'insolence que d'inconscience en demandant à la Sûreté de découvrir, en douze heures, un homme qui se présentait sous le nom de Julian Wunderlicht, sans même permettre à son directeur général d'informer les responsables de ses cinq départements de la véritable nature de cette recherche.

« Vous pouvez leur dire que de sérieux indices vous conduisent à penser qu'on pourrait tenter de détourner un avion d'Air France », lui avait dit Bonnard. « Mais pas davantage. »

Les protestations de Raffin s'étaient heurtées à un mur. L'honneur présidentiel était en jeu. Aristide Bonnard ne pouvait se permettre des fuites qui révéleraient à l'évidence son manquement à la parole donnée. Incidemment, tout à fait incidemment, ce voile de secret ne pouvait-il servir à éviter que Wunderlicht découvre qu'il avait été mené involontairement en bateau par ce petit manipulateur officieux de la Françat, M. Dechambre ?

Raffin se détourna de la fenêtre et se dirigea vers le fauteuil qui se trouvait derrière son bureau, une antiquité de belle facture.

Il salua de la tête les hommes qui s'étaient assis en demi-cercle devant lui, dans des fauteuils dont le capitonnage de velours vert faisait ressortir la tristesse de leurs costumes sombres. Ils évitaient de le regarder dans les yeux, comme s'ils rejetaient sur *lui* la menace qui pesait sur l'honneur et l'efficacité de ce qu'ils connaissaient pour les forces de police les mieux organisées du monde. On ne peut se contenter de donner un ordre à un agent en mission. Il faut qu'il y trouve une motivation suffisamment importante pour motiver sa fatigue, les ennuis, le manque de sommeil et le risque de mort violente.

« Messieurs, commença Raffin en se forçant à leur sourire, je ne peux pas lire dans vos cœurs ni dans vos cerveaux, mais à l'expression de vos visages, vous me donnez l'impression de manquer d'enthousiasme. »

Les hommes eurent un petit rire poli.

« Procédons par ordre, poursuivit le directeur général. Félix ? » interrogea-t-il le petit homme replet qui se trouvait à sa gauche.

Félix Lafon, directeur de la police judiciaire, baissa les yeux sur quelques papiers qu'il tenait dans ses mains moites.

« Sur quinze districts ratissés, et deux partiellement : rien. La Gendarmerie nationale fait état de nombreuses plaintes sur le terrain en raison du flou de la description...

— Je vous accorde que ce Georges Sauvinage qui a rédigé le rapport de la Françat n'est pas un poète, dit Raffin, mais c'est une bien piètre excuse pour justifier notre incapacité à découvrir un Allemand qui corresponde à sa description.

— C'est bien certain, répondit le directeur de la P.J. Néanmoins, pour l'instant, à moins que l'un de mes collègues ici présent ne m'apporte une heureuse contradiction, il n'y a aucun Julian Wunderlicht à l'intérieur des frontières de la France. Quoi qu'il en soit, le commissaire Blondin de la Brigade criminelle, m'a suggéré de faire état à tout hasard de ce qui suit. Comme vous ne l'ignorez pas, ses hommes utilisent souvent à bon escient les prostituées parisiennes, la plupart du temps à d'autres fins que des rapports sexuels... »

Il y eut quelques sourires.

« Parmi plus de deux cents prostituées interrogées dans le courant de l'après-midi, une péripatéticienne du nom d'Yvette Goutay se rappelle vaguement avoir raccolé, la nuit dernière, près de l'Arc de Triomphe, un homme d'âge moyen qui parlait avec un accent danois ou allemand, et qui coïncide plus ou moins avec la description de ce Sauvinage. De plus, la fille se souvient l'avoir entendu grommeler quelque chose de plus ou moins intelligible au sujet d'un bateau ou d'un navire au cours, à ce que j'ai cru comprendre, des affres de sa passion.

— J'essaie de me forger un intérêt pour ce genre d'information, dit Raffin, mais je n'ai pas l'air d'y réussir. J'imagine que vous faites surveiller la fille dans l'éventualité où l'homme voudrait calmer de nouvelles affres ?

— Je doute qu'il le fasse, répliqua Lafon, il semble que la pute l'ai jeté à la porte pour conduite insultante.

— Et maintenant, demanda Raffin, croyez-vous qu'une telle conduite cadre avec le genre de personnage occupé à soutirer une rançon de 35 millions de dollars en or et qui entend bien l'obtenir ?

— C'est bien ce que j'ai dit au commissaire Blondin, rétorqua le chef de la police Judiciaire. »

Le directeur général hocha la tête lentement et tourna son regard vers Victor Cabanal, chef du Bureau de sécurité publique, un homme aux cheveux d'un gris acier et au visage anguleux.

« Et quelles gâteries le B.S.P. nous réserve-t-il ?

— Pas la moindre, répondit Cabanal. Nous nous en maintenons à notre précédente position. A savoir que si le *Marseille* est bien subventionné par l'Etat, il n'est pas *techniquement* sa propriété. En conséquence, à strictement parler...

— Allons, Cabanal, fit Raffin en élevant la voix d'un ton. Sommes-nous ici aujourd'hui pour parler strictement ?

— Je ne veux pas dire que le B.S.P. refuse son assistance, Jean-Claude. Je tiens simplement à rappeler à l'assemblée ici présente que notre rôle n'est pas de veiller à la sécurité des intérêts privés. Je n'ai aucune autorité pour protéger, directement ou indirectement, ce qui n'appartient pas à l'Etat. »

Raffin dévisagea l'homme au visage buté pendant quelques instants puis tourna son regard vers les traits minces et aquilins de Maurice Devillaine, qui ne cessait de se tamponner le nez avec des kleenex. Le chef vieillissant des Corps républicains de sécurité paraissait beaucoup plus soucieux de l'écoulement de ses sinus allergiques que des débats qui se tenaient dans la pièce enfumée. Sans même regarder le directeur général, il dit :

« Donnez-nous une foule à mater, et nous la mettrons à raison comme nous exterminerions des moustiques dans un marécage. Jusque-là, je vous conseille vivement de faire intervenir la Marine et l'armée de l'Air avant qu'il ne soit trop tard. »

Le visage de Raffin vira à l'écarlate.

« Nom de Dieu, Devillaine, vous savez parfaitement bien que j'ai les mains liées. »

Maurice Devillaine se contenta de hausser les épaules et de continuer à se tamponner le nez.

« Sublime ! » marmonna Raffin à la cantonade.

Les bruits atténués de la circulation dans la rue des Saussaies s'imposèrent au milieu du silence.

« Jusqu'ici, reprit Raffin, nous disposons donc des mémoires inoubliables d'une péripatéticienne susceptible qui tapine sur les Champs-Elysées, et de rien de plus. Bravo, messieurs. »

André Simon, avant-dernier du rang, s'agita nerveusement et se tourna vers l'homme qui se trouvait à sa gauche.

« Peut-être devriez-vous commencer, Brunel, lui dit-il tout à trac.

— Non, après vous », lui répondit l'autre vivement.

Raffin se tourna vers l'homme jeune et brun portant moustache.

« Nous vous écoutons, Simon.

— Bien, monsieur. »

Le jeune et tout récemment promu directeur des Renseignements généraux n'avait pas encore appris à se montrer philosophe devant la défaite. Et personne ne fut dupe de la nonchalance affectée de sa voix.

« Personne ici ne sera surpris de savoir, pas davantage que je l'ai été, qu'aucun Julian Wunderlicht ne figure à nos archives pour s'être signalé à l'attention de la police française. Qui que soit cet homme, il utilise plus que sûrement une identité d'emprunt. Et ne faudrait-il pas qu'il soit un peu stupide, messieurs, pour que nous puissions trouver ce nom d'emprunt sur une seule carte de débarquement ou sur un registre d'hôtel dans Paris ou ailleurs ? Hé bien, il n'est pas stupide, et nous n'avons trouvé aucune trace de lui. Sur les dix mille et quelques ressortissants allemands récemment arrivés dans les environs de Paris, pas un seul n'a été assez fou pour s'appeler Julian Wunderlicht. »

Il sortit un paquet de cigarettes et en plaça une entre ses lèvres.

« Ce sera tout ? demanda Jean-Claude Raffin.

— Précisément, dit André Simon en allumant sa cigarette. »

Le directeur général frappa sa pipe sur son bureau, éclaboussant son plateau antique de cendres. Son regard alla se poser sur les yeux tristes et la bouche amère de Hector Brunel, chef de la Direction de la Surveillance du territoire, et il sut, sans le demander, que cette réunion, et peut-être même la mission dans son ensemble, touchaient à leur terme. Il aimait ce vieil homme et répugnait à le tourmenter avec des questions inutiles et désagréables, aussi hésita-t-il un instant, instant que choisit le téléphone pour faire entendre sa désagréable sonnerie.

« Excusez-moi, Hector, dit-il à l'homme de la D.S.T., et il

décrocha le combiné : Madame Duval, je croyais vous avoir dit...

— Je regrette, monsieur, le coupa la voix de sa secrétaire, c'est le colonel Schreiner, d'Interpol. Il dit que c'est urgent, aussi...

— Passez-le moi. »

Il attendit qu'elle lui transfère la communication en évitant les regards qui l'observaient sans expression. Puis la voix de fausset de Schreiner retentit dans le récepteur :

« Claude ? Ici, Arsène. Vous n'êtes pas seul, aussi ferais-je la plupart de la conversation.

— Comme d'habitude, Schreiner.

— Un point pour vous. A présent, au sujet de votre inquiétude de trouver un équipage pour le *747* que l'œuvre de charité de Madame la présidente désire affréter pour le voyage de Tokyo... vous savez, bien sûr, de quoi je veux réellement parler...

— Bien sûr », dit Raffin sèchement.

La défiance de Schreiner à l'égard du téléphone était la risée de tout Interpol.

« Mon personnel a étudié la question avec plus de hâte que je ne le souhaite dans les affaires courantes, je ne peux donc en garantir l'exactitude absolue...

— Je comprends, Schreiner, dit le directeur général en tapotant nerveusement le plateau de son bureau. »

Il entendit le colonel se racler la gorge et remuer des papiers à l'autre bout du fil.

« Sur approximativement trente-deux compagnies dans le monde qui utilisent le *747*, cinq seulement ont pu nous communiquer les noms de pilotes capables de faire voler cet appareil et qui ne soient pas en service actif...

— Cinq, dit Raffin.

— C'est cela, dit Arsène Schreiner.

— Continuez, demanda Raffin.

— La Swissair indique trois hommes, l'un souffrant de fractures multiples suite à un accident de ski ; un autre atteint d'un cancer du rectum ; et le troisième qui attend pour se faire opérer de la cataracte. La Japan Air Lines, un homme. Il s'est électrocuté en installant un appareil de télévision de fabrication américaine. La Sabena en cite trois, tous hospitalisés, deux pour des problèmes cardiaques et un pour l'opération d'un ulcère. Quant à Alitalia, les deux anciens pilotes dont ils parlent purgent une peine de prison dans les environs de Gênes. Ils ne veulent pas dire pourquoi. Mais je prendrais bien le pari...

— Très bien, cela fait *quatre* compagnies, l'interrompit Raffin.

« — Ah, oui. »

Raffin l'entendit remuer d'autres papiers.

« Cela nous laisse avec ces deux pilotes... Ces sacrées lunettes à double foyers, je ne m'y habituerai jamais... Voyons, voyons. Voilà. Tous deux ont été licenciés pour négligence mettant en péril la vie et les biens des passagers, ainsi que, le croiriez-vous, pour alcoolisme ? »

Raffin sentit tout son corps se mettre en alerte.

« Quelle compagnie ?

— La Lufthansa, dit l'homme d'Interpol avant d'éclater d'un rire triomphant.

— Sacré bon sang... fit Raffin en tendant la main pour attraper un crayon et un papier.

— Leurs noms, poursuivit Schreiner.

— Oui.

— Klaus Freuling, de Stuttgart...

— Oui.

— Et Wilhem Gritzen, de Munich...

— Oui.

— Et par la plus curieuse des coïncidences, ils ont tous deux quitté leurs domiciles pour emménager depuis hier dans le même appartement d'hôtel. Qu'est-ce que vous pensez de ça, Raffin ?

— Où, nom de Dieu, où ?

— Ici, à Paris, au Prince-de-Galles.

— Pour l'amour de Dieu, Schreiner, pourquoi diable n'avez-vous pas commencé par me dire cela ? »

Le gloussement sadique de l'autre se transforma en rire grinçant.

« Voulez-vous que je me rende chez vous, ou préférez-vous venir me rejoindre ici ? demanda-t-il.

— Restez où vous êtes, éclata Raffin avant de raccrocher brutalement le combiné. »

Les hommes qui se trouvaient dans la pièce le fixaient tous d'un air interrogateur.

« Messieurs, leur dit-il, en l'honneur de cette occasion, nous utiliserons la grosse Mercedes et nous parlerons en roulant. »

Il se leva et contourna son bureau, d'un pas plutôt alerte pour un homme en camisole de force.

Des nuages pourpres envahissaient le ciel au-dessus du soleil couchant, privant la tour Française de son éclat, et amenant avec eux dans l'air du soir une fraîcheur hors de saison. Lisa pénétra dans le vaste hall désert et s'avança rapidement vers l'ascenseur, se surprenant à se demander le temps qu'il pouvait faire là-bas, en mer, pensée qui la déprima momentanément. Ce qui la conduisit à s'inquiéter de son équilibre émotionnel au cours de l'ascension de la cabine vers le vingt-sixième étage. Elle décida qu'elle était tout simplement fatiguée, par manque de sommeil et plus que son content de rapports sexuels.

Max Dechambre lui avait procuré trois orgasmes au cours de leur longue étreinte. En dépit du désir et de la jouissance qu'elle en avait ressentis, elle en payait maintenant le prix, Nitraline ou non. Avec l'implication émotionnelle en prime.

Quand elle sortit de l'ascenseur sous l'éclairage tamisé bleu, blanc, rouge, de la Compagnie française, elle s'était ressaisie, à nouveau maîtresse d'elle-même et, elle l'espérait bien, de Max Dechambre.

La réceptioniste de nuit au visage anguleux masqué de lunettes qui lui mangeaient le visage leva les yeux vers elle et demanda :
« Oui ?
— Je connais le chemin, merci », lança Lisa sur un ton d'autorité coupant.

Elle s'avança sur la moquette du corridor sans s'arrêter devant la fille qui protestait derrière elle :
« Mais, mademoiselle... »

Lisa poussa la porte marquée « Directeur général » et surprit Edith Grillet en train de contempler son visage flasque dans le miroir accroché au mur, ce qu'elle ne faisait jamais que dans la plus stricte intimité.

« Bonsoir », lui dit Lisa chaleureusement.

Mme Grillet s'excusa avec un sourire timide :
« En fin de journée, mes cheveux n'ont plus l'air de rien.
— Voulez-vous lui annoncer Lisa Briande du *Tribune,* s'il vous plaît ? »

Un de ces jours, se disait-elle intérieurement, je vous raconterai peut-être que je suis aussi Mme Yvonne Longeville du palais de l'Elysée, mais pas pour l'instant.

« Je regrette, répondit la secrétaire en allant vers son bureau, monsieur Dechambre s'apprête à partir.

« Dites-lui simplement Lisa Briande, voulez-vous ?
— Je crains qu'il ne soit trop tard, mademoiselle Briande.
— Pas du tout. Annoncez-moi, je vous prie.
— Vous avez rendez-vous ?
— Vous allez voir, sourit Lisa, je vais le surprendre. »

Elle contourna le bureau de la femme aux cheveux gris pour ouvrir la porte qui se trouvait derrière elle et pénétra dans la pièce.

Il se détourna du bar, l'air ahuri.

« Bonsoir, mon tigre adoré », murmura-t-elle.

Il éloigna trop vite de ses lèvres le verre de cognac vide et il écarquilla les yeux.

« Lisa... dit-il sans sourire.

— Il fallait que je vienne, j'en avais trop envie, dit-elle en refermant la porte derrière elle puis en allant vers lui.

— Ce cognac... dit-il en posant le verre. Il est très fort...

— Vous êtes plein de vices secrets mais charmants, dit-elle avant de l'embrasser lentement sur la bouche en goûtant au Rémy Martin de sa langue mêlée à la sienne. »

Il s'arracha à son étreinte pour aller répondre au téléphone qui sonnait sur son bureau.

« Oui ?... Non, tout va bien. Vous pouvez partir, madame Grillet... Pas du tout. Vous pouvez vraiment partir tout de suite... Bonsoir. »

Il raccrocha et se tourna vers Lisa en s'efforçant de sourire :

« Je n'aurais jamais rêvé vous revoir aujourd'hui. Je me sens étourdi de bonheur autant que de surprise. »

Mais ses yeux demeuraient tristes derrière les lunettes cerclées d'or.

« Max, qu'est-ce qui ne va pas ? »

Il la dévisagea d'un air tendu.

« Voulez-vous boire quelque chose ? » demanda-t-il.

Elle refusa d'un signe de tête.

« Cela a-t-il quelque chose à voir avec moi ? Vous aurais-je déçu cet après-midi ?

« Ne dites pas cela, fit-il d'une voix tremblante. Vous avez été merveilleuse. Je ne cesse de penser à vous...

— Est-ce pour cela que vous buvez ? »

Il s'assit derrière son bureau d'un air accablé.

« Bien sûr que non.

— Alors pourquoi ? »

Il leva les yeux vers elle et mit un peu trop de temps pour lui répondre :

« Ma femme vient de rentrer d'Antibes à l'improviste. Peut-être avais-je secrètement rêvé de quelques jours de liberté supplémentaires, de nuits, en fait, avec vous... »

Elle le regarda dans les yeux et sentit qu'il mentait.

« Max, Max, écoutez-moi... »

Elle contourna le bureau et, debout derrière lui, posa les mains sur ses épaules qu'elle se mit à masser.

« Je vous ai promis, continua-t-elle, de vous aider à traverser l'épreuve du *Marseille* de toutes les manières dont je le pourrais.

Et je crois vous avoir donné plus qu'une preuve de sincérité en mettant au frigidaire une histoire qui pouvait me donner la vedette, Max...

— Vous savez à quel point je vous en suis reconnaissant...

— Alors, pourquoi ne le prouvez-vous pas ?

— Comment ?

— En ne me cachant rien.

— Combien de fois... ? »

Il se leva brusquement, s'arrachant de ses mains.

« Je vous l'ai dit cet après-midi, la liste d'informations sur les passagers se trouve à New York.

— Je vous crois là-dessus.

— Mais alors, que voulez-vous donc de moi ?

— Que vous me teniez au courant de *tout* ce qui se passe au sujet du *Marseille*, Max, et à l'*instant* où vous l'apprenez.

— Pour l'amour de Dieu... fit-il en se détournant. Je n'arrive pas à vous chasser de mon esprit, et vous me collez sans cesse aux talons.

— J'en suis ravie, dit-elle sur un ton exalté. Et il continuera d'en être ainsi. »

Il se retourna vers elle, les yeux enfiévrés et hocha la tête, l'air sinistre.

« Très bien, Lisa. Puisque vous y tenez. »

Il ramassa une feuille de papier qui se trouvait sur son bureau et la lui tendit.

« Je ne voulais pas vous infliger cela, dit-il d'une voix lasse. Je préférais être le seul à pleurer aujourd'hui. »

Elle baissa les yeux sur le morceau de papier qui avait été déchiré d'un télétype, en l'entendant dire : « Un télex en direct du navire... une brève transmission... puis de nouveau le silence total... »

Elle lut les mots imprimés le cœur serré :

Passagers et membres de l'équipage dont noms suivent ont été exécutés pour obstruction : M. et Mme G. Parker ; H. Grabiner ; D. Campbell ; B. Crépin ; F. Mandrati ; E. Senestro. Que ceci serve de mise en garde à toutes autorités qui envisageraient de ne pas respecter nos consignes.

Elle devint très pâle tandis que la peur se glissait en elle et qu'elle se sentait gagnée par la nausée. Il y avait maldonne. La mort ne faisait pas partie du jeu. Ignoraient-ils qu'il ne s'agissait que d'un jeu excitant d'appels téléphoniques transatlantiques dont les règles consistaient en intrigues à dénouer en faisant l'amour l'après-midi pour se rapprocher de leur source ? Tout le monde savait qu'il ne pouvait s'agir d'un drame. La réalité la submergea, la laissant frissonnante et désemparée.

« Mon Dieu, Max, quelle horreur... »

Elle alla vers lui et posa sa tête sur sa poitrine.

« Je regrette, continua-t-elle. Je regrette tellement. »

Il lui tapota l'épaule.

« Rien de ce que j'ai fait n'a pu motiver cela, dit-il pour lui-même d'un ton morne. Et je n'aurais rien pu faire pour l'éviter.

— C'est peut-être du bluff, dit-elle sans conviction.

— Tout est possible, répliqua-t-il. Il se pourrait que tout cela ne fût qu'un cauchemar dont nous allons nous réveiller. Mais après une vérification discrète au bureau de New York, ces noms figurent bien au manifeste d'embarquement. »

Le défaitisme qu'elle crut noter dans sa voix la raidit soudain dans un refus de l'échec. Le temps était trop limité pour se vautrer dans la peur et la confusion. Si la tactique de Max Dechambre dans cette guerre ne ressemblait pas plus à la sienne qu'à celle de son lointain compagnon d'armes de Beverly Hills, ce n'était pas une raison pour laisser Dechambre les conduire tous au désastre en permettant qu'il soit trahi. Elle s'écarta de ses bras protecteurs, et le regarda dans les yeux en disant :

« Max, il faut faire parvenir ce télex au président Bonnard immédiatement. »

Dechambre fit un geste d'impatience.

« Non, dit-il. Jamais. Je ne ferais rien qui puisse le bouleverser et le conduire à changer d'avis. Il est mon seul espoir.

— Je pense que cela vaudrait mieux, Max », dit-elle avec insistance.

Il la dévisagea attentivement derrière ses lunettes en plissant les yeux.

« Qu'est-ce qui vous fait dire cela ?

— Ne pouvez-vous le faire tout simplement, sans poser de questions ?

— Pourquoi à Bonnard ? insista-t-il.

— Parce que... peut-être... fit-elle en hésitant sur la manière de lui présenter les choses. Peut-être cela le convaincra-t-il de tenir sa parole, de tenir la promesse qu'il vous a faite, dit-elle en s'efforçant de se convaincre elle-même.

— Je n'ai aucun doute sur sa parole ou sa promesse, insista Dechambre un peu trop lourdement. Devrais-je en avoir ? demanda-t-il en la dévisageant d'un air inquisiteur. »

Devant le désespoir qui s'inscrivait sur son visage, elle décida qu'il pouvait devenir dangereux de le pousser à bout.

« Non, Max, répondit-elle. »

Mais il ne se contenta pas de cette réponse et s'avança vers elle, en disant :

« Il vous a dit quelque chose, n'est-ce pas ?

— Comment ? fit-elle franchement ahurie.

— Votre amant. Cet homme en Californie. Brian Joy... »

Elle réussit à sourire.

« Mon pauvre tigre cherche à lever un lièvre où il n'y a pas le moindre gibier. »

Elle l'embrassa légèrement sur les lèvres.

« Vous êtes jaloux, Max, j'adore ça. Maintenant, faites ce que je vous demande, avant que je me fâche et vous prenne là, sur le plancher. »

Elle l'embrassa à nouveau sur la bouche. Dechambre sentit un début d'érection le distraire mais qui retomba aussitôt. Il ne se sentit soudain plus la force de s'opposer à sa volonté ni de lui déplaire.

« Il se peut que vous ayez raison, Lisa, dit-il doucement. Cela ne saurait nuire à notre cause et la servira peut-être. »

Mais il ne pouvait se défendre d'un sourd malaise. Pendant qu'il se dirigeait vers son bureau pour enclencher l'interphone, Lisa baissa les yeux sur le télex fatal pour enregistrer les noms qui s'y trouvaient écrits. Cela pourrait se révéler utile à Brian Joy de disposer de quelques noms à éliminer de la liste comme possibles conspirateurs quand Leonard Ball, plaise à Dieu, aurait réussi à se la procurer à New York. Elle rappellerait Brian en Californie dès qu'elle le pourrait. Pour l'instant, elle allait tout d'abord se mettre sur les traces de Jean-Claude Raffin à la Sûreté.

Elle entendit soudain la voix morne s'élever de la petite boîte brune qui se trouvait sur le bureau de Dechambre.

« Oui, monsieur ?

— Votre secrétaire est-elle encore là, Sauvinage ?

— Oui, monsieur.

— Envoyez-la moi d'ici cinq minutes, s'il vous plaît. Pas avant.

— Très bien, répondit la voix de Georges Sauvinage.

— Je vous envoie une enveloppe scellée, marquée " urgent et personnel ". Pour le président Bonnard.

— Oui, monsieur.

— En rentrant chez vous, j'aimerais que vous la déposiez vous-même au palais de l'Elysée en veillant à ce qu'elle soit remise au président en main propre dès que possible et où qu'il se trouve. Est-ce bien compris ?

— Parfaitement, monsieur.

238

— Bonne nuit, Sauvinage. Et ne débranchez pas votre téléphone cette nuit.

— Je n'en avais pas l'intention.

— Et soyez prudent avec l'enveloppe.

— Oui, monsieur.

— Bonsoir.

— Bonsoir, monsieur Dechambre. »

Le directeur général resta un instant plongé dans ses réflexions en tirant sur les poils de sa barbe. Puis il leva ses yeux gris vers Lisa et se mit debout.

« Vous voyez, je fais ce que vous voulez.

— J'en accepte la responsabilité terrifiante », dit-elle en souriant.

Il contourna son bureau pour prendre ses mains dans les siennes.

« Vous ne douterez pas, je l'espère, que la seule raison pour que nous ne dînions pas ensemble ce soir est le retour inattendu de ma femme de la Côte d'Azur.

— Non, Max, il y a une autre raison. J'ai à travailler cette nuit. »

Elle lui posa un petit baiser sur les lèvres avant de dire :

« Téléphonez-moi si vous avez besoin de moi... et même sans cela. »

Il regardait le balancement de ses hanches tandis qu'elle s'éloignait vers la porte. Epuisé par les merveilleux instants passés dans son lit au cours de l'après-midi, il n'éprouvait plus aucun appétit sexuel. Il était ravi du retour de sa femme.

Miraculeusement rétabli de sa migraine du déjeuner, Aristide Bonnard dînait de bon appétit dans la salle à manger verte et blanche de sa résidence d'été de Saint-Germain-en-Laye. Il prit une fraise brillante de fraîcheur dans le bol qui se trouvait devant lui, la plongea dans la crème Chantilly qui ornait son assiette et la porta à ses lèvres, souriant béatement de plaisir à sa femme, Althea, qui lui faisait face à table.

Il entendit résonner la sonnerie de la porte d'entrée. Puis le bruit d'une conversation animée. René Dumont, le vieux major-dome de Bonnard, pénétra dans la salle à manger avec une enveloppe apportée par un courrier du palais. Le président essuya la crème de ses doigts, prit l'enveloppe et l'ouvrit, persuadé qu'elle contenait des nouvelles de Jean-Claude Raffin. De bonnes nouvelles, laissant présager une issue heureuse à l'irritant problème posé par le *Marseille*.

Quand, en place du message espéré, les yeux du président se posèrent sur le télex fatidique, annonciateur de mort, en provenance de Max Dechambre, un spasme douloureux lui contracta les intestins.

« Quelque chose de grave, mon chéri ? demande madame Bonnard avec sollicitude.

— Pas vraiment. Pas vraiment. »

Le président se leva de table, signalant à son serviteur qu'il pouvait disposer, pour se rendre jusqu'à une console sur laquelle se trouvait un téléphone dont il décrocha le combiné, l'œil fixé sur le télex, se disant intérieurement : " Grand Dieu, quelle horreur. "

« Appelez-moi Raffin à la Sûreté », dit-il dans l'appareil.

Peut-être était-il allé trop loin, peut-être avait-il pris un grand risque en trahissant le directeur général. S'il y avait du grabuge, les retombées pourraient bien éclabousser le palais de l'Elysée.

Une voix revint en ligne, expliquant que M. Raffin avait quitté son bureau pour la soirée pour affaires urgentes, et ne pouvait être joint. Monsieur le président désirait-il qu'on continue d'essayer ?

« C'est sans importance, dit Aristide Bonnard. Annulez l'appel. »

Cela valait peut-être mieux, décida-t-il soudain. Au diable les menaces de ces pirates du *Marseille*. Il ne changerait rien à ses plans. La Sûreté prévaudrait. La France prévaudrait. Quand le président se rassit à table, il avait déchiré le télex en menus morceaux qu'il glissa dans sa poche.

Il baissa les yeux sur sa gourmandise préférée, les leva en direction de sa femme et dit :

« Ces fraises sont tellement savoureuses, je ne peux pas leur résister.

— Ne leur résistez pas, mon cœur, répondit-elle. J'ai tant de plaisir à vous voir heureux. »

Bonnard plongea une fraise dans la crème fouettée et la plaça sur sa langue.

« Mes compliments à votre épicier, murmura-t-il, en savourant le fruit. Et à la ravissante personne qui a choisi le panier. »

Althea Bonnard sourit en baissant les yeux, et le président sut qu'ils iraient au lit de bonne heure ce soir-là. Mais il laisserait les lignes de téléphone branchées dans l'attente des bonnes nouvelles qui ne sauraient tarder à venir. Mme Bonnard ne se souciait pas de ce genre d'interruptions. Elle avait depuis longtemps assuré son mari qu'elle trouvait les interruptions particulièrement excitantes.

Chapitre XXVII

New York, 14 h 10. Si Pierre Broussard était vraiment d'une grande civilité, il n'en restait pas moins drôlement coriace. Ça embêtait Ball de le refaire. Broussard avait souvent aplani les difficultés à trouver place à bord du *Marseille,* lors des traversées estivales vers Paris, pour des directeurs de la C.B.S. ravis de se débarrasser quelque temps de leurs épouses en les expédiant à l'étranger. Le duper ennuyait donc sincèrement Ball. Mais, se disait-il, la fin justifie les moyens. De plus, il n'avait pas le choix. Brian Joy, un hystérique obstiné comme on n'en fait pas, avait fini par le convaincre que la responsabilité de sauver le *Marseille* reposait maintenant entièrement sur lui, et qu'il devait réussir. Sinon. Sinon, quoi ? Lisa ne lui adresserait plus jamais la parole ? Sinon, trois mille personnes ne parleraient plus jamais à qui que ce soit ?

Je n'aurais jamais dû prendre cet appel, la nuit dernière, au « Twenty One », et je n'aurais jamais dû appeler Paris, se dit-il. A chaque fois que j'ai affaire à Lisa, de près ou de loin, on dirait qu'une tempête se déchaîne.

La dernière fois, pendant cet incroyable week-end à Cannes, Amanda l'avait pris en flagrant délit de mensonge et il lui avait fallu presque un an pour rafistoler un mariage qui ne tenait plus que par un fil. A présent, il se retrouvait propulsé au milieu d'une superbe embrouille qui, pour n'avoir rien de sexuel, n'en restait pas moins inspirée par Lisa Briande. Il se demanda à quoi pouvait bien ressembler ces prisons pilotes où on passe de un à trois ans à jouer au tennis ou à écrire ses mémoires.

Il remit son briquet dans sa poche, exhala une bouffée de fumée, et continua de mentir ignominieusement à Pierre Broussard qui, assis derrière son bureau, l'observait en pressant le bout de ses doigts les uns contre les autres comme dans un geste de prière.

« J'aurais préféré que l'idée vienne de moi plutôt que du patron, dit Leonard Ball, parce qu'elle est tout simplement géniale. Moi, en ce moment, je n'accouche de rien de plus brillant que de statistiques sur l'impact des automobiles d'un habitat réduit dans la récession des maladies vénériennes de sièges arrières. »

Son rire ne trouva pas d'écho.

« Quand envisagez-vous d'embarquer votre équipe de tournage à bord ? demanda Broussard.

— A franchement parler, j'aimerais envoyer les gars tout de suite par avion, afin qu'ils fassent leur reportage au cours du voyage de retour du *Marseille* à New York. Salant pense qu'il faut tourner pendant que le patron est chaud.

— Mais, et la Cunard ou le *Queen Elizabeth-II* ? Ou la Compagnie italienne ? demanda le directeur des Relations publiques.

— Oh, on va probablement venir nous faire de la musique et nous coller aux fesses à Mike et moi. Nous avons l'habitude. Je ne me souviens pas que nous ayons fait un *Sixty Minutes* sans qu'il déclenche plaintes et gémissements de la part des uns ou des autres qui clament : et nous ? et nous ? »

Pierre Broussard continuait à l'observer d'un œil perplexe.

« Remarquez bien, Leonard, que je ne critique pas le jugement de qui que ce soit à la C.B.S., particulièrement devant une promotion aussi juteuse pour la Compagnie française. Mais n'y aura-t-il pas nombre de gens pour trouver étrange que *Sixty Minutes* consacre un reportage d'une telle importance à la résurgence des traversées maritimes transatlantiques, quand tout un chacun dans la profession sait parfaitement qu'il n'est pas question d'un *renouveau* mais d'un simple sursis ?

— Pierre, notre métier, c'est le show business de l'information, dit Leonard Ball avec le plus grand sérieux. Nous ne prétendons pas être des théoriciens en économie ou en sociologie. La vérité d'aujourd'hui, ou ses apparences, voilà ce qui nous botte à condition que ce soit du spectaculaire. Vous venez juste de construire, avec l'aide du Trésor français, le paquebot *Bordeaux*. Quel fantastique vote de confiance envers le voyage maritime. Et le *Marseille* jouit toujours du même prestige. Aussi, pour l'instant, je me moque éperdument que la Française atlantique soit devenue une compagnie aérienne d'ici cinq ans, ou que *Sixty Minutes* ou la C.B.S. aient disparu avant cela. Je ne m'intéresse qu'à la minute présente. Aussi, je pense qu'il faut démarrer là-dessus sur-le-champ. Qu'en dites-vous ? »

Après un instant de réflexion, Broussard leva les bras en feignant la reddition.

« C'est trop, je me rends.

— Bien », fit Leonard Ball en se levant.

Il s'avança lentement vers les fenêtres, comme s'il s'intéressait davantage à la circulation de la Cinquième Avenue qu'à ce qu'il allait dire.

« A présent, la première chose à faire, avec votre collaboration, bien entendu, c'est que je parte d'ici avec une documentation permettant à mes scénaristes de trouver un angle d'attaque.

— A quoi pensez-vous ? » entendit-il lui demander Broussard.

Il concentra son attention sur un autobus qui allait au pas, coincé dans un embouteillage sur l'avenue.

« Nous aurions besoin d'une bonne vue d'ensemble, dit-il. Des références sur le *genre* de gens qui, de nos jours, préfèrent le voyage par mer à celui par avion. »

Le bus venait de réussir à se dégager de l'embouteillage et s'éloignait.

« Votre liste d'informations sur les passagers qui se trouvent actuellement à bord du *Marseille* en route pour Le Havre ferait parfaitement l'affaire, Pierre. »

Il détourna les yeux de l'autobus dont il n'avait plus besoin. Broussard remuait la tête négativement.

« C'est parfaitement impossible, Leonard.

— Impossible ?

— Confidentiel. Ces informations ne sont même pas divulguées à l'intérieur de la compagnie. »

Leonard Ball cilla à deux ou trois reprises et retourna vers le bureau.

« Je sais cela, Pierre, dit-il en écrasant soigneusement sa cigarette dans le cendrier. Je n'aurais même pas songé à vous demander de me la remettre. Je veux juste y jeter un coup d'œil ici, dans vos bureaux, afin d'apporter un peu de lumière dans mes idées et d'avoir l'air de savoir de quoi je parle quand nous allons commencer à construire l'histoire. »

Il eut un petit rire rassurant.

« Diable, je n'ai pas la moindre idée de *qui* voyage sur le *Marseille* de nos jours. Je ne saurais dire s'il s'agit de Mme Trucmuche de Trifouillis-les-Oies, ou de célébrités comme Gore Vidal.

— Les deux, dit Broussard.

— Allons, soyez beau joueur et sortez-moi les dossiers secrets du Pentagone de votre chambre-forte, ou d'où que vous les gardiez. Je les parcourrai rapidement ici pendant que vous vous limerez les ongles. Ou que vous les rongerez, ça m'est égal.

— Nom de Dieu, Leonard, je ne devrais vraiment pas...

— Ecoutez, quand la C.B.S. aura fini par venir à bout de ma peau, comme de celle de tout le monde, je veux pouvoir aller trouver la Cunard en disant : voulez-vous engager un type qui a réussi à mémoriser tous les secrets atomiques de la Compagnie française... en cinq minutes ? »

Pierre Broussard hocha la tête d'un air confondu.

« C'en est trop. Vous êtes impossible. »

Il se pencha en avant pour appuyer sur le bouton de l'interphone.

« Hélène ?

— Oui, monsieur Broussard ? »

Parfait, se disait Leonard Ball. Parfait.

« Apportez-moi la dernière liste d'informations passagers, voulez-vous ?

— Celle du *Marseille ?*

— C'est ça.

— Tout de suite. »

Ball se mit à aller et venir d'un air nonchalant, comme pour se dégourdir les jambes, se dirigeant vers une porte entrebâillée qui se trouvait à l'autre bout de la pièce. Elle donnait sur une salle de conférence qui avait bien une porte d'accès sur le couloir.

« Je me sens déjà pris du frisson créateur, dit-il en se retournant.

— Prenez garde à ne pas le passer sur nous », dit Broussard.

Ball éclata d'un rire innocent. L'ironie était vraiment de trop. Puis Hélène entra dans un bruit de cuisses soyeuses, et dans une traînée de Je Reviens, portant une chemise bulle gonflée de feuilles blanches normalisées. Elle jeta sur Ball un coup d'œil violet et un sourire éclatant qui le firent souffrir de nostalgie à la pensée de Lisa Briande.

Mon Dieu, pensa-t-il, quand tout cela sera fini, il faut que je trouve un prétexte quelconque pour aller faire un tour à Paris. Il ne serait jamais sérieux.

« Voilà, dit la fille en déposant le dossier sur le bureau.

— Vous pouvez le laisser ici, mon chou », dit Broussard en levant les yeux vers elle d'une manière qui remplit Ball d'envie.

Le regard direct qu'elle lui jeta en passant devant lui pour ressortir le laissa le souffle court. Il l'accompagna des yeux jusqu'à ce qu'elle disparaisse, s'enivrant du parfum qui s'élevait dans son sillage.

« Leonard ?... »

Elle venait de disparaître.

« Leonard ?... »

Il quitta Paris et se retourna.

« Hummm ?

— Voici le paquebot *Marseille,* New York-Le Havre, du 10 juillet. »

Le directeur des Relations publiques tenait le dossier bulle avec une expression d'orgueil sur le visage.

« On y parle de l'atmosphère Françat sur nos navires comme s'il s'agissait d'une ambiance éphémère créée par magie. »

Il hocha la tête.

« Des mots, Leonard. On se fabrique avec des mots sur du papier. C'est du reportage. Tout cela. Un tas de traits personnels rassemblés avec patience, diligence, et un flair bien français pour fureter dans les coins et réunir les potins. »

Ball baissa les yeux sur la proie qui se trouvait devant lui en se disant : cet homme sait tout ce qu'il est possible de connaître sur le *Marseille* et ses passagers mais il ignore pourtant le simple fait qu'ils naviguent en ce moment vers un destin peut-être fatal dans l'Atlantique Sud...

Il jeta un coup d'œil sur sa montre. ...D'ici un peu moins de vingt-quatre heures.

Brian Joy attendait. Le commandant Charles Girodt et son équipage attendaient. Ce qu'ils attendaient, ce qui pouvait sortir de cette liasse de papiers et ce qu'ils en feraient, ça, il ne le comprenait pas vraiment. Il n'était certain que d'une chose : dans ce jeu des plus bizarres, c'était à lui de jouer. Il se pencha pour prendre le dossier offert des mains tendues de Pierre Broussard, lui tourna le dos et passa sans s'arrêter devant le fauteuil qui l'attendait, se dirigeant tout droit vers la porte entrebâillée de la salle de conférence, annonçant sur un ton sans réplique :

« Je vais aller feuilleter ça par là, ainsi, nous ne serons pas l'un sur l'autre.

— Non, non, dit Broussard, vous ne me dérangez pas. Vous pouvez rester ici...

— Si j'ai des questions à vous poser, je me permettrai de refaire irruption. »

Il jeta un coup d'œil derrière lui.

« Ne vous inquiétez pas de moi, Pierre. »

Ball disparut dans la salle de conférence sans lui laisser le temps de dire un mot, et referma la porte derrière lui. Il attendit un moment, écoutant si des ennuis s'annonçaient. Comme ils ne venaient pas, il se dirigea vers la porte qui se trouvait de l'autre côté de la table et l'entrouvrit. Le couloir était désert. Il sortit et l'enfila rapidement en direction de la porte marquée « sortie » et la franchit.

Thelma Stutz l'attendait sur le palier. Ses grands yeux bruns trahissaient la nervosité. Elle laissa tomber sa cigarette qu'elle écrasa du pied et s'avança vers lui en ouvrant un attaché-case en cuir noir.

« J'ai cru que vous ne...

— Vous êtes trop impressionnable, dit-il. »

Il sortit la liasse de papiers du dossier et les fourra dans son attaché-case, en disant :

« Une seule copie pour l'instant. Et personne près de vous à la photocopieuse. Prenez la Quarante-neuvième rue ouest. Faites attendre le taxi. Descendez la Onzième et prenez la Quarante-huitième pour revenir. J'attendrai dans les toilettes des messieurs...

— Dans les toilettes des messieurs ?

— Frappez sept coups sur la porte... D'accord ?

— Dieu, monsieur Ball, c'est...

— Choquant, je sais. Et maintenant, filez, mon chou. »

Il la regarda commencer à descendre l'escalier. Puis il ouvrit la porte et rentra dans le couloir, le dossier vide à la main. Il se dirigea rapidement vers les toilettes et y entra.

La salle des lavabos était déserte. Il y avait trois cabinets, tous inoccupés. Il entra dans celui qui se trouvait le plus près de la porte, s'y enferma, ouvrit le dossier et le plaça sur le sol de carrelage blanc, de manière à ce qu'on puisse le voir par le jour en bas de la porte. Puis il défit son veston qu'il accrocha au porte-manteau, ouvrit sa ceinture, descendit la fermeture de sa braguette et s'assit sur le siège des toilettes, avançant légèrement ses jambes, de manière à ce que ses chaussures et ses pantalons baissés puissent également être vus par le jour du bas de la porte. Et il prit enfin conscience des battements accélérés de son cœur et de la moiteur de sa chemise.

Il tendit la main vers la poche de son veston, y trouva ses cigarettes et en alluma une. Après quelques bouffées, il sentit quelques lointains signaux de son tractus intestinal lui annoncer qu'il pourrait forcer le mouvement en cas de besoin. Pierre Broussard, il en était sûr, devait faire partie du genre pudibond à se sentir gêné de se trouver témoin des bruits indélicats produits par un ami.

La porte extérieure claqua et il entendit des voix d'hommes bruyantes. Leurs bruits de pas se dirigèrent vers les urinoirs, puis séjournèrent brièvement vers les lavabos, puis ils ressortirent et le silence revint. Assis sur le siège qui se réchauffait, il conjurait des visions de Thelma Stutz penchée sur la photocopieuse. Il jeta un coup d'œil sur sa montre et, à deux ou trois kilomètres de là, il l'aida à monter dans le taxi qui l'attendait. Puis il entendit la porte des toilettes qui se rouvrait doucement. Des bruits de pas résonnèrent, puis s'arrêtèrent. Il sentit un regard qui se baissait et entendit la voix questionneuse de Pierre Broussard :

« Leonard ?

— Qui est là ? Est-ce vous, Pierre ?

— Oui, je... euh... je ne savais pas où...

— Ce dossier est fascinant. Littéralement fascinant. Je me régale.

— Eh bien, j'en suis... j'en suis heureux... je ne...

— Vous me cherchiez, Pierre ?

— Euh... pas exactement. J'ai essayé de vous téléphoner pour voir si vous aviez besoin de quelque chose et comme vous ne répondiez pas...

— Mon Dieu, excusez-moi, Pierre. J'imagine que j'aurais dû vous prévenir que j'allais au petit coin.

— Non, je vous en prie.

— Maintenant, vous savez tout de moi : je suis un adepte du trône. En fait, j'ai trouvé quelques-unes de mes meilleures idées sur des lunettes de cabinets. »

Il entendit le rire coincé de Broussard mais rien ne signalait qu'il s'apprête à partir.

« Excusez-moi, Pierre, je sens une idée me venir. »

Il contracta les muscles de son sphincter, poussant, flirtant avec une double hernie, et obtint un résultat presque immédiat.

Broussard se mit à tousser puis dit :

« Je serai à mon bureau si vous avez besoin de moi, Leonard. »

Dès qu'il eut tourné les talons, Ball commença à se rajuster. Il avait retrouvé toute sa dignité et se tenait près de la porte des lavabos quand Thelma y frappa enfin doucement. Il l'entrouvrit légèrement.

« Comment ça s'est passé ?

— Sans problème, dit sa secrétaire qui paraissait hors d'haleine.

— Bravo. Passez-moi ça », dit-il en glissant sa main dans l'entrebâillement.

Après avoir laissé retomber la porte, il transféra le contenu de l'attaché-case dans son dossier d'origine et sortit des lavabos.

« Je vais tâcher de faire vite, dit-il en lui tendant l'attaché-case. Faites attendre le taxi.

— Vous allez bien, monsieur Ball ?

— Je ne sais pas. Avez-vous déjà passé une semaine dans des toilettes ? »

Il lui fit signe de s'en aller et s'avança dans le couloir jusqu'à la porte de la salle de conférence. Elle était fermée.

« Nom de Dieu, murmura-t-il. »

Il avait oublié en sortant de relâcher le bouton de verrouillage de la poignée.

Il repassa par le hall d'entrée de la Française atlantique en expliquant à la réceptioniste :

« Je suis Leonard Ball de la C.B.S., je rapporte ça à monsieur Broussard. »

Et il pénétra dans la pièce contiguë dans un nuage de « Je Reviens ».

« Ah ! monsieur Ball... »

Les yeux violets se levaient vers lui avec un mélange de surprise et de plaisir.

« Hélène, mon chou, remerciez-le pour moi et dites-lui que je dois filer, voulez-vous ?

— Oui, monsieur.

— Et ceci vous appartient », dit-il en déposant le dossier sur son bureau.

Au lieu de tourner les talons comme il en avait l'intention, il s'entendit dire :

« Et vous, que penseriez-vous de m'appartenir ? Il faut que je déjeune avec vous demain. Répondez-moi vite oui. »

Elle sourit lentement avant de répondre :

« Oui.

— Chez vous ou chez moi ?

— C'est où chez vous ?

— Park East.

— J'adore les parcs, soupira-t-elle.

— Vers 13 heures ?

— Mais non, fit-elle avec une moue souriante. De midi à 2 heures. »

Il se sentit étourdi devant ce sourire et cet accent dont il savait qu'ils allaient lui donner le délire, et s'éloigna rapidement.

Pendant la descente de la cabine de l'ascenseur, il essaya de se souvenir quand il avait bien pu décider de laisser la porte de la salle de conférence verrouillée. Mais quand il atteignit le taxi qui l'attendait et y prit place près de Thelma Stutz, il admit qu'il ne s'agissait que d'un coup de chance.

Ils tinrent conseil pendant que le taxi roulait à travers la ville, Ball faisant la plus grande partie de la conversation pendant que sa secrétaire s'efforçait de tout noter en sténo sur le bloc installé sur ses genoux.

« Vous appellerez Tony Salmagandi sur la Côte pendant que je fais préparer le studio de Flash. Allez-y franco, sans résumé explicatif. Qu'il se trouve dans la salle d'enregistrement vidéo dix minutes après que vous ayez raccroché. Le matériel transmis s'intitulera le paquebot *Titanic*...

— Le *Titanic ?* dit-elle en lui jetant un coup d'œil étonné. »

Il lui désigna impatiemment son bloc sténo :

« Matériel documentaire ultra confidentiel pour une émission spéciale qui sera écrite sur la Côte par Brian Joy...

— J'y suis.

— Tony devra surveiller l'arrivée sur l'écran témoin et, dès que l'envoi sera terminé, qu'il fasse projeter dans son bureau où il aura convoqué un photographe muni de plein de pellicules et d'un objectif de gros plan...

— Qui attendra dans son bureau ?

— Juste. Qu'il photographie chaque page du matériel sur l'écran et le transpose en négatifs de vingt-quatre-trente-six, une seule copie. Il y a combien de pages ?

— J'en ai compté cent-soixante, dit Thelma Stutz comme le taxi s'engageait dans la Dixième avenue.

— Dites cela à Tony, plus une pour la page de titre.

— Très bien.

— Dès que les négatifs seront partis au développement au labo en urgence, qu'il appelle Brian Joy et lui dise de se mettre en route pour Fairfax pour y prendre le matériel, y compris les négatifs. Soulignez ça. Et quand Tony se sera assuré que les positifs sont lisibles, qu'il retourne la cassette vidéo à son bureau pour qu'elle soit effacée. Des questions ?

— Oui, monsieur Ball.

— Allez-y.

— Quand vous chercherez un autre job, je pourrai vous suivre ? »

Il répondit par un sourire aux yeux bruns chaleureux tournés vers lui, ravi de pouvoir croire que, s'il en avait eu le temps, il aurait pu envisager de faire des infidélités à une Française qu'il n'avait même pas encore sautée. Il se complaisait à entretenir tout ce qui pouvait venir renforcer son personnage de mauvais sujet. Mais, pour l'instant, il avait l'esprit bien trop sollicité par ailleurs. Il tapota donc la main de sa secrétaire d'un geste rassurant et se mit à fouiller sa poche, à la recherche de monnaie pour régler le taxi.

Dès qu'il fut arrivé dans son bureau, il décrocha le téléphone et composa le numéro de la régie finale, puis sortit les photocopies du tiroir de sa table de travail. Elles étaient nettes, de bien meilleure qualité que les originaux.

« Marty, ici Leonard Ball.

— Bonjour, monsieur Ball.

— L'antenne est-elle toujours fermée ?

— Oui. Pour encore trente-cinq, je vérifie, trente-sept minutes.

— Quelque chose en route dans le studio de Flash ?

— Beaucoup trop, monsieur. Il y a une audition d'artiste en cours, un essai écran qu'on envoie en Californie avec priorité absolue : le vice-président chargé de la programmation a besoin de décider d'une distribution avant 5 heures de l'après-midi, heure du Pacifique. Puis on a une fille de couleur pour un essai caméra sur le nouveau procédé français CFS 23, et s'il reste du temps...

— Il ne reste pas de temps, coupa-t-il. Qui est le chef d'émission ?

— Jim Botsworth.

— Appelez-le et dites-lui que j'arrive avec une urgence à transmettre à la Côte.

— Très bien, monsieur Ball.

— Et si qui que ce soit vous demande de quoi il retourne, dites qu'il s'agit d'un truc pour le patron.

— Bien, monsieur Ball.

— Merci, Marty. »

Il raccrocha et sortit une feuille blanche d'un tiroir, sur laquelle il inscrivit au feutre noir en majuscules d'imprimerie : MATERIEL DOCUMENTAIRE POUR LE PAQUEBOT TITANIC. Puis il feuilleta les photocopies où il oblitéra cinq à six fois des références au paquebot *Marseille*.

Thelma Stutz était en conversation interurbaine quand il arriva près de son bureau.

« Dites-lui d'attendre un instant.

— Monsieur ?... Monsieur... ? Voulez-vous m'excuser un instant, s'il vous plaît ? »

Elle couvrit le haut-parleur du combiné de la main et leva les yeux vers lui.

« C'est Tony, dit-elle.

— Vous appellerez aussi Brian Joy. Il se peut que j'aie oublié de lui annoncer qu'il est supposé faire un spécial pour nous.

— Vous n'avez pas oublié.

— Appelez-le tout de même. »

Il l'entendit reprendre sa conversation avec Salmagandi comme il se précipitait hors de son bureau pour filer vers le studio de Flash.

Son entrée dans la petite pièce surpeuplée fut suivie par des

250

regards réprobateurs tandis que, dans l'interphone, la voix du chef d'émission brisa leur concentration en leur signalant une pause.

« Je regrette les amis, je regrette », lança Leonard Ball à la cantonade.

Un jeune homme mince, de type italien, maquillé d'un fond de teint sombre et vêtu d'un sweat-shirt et de jeans, lança d'une voix désagréable :

« Qu'est-ce que c'est que ce bordel ? »

Ball lui jeta un regard glacial.

« Vous devriez surveiller vos expressions, jeune homme, on ne prononce jamais des mots pareils par ici avant 10 heures du soir. Il pourrait y avoir dans le couloir des petits enfants qui vous entendent. »

Le visage fardé se détourna vers le régisseur et lui dit :

« Vous me trouverez aux toilettes quand vous serez prêt.

— Ces acteurs ! soupira Ball. Préparez cela sur un chevalet, voulez-vous, Henry ? demanda-t-il au régisseur.

— Tout de suite, répondit Henry Simon.

— Ce que le patron demande, le patron l'obtient sans délai.

— Oh, je vois.

— Que faire d'autre ? » dit Ball en haussant les épaules.

Il sortit du studio et enfila le couloir jusqu'à la cabine de contrôle.

« Salut, Jim », dit-il au chef d'émission.

Botsworth, un chauve d'une cinquantaine d'années, assis entre l'ingénieur du son et l'opérateur vidéo, tapotait nerveusement la console du bout des doigts, les yeux fixés sur le mur d'écrans témoins qui lui faisaient face. Dans un coin sombre de la pièce, son assistant poursuivait à mi-voix une conversation téléphonique avec la Côte.

« Il vient juste d'entrer, l'entendit dire Leonard Ball.

— Tu l'as super bien remis en place, vieille branche, lui dit Botsworth de sa voix rocailleuse.

— Oh, tu as entendu ? fit Ball.

— Cette foutue tantouze », fit le directeur.

Les deux hommes qui l'encadraient marmonnèrent quelque chose comme :

« C'est du joli !

— Bonjour, les gars, leur dit Ball. Puis à Botsworth : Henry Simon est en train d'installer cent soixante et une pages sur un chevalet. C'est à transmettre à la Côte immédiatement.

— Je suis ton homme, mon pote. Comment tu les veux ?

— Sans fioritures, simplement très nettes. Pas d'effet artistique, juste de l'information. Donne-moi huit secondes par page.

— Veux-tu marcher pour quatre ?

— D'accord, quatre. »

Le directeur appuya sur le bouton de l'interphone.

« Henry, vous êtes prêt ?

— Oui, monsieur Botsworth, répondit la voix du régisseur.

— Joe, allez-y plein cadre. On fera quatre secondes sur chaque.

— Pigé », répondit le cameraman.

Ball vit apparaître la page de titre sur l'écran témoin central.

« Le *Titanic,* pour l'amour de Dieu, marmotta Jim Botsworth. Il appuya de nouveau sur le bouton de l'interphone. Est-ce que vous êtes aussi serré que possible ?

— Je peux pas faire plus ou je déchire vos papiers.

— Hé !... Hé !... Au fait, c'est sur la Californie ensoleillée qu'on balance ça, Henry.

— Je sais, monsieur Botsworth.

— Les gars, vous avez pas besoin d'un directeur. Je ne sers à rien. Monsieur Ball, il semblerait que nous soyons prêts à y aller.

— Une seconde, dit Ball en se tournant vers l'homme près du téléphone. Voyez si Tony Salmagandi se trouve auprès du magnétoscope là-bas, voulez-vous ?

— Salmagandi... salmigondis », chantonna Jim Botsworth.

L'homme près du téléphone lança :

« Oui, il est là, monsieur Ball...

— Bien.

— Mais il veut vous parler.

— Oh ! merde. Excusez-moi les gars. »

Ball se dirigea vers l'assistant d'émission et lui prit le combiné du téléphone.

« Oui, Tony ?

— Leonard, qu'est-ce que c'est que ce cirque ? gémit la voix lointaine.

— Dis-moi, est-ce que ma secrétaire ne t'a pas tout expliqué ?

— A moi, oui ! hurla Salmagandi. Mais pas à Lester Hammersmith.

— Hammersmith ?

— Le nouveau vice-président chargé de la programmation. D'où diable sors-tu ?

— Des C.B.S. News. De quoi *nous* informe-t-on ?

— Il est en train d'appeler le patron à New York dans la pièce d'à côté. Parce qu'il ne réussit pas à croire que même lui puisse annuler un essai écran qui va laisser une production de six cent mille dollars démarrer demain sans qu'on ait décidé d'une sacrée bon Dieu de vedette mâle. »

Ball sentit sa bouche se déssécher.

« Tony, vous autres, là-bas, vous ne connaissez pas le patron aussi bien que nous. Et maintenant, veux-tu bien arrêter de nous faire perdre du temps avant que l'antenne ne reprenne les émissions et que nous soyons *tous* coupés.

— Leonard, ça peut me coûter la peau des fesses.

— Je t'en paierai une nouvelle. Maintenant, que la caméra vidéo se remette en place, et grouille. »

Il tendit le téléphone à l'assistant d'émission qui le regardait intensément.

« Et allons-y. »

L'autre opina et dit dans le haut-parleur du combiné :

« Jack ?... Bien. Envoyez la bande. » Il reposa le combiné et lança : « Ça tourne. »

Botsworth appuya le bouton de l'interphone :

« Ça tourne. »

L'assistant d'émission enclencha le chronomètre.

Ball observait l'écran témoin central, conscient de la suée qu'il commençait à prendre. L'image était parfaitement au point et claire.

« C'est très bon, dit-il.

— J'ai aussi un très bon salaire, dit Jim Botsworth.

— Très juste, fit Ball, sans quitter l'écran des yeux.

— Quatre secondes, annonça l'assistant d'émission.

— La page suivante, dit Botsworth en appuyant sur le bouton de l'interphone.

Les yeux rivés sur l'écran témoin, Ball sentit une goutte de sueur rouler dans son œil gauche et l'essuya d'un doigt.

— Tous ces rigolos se trouvaient sur le *Titanic ?* demanda Jim Botsworth.

— Quatre secondes.

— Page suivante. »

A la quatre-vingt-neuvième page, le téléphone intérieur sonna.

« La barbe ! grogna Jim Botsworth.

— Continuez, dit Ball qui se leva rapidement pour aller répondre au téléphone : oui ?

— Pourrais-je parler à M. Leonard Ball, je vous prie ? demanda une voix féminine dont il connaissait bien la courtoisie impérieuse.

— Je regrette. Il n'est pas là.

— Qui est à l'appareil ? » s'enquit la voix.

Il hésita un instant et raccrocha le combiné. La secrétaire du patron devait regarder son téléphone avec étonnement. A présent, elle devait raccrocher. Et maintenant, elle devait être en train de décider qu'elle allait recomposer le numéro. Ball décrocha le combiné et le posa sur la console. Puis il fixa de nouveau son attention sur l'écran témoin : sur la liste des W d'un rôle de passagers d'un navire qui n'était pas le *Titanic*.

Ils approchaient de la fin à présent. C'était fini. Lui aussi, selon toute vraisemblance, à la C.B.S. Il y réfléchit pendant un moment, sans réussir à se sentir inquiet. Au lieu de cela, un délicieux frisson, né d'un bien agréable sentiment de vacuité, prit naissance à la hauteur de ses reins et lui grimpa le long de la colonne vertébrale pour venir s'épanouir sur ses lèvres dans un large sourire silencieux.

Il venait vraiment de passer une journée extraordinaire. Comme il souhaitait en connaître beaucoup d'autres.

Chapitre XXVIII

Latitude 29° N., Longitude 53°0., : 16 h 50. Au-delà du double vitrage des fenêtres de la salle à manger « Méditerranée », les vagues rugissaient et sifflaient leur écume en s'écrasant contre la proue. A l'intérieur, on n'entendait rien d'autre que le murmure des conversations et le tintement des tasses à thé contre les soucoupes. Après avoir parcouru les quatre pages placées devant elle par Yves Chabot, Julie s'exclama :

« Mon Dieu ! mais que pouvez-vous donc bien faire de tout cela ?

— Et ce n'est rien, sourit le Français. Si j'avais inclus tous nos remèdes contre le mal de mer, les courbatures, la migraine, le mal de dents, les excès de table, les gueules de bois et autres, c'est un livre que je vous aurais remis. Ce que vous trouverez ici, ne sont que les drogues les plus puissantes de notre arsenal, celles qu'on utilise contre les crises cardiaques, les néphrites, les crises d'épilepsie, les hémorragies cérébrales, les chocs insuliniques, les fractures, et les tentatives de suicide qui n'ont jamais lieu à bord du Marseille.

— Vous disposez ici de plus d'ampoules, de cachets, de fioles et de capsules que tous les médecins de Beverly Hills réunis que, parfois, fit Julie en levant les yeux vers lui, j'aimerais bien réunir pour les jeter tous dans le même trou.

— Votre mari, madame, votre mari, fit Chabot en remuant un index raisonneur.

— Billy y compris, répondit-elle. La plupart de leurs pratiques médicales consistent à prescrire à leurs patients des produits pour éliminer les effets secondaires de leurs ordonnances réciproques.

— Soyez néanmoins assez bonne, délicieuse créature, pour remettre cette liste au Dr Berlin dès que vous aurez fini votre thé, afin qu'il la transmette sur les ondes.

— Bien entendu. Il en sera ravi. Il y a des hommes qui lisent *Playboy*. Mon mari, lui, ne s'intéresse qu'aux brochures pharmaceutiques et aux QST. »

Le médecin du bord la dévisagea un instant en silence.

« En dépit de votre défiance à l'endroit des préparations médicinales *et* des hommes qui les prescrivent, je tiens à vous rappeler que nous espérons tous que se trouve, quelque part dans cette liste, la réponse à notre plus important problème...

— Ou comment combattre des armes à feu avec des comprimés d'aspirine, ne put-elle s'empêcher de lancer avec une pointe de sarcasme.

— Non. Pas avec des cachets d'aspirine, dit-il en haussant les épaules. Mais peut-être, qui sait ? avec du cyanure.

— Du cyanure ? dit-elle en ouvrant de grands yeux incrédules. Vous n'allez pas me dire que vous avez de pareilles choses à bord ? »

Il opina.

« Grands dieux ! mais pourquoi ?

— Pour la désinfection et d'autres formes d'extermination nécessaires. La Compagnie française n'aime pas parler des exotiques créatures ailées ou rampantes, ni des petits animaux à quatre pattes, des rongeurs si vous préférez, qui envahissent le *Marseille* au cours de certaines de ses escales pendant sa croisière annuelle autour du monde...

— Brrr, fit Julie en frémissant.

— Sans compter, dit-il avec un sourire amusé, que ces composés chimiques sont parfois notre seul remède contre les épouses cyniques.

— Je ne l'ai pas volé, dit Julie avec un désespoir affecté. Les méchants périront par...

— Pas du tout, sourit Chabot, vous n'êtes pas irrécupérable, vous vous efforcez seulement de le paraître. A présent, vous devriez glisser ce document dans votre sac à main et me faire part de votre emploi du temps afin que nous puissions prendre contact rapidement si besoin était.

— Eh bien, en premier lieu, je vais aller tout droit porter cette liste délicieusement empoisonnée à Billy, dit-elle en glissant les papiers dans son sac à main. Ensuite, voyons, j'ai promis à Harold Columbine de prendre quelques cocktails avec lui dans le salon du pont-promenade couvert vers 5 heures et demi. Après quoi, je n'ai plus de plans.

— Je me serais bien invité à votre table pour le dîner, si je ne craignais que ce soit imprudent.

256

— Vous pensez que ça ferait jaser ? demanda-t-elle en lui souriant.

— Je ne pensais pas à cela, mais à nos ennemis. »

Son sourire s'effaça. Le docteur se leva et baissa les yeux sur elle en disant :

« Je vous en prie... soyez prudente.

— Je le serai », lui répondit-elle d'une petite voix.

Assise là, à prendre le thé avec lui, elle s'était sentie incroyablement mieux, presque sans souci. Maintenant, en le regardant s'éloigner, un vague frisson prémonitoire s'empara d'elle.

Elle souleva son verre d'où elle prit une gorgée d'eau pour se rincer les dents, une manie dont elle était secrètement honteuse. Puis elle remarqua deux ravissantes Américaines, assises à une petite table près de l'entrée, qui l'observaient en souriant. Elle avala l'eau, se leva, et s'avança, sentant leurs yeux toujours rivés sur elle quand elle arriva à hauteur de leur table.

« Hé ! c'est Mme Berlin ! » lança une voix douce et agréable.

Julie s'arrêta et baissa vers elles un regard dubitatif.

Celle de gauche avait les cheveux d'un noir de jais et portait de larges lunettes fumées. L'autre, coiffée d'une seyante et courte perruque blonde adressa à Julie un grand sourire qui découvrit de jolies dents éclatantes de blancheur.

« Vous êtes bien Julie Berlin, n'est-ce pas ? demanda-t-elle.

— C'est bien moi, répondit Julie qui se demandait si elle les connaissait ou non.

— Ne vous étonnez pas, reprit la femme à la voix douce. Le commissaire du bord nous a indiqué votre nom. Je suis Edith Carter, et voici Jill Pleasance.

— Très heureuse, les salua Julie. Est-ce que par hasard je serais célèbre sans le savoir ?

— Non, mais vous *êtes* de Bel Air. Et ça se remarque, vous avez du style si vous voulez bien me pardonner de le dire aussi brusquement...

— Pardon accordé.

— Et nous vous avons remarquée, et enviée, avec ce joli garçon qu'est le médecin du bord. »

Ne s'agissait-il que de cela ?

« Les filles, dit-elle, si vous avez vraiment envie de le connaître, faites comme moi : attrapez une angine, et allez le consulter, lui, personnellement. »

Les deux femmes éclatèrent de rire et Jill Pleasance dit :

« Nous sommes mariées à deux types qui, à passer cette traversée à jouer au gin rummy comme ils le font, mériteraient bien cela. Toutefois, ce n'est pas le docteur joli garçon qui nous préoccupe pour l'instant. Pourrions-nous aller quelque part pour bavarder un peu avec vous, Julie ?

— J'en serais ravie, dit Julie, si je ne devais rejoindre ma cabine immédiatement.

— Nous avons besoin d'un conseil d'expert, insista Edith Carter. Ce ne sera pas long.

— Je regrette de ne pouvoir me montrer plus coopérative. Peut-être à un autre moment...

— Aucun problème, l'interrompit la femme brune. Viens, Jill, bouge tes fesses, dit-elle en repoussant la table pour se lever tout en regardant Julie. Nous allons vous accompagner et discuter de notre petit problème en chemin.

— Non, vraiment... » bafouilla Julie sans trouver ses mots.

Mais les deux femmes l'avaient déjà précédée vers la porte. Elle les suivit, irritée contre elle-même pour s'être abandonnée à s'arrêter et à parler avec des inconnues, et pour n'avoir pas trouvé le moyen de s'en débarrasser. Elle n'allait sûrement pas les laisser l'escorter jusqu'à la cabine, ça, c'était certain.

« Accrochez-vous, mesdames, lança Jill Pleasance en se soutenant contre la paroi du couloir. Ce bateau tangue autant que mon mari après trois verres.

— Le mien est parfaitement immobile, lança Julie. Il est cloué au lit par une mauvaise grippe, et n'attend que l'occasion de la refiler à quelqu'un.

— Je n'attrape jamais rien, dit Jill Pleance.

— Ce dont nous voulions vous parler, commença la femme brune aux lunettes fumées, tandis qu'elles avançaient à pas mesurés en direction de l'ascenseur, eh, bien, c'est... Jill et moi avons pensé que notre charmant commandant se préoccupe toujours d'organiser des fêtes pour les passagers au cours de ces traversées, mais personne ne fait jamais rien pour lui. Aussi, Jill et moi, nous nous sommes dit que ce serait merveilleux de réunir un petit groupe et de faire une fête spécialement pour lui...

— Très bonne idée, dit Julie.

— Le seul ennui, c'est que je suis de Fort Worth et Jill d'El Paso. A nous deux, nous n'avons pas réussi à trouver une seule idée qui ne dégouline pas de sauce de barbecue...

— Et c'est pourquoi vous vous êtes tournées vers moi ? demanda Julie.

— Tout juste », répliqua Edith Carter comme elles arrivaient devant les portes fermées de l'ascenseur.

Elle appuya sur le bouton d'appel marqué « descente », et poursuivit :

« Si une dame de Bel Air ne peut pas nous trouver une idée géniale pour une fête, j'ai été trompée par *Women's Wear Daily* et je vais résilier mon abonnement.

— C'est bon, dit Julie. Laissez-moi la nuit pour y réfléchir.

— J'ai toujours été d'avis qu'il faut battre le fer pendant qu'il est chaud », dit la blonde aux cheveux courts.

Puis Edith Carter adressa un sourire amical à Julie et ajouta :

« Nous n'allons pas risquer de vous perdre maintenant que nous vous avons trouvée, ma chérie.

— Vous semblez ne pas comprendre, fit Julie qui trouvait leur insistance bizarre, que je parlais sérieusement au sujet de la grippe de mon mari et...

— Alors, allons chez Jill, dit la brune en se tournant vers son amie. Ça ne te dérange pas, ma belle ?

— J'en serais ravie, répondit Jill Pleasance.

— Mais pas *moi*, dit Julie en hochant la tête. Pas maintenant. »

" Quelles glues ", pensait-elle intérieurement. Elle se précipita dans l'ascenseur dont les portes s'ouvraient.

« Attendez-nous ! lancèrent-elles en s'engouffrant dans la cabine à sa suite.

Elle appuya sur un des boutons.

— Je vais au pont des premières. Et vous ?

— Où que vous alliez, nous allons », plaisanta Edith Carter.

Julie pinça les lèvres. Elle se tourna en disant :

« Maintenant, écoutez-moi... »

Mais elle s'interrompit en les voyant regarder fixement derrière elle. Elle se tourna brusquement et aperçut une femme au visage olivâtre, en tailleur de gabardine blanche, qui s'élançait vers les portes en train de se refermer en criant :

« Arrêtez, s'il vous plaît, arrêtez-les. »

Julie enfonça le bouton marqué « ouverture » et les portes s'écartèrent devant la femme qui pénétra dans la cabine, hors d'haleine et souriante, en disant :

« Merci, merci... »

Ce fut alors que Julie reconnut les traits fins de l'hôtesse du bord.

« Bonjour, mademoiselle Shanelli, la salua-t-elle.

— Oh... madame Berlin... Bonjour... dit Olga Shanelli dont les yeux noirs se mirent à sourire. Appuyez le bouton du pont A, voulez-vous ? Moi, je descends vers les profondeurs. »

Julie enfonça le bouton en entendant la femme qui lui demandait :

« Au fait, vous ont-elles trouvées ? »

Les portes de la cabine commençaient à se refermer. Julie se tourna avers elle.

« Qui cela ?

— Ces deux charmantes dames américaines si enthousiastes au sujet de notre petite création de la Du Barry la nuit dernière. Je vous en laisse tout le mérite. Après tout, ce n'est pas moi qui l'ai portée. »

Julie sentit son cœur se soulever plus vite que l'ascenseur.

Puis la femme jeta un coup d'œil derrière elle et lança :

« Grands dieux ! ainsi, vous vous êtes retrouvées. Je ne vous avais même pas reconnues, excusez-moi. Mais vous avez changé de coiffure, n'est-ce pas ?

— Nous avons juste un peu recoiffé nos perruques », dit Harriet Kleinfeld sur un ton calme et désinvolte.

Olga Shanelli éclata de rire et les portes s'ouvrirent sur le pont des premières. Julie resta immobile, sentant son sang se figer, tout entière figée par la peur qui montait en elle et la paralysait.

« Ce sont les premières, Julie », dit doucement Betty Dunleavy derrière elle.

Julie ne bougea pas.

« On y va ? » insista la voix calme.

Julie attendit et les portes se refermèrent.

Olga Shanelli jeta un coup d'œil sur les deux visages impassibles à l'arrière, puis sur le profil gris et tendu près des portes, et se sentit envahie d'un bizarre malaise.

« Eh bien, mes amies, dit-elle, avez-vous des plans pour cette soirée de gros temps ? Champagne et dramamine, peut-être ? »

Personne ne répondit. On n'entendait que le cliquetis régulier de la descente de la cabine.

« Ne craignez rien, continua-t-elle, Shanelli vous trouvera quelque chose en accord avec la situation. »

Elle regarda le profil fermé.

« Y a-t-il quelque chose... est-ce que je peux faire quelque chose pour vous, madame Berlin ?

— Oui ! hurla Julie en se détournant brusquement. Oui ! » reprit-elle en saisissant la femme ahurie à bras-le-corps comme l'ascenseur s'immobilisait, et elle la jeta violemment sur les deux autres qui commençaient à s'avancer. Elle entendit leurs cris étonnés de douleur et de rage tandis que leurs corps moelleux entraient rudement en contact avec le métal rigide de la paroi arrière de la cabine. Et elle s'enfuit par les portes qui s'ouvraient dans le couloir interminable et tanguant, rebondissant d'une rampe à l'autre, gémissante, faisant tomber son sac et son précieux contenu. Elle s'arrêta, tomba à genoux, le ressaisit, se remit sur pied et reprit sa fuite en courant. Elle jeta un coup d'œil par-dessus son épaule, et les vit bousculer Olga Shanelli pour la prendre en chasse.

« Billy..., s'entendit-elle gémir, Billy... »

Une porte, marquée « escalier des cabines ». Elle l'ouvre et se jette dans l'escalier. Elle monte. Il le faut. Il faut continuer. Le pont principal. Non. Plus haut. Pas le pont-promenade non plus. Continue, Julie. Pont des premières. Grouille-toi... Billy... Ciel, sa cheville. Je ne peux plus... Si. Ces marches finiront-elles jamais ? Le cœur qui s'emballe.

Je ne peux plus, Billy...

Elle les entend. Elles sont derrière elle. Au-dessous d'elle. Le bruit de leurs pas se rapproche. Elles trébuchent sur les marches, la voix rauque...

« Nom de Dieu, avance... »

Une porte grise devant elle. Elle court. L'ouvre à la volée. Le pont des premières. Oui. Le couloir est désert. De quel côté aller ? A droite ? A gauche ?

Elle part sur la gauche. Le navire fait une embardée.

Elle manque perdre l'équilibre, le retrouve et reprend sa course... plus vite... l'œil attentif. Mais où est-elle ?

Cent soixante-quatre... Cent soixante-quatre... Quatre-vingt-quatorze...

Dieu ! elle a pris la mauvaise direction.

Elle se retourne, s'agrippe à la main courante. Puis elle retourne sur ses pas, passe devant la porte grise en courant. Elle a entendu le son de leurs voix de l'autre côté.

Vite.

Cent soixante-douze... soixante et onze... soixante-dix... Cent soixante-neuf... huit... sept...

Elle les entend passer la porte.

Elle n'y arrivera jamais.

Cent soixante-cinq...

Elles l'ont aperçue et lui crient quelque chose.

Cent soixante-quatre.

« Billy !... ouvre, vite !... » lance-t-elle en frappant, frappant...

Elles se rapprochent, titubant sous les coups de roulis, leurs perruques de travers.

« Billy !... crie-t-elle en frappant.

— Julie ? fait sa voix assourdie.

— Vite ! Ouvre, ouvre ! dit-elle en frappant.

— C'est toi ?

— Oui ! Dépêche-toi !

Un grincement de verrous.

— Ouvre ! Mais ouvre donc ! »

Elle les voit approcher en titubant.

" Ne m'approchez pas ! " hurle-t-elle intérieurement.

Elle entend la serrure jouer et elle s'engouffre en bousculant Billy, et claque la porte derrière elle, remet les verrous en place, se retourne et lui pose la main sur la bouche. Elle le regarde dans les yeux qu'il écarquille d'étonnement, et commence à trembler des pieds à la tête en continuant à presser son visage sous sa main comme sous un étau.

Des coups résonnent sur la porte.

Elle le regarde dans les yeux en faisant non de la tête.

De nouveaux coups. Plus forts. Impatients.

« Madame Berlin ?... appelle la voix douce, beaucoup moins douce maintenant. Madame Berlin ?... »

Julie s'accroche à Billy, l'œil rivé sur la porte, immobile.

Quelques coups retentissent encore sur la porte avant que l'autre voix lance :

« Nous vous retrouverons plus tard, Julie. »

Puis ils ne distinguèrent plus que le bruit lointain du claquement des vagues contre l'acier de la coque, celui de l'écume qui sifflait comme la vapeur d'une bouilloire, et le gémissement des structures de la cabine sous l'effort du navire. Elle lui libéra le visage de la pression de sa main.

« Elles sont parties, soupira-t-elle.

— Que diable signifie tout cela ? demanda-t-il en scrutant interrogativement son regard. Qu'est-ce qui se passe ? »

Elle fouilla son sac à main.

« De la part du Dr Chabot... La liste des produits pharmaceutiques. »

Avec une expression encore un peu médusée, il prit les papiers qu'elle lui tendait.

« Il faut que tu envoies cela tout de suite à Brian Joy.

— J'étais juste en train d'essayer de le joindre, dit-il en désignant l'émetteur-récepteur sur la table.

— Alors, continue. Dépêche-toi.

— Vas-tu te décider à me dire ce qui se passe ? demanda-t-il en la prenant par le bras.

— Oui. Oui, bien sûr. Dès que tu auras transmis tous les produits qui se trouvent sur cette liste. »

Elle détourna la tête pour lui cacher les larmes qui lui montaient aux yeux.

« Julie ?

— Oh ! Billy, ça devient difficile... trop difficile... et je ne crois pas que ça puisse s'arranger... gémit-elle. »

Et, sans pouvoir davantage contenir ses sanglots, elle se laissa aller contre sa poitrine tandis qu'il lui entourait les épaules d'un bras protecteur.

Les brumes matinales de la Californie s'étaient dissipées devant le soleil de midi qui pénétrait dans la pièce en se réverbérant sur le capot du Signal One de Brian Joy et l'obligeait à cligner des yeux. Il aurait souhaité disposer de dix secondes pour aller tirer les volets, mais il ne pouvait en être question. Il lui fallait mobiliser toute son attention pour essayer de se maintenir au rythme de la voix qui s'élevait du haut-parleur, pour noter tous les termes pharmaceutiques barbares qui, même sans le crachotis des parasites estivals et les brouillages involontaires d'autres stations, lui auraient tout de même paru du charabia. Tandis que son stylo glissait sur la feuille de son bloc, il sentait naître en lui un respect tout nouveau pour les secrétaires qui, sans récriminer, avaient pris sous le feu de sa propre dictée au fil des années agitées.

« ... Verutinium... éther vinylique... chlorhydrate de xylocaïne pour anesthésie rachidienne... Zarontin... »

Et cette bon sang de porteuse qui venait interférer ! Et cet accent de la Nouvelle Angleterre demandant :

« Cette fréquence est-elle occupée ?

Il jeta son stylo sur le plateau de son bureau et saisit le micro :

— Oui, cette fréquence est occupée. Pourquoi ne vous mettez-vous pas à l'écoute avant d'émettre ?

— Excusez-moi, mon vieux. »

Billy Berlin avait disparu pendant cet échange. Brian Joy attendit une ouverture et intervint rapidement :

« W6 mobile maritime. W6LS. QSL complet jusqu'à anesthésie rachidienne. Veux-tu répéter la suite, à partir de Zarontin. A toi. »

Billy revint avec un bon cinq sur sept, et reprit sa transmission de la liste des produits pharmaceutiques du *Marseille*. L'un et l'autre avaient abandonné leur prudence aux vents de l'Atlantique Sud, renonçant à leur code élaboré pour se contenter de circonlocutions. Trop de mots devaient rebondir de l'un à l'autre à travers les milliers de kilomètres qui les séparaient pour qu'ils puissent se permettre de perdre du temps qui leur était mesuré. « Eric, Charlie, Frances et Charlotte », ainsi que tous les prénoms des fantômes étaient devenus « les amis du pays » auxquels Billy envoyaient ses amitiés depuis le *Flying Unicorn*. Et tous les noms de produits chimiques barbares ne faisaient plus figures que d'accessoires médicaux suggérés par le docteur en vacances pour une scène d'hôpital dans le « nouveau pilote » sur lequel travaillait Brian Joy.

Il penchait la tête pour mieux tendre l'oreille, tandis qu'il sentait ses doigts au bord de la crampe et que la transpiration lui collait sa chemise de coton à la peau. Il commençait aussi à penser aux questions que Billy allait lui poser quand il aurait fini sa dictée, et aux réponses qu'il pourrait lui faire sans mentir plus que nécessaire.

« ... Zarontin... Sulfocarbol de zinc... Zolamine injectable... chlorhydrate de Zylofuramine... O.K., Brian, c'est tout. C'est à peu près tout ce que je peux te suggérer pour l'instant. W6LS. W6VC mobile maritime Région Deux à bord du *Flying Unicorn*. A toi.

— Roger sur tout, Billy, et merci mille fois. Je ferai part de toutes tes idées à mes collègues de la chaîne, et il se pourrait même que je te fasse obtenir une pige. D'accord ?

— Parfait. A présent, Brian, as-tu quelques bonnes nouvelles pour moi ? Est-ce qu'un développement positif se produit au sujet de ce dont nous avons parlé dans notre dernier QSO ?

— Oui, Billy, oui. Tout semble s'enclencher à merveille. »

Une sonnerie retentit dans la pièce, comme si son mensonge avait déclenché une sonnette d'alarme, et il lui fallut un moment pour comprendre qu'il s'agissait du téléphone. Il tourna la tête et cria :

« Maggie ?

— Oui ! répondit-elle de quelque part dans la maison.

— Le téléphone !

— C'est probablement pour toi !

— Veux-tu répondre à ce bon Dieu de téléphone ! »

Il reprit l'écoute de la voix de Billy couverte par le bourdonnement du téléphone qui s'arrêta enfin. Il appuya le bouton du micro.

« Excuse-moi, Billy. Le téléphone m'a fait manquer la plupart de ce que tu viens de dire. Voudrais-tu répéter.

— Je disais que les conditions, atmosphériques et autres, tu vois ce que je veux dire, Brian, les *conditions* deviennent difficiles. »

En dépit des parasites on ne pouvait ignorer l'anxiété qui émanait de sa voix.

« Ce mal de mer, tu sais, celui dont je t'ai parlé hier, semble s'aggraver d'heure en heure, et je ne sais plus quoi te dire, sinon que je reste sur la fréquence dans l'attente de notre prochain contact. Mais je t'en prie, Brian, trouve-moi une solution. On commence à se faire bien du souci par ici, je veux dire à propos de mes signaux et du reste. Et la prochaine fois où je te parlerai, il me faut un bon report, tu comprends ce que je veux dire ? Nous avons vraiment besoin d'un bon report, Brian. A toi. »

Que pouvait-il lui dire ? Même si la bande n'était pas écoutée par un millier d'oreilles curieuses... même s'il y avait zéro chance sur un million pour que quelqu'un, dans la salle radio du *Marseille*, tombe par hasard sur un contact radio amateur entre une station émettant depuis un cargo tout proche et une autre aux Etats-Unis... il ne voyait pas quelle consolation pourraient tirer Billy ou le capitaine Girodt et son équipage de savoir que des gens, pleins de bonnes intentions, se démenaient sur deux continents pour essayer de les sauver, mais sans réussir à trouver ce dont ils avaient besoin. Aussi, répondit-il :

« Oui, Billy. je comprends très bien ce que tu essaies de m'expliquer. Je veux que tu saches que toutes les informations que tu nous as transmises nous sont très, très utiles. Toutes ont été transmises ou vont l'être et on les utilise. Et je peux te garantir que tous les problèmes trouveront une solution. Tu as bien reçu cela ?

— Mais Brian, chevrota-t-il, regarde le cadran du réveil qui se trouve sur ton bureau et ne le perds pas de vue. Tu vois de quoi je veux parler ?

« Bien entendu ! » répondit-il sèchement avec une trace de colère.

Il se retourna en entendant du bruit derrière lui. Maggie se tenait sur le pas de la porte.

« C'est Tony Salmagandi, dit-elle.

— Ciel, je l'avais presque oublié. »

Il enfonça le bouton du micro.

« Billy, attends un instant, veux-tu ? QRX. Et à Maggie : il est en ligne ?

— Non. Il a juste dit que tu sautes dans ta voiture et que tu fonces à la C.B.S. immédiatement. Quelque chose vient juste d'arriver de la part de Leonard Ball.

— Bon. Ne t'en vas pas. »

Il expédia rapidement Billy, prenant prétexte que les conditions de la bande devenaient trop mauvaises, et l'abandonnant sur quelques mots de réconfort patelins. Puis il éteignit ses appareils et se mit à rassembler ses papiers en disant à Maggie :

« J'espère que tu vas rester à la maison pendant mon absence.

— Si tu me le demandes.

— Oui. C'est important.

— Comment va Billy ?

— Pas fort. Je ne pense pas qu'il ait cru un seul des mensonges que je lui ai raconté.

— Tu ne sais pas mentir », dit-elle.

Il attrapa son veston qui se trouvait sur le fauteuil, fourra la liste des produits pharmaceutiques dans sa poche intérieure, s'avança jusqu'à Maggie et lui déposa un petit baiser sur les lèvres.

« A quoi dois-je cette faveur ? demanda-t-elle.

— Pour encaisser tout ce cirque.

— Qui a dit que je l'encaissais ?

— Et aussi pour me faire transférer tout appel qui proviendrait de Lisa Briande à Paris au bureau de Lloyd Shipley à Remo...

— Tu peux reprendre ton baiser.

— Je serai là-bas d'ici une heure.

— Mais que vas-tu donc chercher à Remo ?

— Un groupe de recherche, ça sert à chercher des solutions aux problèmes, non ? Et nous avons un problème.

— Comment se fait-il que nous ne soyons jamais allé les trouver au sujet de notre mariage ?

— Très drôle », dit-il en lui caressant le menton d'un baiser avant de sortir à toute vitesse en espérant qu'il y aurait assez de circulation à cette heure du déjeuner sur le boulevard Beverly pour l'exaspérer et lui faire oublier l'anxiété contenue dans la voix de Billy.

Harold Columbine avait la ferme conviction qu'un retard de vingt minutes de la part d'une femme équivalait à un message lui signifiant qu'elle regrettait de lui avoir donné rendez-vous. Il n'appréciait pas ce genre de message, surtout de la part de Julie. Aussi le déchira-t-il en décidant de lui accorder encore cinq minutes, se laissant bercer par le doux roulis du navire et de son deuxième dry martini. Au bout d'un moment, il en eut assez, pas des dry martini, mais d'attendre. Il appela le barman auquel il demanda de lui passer un poste de téléphone.

« Et pendant que vous y êtes, vous feriez bien de préparer un petit frère à celui-là, dit-il en désignant son verre.

— En voulez-vous un double, monsieur ?

— Excellente idée. »

Elle répondit au téléphone à la première sonnerie par un nerveux :
« Qu'est-ce que c'est ?

— Madame Berlin, mon cœur, c'est votre prince Harold dont la montre marque 6 heures moins 10 et qui se languit de vous voir.

— J'aurais dû vous appeler, Harold. Je ne peux pas venir, dit-elle d'un ton qui lui parut contracté.

— Savez-vous bien à quoi vous me condamnez, bébé, à m'abandonner ainsi à la merci de la volonté d'un barman ?

— Excusez-moi, dit-elle sèchement.

— Et en plus de ça, il y a une poupée à l'autre bout du bar qui me fait manifestement de l'œil. Ma seule raison pour l'avoir ignorée est que je ne saurais me montrer infidèle à mon seul véritable amour. »

266

Il se surprit à penser qu'il ne plaisait qu'à moitié.

« Il faut que je raccroche maintenant, répondit-elle.

— Vous avez l'air bizarre, que se passe-t-il ?

— Je vous expliquerai une autre fois.

— Au dîner ? Je vous en prie.

— Si je... si ce n'est pas dangereux de sortir.

— Vous êtes en danger, c'est ça ? »

Silence à l'autre bout du fil.

« Votre mari et... ?

— Non, le coupa-t-elle rapidement.

— Ils ont trouvé qui était Mme du Barry ? »

Elle ne répondit pas.

« Je passerai vous chercher à 9 heures. Il vous faut un garde du corps. Et je ne peux imaginer un corps que j'aurais plus de plaisir à garder. »

Comme elle demeurait muette, il lui dit donc au revoir et raccrocha, décidant de ne pas s'inquiéter avant 9 heures de cette nouvelle menace contre elle et, en conséquence, contre lui. Il serait moins inquiet, pensa-t-il, s'il s'occupait à autre chose. Il commença par attaquer le nouveau double dry martini qui se trouvait devant lui.

L'autre chose avait pivoté sur son tabouret de bar, et lui présentait maintenant ses jambes. Des jambes nues et fuselées qu'un bronzage sombre et un short beige faisaient paraître encore plus longues. Elle portait une chemise d'homme ouverte jusqu'au creux de l'estomac dont les pans étaient noués d'une manière coquine sur son nombril. Son visage aux pommettes saillantes et aux larges yeux bruns, encadré par de courtes mèches brunes, avait la couleur du thé. Le genre de châssis et d'expérience qui se rencontrent du côté de la 32ᵉ rue, se disait-il en l'observant. Il essaya vainement pendant quelques instants de refréner ses instincts mais, comme elle posait les yeux sur lui en tirant une longue bouffée sur sa cigarette en faisant rouler la fumée sur sa langue, les lèvres entrouvertes, comme sur un long baiser, il n'eut pas la force de dominer le Harold Columbine qu'il pratiquait depuis de si nombreuses années, Julie Berlin ou pas.

Il se leva de son tabouret, prit son verre et le transporta auprès d'elle, renversant en chemin quelques précieuses gouttes de gin sur le plancher du navire ivre de roulis.

« Vous permettez ? dit-il en se perchant sur le tabouret voisin du sien. »

Elle lui répondit par un sourire qui fit naître des pattes d'oie aux coins de ses yeux. Ce qui la lui fit resituer aux alentours de la 38ᵉ rue tout en lui convenant encore parfaitement. Maintenant qu'il l'avait approchée d'assez près pour s'enivrer de son odeur musquée, rien n'aurait pu éteindre sa flamme.

« Harold Columbine, se présenta-t-il.

— Je sais, répondit-elle. Vous n'imaginez pas que je draguerais n'importe quelle canaille ?

— Ah, on ne baise qu'avec les stars, c'est ça ?

— Qui a parlé de baiser ? dit-elle sans même ciller.

— Moi, il me semble. Et, soit dit en passant, ce n'est pas vous qui m'avez dragué. C'est moi qui vous drague.

— Dans ce cas, vous pouvez m'offrir une autre vodka sur des glaçons. »

Il attira l'attention du barman discrètement inattentif.

« Ma sœur reprendra la même chose. Pour moi, ça va.

— Louise Campbell, dit-elle.

— Madame ?

— Mademoiselle.

— Bonjour, Lou.

— Salut.

Il crut la voir sourciller imperceptiblement. Puis elle baissa les

— Vous faites la traversée en solitaire ?

yeux sur son verre vide et répondit :

« Oui.

— Et ce n'est pas très folichon, pas vrai ?

— Hon-hon, fit-elle en fermant les yeux et en hochant la tête.

— On pourrait peut-être y remédier ?

— Ça dépend de vous, dit-elle en lui lançant une œillade provocante.

— Vous ne sauriez tomber dans des mains plus aimantes », dit-il le regard fixé sur ses lèvres.

Elle saisit le verre que le barman venait de poser devant elle et en avala une longue rasade qui la laissa un peu suffocante. Il prit sa main dans la sienne. Le courant passait.

« D'où êtes-vous, mon chou, Fort Worth ou Dallas ?

— Houston, dit-elle. C'est si évident ?

— Délicieux. J'adore. Avez-vous lu un de mes livres ?

— Non, mais je n'ignore rien de vous, dit-elle en serrant sa main. Vous êtes vraiment dépravé.

— Je peux vous le prouver avec votre permission. »

Elle lui répondit en entrelaçant ses doigts aux siens tandis qu'il levait son verre et le vida presque.

« Me le permettrez-vous ? »

Elle le regarda droit dans les yeux et souleva sa main jusqu'à sa bouche, puis la mordilla et lui lécha la paume.

« Ciel, ne faites pas ça, grogna-t-il.

— Pourquoi non ? sourit-elle en recommençant.

— Ça me tue, soupira-t-il.

— Ça me plairait bien.

— Ici ?

— Pas exactement. »

Il sentit naître une agréable tension entre ses jambes.

« Dites-moi que je ne rêve pas, bébé ?

— Je ne sais pas, dit-elle en le regardant dans les yeux. On pourrait peut-être essayer de le découvrir. »

Il avala le reste de son verre, se leva et se pencha sur elle. Comme il posait une main sur sa cuisse et l'autre dans son dos, elle pencha la tête de côté et sa bouche vint à la rencontre de la sienne. Sous l'effet du gin et de la moite odeur de musc qui émanait d'elle, il se sentit pris de vertige et murmura contre sa bouche ouverte :

« Oh, bébé, c'est trop, je n'y tiens plus. »

Elle caressa sa langue de la sienne en murmurant :

« Alors, vous feriez bien d'aller vous allonger.

— Pas sans vous. »

Il sentit le contact d'une clé glissée dans sa main.

« Accordez-moi cinq minutes », dit-elle en écartant ses lèvres des siennes.

Elle glissa de son tabouret et partit, le laissant planté là, les tempes battantes et raide d'excitation. Il s'accrocha au bar pour retrouver son équilibre et tourna les yeux vers le barman qui l'observait.

« Hé ! Occupez-vous de ce verre, voulez-vous ? Il me paraît un peu trop vide. »

Deux ponts plus bas, le cœur battant de crainte et d'espoir, elle attendait que le steward lui ouvre la porte de sa cabine.

« Mon mari attend un visiteur et ne veut pas être dérangé cette nuit, sous aucun prétexte.

— Très bien, madame Campbell. Mais si la femme de chambre de nuit...

— Sous aucun prétexte.

— Je comprends, madame. »

" Vous n'y comprenez rien ", se dit-elle à part soi en lui claquant la porte à la figure. Puis elle alla tirer les volets du hublot avant de se rendre jusqu'à ce bureau redouté. " Vous ne comprendriez pas pourquoi les vêtements de mon mari accrochés dans ce placard ne seront plus jamais portés, ni pourquoi je sors ce revolver de ce tiroir, ni la raison de cette moiteur entre mes cuisses à laquelle je ne comprends rien moi-même. "

La main serrée sur l'acier froid, elle baissa les yeux sur le silencieux, se sentant vaciller non point tant sous l'effet du roulis que par celui de la vodka qui lui montait à la tête en lui procurant des sensations aussi délicieuses qu'inattendues. Et quand elle tomba à la renverse sur le lit, au lieu de se relever, elle décida de rester étendue, oui, de rester là, ses merveilleuses jambes bronzées écartées dans une position d'invite. Puis elle décida de dissimuler le revolver sous l'oreiller où elle pourrait facilement le saisir de sa main droite. En prenant ces décisions qui n'avaient vraiment aucun sens puisqu'elle avait projeté de l'exécuter en position debout, dès son entrée, elle comprit sa moiteur et sut qu'elle se laisserait aller au plaisir de jouir de lui, de le prendre palpitant dans ses mains, de le faire pénétrer en elle pour apaiser sa faim dévorante, d'en tirer du plaisir jusqu'au bord de l'orgasme. Oui, elle s'arrêterait juste avant pour tendre la main vers l'arme. Elle avait droit à ce plaisir. Elle avait droit à tout ce qui pouvait lui faire oublier le chagrin et l'horreur. Les autres comprendraient et se réjouiraient pour elle. Après, elle le tuerait. Elle voulait le prendre et puis le tuer. C'était bien cela qu'elle voulait. Tout de suite. Elle déboutonna fébrilement son short et sa main glissa vers le mont dénudé situé au carrefour de ses cuisses écartées. Elle commença à se caresser amoureusement, bouche entrouverte, paupières closes, la langue tendue vers lui, tendue vers n'importe qui sur le vide qui la dominait, ondulant lentement sous la caresse de ses doigts et gémissant : « Baise-moi, chéri, baise-moi, oh ! Don chéri, baise-moi »... jusqu'à ce que le craquement du navire et les claquements lointains des vagues contre l'acier soient couverts par le bruit de la clé tournant dans la serrure et celui de la porte qui s'ouvre et se referme. Elle enleva sa main et la posa sur l'oreiller près d'elle, laissant ses boutons ouverts sur le lustre miroitant de ses poils. Il la découvrit ainsi quand ses yeux furent accommodés à l'ombre de la cabine.

« Oh, dit-il d'une voix rauque en s'avançant vers elle, que voilà un plaisant spectacle. »

Elle tendit la main vers lui et il s'approcha lentement sur le côté du lit, ses paupières lourdes baissées sur le triangle soyeux.

« Hello, chéri », chuchota-t-elle.

Puis elle se mit à frissonner de délices sous la caresse de sa main et de ses doigts qui se glissaient en elle, tandis qu'il se courbait et venait lui écraser la bouche sous la sienne.

« Oh, bébé, murmura-t-il contre son haleine pendant que sa main la fouillait de plus en plus loin.

— Ah, oui, Harold, oui, oh, oui, gémissait-elle en s'offrant tout entière à sa caresse. »

Il lui lâcha la bouche avec un bruit humide de succion et elle déplora un instant le retrait de sa main avant qu'il ne s'y prenne à deux mains pour la débarrasser de son short qu'il fit glisser de ses reins et le long de ses cuisses abandonnées. Alors, elle leva tout d'abord une jambe, puis l'autre, et ne fut plus vêtue que de sa chemise et de ses chaussures qu'il lui enleva en lui léchant la plante des pieds en lui serrant étroitement les chevilles.

« Amour », murmura-t-elle en fermant les yeux tandis que ses baisers remontaient le long de ses cuisses bronzées, et qu'il lui écartait les jambes pour les faire passer par-dessus ses épaules en s'agenouillant sur le lit.

Alors que la bouche sur sa vulve il lui en écartait doucement les lèvres avec ses dents pour laisser le chemin libre à sa langue, elle tendit les mains vers sa tête qu'elle pressa contre elle comme si elle avait voulu l'engloutir tout entier. Puis, lui relevant la tête, elle haleta :

« Harold, je veux vous voir, je vous en prie, déshabillez-vous. »

Elle le regarda avec des yeux lascifs se relever d'entre ses jambes et contourner le lit tout en défaisant sa chemise. Il se tenait debout, torse nu, un superbe mâle velu, assez proche pour qu'elle puisse sentir l'odeur de sa sueur et se cramponner à sa ceinture pour s'aider à se redresser en position assise, la tête chavirée. Jambes et cuisses de part et d'autre de lui, elle commença à embrasser son ventre tiède pendant qu'elle ouvrait son pantalon tendu.

Elle attendit qu'il finisse de se débarrasser de son pantalon et de ses chaussures et chaussettes en se disant qu'elle avait droit à cela, que les autres comprendraient ce désir. Ses mains l'attendaient quand il se redressa et ses paumes se saisirent de la rondeur musclée de ses fesses sur lesquelles elle exerça une douce traction pour amener son érection palpitante vers sa bouche affamée. Elle l'entendit soupirer : « Oh, superbe, bébé, superbe », tandis qu'elle prenait un infini plaisir à festoyer avec le suc de sa virilité en caressant le velouté de ses testicules pendant qu'elle sentait ses mains affolées errer de sa tête à ses épaules.

Ils comprendraient et lui pardonneraient. Oui, ils comprendraient qu'elle était parfaitement en droit de lécher sa propre salive sur la verge frémissante de ce mâle étranger, et de faire glisser lentement le cercle de ses lèvres d'avant en arrière sur ce pénis qui commençait à se mouvoir à son rythme personnel dans l'humidité de sa bouche accueillante.

Elle était parfaitement en droit d'agir ainsi, parce qu'elle le méritait, qu'elle en avait envie et que ça lui plaisait. Dieu, comme ça lui plaisait. Peu importe qu'il gémisse avec les mêmes cris d'extase qu'elle. Cela ne faisait qu'accroître son excitation, que rendre plus merveilleuse la récompense qu'elle s'accordait pour accomplir leur volonté, pour faire exploser ce corps et lui enlever la vie quand ce serait fini. Le renouvellement de cette conviction, cette belle certitude de son bon droit à lui faire ce qui lui plaisait ainsi qu'à attendre de lui qu'il comble ses désirs, sanctifiait sa jouissance en libérant un faim animale qu'elle n'avait jamais connue auparavant avec personne, pas même avec son mari, Dieu lui pardonne, pas même avec lui.

Il lui pétrissait la tête avec des mains convulsives tandis qu'elle l'entendait grogner de plaisir : « Dieu, quelle bouche. Quelle superbe bouche ! Oh, bébé, cette bouche ! » Puis il se recula, glissa hors de ses lèvres, s'écarta de sa langue qui le suivait et la prit sous les aisselles pour la mettre debout. Les mains sur ses fesses, il fléchit les jambes pour glisser sa verge entre ses cuisses en la serrant contre lui et sa bouche vint emprisonner la sienne tandis qu'elle levait les bras pour nouer ses mains derrière sa nuque. Ils s'embrassèrent longuement, profondément, langues emmêlées, retrouvant dans leur salive le goût de leurs sexes.

Quand les mamelons durcis de ses seins gonflés la poussèrent à détacher ses mains de derrière sa nuque pour aller défaire les pans de sa chemise noués sur son estomac, il quitta sa bouche en murmurant : « Laisse-moi faire, bébé, je t'en prie. » « Oui, amour, oui », lui répondit-elle dans un chuchotement. Pendant qu'il s'affairait pour libérer son torse, elle saisit son phallus frémissant et en frotta le gland empourpré contre les lèvres béantes de sa vulve en répétant encore et encore : « J'aime ton sexe, Harold. Oh, comme j'aime ton sexe », jusqu'à ce qu'il fasse glisser sa chemise de ses épaules tremblantes.

Puis il promena sa bouche de l'un à l'autre de ses seins libérés, léchant et suçant ses mamelons tour à tour en grognant de plaisir, pendant qu'à son entrecuisse sa main caressait son clitoris en érection. La tête renversée en arrière, les yeux clos, bouche entrouverte, ondulant sous la divine intervention de ses doigts savants, les mains crispées sur cette tête à la langue humide qui la faisait trembler de désir, elle gémissait : « Oui... oh oui... oh Dieu... oh chéri... Harold... oh Dieu, j'ai envie que tu me baises maintenant... oh Dieu, ou Harold, oh Dieu, baise-moi maintenant... chéri, je t'en prie, oh oui, baise-moi... oui, oh oui, oh Dieu, baise-moi... »

Sa bouche vint se coller à la sienne pendant que ses mains la saisissaient par le bas des reins et que sa verge allait et venait dans ses paumes. Il murmura contre son haleine : « Oui, bébé, je vais te baiser, as-tu envie que je te baise maintenant, Louise chérie, que je rentre dans toi et que je te baise... » Elle se laissa lentement glisser en arrière sur le lit en chuchotant : « Oui, chéri, oui. » Cuisses écartées, offerte à la pénétration de sa virilité chaude et vivante, elle sentit sous sa main le métal froid et inerte caché sous l'oreiller. Elle en écarta sa main pour le recevoir au-dessus d'elle. Il s'agenouilla entre ses cuisses accueillantes, les coudes de chaque côté de ses seins pointés vers lui, passa ses mains sous sa tête et poussa doucement la calotte veloutée de sa verge entre les lèvres qui ouvraient le chemin de la moiteur amoureuse de son vagin. Leurs regards lourds de désir se croisèrent. Leurs bouches se soudèrent, se sucèrent, se détachèrent pour grogner leur passion en sons inarticulés avant de se reprendre et de se redétacher pour gémir encore et encore, tandis qu'elle avait élevé lentement ses jambes par-dessus ses cuisses et qu'elle l'avait pris par les fesses pour l'attirer en elle plus avant. Quand elle sentit qu'il l'avait pénétrée au plus profond qu'il puisse aller, elle noua ses jambes autour de ses reins en chuchotant : « Chéri, oh chéri, oh Dieu. » Il la regarda intensément dans les yeux et murmura : « Chaud... humide... doux... superbe con, je vais te baiser maintenant. » Et elle soupira : « Oui, oh oui, baise-moi. »

Elle n'oubliait pas dans sa **pâ**moison qu'il lui fallait se rappeler quelque chose. Elle le sentit commencer à se mouvoir en elle, lentement, avec une insistance déterminée. Il s'enfonçait, se retirait, se baignait dans son miel, la fouillait, s'enracinait en elle, éveillant dans sa matrice une faim de lui insatiable, de le serrer de le garder, qu'il la prenne plus loin, plus profond. Elle ondulait des hanches à son rythme, se tordant sous les insoutenables caresses de sa main vagabonde. « Oh, merveilleuse verge, baise-moi, merveilleuse verge... Oh, ciel, oh, Dieu, tu me fais mourir merveilleuse verge... » Et il gémissait près de son oreille : « Oh, bébé... oh, bébé... je vais décharger dans ton beau con... »

« Oh, oui, chéri, décharge en moi, baise-moi et décharge en moi... »

Ces mots lui rendirent brutalement la mémoire. Sa main quitta son dos et se contorsionna dans l'air, déchirant l'ombre au-dessus d'eux comme si elle voulait échapper à sa propriétaire pour la sauver d'une plongée dans l'extase. Au tréfonds de son esprit saisi de délire, quelque chose lui enjoignait de s'arrêter, de se retenir, mais son cerveau s'abandonnait, cédait aux joies de la volupté et sa voix criait : « Oh ! baise-moi, oh ! oui, chéri, baise-moi. » Elle répondait tout entière au sexe qui la pénétrait à un rythme accéléré, et c'était le paradis, Dieu ! le paradis. La main, indépendante d'elle, cherchait sous l'oreiller et se refermait sur la froideur et la dureté de l'acier. Dépêche-toi, main, avant qu'il ne soit trop tard. La main ressort, crispée sur le revolver, pendant que l'esprit de sa propriétaire chavire devant l'agitation frénétique de ce torse au-dessus d'elle, tandis que sa matrice liquide se prépare à expirer dans un ravissement insoutenable qui doit être arrêté, arrêté... Oh ! Dieu, je crois que je... Presse-toi, main. Voilà l'orifice entre ses fesses, au-dessus des testicules gonflés... Vite, oh ! Dieu, fais vite. Parce qu'elle n'a pas droit à cela, c'est trop, oh ! Dieu... elle l'enfonce dans le sphincter élastique... c'est trop beau, oh ! verge, baise-moi...

« Bon sang ! qu'est-ce c'est froid. Mais que diable es-tu en train... » Non, elle n'a pas le droit à un tel plaisir, elle ne le mérite pas. Oh ! Dieu, je crois que je, oh ! Dieu... O main, fais vite. Ils ne comprendront jamais, ne pardonneront jamais. Fais-le avant que tu... Dieu, je vais jouir...

Lui aussi gémissait : « Oh, doux Jésus... oh, doux Jésus... oh, bébé... » Frémissant de tout son corps dans l'élan final, ses fesses se serraient étroitement sur le métal froid et il criait : « Oh ! Jésus, je vais, oh ! bébé, mais qu'est-ce que tu me fais, oh ! Dieu, voilà, je, oh ! Christ, je vais décharger maintenant, oh ! ce que tu, oh ! Christ, je jouis. » Pendant que son cerveau explosait et que le sperme commençait à sourdre de son méat, il tendit la main derrière lui et écarta les doigts qui cherchaient la gâchette à tâtons. Il arracha l'objet hors de son corps. Rien ne pouvait plus la sauver d'elle-même. Elle cédait à l'extase, submergée tout entière par les ondes d'un plaisir si indescriptible que rien au monde n'aurait pu l'empêcher de s'y abandonner, enlaçant convulsivement le corps en nage du beau mâle qui la transportait au septième ciel, même si sa main envoyait l'objet d'acier froid s'écraser sur le plancher avec un bruit mat. Elle l'étreignait dans l'étau de ses cuisses, uniquement préoccupée d'aspirer sa semence dans sa matrice, incapable de s'inquiéter de rien d'autre que de ce ravissement.

Leurs cris d'exaltations finirent par s'atténuer en soupirs d'épuisement et leur étreinte se relâcha. Il se retira d'elle en se laissant rouler de côté sur le dos. Elle tourna la tête vers lui et l'embrassa sur la poitrine en soupirant : « Dieu, que c'était bon... »

Immobile dans la pénombre, il garda longtemps un silence de mauvais augure avant de demander :

« Très bien. Que diable se passe-t-il donc exactement dans le coin ? »

Elle se sentait tellement en paix, tellement ravie, qu'elle n'avait aucune envie de parler. Elle ne songeait qu'à prolonger cette béatitude, se refusant même à penser à sa mort qu'elle savait prochaine.

« Si je n'avais pas été aussi ivre, disait-il, j'aurais compris que tu faisais partie de cette bande. Tu étais bien trop facile... »

La tête sur son épaule, elle sentit les larmes lui monter aux yeux en discernant à nouveau dans le lointain le mugissement des vagues qui se fracassaient contre la coque rigide du navire condamné.

« La seule chose qui plaide en ta faveur, poursuivit-il, c'est que t'es la meilleure baiseuse que j'aie rencontrée depuis vingt minutes...

— Je t'en prie, plaida-t-elle en laissant couler ses larmes sur sa poitrine velue.

— Tu sais ce que tu peux faire de ce revolver, pas vrai, tu peux me le fourrer dans le cul...

— Je t'en prie... cria-t-elle. »

Il lui repoussa la tête et, d'une voix pleine de rancœur, lança : « Vas-tu te décider à déballer ce qu'il en est, ou va-t-il falloir que je recommence à te baiser pour te faire ouvrir la bouche ? »

Elle sanglotait doucement sur sa perte irrévocable.

« S'ils te demandent ce qui s'est passé, continua-t-il, tu pourras toujours leur dire que tu as sucé une belle bitte, mais que t'es bonne à rien quand il s'agit de faire un carton. »

Personne ne pouvait plus rien pour elle...

« Je veux dire, poursuivait-il, je m'en fiche qu'ils veuillent me tuer. Ils ne sont pas les seuls. Il y a mes anciennes femmes, et il faut bien mourir un jour. Ce que je n'aime pas, c'est qu'on se paye ma tête. Et pour te la payer, cocotte, faudrait d'abord que t'apprenne à te servir de la tienne...

— Assez ! » cria-t-elle avec désespoir en bondissant et en tentant de frapper la bouche insultante de ses poings fermés.

Mais il fut plus rapide qu'elle et, la saisissant par les poignets, la rejeta sur le lit. Puis il la retourna sur le ventre et s'allongea sur elle. Puis elle sentit son sexe se raffermir et il lui écarta les fesses en lui murmurant à l'oreille d'une voix amère et blessée : « Je veux dire, ça t'aurait plu que je te fasse la même chose ? »

Quand il eut quitté sa cabine en emportant le revolver, quand ses larmes se furent séchées et que la douleur de sa chair fut apaisée, elle se sentit heureuse que son rude interrogatoire n'ait rien réussi à lui faire dire qu'il ne sache déjà. C'était bien le moins qu'elle doive à ceux qu'elle avait trahis.

Avec un détachement que rien au monde ne pouvait plus entamer, elle se leva, réunit ses short, chemise et chaussures qu'elle revêtit sans se soucier d'empester la transpiration. Elle serait bientôt purifiée... mais, d'abord, un mot d'explication pour Craig. Voilà, sur l'oreiller.

Sur le pont, où que se posent ses yeux, elle ne vit que des gens qui bavardaient joyeusement en se promenant avant le dîner, sans prêter la moindre attention aux flots en furie qui les entouraient, se comportant comme s'ils devaient vivre éternellement. Elle passa au milieu d'eux sans plus les regarder. Et nul ne se souvint l'avoir remarquée quand la nouvelle de son geste de désespoir commença à circuler.

En marchant vers le bastingage du pont arrière, que les autres la comprennent ou lui pardonnent ne lui importait plus. Nul ne pourrait jamais faire qu'elle-même se pardonnât. Elle les avait trahis et elle s'était souillée. Irrémédiablement souillée.

Elle se sentait très seule.

Elle monta sur l'appui du bastingage. Son corps souple et mince demeura un instant immobile, dans une attitude de grâce exquise, pendant qu'elle disait adieu au monde avant de s'abandonner à la fureur des flots purificateurs en plongeant vers les mortelles profondeurs glacées. Juste avant que ses poumons n'éclatent, elle connut la joie immense de savoir qu'elle ne souffrirait plus jamais.

Chapitre XXIX

La manière dont le président de la Remo Corporation écoutait Brian Joy ne disait rien qui vaille à Lloyd Shipley : Terrence Dunlop se tortillait dans son fauteuil en promenant tour à tour un regard maussade sur son directeur des relations publiques et l'homme de télévision. Shipley lui avait déjà vu pareille expression sans en rien augurer de bon. La dernière fois, il y avait environ une quinzaine de jours, quand le sénateur Burch, qui s'ennuyait à Dysneyland, était passé à l'improviste informer Dunlop que le département de la Défense envisageait de réduire le budget de Remo à 20 millions pour le prochain exercice.

Brian Joy touchait à la fin de son sinistre récit de la situation du *Marseille*. Le regard perdu sur l'horizon marin de Malibu afin d'éviter de le poser sur son interlocuteur, il en arrivait au passage le plus délicat : le déchirant appel au secours. Dunlop devenait nerveux : il tripotait ses lunettes à monture de corne et suçait sa pipe éteinte et en venait à envisager de fumer sa première cigarette depuis quatre semaines. Il commençait même à craindre qu'un paquet entier n'y passe avant la fin de la journée. La menace de cette catastrophe imminente fit éclater sa colère :

« Excusez-moi, monsieur Joy », le coupa-t-il.

Il tourna son regard d'acier bleu sur son corpulent public-relations.

« Lloyd, j'aimerais vous poser une question ?

— Je vous écoute, monsieur, répondit Shipley en opinant. »

Ancien journaliste, âgé maintenant de cinquante-cinq ans, il ne s'intéressait plus à grand-chose d'autre qu'à toucher régulièrement son chèque de salaire et au bourbon qu'il buvait sec.

« Pourquoi m'avez-vous amené monsieur Joy, à *moi* ? lui demandait son supérieur. Vous avez plein de copains au F.B.I. Vous jouez au poker avec tout le monde au département du District Attorney. Vous faites du tir aux pigeons avec le chef des détectives de la police de Los Angeles. Et c'est à moi que vous l'amenez ? Pourquoi pas à eux ? »

Brian Joy se leva brusquement et dit :

« J'aimerais répondre à cela, avec votre permission. »

Lloyd Shipley signifia son accord d'un haussement d'épaules.

« Je ne peux pas aller raconter cela au F.B.I., monsieur Dunlop, poursuivit Brian Joy. Je ne peux aller l'exposer à aucune des autorités. En fait, rien de ce que je vous ai confié ne doit sortir de ces murs. J'avais espéré que vous auriez compris la nécessité du secret. »

Le président de Remo ôta sa pipe de sa bouche.

« Monsieur Joy, je ne voudrais pas que vous m'imaginiez insensible ou indifférent au danger qui menace ces pauvres gens, mais je dois me montrer réaliste. »

Lloyd Shipley détourna les yeux : il connaissait la suite.

« Je suis responsable devant le conseil d'administration, et je ne peux pas me permettre de négliger ce point. Remo n'a qu'une seule raison d'être : la recherche et ses développements, et uniquement dans les secteurs d'intérêt national et de la politique stratégique des Etats-Unis. Nous ne sommes pas, n'avons jamais été, et ne serons jamais concernés par la prévention ou la détection du crime, ni par quoi que ce soit relevant de l'application de la loi. Rien au monde ne saurait justifier une entorse à la charte de Remo. Je regrette, mais il nous est impossible d'intervenir dans cette malheureuse affaire. J'espère que vous pourrez comprendre ce point de vue.

— Hé bien, je le regrette également, car, franchement, non, je ne peux pas. »

La voix de Brian Joy devenait rauque sans qu'il sache très bien si c'était de colère ou de lassitude.

« Je ne demande pas à Remo de prendre un risque quelconque. Je ne m'adresse même pas à vous en tant que président de Remo. C'est une réponse d'homme à homme que je vous demande...

— La réponse demeure...

— Le commandant du *Marseille* doit savoir lesquels, parmi ses deux mille passagers, sont les conspirateurs. Le médecin du bord doit recevoir une recette pour liquider ce groupe. Et il leur faut ces informations au plus tard demain à midi. En toute logique, étant donné la nécessité du secret et l'urgence d'une solution rapide au problème, je ne vois pas vers qui d'autre me tourner. Je ne vois pas dans ce pays un seul autre complexe d'immeubles qui abrite entre ses murs autant de génies en tous genres, sans compter les banques mémorielles les plus complètes et les ordinateurs les plus sophistiqués du monde. On ne trouve ça qu'à Remo...

— Vous avez peut-être raison, monsieur Joy, mais...

— Tout ce que j'attends de vous, monsieur Dunlop, c'est la permission tout à fait officieuse, pour Lloyd Shipley et moi, d'essayer de réunir en brainstorming une dizaine des meilleurs éléments qui se trouvent aujourd'hui dans les locaux. Nous leur exposerons très clairement que leur concours sera totalement indépendant de Remo, que nous le sollicitons comme une collaboration volontaire et strictement personnelle. Je leur remettrai les données dont je dispose et ils passeront la fin de la journée et la nuit entre ces murs, avec leur génie et vos ordinateurs. Nul au monde ne pourra même se douter de ce qui se passera ici...

— Lloyd, vous pourriez peut-être lui expliquer...

— Vous ne pouvez pas refuser ! lança Brian Joy. Vous ne pouvez pas ! »

Terrence Dunlop décrocha le téléphone qui sonnait sur son bureau avec un empressement devant cette interruption qui dénotait un soulagement évident.

« Oui ?

— Un appel pour monsieur Brian Joy, de la part de Mme Joy, lui dit sa secrétaire. Je me permets de vous déranger parce qu'elle dit que c'est urgent.

— Très bien, passez-la moi. C'est un appel de votre femme, dit-il en levant les yeux vers Brian Joy.

— De ma femme ?

— Désirez-vous lui parler en privé ? »

Brian Joy regarde fixement le téléphone pendant un instant.

« Non, je vous remercie, dit-il en lui prenant le récepteur. Oui, Maggie ?

— Tu peux parler ?

— Oui, vas-y.

— Elle a rappelé de Paris pendant que tu étais en transit.

— Lisa ?

— Tu pourrais peut-être l'appeler Mlle Briande ?

— Je pensais t'avoir demandé de faire transférer tous les appels ici ? »

Pourquoi diable se mettait-il en colère ?

« Elle ne pouvait pas attendre que tu sois arrivé là-bas, répondit Maggie calmement. Elle devait sortir pour trouver un nommé Raffin... de la Sûreté ? Elle a dit que tu comprendrais. »

Il jeta un coup d'œil sur les deux hommes qui l'observaient.
« Et à part cela ? demanda-t-il à Maggie.

— As-tu la liste des passagers ?

— Oui, pourquoi ?

— Pour rayer quelques noms. Soit dans ceux des passagers ou dans ceux de l'équipage.

— Je vois », dit-il avec une vague appréhension.

Il rapprocha les feuilles de la liste devant lui sur le bureau et dit :
« Vas-y.

— M. et Mme G. Parker. »

Il chercha les noms et les raya.
« Oui.

— H. Grabiner. Ça s'épelle G - R - A - B.

— O.K.

— D. Campbell.

— Très bien.

— F. Mandrati.

— Une seconde. C'est sûrement dans l'équipage.

— B. Crepin. C - R - E - P - I - N.

— Equipage.

— E. Senestro.

— Equipage aussi.

— C'est tout. Ce sont les sept.

— Pourquoi est-ce que je les ai rayés ? demanda-t-il en souhaitant ne pas entendre sa réponse.

— Parce qu'ils sont morts. Exécutés en exemple.

— Ciel ! dit-il en fermant les yeux.

— Brian. Ça va ?

— Oui.

— Je ne me sens pas très bien non plus, dit-elle. Appelle-moi dès que tu pourras.

— Ne bouge pas. »

Il raccrocha. Dunlop et Shipley tournaient vers lui un regard interrogateur. Il écarta les feuilles de la liste des passagers et se passa la main sur le visage. Il n'avait aucune envie de parler, mais il le fallait :
« Monsieur Dunlop, j'aurais souhaité ne pas avoir à faire peser cela dans la balance, mais... ma femme vient de me communiquer des nouvelles de mon contact à Paris. Ils ont assassiné quatre passagers et trois membres de l'équipage, en exemple.

— Les ordures », marmotta Lloyd Shipley à mi-voix.

Terrence Dunlop se leva lentement de son fauteuil. Il était blême et serrait les dents. Il dévisagea Brian Joy sans dire un mot, puis

Lloyd Shipley qui évita son regard. Le président se détourna et se rendit à la fenêtre. On entendait plus dans la pièce que le doux chuintement de l'air conditionné et le bruit lointain de la circulation sur l'autoroute qui longe la côte du Pacifique. Quand Dunlop se décida enfin à briser le silence, il parla en gardant le dos tourné aux deux autres :

« Je vais m'absenter, Lloyd, dit-il d'une voix tendue. Vous pourrez me joindre au centre de Santa Barbara si vous avez besoin de moi. Ce dont je doute. Il se pourrait qu'il vaille mieux par la suite que ce soit en mon absence que vous ayez, en compagnie de M. Joy, incité à une utilisation de nos équipements sans autorisation.

— Je comprends, monsieur, dit Lloyd Shipley calmement.

— Monsieur Dunlop, je ne saurais jamais comment vous remercier », dit Brian Joy au dos qui lui faisait face.

Dunlop pivota sur lui-même.

« Ne me remerciez pas, monsieur Joy. Je ne l'aurais certainement pas permis si je voyais un moyen de refuser sans que le remords me harcèle jusqu'à la fin de mes jours. »

Et, sans attendre de réponse, il s'avança rapidement vers la porte et sortit.

Brian Joy se tourna vers Lloyd Shipley et dit :

« Je suis un ami bien compromettant. Tu risques ton poste dans cette affaire, n'est-ce pas ? »

Le public-relations le regarda en fronçant le sourcil :

« Ne m'embête pas avec des vétilles, veux-tu ? »

Dans le hall de l'hôtel « Prince-de-Galles », les portes en laque de Chine rouge de l'ascenseur s'ouvrirent devant Julian Wunderlicht qui en sortit. Un bref coup d'œil alentour lui montra que ses collègues ne l'avaient pas attendu pour se rendre au restaurant. Il en remercia le ciel. Ils seraient en train de se goinfrer à leur habitude quand il les rejoindrait, ce qui lui épargnerait de subir leur conversation vulgaire. En traversant le hall vers le stand de journaux, il se demandait s'ils s'étaient aperçus à quel point ils l'ennuyaient. Il préférait considérer cela comme de l'ennui. Il se refusait à admettre sa répulsion de leur lourde vulgarité germanique et sa honte de leur avoir jadis ressemblé.

Il constata avec plaisir que le nom du *Marseille* ne figurait à la une d'aucun journal du soir. Apparemment, Dechambre et Sauvinage respectaient les consignes.

Devant l'entrée de l'hôtel, il s'arrêta un instant dans la contre-allée pour respirer profondément l'air frais de la nuit. La sieste lui avait fait du bien. Son entrecuisse ne le démangeait plus et il ne se ressentait plus de la fatigue de sa vadrouille dans les musées et les rues de Paris. Son regard accrocha automatiquement sur le cul ondulant d'une fille à la silhouette vaguement familière qui venait de sortir de l'hôtel et s'éloignait. Puis il tourna les yeux vers l'autre côté de l'avenue, sur le restaurant « Au Vieux Berlin » et sentit monter en lui un appétit presque sexuel pour la cuisine de sa terre natale qu'il allait y trouver. Ce ne fut qu'à mi-chemin de la traversée de l'avenue qu'il se souvint qui était la fille mais il ne s'en inquiéta pas.

En arrivant près d'une Mercedes Benz garée sous les arbres, Yvette Goutay se pencha vers sa glace avant ouverte.

« C'est lui, dit-elle à Jean-Claude Raffin en désignant Wunderlicht du doigt.

Le chef de la Sûreté nationale regarda au travers du pare-brise dans la direction indiquée et vit Wunderlicht qui traversait la contre-allée de l'autre côté de l'avenue et entrait dans le restaurant.

« Vous en êtes certaine ? demanda-t-il à la prostituée.

— Ce n'est qu'entre mes jambes que pour moi tous les hommes se ressemblent. Les visages, c'est différent. Surtout celui de ce porc. »

Raffin lui tendit deux billets de cent francs par la vitre ouverte, en disant :

« Tenez, laissez vos reins prendre un peu de repos ce soir. Allez voir un film. »

Yvette Goutay murmura une obscénité en lui arrachant les billets de la main et s'en alla. Elle n'avait pas fait cent mètres qu'un Belge aux yeux larmoyants et à l'entrecuisse gonflée lui emboîtait le pas.

Le crâne rose de Gritzen luisait de transpiration et les lèvres épaisses de Freuling se mouvaient au rythme de sa mastication du *Matjesfilet Hausfrauernart*. Les deux hommes mangeaient sans échanger une parole, trop occupés à dévorer avec une goinfrerie qui soulevait le cœur à Wunderlicht. Il détourna le regard sur les banquettes de cuir sombre et les chaises capitonnées, encore rangées sous les tables, qui, sous les lumières tamisées de la salle à manger, attendaient la foule élégante. Celle qui ne commencerait pas à arriver avant une demi-heure. Nul doute que s'y mêleraient quelques policiers venus pour le surveiller.

Il éprouva un sentiment de puissance et d'invulnérabilité qui lui monta à la tête. Qu'ils y viennent donc. Ils pouvaient l'arrêter, l'interroger, cela ne les conduiraient qu'à la certitude de leur impuissance. Il était intouchable. Et ces deux crétins de la Françat paieraient cher de l'avoir fait filer ce soir par la petite pute. Wunderlicht ne croyait pas aux coïncidences.

Il leva un regard tranquille sur le garçon qui arrivait avec la *Berliner Erbsensuppe* qu'il avait commandée, et lui demanda :

« Ce n'est pas vous qui avez pris ma commande ?

— C'est vrai, monsieur.

— Le chef, Henry Bamberg, est un de mes vieux amis. Soyez aimable de lui faire part du bon souvenir de Willy Fields de Leipzig, voulez-vous ?

— Je n'y manquerai pas, monsieur. Prenez garde, l'assiette est très chaude.

— Merci », lui dit Julian Wunderlicht qui le suivit du regard jusqu'à la porte de la cuisine.

La putain avait dû travailler vite. Ils avaient déjà mis quelqu'un en place qui jouait le rôle d'un garçon. S'ils avaient été moins pressés, l'homme aurait peut-être pris la peine d'apprendre le nom du chef.

Wunderlicht goûta son *Erbsensuppe* fumante et reposa sa cuillère.

— Ecoutez-moi, les gars, dit-il en allemand à Freuling et Gritzen.

Les hommes grognèrent sans même lever les yeux des variétés de harengs qui ornaient leurs assiettes.

— Il va y avoir un léger changement dans nos projets pour cette nuit. »

Il s'interrompit en attendant qu'ils se décident à lever les yeux vers lui, la bouche pleine.

« Vous allez tous les deux poser vos fourchettes, essuyer la crème fraîche de vos lèvres, vous lever de cette table et sortir d'ici aussi discrètement que possible...

— Mais et mon dîner ? demanda Klaus Freuling. Nous venons tout juste...

— Vous irez au Lido, sur les Champs-Elysées, poursuivit Wunderlicht doucement mais fermement. N'importe qui vous indiquera le chemin. On y voit les plus belles filles de toute l'Europe en costume d'Eve. Ça devrait suffire à vos appétits. »

Il leur tendit deux billets de cinq cents francs à travers la table.

« Restez-y jusqu'à 1 heure du matin, puis rentrez à l'hôtel. Mais pas avant. »

La trogne fleurie de Freuling se fendit d'un sourire hésitant en prenant l'argent. Wilhelm Gritzen lui jeta un regard noir et dit :

« Qu'est-ce que ça signifie ?

— Je vous expliquerai à 1 heure », dit Wunderlicht sèchement. Les deux hommes se levèrent lentement.

« Pressez-vous, ou vous manquerez le début du spectacle, leur dit Wunderlicht. Et évitez de vous tripoter la queue. Ce n'est pas le moment de vous faire ramasser pour exhibitionnisme, n'est-ce pas ? »

Freuling gloussa mais l'autre le suivit dans la rue en gardant une mine renfrognée.

Wunderlicht ramassa sa cuillère et commença à déguster son *Erbsensuppe* en se disant qu'il avait une excuse parfaitement légitime pour se débarrasser de leur compagnie. En vérité, ils ne savaient encore rien de bien important, même pas où ils devaient conduire l'avion. Ils ne risquaient donc pas de parler, même sous la torture. En fait, il préférait se trouver seul pour affronter ses adversaires, et ne pas avoir à partager sa gloire imminente avec ces deux lourdauds.

Il allait maintenant prendre confortablement son temps pour savourer un délicieux *Rheinischer Sauerbraten* à la suite de son potage. Il poursuivrait par un *Gemischter Viäseteller* et ferait glisser le tout avec une *Eisbecher Viroabeere*. Il finirait peut-être par un cognac avec son cigare avant d'aller se jeter dans leurs bras en rotant sur l'avenue Georges-V.

Aristide Bonnard tendit la main au-dessus du corps allongé de sa femme, Althea, et prit dans le lit le téléphone qui sonnait. Il ne pouvait s'agir que d'un appel important. Sur cette ligne la plus secrète de ses lignes privées ne parvenaient jamais que des nouvelles capitales. C'était le directeur général de la Sûreté nationale qui avait tenu à ce qu'il soit le premier informé qu'on venait d'arrêter le nommé Julian Wunderlicht, et qu'on allait procéder à son interrogatoire, dans le plus grand secret, dans les sous-sols du quartier général de la police judiciaire, quai des Orfèvres. Le président remercia chaleureusement Raffin et reposa l'appareil téléphonique sur la table de chevet. La joie que lui avait donnée la nouvelle se trouvait quelque peu tempérée par la disparition de son érection.

Pourquoi, se demandait-il en se rallongeant dans les draps humides, si peu de gens comprennent-ils que les chefs d'Etat, comme tout le monde, ont des besoins naturels, et qu'il leur arrive même parfois de faire l'amour à leur femme quelques heures après le dîner ?

Vêtus de l'uniforme des officiers du bord, ils serraient leurs armes contre eux pour dissimuler la protubérance de leurs canons sciés sous leurs vestes. Ils entrèrent dans la salle de jeux des Touristes et s'arrêtèrent sur le seuil. Toutes les tables étaient occupées : principalement par des couples entre quarante et cinquante ans qui venaient de sortir du premier service du dîner. Les joueurs de bridge se reconnaissaient à leur silence, ceux de poker aux murmures de leurs relances suivies du cliquetis de leurs jetons dans le pot. Manifestement des amateurs.

Lou Foyles et Wendell Cronin les observèrent un instant sans la moindre émotion. Ils s'étaient partagé un joint d'Acapulco Gold juste avant de descendre. Non par besoin, simplement histoire de se sentir parfaitement bien dans leur peau. Ça allait leur rappeler le bon vieux temps, quand ils cassaient du Viet dans les rizières de Hon Quan. Le groupe ne les aurait jamais sélectionnés à l'unanimité si les deux hommes ne s'étaient, depuis longtemps, établi la réputation de durs à cuire.

Ce fut au cours de cette récente réunion que Craig Dunleavy s'avisa, pour la première fois, qu'il pourrait bien arriver que lui et Kleinfeld perdent le contrôle du groupe à l'avantage des « Têtes brûlées ». Avant de leur lire le message d'adieu de Louise Campbell, Dunleavy avait fait une mauvaise estimation de ce que serait leur colère. S'il avait bien prévu qu'ils voudraient la tête de Columbine que celui-ci soit armé ou non, il n'avait pas su anticiper sur une soif de vengeance beaucoup plus grande. Et Kleinfeld pas davantage. Mais ils avaient senti dans le même instant qu'il serait plus prudent de laisser le groupe en faire à sa tête. Sur l'échange d'un simple coup d'œil, ils s'étaient rangés à l'opinion générale et avaient voté l'horrible sentence.

« Mesdames et messieurs, dit Lou Foyles, veuillez excuser cette interruption et m'accorder votre attention quelques instants. »

Il avait une voix forte, mais la plupart des joueurs de cartes étaient trop absorbés par leur partie pour l'avoir entendu. Il reprit en criant presque :

— Mesdames et messieurs... s'il vous plaît... »

Toutes les têtes se tournèrent enfin vers lui. Et le silence se fit. Foyles fit un pas en avant, souriant, et dit :

« A la demande du commandant, le premier lieutenant Bergeron et moi-même menons une petite enquête dont les résultats seront consignés sur le journal du bord. Avec votre coopération, nous nous efforcerons que cette interruption soit très brève. Qu'en dites-vous ? »

Au bout de quelques instants de silence, un nommé Milton Tempkin, sûr d'avoir un quatre sans atout en mains, lança :

« Allez-y. Qu'on en finisse.

— Merci, dit Lou Foyles. Tout d'abord, je voudrais demander à ceux d'entre vous qui sont maris et femmes de lever la main. »

Ils en comptèrent quarante-huit.

« Maintenant, qui sont ceux parmi vous qui voyagent sans, je répète, sans enfants ? »

Le compte descendit à trente.

« Et combien d'entre vous n'ont pas d'enfants ? »

D'autres mains se baissèrent.

« Très bien, dit Lou Foyles. Que les dix-huit personnes restantes soient assez aimables d'écrire leurs noms sur un bout de papier. N'importe quoi fera l'affaire. Le premier lieutenant Bergeron va passer parmi vous les ramasser. Les autres peuvent reprendre leurs occupations. Je vous remercie de votre attention et vous souhaite à tous d'être gagnants. »

Le brouhaha reprit. Wendell Cronin passa prendre les noms des dix-huit qui n'avaient pas d'enfants et, quand ils lui tendaient les feuilles de papier, leur demandait aimablement de bien vouloir, quand ils auraient terminé la main qu'ils étaient en train de jouer, se joindre à lui et à son collègue pour aller prendre des photos dans un autre endroit.

Claire Rogers, une petite femme élégante d'une quarantaine d'années protesta avec un sourire désappointé :

« Je suis en chance, monsieur, je crains que ça ne la fasse tourner.

— Certainement pour le mieux, madame, sourit Wendell Cronin. »

Stanford Whitman, un avoué d'Evanston, dans l'Illinois, ne chercha pas à dissimuler son irritation.

« Ça ne vous ferait rien de nous dire ce que signifie ce cirque ?

— Chéri, je t'en prie, lui dit sa femme.

— Quand les photos seront prises, monsieur, répliqua Cronin sur un ton affable. Si je vous le disais tout de suite, cela risquerait de compromettre la spontanéité de ce que nous désirons faire. »

Puis il retourna vers Lou Foyles et tendit au grand homme en uniforme à galons dorés les feuilles sur lesquelles les noms se trouvaient inscrits, en lui murmurant à mi-voix :

« Des emmerdeurs... »

Foyles regarda les morceaux de papier et lança :

« Dès qu'elles seront disponibles, nous attendons ici les personnes suivantes : M. et Mmes Rogers, Clayworth, Whitman, Sneed, Holdorf, Tempkin, Lockhart, Rice, et Willlow. Merci. »

Quand ils les eurent finalement réunis, ils les divisèrent en deux groupes de cinq et de quatre couples qu'ils emmenèrent par deux ascenseurs séparés trois ponts plus bas, où ils guidèrent le petit groupe qui maugréait et persiflait sur le désagrément et le mystère de cette équipée en direction de l'arrière, vers le dispositif de déversement des ordures dans la mer. Deux matelots en T-shirts sales y étaient occupés à déverser des rebuts dans les flots mugissants par un panneau qui s'ouvrait juste au-dessus du niveau de l'eau. Foyles laissa les passagers avec Cronin et s'avança vers les matelots. Quand il se trouva assez proche d'eux pour qu'ils puissent l'entendre au milieu du fracas de la grosse houle, il leur dit :

« Du vent. Tirez-vous tous les deux. »

L'un des deux hommes le regarda d'un air incrédule et lui dit :

« Comment ?

— Vous m'avez entendu, dit Foyles. Disparaissez, ou je vous fais sauter la cervelle. »

Ils posèrent leurs poubelles et filèrent.

Foyles retourna vers Cronin et les passagers qui, dans un silence embarrassé, attendaient qu'ils leur indiquent quoi faire.

« Très bien, dit Lou Foyles. Pour la première photo, allez vous mettre près de cette ouverture, mais pas trop près du bord, face à moi. Le premier lieutenant Bergeron va vous montrer comment. »

L'air ahuri, les passagers s'avancèrent vers l'ouverture.

« Mon Dieu, qu'il fait froid ici, dit Margot Whitman.

— Je sais, répondit Lou Foyles.

— Tout cela est ridicule, dit le mari de Claire Rogers, Gary. »

Les autres haussaient les épaules ou riaient bêtement. L'expérience était tellement étrangère à tout ce qu'ils avaient pu connaître qu'ils ne savaient comment réagir. Ils se sentaient comme des enfants.

« Les femmes devant, dit Wendell Cronin. Les maris, passez derrière vos femmes et entourez leur la taille de vos bras. »

La mise en place se fit au milieu d'une bousculade et de rires qui masquaient l'embarras.

« C'est très bien, dit Lou Foyles. Ne bougez plus. »

Foyles et Cronin se reculèrent rapidement d'environ quatre mètres, et leurs engins de mort surgirent si vite que les visages restèrent figés dans un sourire qui s'estompa sans avoir le temps de se transformer en grimace de peur et d'horreur. Seules quelques exclamations fusèrent de leurs lèvres : « Une seconde !... Mon Dieu !... Non !... » avant que les fusils mitrailleurs ne pétaradent et sifflent en crachant leurs charges funestes, interrompant à mi-course les mains que les femmes levaient vers leurs visages comme pour chercher à se protéger contre la grêle de balles, tandis que les hommes s'écroulaient en serrant contre eux les corps agonisants de leurs épouses dont ils cherchaient instinctivement à se faire un bouclier.

Tout se passa très vite.

Les deux hommes en uniformes d'officiers s'approchèrent du monceau sanglant de corps emmêlés et, de la pointe de leurs fusils ou du pied, poussèrent une à une leurs victimes par-dessus bord dans l'écume du sillage du grand navire. Puis ils cherchèrent du regard un balai brosse ou un manche à eau pour nettoyer le pont mais, n'en voyant pas à proximité, renoncèrent rapidement à cette idée et quittèrent les lieux.

Jusqu'à une heure avancée de la nuit, l'un et l'autre durent noyer dans l'alcool l'idée obsédante que certains corps remuaient encore quand ils les avaient poussés dans les flots. Sur l'instant, ils s'étaient dit que ça ne changeait pas grand-chose. Ce qui avait été une erreur. Les achever d'une balle dans la tête leur aurait épargné une mauvaise nuit et une abominable gueule de bois le lendemain matin.

Chapitre XXX

Grâce à Dieu, il n'y avait heureusement personne pour voir ou entendre cette misérable loque gémissante : le commandant du prestigieux *Marseille*. Il n'avait pas versé autant de larmes depuis l'enterrement de sa pauvre mère, à Orléans, sept ans plus tôt. Encore, ce jour-là, s'était-il contrôlé : droit et la tête haute, il n'avait pas laissé couler les larmes qui lui noyaient les yeux. Il s'était comporté en homme dont elle aurait été fière. Alors qu'aujourd'hui, secoué de sanglots hystériques, il commençait à prendre peur de ne pouvoir se dominer. Cela lui rappelait fâcheusement ses premières nuits en Suisse, avant que Henry Cachon ne l'y ait rejoint avec sa seringue apaisante. Réussirait-il jamais à maîtriser ce déferlement d'angoisse qui le submergeait, à faire taire ces déchirantes plaintes animales qui s'élevaient de lui ? Il fut saisi d'horreur et de honte en apercevant son visage ruisselant et contorsionné dans un miroir mural.

Il se rendit en trébuchant pousser le verrou intérieur de sa chambre avant d'aller se jeter sur son lit où il sanglota plusieurs minutes la tête dans les oreillers. Il n'était pas responsable, il n'aurait rien pu faire pour les sauver, se disait-il dans sa confusion mentale. Ils n'étaient que des noms inscrits sur des morceaux de papier, apportés dans une enveloppe cachetée par cet horrible Dunleavy. Il ne les connaissait pas. Il ne les avait même jamais vus. *Assez !* lui hurlait la voix de la raison. Quelle expression pouvaient-ils avoir eue quand... *Assez !* Juste avant que... *Assez !*

Il se releva du lit en cachant son visage noyé de larmes dans ses mains, maudissant le nom de Dieu, proférant toutes les obscénités qui lui venaient à l'esprit. Ces blasphèmes, songeait-il le cœur serré, venaient s'ajouter à la liste de tout ce qu'il serait incapable de jamais se pardonner. L'idée du suicide lui traversa l'esprit en le terrorisant. Il s'avança jusqu'au bar et déboucha fébrilement une bouteille de cognac qu'il se mit à boire au goulot, suffoquant et haletant sous la brûlure de l'alcool. J'ai besoin d'un médecin, se dit-il, ou je vais succomber à une crise cardiaque. Où est Chabot ? Non. Je ne veux pas qu'il me voie dans cet état. Plutôt mourir. Il avala encore une large rasade d'alcool et reposa la bouteille.

Il resta un moment à marcher de long en large complètement hébété. Il entendait le rugissement des flots s'accroître sans y prendre garde. Puis il commença à retrouver ses esprits. Etait-ce possible ? Ses larmes se tarissaient et ses reniflements s'estompaient. Les plaintes animales se taisaient. Etait-ce fini ? Oui. Il était soudain vide de toute émotion. Il ne lui restait plus qu'un profond dégoût de lui-même.

Il se rendit dans la salle de bains et dévida le rouleau de papier hygiénique pour se moucher le nez, puis ouvrit le robinet et s'aspergea le visage à l'eau froide tout en se regardant dans le miroir et en insultant à voix haute non plus Dieu mais lui-même. Il nota ce faisant que le cognac lui avait altéré la voix aussi bien qu'embrumé le cerveau. « Et pourquoi pas ? » dit-il aux murs de la salle de bains. « Après tout, je suis le commandant de ce navire. » Le courage puisé dans le cognac ne valait-il pas mieux que rien ?

Il se sécha hâtivement le visage avec une serviette qu'il jeta par terre, retourna dans sa chambre, déverrouilla la porte et l'ouvrit. Dans un instant de stupeur, il pensa la refermer, tout en sachant qu'il était trop tard : l'homme l'avait vu. De plus, il s'en souvint brusquement, n'était-ce pas lui qui l'avait convoqué ? Bien sûr que oui. Sous le premier choc de la rage, de la panique et de la colère, il avait voulu voir l'Américain immédiatement. Que le commandant du *Marseille* en vienne, ce soir-là, sous l'empire du stress, à perdre jusqu'à la mémoire resterait son honteux secret.

Il pénétra dans son bureau, s'avança vers l'homme et lui demanda d'un ton prudent :

« Il y a longtemps que vous attendez ici ?

— C'est sans importance, répondit Harold Columbine en se rappuyant, les bras croisés, sur le bureau et en jetant un coup d'œil railleur sur le vieil homme. »

Le visage fraîchement rasé du romancier ne présentait plus aucun signe apparent de sa cuite au gin ni de son escarmouche avec la mort. Une bonne douche froide après un orgasme le retapait toujours à merveille.

« Depuis combien de temps êtes-vous là ?

Il fallait que Girodt sache.

— Vous m'avez convoqué, et je suis là, fit l'autre en haussant les épaules.

— Ce n'est pas ce que je vous demande, monsieur Columbine. »

Il sentait déjà l'effet de l'alcool attiser sa colère.

« Très bien, si vous insistez. Oui, je vous ai entendu. Et j'en suis désolé. Je n'avais nullement l'intention de...

— Vous en êtes désolé ? »

Girodt se prenait soudain à éprouver plus de haine envers cet homme en veston du soir de velours noir, chaussé de mocassins vernis, qu'il n'en avait jamais eue à l'endroit de Dunleavy.

« C'est bien le moins que...

— Et que voulez-vous que j'y fasse ? le coupa l'Américain. Que je me bouche les oreilles ? J'entre ici et vous...

— Vous rendez-vous compte des résultats de votre arrogance et de votre ingérence ?...

— Une seconde ! Bon sang, vous avez noyé ça dans l'alcool, pas vrai ? Je le sens d'ici...

— Savez-vous combien de personnes innocentes sont mortes par votre faute, monsieur Columbine ? »

L'écrivain dévisagea le commandant d'un air à la fois perplexe et furieux.

« Qu'est-ce que vous me chantez là, Girodt ? Vous vous sentez bien ?

— Vous avez passé un moment ce soir en compagnie d'une femme, une nommée Louise Campbell... »

Un sourire s'ébaucha sur les lèvres de Harold Columbine.

« Oui. Elle a essayé de me tuer. Elle fait partie des gangsters.

— Et vous détenez une arme qui lui appartenait ? »

Le romancier ouvrit son veston et montra un objet coincé dans sa ceinture.

« C'est de cela que vous voulez parler ?

— Je sais que vous vous croyez très intelligent, et plus malin que nous tous, monsieur Columbine...

— Pas du tout. Simplement veinard, je touche du bois. J'essaie seulement de survivre aux embûches de cette déplaisante croisière. »

Charles Girodt le regarda avec des yeux perçants :

« Louise Campbell est morte. Elle s'est suicidée ce soir. A cause de vous.

— Morte ? »

Ciel, était-ce possible ? Il sentait encore son sexe la pénétrer.

« Et à cause de cela, à cause de vous, ils ont pris neuf couples, dix-huit personnes innocentes... »

La voix manqua à Girodt et il se détourna.

« ... Et ils les ont massacrés, monsieur Columbine. »

Girodt l'entendit gémir et, quand il se retourna, le vit affalé dans son fauteuil, la tête entre les mains.

« Les immondes pourceaux, grogna-t-il. Je tuerai toutes ces bêtes enragées...

— Ne croyez-vous pas que vous avez commis assez de meurtres pour ce soir ? demanda Girodt d'une voix tremblante.

— Qu'est-ce que vous dites ? répliqua sèchement Harold Columbine.

— Vous m'avez très bien entendu. Vous avez décidé d'agir à votre guise, contamment, tandis que les autorités responsables de ce navire s'efforçaient de faire face aux événements avec la plus grande prudence afin d'éviter des catastrophes...

— Hé là ! une seconde...

— Vous avez pris sur vous d'intervenir en franc-tireur à chaque fois que vous en avez eu l'occasion, et de combattre des gens qui tiennent nos vies entre leurs mains. En voilà le résultat... cet horrible meurtre insensé de dix-huit hommes et femmes sans défense...

— Nom de Dieu ! Vous n'allez pas me rendre responsable de cela. »

Harold Columbine avait bondit, tremblant de rage.

« C'est vous qui êtes supposé être maître de ce navire. C'est à vous qu'incombe la responsabilité d'assurer la sécurité des passagers, la mienne y comprise. Et que faites-vous pour cela ? Pas la moindre chose, commandant. Vous avez perdu le contrôle de votre navire, et c'est de cela que les gens meurent, par votre faute et non de la mienne. Alors, n'essayez pas d'en rejeter la responsabilité sur moi. Parce que je ne suis pas prêt à vous laisser vous en tirer comme ça. »

Charles Girodt dévisagea fixement son accusateur, blême et le regard froid.

« Je n'ai pas l'intention de me défendre ou de me justifier pour l'instant. Je trouve qu'il est particulièrement odieux d'ergoter de manière aussi vulgaire en des circonstances à ce point tragiques...

— C'est vous qui avez commencé, répliqua Harold Columbine.

— J'y mettrai donc fin. »

Girodt tendit la main et dit calmement :

« Donnez-moi ce revolver.

— Je regrette. C'est hors de question. »

Girodt continua à tendre la main ouverte en disant :

« Je ne fais qu'exercer l'autorité que vous m'avez blâmé de ne pas utiliser. Vous avez deux solutions, monsieur Columbine. Me remettre cette arme. »

Le romancier fit lentement non de la tête.

« Il y a une prison à bord du *Marseille*. Devrais-je vous y faire incarcérer ?

— Je doute que cela vous soit possible, commandant, dit Columbine en tapotant l'objet incriminé à sa taille. Et, quoi qu'il en soit, pas très sage. »

Girodt pinça les lèvres.

« Je vous demanderais donc de regagner votre cabine et de n'en plus bouger jusqu'à ce que tout cela soit fini. »

D'un ton moins tranchant mais néanmoins ferme, Harold Columbine répondit :

« Commandant, en dépit de tout ce que j'ai pu dire, j'ai le plus grand respect pour votre autorité. Cependant, à tort ou à raison, je n'ai pas l'intention de vous écouter dans les circonstances présentes. Je ne me déferai pas de cette arme qui peut m'aider, ainsi que quelques autres, à rester en vie. Je ne connais rien ni personne qui puisse m'en offrir autant pour l'instant, vous y compris. Et je ne m'enfermerai pas dans ma cabine. Ils pourraient m'y trouver trop facilement si l'envie leur en prenait. Je ne vois pas en quoi cela pourrait vous être utile.

— Uniquement à vous éviter la tentation, dit Girodt avec amertume, à laquelle vous ne semblez apparemment pas savoir résister, d'inciter nos ennemis à commettre de nouveaux crimes. »

Harold Columbine haussa les épaules.

« Si vous entendez vous en tenir à ce point de vue, ça vous regarde. Quant à moi, ce soir, je vais emmener Mme Berlin dîner. Je vais l'éloigner de cette cabine où son mari fait fonctionner une radio. Oui, elle m'en a parlé. Elle est aussi compromise que je le suis. S'il advenait qu'ils tentent quoi que ce soit contre elle, il me semblerait préférable qu'ils n'aient pas à aller la chercher dans sa cabine. Je ne crois pas utile qu'ils découvrent à quoi s'occupe le Dr Berlin. Mieux vaut qu'ils n'aient aucune raison de se rendre à sa cabine. Je ne veux pas dire que sa vie soit sans importance, que Dieu garde son joli visage. Mais cette radio nous est bien plus essentielle. C'est elle que nous devons protéger avant tout. De surcroît, la dame risquera beaucoup moins à découvert, en ma compagnie, parce que je suis armé, et qu'ils ne l'ignorent pas. Me suis-je un peu mieux fait comprendre, commandant ? »

Charles Girodt l'observa un moment dans un silence glacial. Puis il avança vers le bureau pour ramasser l'enveloppe que lui avait fait remettre Craig Dunleavy. Bien qu'il lui soit impossible d'en chasser le contenu de son esprit, il serait tout de même ravi de la voir disparaître de sa vue.

« Les noms des malheureuses victimes se trouvent là-dedans, dit-il calmement en tendant l'enveloppe au romancier. J'aimerais qu'ils parviennent au mari de Mme Berlin. Il saura quoi en faire. »

Harold Columbine opina et mit l'enveloppe dans la poche intérieure de sa veste en velours pendant que Girodt continuait :

« Mais je vous prierais de ne pas considérer le message que je viens de vous confier comme un assentiment quelconque à aucun de vos plans d'action. »

Les lèvres d'Harold Columbine se retroussèrent dans un sourire :

« Ne craignez rien, commandant. J'ai très bien saisi votre point de vue : le meilleur moyen de contrecarrer ces immondes salauds, la stratégie la plus habile pour les réduire et nous sauver tous serait de me mettre derrière des barreaux. »

Charles Girodt serra les poings. Puis il pivota sur ses talons et regagna sa chambre dont il claqua la porte sur lui.

Le cognac qui lui brûla la gorge, il le savait, ne pourrait lui apporter qu'un apaisement provisoire. Il faudrait bien plus que de l'alcool pour lui permettre d'oublier certaines des vérités que l'Américain lui avait jetées à la tête.

Chapitre XXXI

Etouffant ce sous-sol du quartier général de la police judiciaire, se disait Julian Wunderlicht, et cette cellule, quelle exiguïté humiliante. Sa chemise humide lui collait à la peau et la lumière crue de l'ampoule électrique nue lui blessait les yeux. Mais il n'en laissait rien paraître. Il savait que le flegme était son meilleur atout.

« Je dois vous avouer, dit-il à son interrogateur avec le plus grand calme, que je suis très déçu par les directeurs de la Compagnie française atlantique. Ils connaissaient pourtant les tristes conséquences d'un recours de leur part auprès des autorités. »

Jean-Claude Raffin répondit avec un peu trop de précipitation :

« Je n'ai rien appris d'eux, m'entendez-vous ? Ils ignorent même que je sois au courant du péril couru par le *Marseille*. Et encore bien plus que je vous ai découvert et vous retiene ici. »

Julian Wunderlicht sourit intérieurement de l'anxiété que dissimulait mal son geôlier.

« Devrais-je entendre que vous avez buté contre moi alors que vous n'étiez qu'à la recherche d'un bon restaurant ? Voyons, monsieur le Directeur général, j'avais parfaitement repéré la putain qui vous a servi d'indicatrice.

« Je conçois très bien que vous en tiriez des conclusions fausses et mettiez en doute tout ce que je pourrais vous dire. Après tout, vous ne me connaissiez pas encore...

— Il y a certains plaisirs qui se présentent tard dans la vie d'un homme. »

Raffin laissa planer un moment de silence pendant qu'il polissait ses mensonges nécessaires.

« Je suis un ambitieux, Wunderlicht. Ne l'oubliez pas. La position que j'occupe pour l'instant dans le gouvernement ne comble pas ma soif de gloire, et j'ai bien l'intention de me hisser au plus vite vers les sommets du pouvoir.

— Je vous en félicite.

— En prenant accidentellement connaissance de certaines communications confidentielles entre le président Bonnard et le caissier général, au sujet d'un transfert urgent d'une énorme quantité de lingots d'or vers une destination inconnue, j'ai décidé de mener une petite enquête très personnelle. Et je n'ai pas tardé à découvrir suffisamment de détails pour entrevoir que je tenais l'occasion de m'assurer une victoire qui servirait au mieux mes ambitions politiques. Vous voilà au courant d'un petit secret que même le président de la République ignore encore. »

Wunderlicht lança un regard froid au directeur de la Sûreté.

« J'apprécierais certainement bien davantage vos confidences si vous me les adressiez à une table de " Chez Maxim's " plutôt que dans cette cellule sordide, monsieur Raffin. »

Le représentant de la loi haussa les épaules d'un air impuissant.

« Comme je vous le disais, je déplore également mon manque de représentativité. Je ne suis qu'un policier exalté. Un jour, qui sait, mes entretiens auront peut-être lieu au palais de l'Elysée. »

Wunderlicht lui adressa un sourire cynique.

« Je me sentirais très flatté qu'un homme aussi insignifiant que moi puisse devenir un personnage éminent de l'histoire politique de la France. »

Il prit un temps de pause.

« Il y a malheureusement peu de chance pour que cela se produise.

— Pourquoi un tel pessimisme, Wunderlicht ? lui demanda Raffin avec une expression impassible.

— Cette victoire personnelle à laquelle vous faisiez plus tôt référence, dit Wunderlicht en secouant lentement la tête. Je doute que vous la remportiez, du moins par mon intermédiaire.

— Vraiment ?

— Hé oui ! »

Julian Wunderlicht ralluma son cigare humide et se croisa les jambes, se demandant quand l'homme allait se décider à se découvrir. Il commençait à se fatiguer de cette joute et son postérieur du tabouret sur lequel il se trouvait assis sous cette lumière aveuglante.

« Voyez-vous, dit-il dans un nuage de fumée, il n'est vraiment pas en mon pouvoir de faire de vous un héros. Et tout ce que vous pourriez me faire ne changerait rien à cela. »

Raffin ne réussit que partiellement à contrôler sa colère naissante :

« Je pourrais vous conduire dans l'un des très intéressants laboratoires dont nous disposons dans ces locaux, et vous appliquer de un à deux cent quarante volts sur les testicules. Voilà une des choses que je pourrais vous faire. J'espère toutefois l'éviter si possible. »

Wunderlicht lui adressa un sourire glacial.

« Je partage cet espoir, monsieur Raffin. Bien que ce soit là l'une des rares formes de stimulations génitales que j'ignore encore. »

Il haussa les épaules.

« Mais à quoi cela vous conduirait-il ? A me briser ? A m'entendre crier ? Que pourriez-vous apprendre de moi ? Que pourrais-je vous raconter qui vous amène à cette victoire que vous cherchez ? Je suis certain que vous comprenez très bien qu'il vous suffirait de tenter de mettre les bâtons dans les roues à mes collègues qui se trouvent en mer, en fait, qu'il suffirait simplement qu'ils apprennent que je suis retenu prisonnier ici, ou même seulement que je suis questionné, et vous seriez responsable de la destruction instantanée du *Marseille* et de la mort de plusieurs milliers de personnes. Je vous vois mal faire carrière sur une telle plate-forme. Bien sûr, je ne prétends pas connaître le climat politique de ce pays. Il se pourrait que rien n'importe davantage aux Français, vous y compris, que l'économie de trente-cinq millions de dollars en or de votre Trésor. »

Raffin leva la main comme s'il allait gifler le visage souriant de l'Allemand, puis laissa retomber son bras et lui tourna brusquement le dos. Wunderlicht le regarda tirer une pipe de sa poche, l'y remettre, pour en sortir finalement un paquet de cigarettes et en allumer une avec des mains tremblantes avant de se retourner vers lui.

« Commençons par mettre clairement les choses au point, Wunderlicht. L'or sera versé. Bonnard a déjà pris toutes les dispositions en conséquence avec les gens de la Françat. Personne ne cherche à provoquer une catastrophe en mer.

— Très bien, dit Wunderlicht sèchement. Voilà le genre de réflexion intelligente que j'aime à entendre. A présent, vous devriez vous conformer à cet exemple, et me laisser aller mon chemin. La nuit ne fait que commencer et je pourrais encore la passer agréablement. »

Il se leva.

« Asseyez-vous, nom de Dieu ! »

Wunderlicht soupira et se laissa retomber sur le tabouret inconfortable.

« A présent, écoutez-moi attentivement, dit le fonctionnaire de police avec une lenteur délibérée. Tout comme un médecin ne peut se résoudre à ne pas prolonger la vie d'un patient dont il sait pourtant le cas désespéré, le directeur de la Sûreté ne peut se déterminer à laisser un criminel avoué s'en tirer indemne, même en sachant que ne pas le faire peut entraîner les plus graves conséquences. Le monde est rempli d'hommes irrationnels, Wunderlicht. Et j'en suis un. Plus vite vous le comprendrez, mieux cela vaudra pour nous deux. Pour parler plus clairement, vous moisirez en prison jusqu'à la fin de vos jours à moins que vous ne trouviez un moyen de satisfaire mes impulsions irrationnelles, de me fournir un scénario capable non seulement de satisfaire mes pairs et mes supérieurs, mais également ma propre conscience perverse. »

Wunderlicht dévisagea l'homme avec une expression impassible.

« Seriez-vous en train de me suggérer un marché, monsieur ? » Raffin se hérissa devant ce mot.

« Je vous ai déjà annoncé mes objectifs, Wunderlicht. Vous ne sauriez en avoir qu'un seul : votre liberté.

— En échange de quoi ?

— De tout ce que vous savez, et vite. Mes hommes pourraient vous l'arracher sous la torture mais, hormis que cela prendrait trop de temps, ce serait également du gâchis. »

Julian Wunderlicht suça son cigare, puis l'ôta de sa bouche et en examina le bout humide attentivement. Ce policier avait sur lui une merveilleuse mauvaise influence : en présumant qu'il trahirait obligatoirement ses collègues, cet homme éveillait ses plus mauvais instincts. Wunderlicht les sentait croître et s'épanouir dans les prémices d'un plan diabolique. Il en perfectionnerait les détails quand il aurait pris le large de cette cellule étouffante. Il fallait tout d'abord parer au nécessaire pour donner satisfaction à son inspirateur inconscient.

— Dieu me garde, finit-il par dire, je me résous à vous aider et à vous faire confiance, monsieur Raffin.

— Bien, dit le chef de la Sûreté en se rapprochant de lui avec empressement. Qui sont les conspirateurs ?

— Je vous préviens que je vais quelque peu vous désappointer, répondit Julian Wunderlicht. Mais c'est vous qui m'avez proposé ce marché. L'idée n'est pas de moi.

— Qui sont-ils, Wunderlicht ?

— Je ne connais que les noms de leurs leaders, et pas grand-chose d'autre. Craig Dunleavy et un M. Kleinfeld. Tous deux

Américains. Je ne suis qu'un comparse bien payé avec qui on a traité en majeure partie par téléphone ou par courrier.

— Quels sont leurs motifs ?

— L'or. Rien de plus...

— Continuez. Que savez-vous encore ?

— Ils sont cent soixante-quatorze en tout, poursuivit Wunderlicht. Je ne peux vous dire leurs noms ni d'où ils viennent, car je l'ignore moi-même.

— Vous n'imaginez pas que je vais croire ça ? » dit Jean-Claude Raffin en colère.

Wunderlicht haussa les épaules.

« A ce que je comprends, vous désirez sauver le *Marseille,* ses passagers et son équipage. Vous désirez éviter à la France la perte de trente-cinq millions de dollars, et vous voudriez capturer et punir les conspirateurs. C'est très compréhensible...

— Vous ne m'aidez pas, Wunderlicht...

— Mais je dois aussi vous dire, monsieur Raffin, que je trouverais aussi très compréhensible que vous nourrissiez le rêve secret, en dépit de votre parole, de vous mettre d'ici quelque temps à ma poursuite, ainsi qu'à celle de mes deux amis les anciens pilotes allemands, bien qu'ils n'aient encore commis aucun crime, pour nous envoyer en prison. »

Raffin tenta de protester, mais Wunderlicht ne lui laissa pas la parole.

« Si vous voulez bien ne pas vous impatienter et cesser de m'interrompre, je crois pouvoir vous indiquer comment atteindre tous vos objectifs, à l'exception d'un seul, celui de m'emprisonner. »

Le haut fonctionnaire souleva le bas de sa manche pour regarder sa montre bracelet.

« Le temps, bon sang ! Le temps... » marmonna-t-il.

Wunderlicht exhala un rond de fumée parfait.

« Vous m'avez demandé de faire le point, monsieur Raffin. Si je me montre un peu lent à votre goût, c'est que vous êtes impatient d'arriver au but, tandis que je désire vous faire bien comprendre l'importance de chaque détail. »

Raffin jeta sa cigarette sur le sol de pierre de la cellule et l'écrasa sous la pointe de son soulier.

« Moi, Julian Wunderlicht, suis le seul à pouvoir informer ceux qui se trouvent à bord du *Marseille* que leurs instructions sont suivies à la lettre, que les lingots d'or ont été transférés à bord du *747,* et que l'avion fait route vers son aéroport de destination où l'attendent des camions pour transporter l'or dans sa cachette...

— Où ? Où attendent-ils ? demanda impatiemment Raffin.

— Je vous en prie, dit Wunderlicht en levant une main pour

réclamer son silence. J'essaie de vous faire prendre conscience de la nécessité absolue de nous conserver, mes deux amis pilotes et moi, vivants et en bonne santé afin que l'or puisse s'envoler en toute sécurité vers sa destination. Dès que ce sera fait, le groupe en mer en sera informé, et quittera définitivement le *Marseille*. S'il advenait que vous changiez d'avis, que vous commettiez une erreur de jugement dont il découlerait pour moi quoi que ce soit de fâcheux, vous feriez incontestablement échec aux conspirateurs. Mais le prix de cette satisfaction, comme je vous l'ai déjà dit, serait la disparition du navire et la mort de tous ses passagers.

— Il me semble inutile de rabâcher cela sans arrêt, aboya Raffin.

— Je suis heureux de vous l'entendre dire, répliqua Wunderlicht. Tout se passera très bien pour vous si vous savez attendre votre heure. Dès que le *Marseille* sera libéré, vous pourrez immédiatement alerter les autorités locales du pays de destination de l'avion qui saisiront en votre nom les camions chargés d'or. Moi, bien entendu, je serais intouchable. Car l'atterrissage doit avoir lieu dans un pays où, en tant que citoyen américain, je suis à l'abri de l'extradition. »

Jean-Claude Raffin se frotta pensivement le menton. Il épiait le visage impassible de Wunderlicht comme s'il essayait d'y lire quelques mystérieuses intentions cachées.

« Expliquez-moi, dit-il calmement, pourquoi ne pas vous charger de cela pour moi en partant avec un avion vide, en vous envolant sans les lingots d'or ? A l'atterrissage vous signaleriez au *Marseille* que tout va bien, et seriez un homme libre. Ce serait tellement plus simple, Wunderlicht.

« Impossible, dit l'Allemand en souriant.

— Pourquoi donc ?

— Parce que, à ce stade des opérations, ce n'est plus moi qui dois prendre contact avec le *Marseille*. »

Wunderlicht vit l'étonnement s'inscrire sur le visage de Raffin.

« A l'atterrissage, quelqu'un d'autre a mission de surveiller le transbordement des lingots de l'avion aux camions. Seulement après cela, et quand il aura vérifié que le compte y est bien, il appellera le bateau. C'est lui qui en est chargé. Pas moi. Vous voyez bien qu'un *747* sans son chargement précieux ne saurait être que le signal d'un désastre. »

Jean-Claude Raffin tourna le dos à son tourmenteur et se mit à arpenter la petite cellule de long en large, et grommela :

« Pourquoi devrais-je croire cela ?

— Simplement parce que vous n'avez pas le choix. »

Le fonctionnaire se retourna et baissa les yeux vers lui.

« Accepteriez-vous de prendre deux pilotes d'Air France comme passagers ?

— Dans quel but ? répondit Wunderlicht sèchement.

— Pour reconduire l'avion et l'or à Paris, dit l'autre calmement. »

Wunderlicht le regarda fixement.

« Il faudrait qu'ils soient si parfaitement cachés que personne à l'atterrissage ne s'aperçoive de leur présence jusqu'à la fin du transbordement de l'or...

— Je suis certain que nous pouvons arranger cela », dit Raffin avec trop d'empressement.

Wunderlicht le dévisagea froidement. Il n'appréciait pas l'idée que l'homme puisse le prendre pour un imbécile.

« Non, dit-il. Ce serait trop risqué. Je ne peux pas approuver une telle suggestion.

— Mais je vous assure...

— C'est non, Raffin. »

Il était malade et fatigué de ce jeu. Il voulait en finir. Il voulait se retrouver seul et libre dans un endroit où il pourrait réfléchir calmement à ce qu'il était déjà déterminé à entreprendre.

Raffin faisait une tête sinistre.

« Et si vous me disiez maintenant... si ce n'est pas trop vous précipiter ?... quel est l'homme qui doit surveiller le transbordement des lingots et en aviser le navire ?

— Dois-je en conclure, demanda Wunderlicht, que vous vous ralliez à mes suggestions ?

— Vous l'avez déjà dit : je n'ai pas le choix. »

Wunderlicht opina.

« Il se nomme Otto Laneer. C'est un importateur local de matériel agricole.

— Vous épelez ça : L - A - N - E - E - R ?

— Exactement. »

Le chef de la Sûreté prit une profonde respiration et demanda :

« Et quelle est la destination de l'avion ? »

Julian Wunderlicht observa son cigare. Il s'était de nouveau éteint. Il le replaça tel quel entre ses lèvres, et dit :

« Brazzaka, la capitale de la République du Libwana.

— Evidemment, dit Jean-Claude Raffin d'une voix pleine d'amertume. Ce porc d'Aramis reçoit n'importe qui dans son pays.

— Uniquement si on y apporte des armes ou de l'or, fit remarquer Wunderlicht sans vouloir relever l'insulte personnelle.

— Et comment les autres conspirateurs pensent-ils s'y rendre ?

— Le bateau qui doit venir les chercher à leur départ du

Marseille les déposera dans des îles, j'ignore lesquelles, exposa Wunderlicht. Ils suivront ensuite chacun leur route. Sur laquelle l'or est supposé les rejoindre en chemin.

— Ce ne sont pas eux qui iront vers lui ?

— Non, dit Wunderlicht. »

Le fonctionnaire de police fronça les sourcils d'étonnement. Une pensée fugace lui traversa l'esprit sans qu'il réussisse à la formuler, ni à la retenir.

« Je ne comprends pas comment ces gens ont pu raisonnablement penser pouvoir s'en tirer avec un plan aussi délirant. Je ne vois pas ce qui pourra empêcher la Sûreté et les autorités des Etats-Unis de remonter leurs pistes, et de les retrouver un par un ? Après tout, ils seront les cent soixante-quatorze passagers embarqués à New York sur le *Marseille* et qui ne se trouveront plus à son bord quand le navire accostera les quais du Havre. Nous finirons par savoir qui rechercher, quelles que soient leurs identités d'emprunt. Aussi bien qu'aient été maquillés leurs passeports, ce ne sera qu'un jeu d'enfant pour les services spécialisés d'éventer leurs astuces. De plus, nous disposerons de milliers de témoins pour nous aider à identifier les fugitifs. »

Wunderlicht haussa les épaules.

« Je dois admettre que je n'ai pas non plus réussi à comprendre la solution qu'ils avaient pu imaginer à ce problème. Mais ils en ont sûrement trouvé une qu'ils croient infaillible. »

Julian Wunderlicht se garda bien de lui faire part de ses soupçons. Il avait d'ailleurs rejeté comme incompatible avec sa tranquillité d'esprit la possibilité que Craig Dunleavy ait pu envisager la destruction globale du navire et de ses passagers quoi qu'il advienne. Il ne doutait pas que le fonctionnaire français ait également songé à cette hypothèse sans vouloir, lui non plus, s'y attarder. L'envisager n'aurait pu que le paralyser. Si le *Marseille* ne regagnait jamais Le Havre, s'il explosait en mer et sombrait dans l'Atlantique Sud, nul doute que personne d'autre que les requins ne pourrait jamais reconnaître ceux qui manquaient à l'appel.

Wunderlicht se leva brusquement avec une ferme détermination.

« Ne croyez-vous pas que les suites de cet entretien devraient se révéler satisfaisantes pour moi comme pour vous, monsieur Raffin ? »

Les lèvres du Français se durcirent et il marmotta :

« L'avenir nous le dira.

— Vous savez, bien entendu, où me trouver si vous le désirez, continua Wunderlicht avec assez de jovialité. Je crois inutile de vous rappeler que personne ne doit entendre parler de ma visite involontaire entre ces murs. Je suppose que vous saurez faire taire quiconque en aurait eu connaissance. Je ne saurais par ailleurs trop vous recommander de ne pas me faire filer. Ma surveillance par la police risquerait d'attirer sur moi des curiosités indésirables.

— Avez-vous encore d'autres instructions pour la Sûreté nationale ? » s'enquit Jean-Claude Raffin sèchement.

Wunderlicht prit une mine faussement contrite.

« Je regrette que vous n'ayez pas davantage de considération pour la victoire que vous venez de remporter. »

Raffin lui fit une révérence narquoise et persifla :

« Pardonnez-moi, monsieur. C'est une regrettable inconvenance de ma part. Je me suis pourtant entraîné au cours de ces dernières années à ne pas infliger de châtiment aux criminels qui me passaient entre les mains, surtout quand leurs méfaits se révélaient particulièrement abjects et répugnants. »

Il se détourna brusquement et appela le planton de garde à l'autre bout du couloir pour qu'il vienne ouvrir la cellule.

Julian Wunderlicht s'efforça de sourire dans l'espoir qu'il réussirait ainsi à faire naître en lui une bouffée de joie triomphante pour effacer le malaise qui l'avait saisi au creux de l'estomac devant la réflexion sarcastique de Raffin. Mais, quand au bout de la montée de l'escalier, après avoir franchi la porte de sortie, il se retrouva libre dans l'air de la nuit, son sourire s'était estompé. Il se disait qu'il lui faudrait un corps de femme pour l'aider à se débarrasser de l'angoisse qui l'étreignait.

Il se demanda si la ravissante blonde, assise derrière le volant de la petite Peugeot rouge garée dans le tournant, derrière la Mercedes Benz qui l'avait amené là, pourrait être une putain qui cherchait fortune. Il s'avança vers elle et se dit en la voyant de plus près : " Mon Dieu, quelle beauté, ce n'est pas possible. " Elle se tourna vers lui et quand ses yeux vert pâle le dévisagèrent, il se sentit défaillir.

« Oui, vous désirez ? demanda-t-elle froidement et directement.

— Je me demandais, si vous et moi... dit-il d'une voix trébuchante. Si nous pourrions aller prendre un verre quelque part... ensemble. »

La fille le regardait et semblait lire en lui comme dans un livre ouvert.

« Vous êtes sûr que vous n'avez rien d'autre en tête ? lança-t-elle au bout d'un moment. »

Le cœur de Wunderlicht ne fit qu'un tour.

« Je vais laisser mon imagination se débrider », dit-il sur un ton joyeux qui le surprit lui-même.

La fille sourit.

« Où habitez-vous, mon chou ? »

Elle avait dit « mon chou » sur un ton intime qui le fit tressaillir de plaisir.

« A l'hôtel "Prince-de-Galles", répondit-il. Mais j'y ai des amis qui risqueraient de troubler notre intimité. J'avais espéré que nous pourrions peut-être aller chez vous ?

— D'accord, dit-elle. Mais je dois d'abord... euh... attendre ici une amie qui doit m'apporter de l'argent qu'elle me doit...

— Je vois.

— Vous pourriez m'attendre dans le hall de votre hôtel ? ajouta la fille rapidement. Je viendrai vous chercher. Je n'en aurai pas pour longtemps. »

Wunderlicht fronça les sourcils.

« Ce n'est pas une manière de m'envoyer promener ?

— Allons, pourquoi ferais-je une chose pareille ? demanda-t-elle avec un grand sourire. Vous avez l'air assez prospère pour mes ambitions et je suis persuadée que nous passerons un bon moment ensemble.

— Bien, ça me va, murmura Wunderlicht dont l'entrecuisse approuvait. Le " Prince-de-Galles " se trouve...

— Je sais, le coupa-t-elle. Vous ne voudriez pas me dire votre nom juste au cas où ?...

— Au cas où quoi ? Ne vous inquiétez pas, je vous attendrai. Et vous viendrez.

— Alors, filez, dit-elle. Avant que la police ne nous interpelle.

— Bien, dit-il avec un sourire. »

Il s'éloigna en commençant à croire aux miracles.

C'était un pari risqué, se disait Lisa Briande, mais pouvait-elle se permettre d'éliminer un seul atout ? Elle l'avait vu sortir de l'immeuble qu'elle surveillait du coin de l'œil. et quand il s'était approché d'elle et lui avait parlé français avec un accent allemand, son intuition lui avait dicté de ne pas le perdre complètement de vue. Max Dechambre n'avait-il pas mentionné que le contact des conspirateurs à Paris était un Allemand. Et cet homme ne venait-il pas de sortir de l'immeuble que Jean-Claude Raffin n'avait toujours pas quitté. Allait-il la faire attendre encore longtemps ?

Elle jeta par la vitre le mégot qui devait être celui de son quatrième ou cinquième cigarillo puis examina son visage dans le miroir du rétroviseur. Les traits tirés, épuisée par le manque de sommeil, qui ne l'aurait prise pour une prostituée parisienne ?

Elle s'apitoya quelques instants sur son sort puis reprit son observation de la façade grise faiblement éclairée du siège de la police judiciaire. Il apparut enfin et se dirigea vers la Mercedes

Benz d'un pas pesant. Elle avait vu assez souvent sa photo dans différents magazines et dans les archives de son journal pour le reconnaître sur-le-champ. Elle jaillit de la Peugeot et courut derrière lui en appelant :

« Monsieur le Directeur général... »

Le chauffeur lui tenait la porte ouverte. Alors qu'il était à moitié monté dans la Mercedes, Raffin en ressortit et se retourna. Lisa avait ouvert son portefeuille et lui présenta sa carte de presse devant les yeux.

« Lisa Briande, du *Herald Tribune.* »

Raffin jeta un coup d'œil sur la carte de presse puis sur son visage et dit fraîchement :

« Il est tard et je suis en retard.

— Il faut que je vous parle.

— Ce n'est pas une raison suffisante pour que je veuille vous répondre », dit-il en faisant un mouvement pour monter dans la voiture.

Lisa l'arrêta en l'attrapant par le bras.

« Monsieur Raffin, je sais ce qui se passe à Paris et en mer, et je tiens à vous parler de ce que vous faites en ce moment. »

Raffin se tourna vivement vers son chauffeur et lui dit de l'attendre à l'intérieur de la voiture. Puis il s'écarta à quelques pas de la Mercedes, suivi de Lisa.

« Mademoiselle Briande... c'est bien votre nom, n'est-ce pas ?

— Oui.

— Ecoutez-moi très attentivement, fit-il d'une voix coupante comme un rasoir. A quoi que ce soit que vous fassiez allusion... je refuse catégoriquement d'en discuter...

— Cela ne tient pas debout parce que...

— Si vous, ou votre journal, divulguez un mot, un seul mot, qui puisse compromettre nos plans, je vous promets que vous ne ferez pas de vieux os. C'est clair ? »

Lisa éclata de rire mais sentit ses joues s'enflammer.

« Je n'en crois pas mes oreilles ! Ai-je bien entendu le chef de la Sûreté adresser des menaces de mort à une journaliste ? »

Les lèvres de Raffin se retroussèrent sur un sourire sardonique.

« Vous autres, membres de la presse, vous vous faites toujours de drôles d'idées, vous allez imaginer de ces choses...

— C'est vrai, répliqua-t-elle. Et je suis justement en train d'imaginer le genre de conversation que vous avez pu avoir avec cet Allemand qui se trouvait ce soir en votre compagnie. »

Raffin fut trahi par son emportement :

« Oubliez cet Allemand, vous m'entendez ? Oubliez tout ce que vous croyez savoir, parce que si vous ne le faites pas, c'est votre cadavre barbouillé de rouge à lèvres qu'on retrouvera dans un caniveau. »

Il tourna les talons et s'engouffra dans la Mercedes en claquant la portière sur lui. Puis la voiture démarra en trombe.

Lisa ne pouvait se retenir de sourire en regagnant sa voiture. Elle démarra le moteur, fit un demi-tour, et roula vers le pont qu'il lui fallait prendre pour se diriger vers l'hôtel " Prince-de-Galles ". Jean-Claude Raffin ne pouvait plus lui être d'aucune utilité. Elle en avait tiré tout ce qu'elle désirait savoir : son pari risqué n'en était plus un maintenant. Il était devenu son meilleur atout et elle allait l'utiliser au mieux.

Quand le directeur général de la Sûreté nationale arriva au 11 rue des Saussaies, après avoir ouvert la porte fermée à clé de son bureau plongé dans la pénombre, il alla tout droit sur son téléphone privé et, sans prendre le temps d'allumer la lumière, réveilla Aristide Bonnard d'un sommeil agité dans sa chambre de Saint-Germain-en-Laye. Raffin avait déjà pris contact avec Arsène Schreiner d'Interpol avant de quitter le siège de la police judiciaire. Vingt minutes après l'avoir appelé, il avait reçu confirmation de l'existence d'un nommé Otto Laneer à Brazzaka. Ce fut donc sur un ton plutôt assuré que Raffin informa le président de la République française, sans se perdre dans trop de détails, qu'il serait hélas indispensable de transférer les lingots d'or à l'aéroport Charles-de-Gaulle et d'en autoriser l'envol comme convenu avec M. Dechambre de la Françat. Et avant que le président somnolent ne puisse protester, Raffin ajouta rapidement que, non seulement le *Marseille* serait sauvé par cette démarche mais aussi que, fort heureusement, lui, Raffin, avait élaboré un plan avec le conspirateur Wunderlicht, plan grâce auquel l'or serait facilement et totalement récupéré dans les vingt-quatre heures après son départ.

La réaction du président à ces nouvelles parut rien moins qu'enthousiaste à Raffin. Mais quand il l'informa ensuite poliment de la nécessité de téléphoner personnellement, et au plus tôt, à Patrick Hennesey, directeur de la rédaction de l'*International Herald Tribune,* à son domicile au 24 quai de Béthune ou à son bureau au 22 rue de Berri — où qu'il se trouve — pour lui ordonner, au nom de la sécurité nationale, de ne rien publier avant quarante-huit heures sur la Compagnie française atlantique ou sur ses navires en mer, Aristide Bonnard se hérissa et voulut connaître les raisons pour lesquelles on lui demandait de s'exposer à pareille humiliation.

« Monsieur le Président, répondit Jean-Claude Raffin avec la plus grande courtoisie. Tout d'abord, veuillez croire que ma requête est non seulement fondée mais urgente. Et permettez-moi de vous dire qu'il vaut mieux pour vous, pour votre crédibilité future, que je n'entre pas dans les détails, surtout par téléphone. Je vous demanderais pour finir de ne pas m'en vouloir si je vous dis que je crois préférable que nous n'ayons plus d'autre communication, excepté en cas d'extrême urgence, pendant les jours qui viennent, jusqu'à ce que nos problèmes, maritimes, financiers et autres, aient été résolus de manière satisfaisante.

Un long silence qui dissimulait probablement une colère rentrée répondit à Raffin. Puis, enfin, Aristide Bonnard lui dit d'une voix réticente :

« Si c'est ainsi que vous voyez les choses, très bien, Raffin. Bonne nuit, et bonne chance.

— Bonne nuit, monsieur le Président. Et merci. »

Au lieu de se sentir fier ou victorieux, Raffin raccrocha avec un vague sentiment de culpabilité. Rien ne pouvait lui permettre de deviner que la froideur de son supérieur hiérarchique provenait, en partie, de son échec au lit en début de soirée face à la Première dame de France.

Raffin demeura quelque temps perdu dans ses pensées, assis derrière son bureau ancien, tapotant nerveusement du bout des doigts son plateau de noyer poli par les ans. Cette garce blonde de journaliste continuait à le préoccuper. Il n'y avait pourtant maintenant plus lieu de s'inquiéter d'elle puisqu'il venait de lui couper l'herbe sous le pied. Néanmoins, la seule idée de son existence l'obsédait. Des visages et des noms lui venaient à l'esprit. Ceux d'hommes horribles et dangereux prêts à n'importe quoi pour que la police les laisse en paix. Il eut des hallucinations de crissements de pneus et de tôles broyées où se mêlaient des cris aigus d'agonie qui s'éteignaient dans un silence de mort.

Il se leva et quitta rapidement son bureau. Sur le siège arrière de la Mercedes Benz pendant le long trajet jusqu'à son domicile, il finit par se convaincre que ces fantasmes provenaient de sa fatigue et qu'après une bonne nuit de sommeil il serait en pleine forme le lendemain et aurait retrouvé tout son bon sens.

Mais Julian Wunderlicht vint ensuite se faufiler dans ses pensées et il essaya de se rappeler ce qui avait bien pu le pousser à faire confiance à cet homme. Et comme il ne trouvait pas une seule raison, pas un seul élément pour justifier une décision aussi hasardeuse, il demanda à son chauffeur d'ouvrir la radio sur l'une de ces stations qui diffusent toute la nuit des programmes de jazz.

Mais la musique ne fut pas assez assourdissante pour l'empêcher de s'entendre penser.

Chapitre XXXII

Nu et détendu, Julian Wunderlicht se rallongea dans les draps froissés en tirant nonchalamment une bouffée sur sa cigarette. Il prêtait une oreille distraite aux bruits sporadiques de la circulation dans la rue de Sèvres en se remémorant les délicieux instants de sa récente fornication avec l'adorable blonde qui lui avait dit se prénommer Simone.

Quand il entendit le bourdonnement de la sonnette de la porte, sa première impulsion fut de laisser sonner jusqu'à ce que le visiteur se lasse. Il jeta un coup d'œil sur la porte fermée de la salle de bains, conscient de ce que la fille qui se tenait là sous le jet de la douche ignorait tout de cette visite nocturne. La sonnerie vibra de nouveau. Wunderlicht écrasa sa cigarette dans le cendrier de la table de chevet, se leva du lit défait, s'enroula une serviette autour de la taille et trotta vers la porte, gloussant intérieurement quand il réalisa qu'il nourrissait l'espoir que cette visite pouvait être celle d'une autre beauté. Le souvenir de sa sublime éjaculation encore vivant dans sa mémoire, il sentit un frémissement lui parcourir les reins et se dit qu'il lui restait assez de ressource pour tirer encore un bon coup.

Il détacha la chaîne de sécurité et ouvrit la porte sur le visage surpris d'un jeune homme dont les lèvres et les joues portaient des vestiges de cosmétiques mal démaquillés. Il dévisagea Wunderlicht d'un œil dédaigneux.

« Elle est là ? demanda-t-il.

— Qui, Simone ? répondit Wunderlicht.

— Non, dit l'autre avec impatience. Mlle Briande.

— Mlle qui ?

— Briande. Lisa Briande. Elle habite ici.

— Oh ! Lisa Briande, murmura Wunderlicht un peu ébahi.

— Hé bien, de qui pensiez-vous donc que je parlais ?

— Pourrais-je savoir votre nom... à 1 h 20 du matin ?

— Jimi Brocke, à cette heure-ci ou à n'importe quelle autre. Je suis assistant de rédaction au *Herald Tribune,* et je viens laisser un message à Mlle Briande de la part de son rédacteur en chef. Alors vous me laissez entrer ou non ?

— Non, dit Wunderlicht dans l'esprit de qui la vérité commençait à se faire jour. Je suis un ami de Mlle Briande et je me ferai un plaisir de lui transmettre le message, à moins que ce ne soit trop confidentiel.

Jimi Brocke dévisagea l'Allemand, les lèvres tremblantes de rage.

— Très bien. Dites à Mlle Briande que son rédacteur en chef cherche à la joindre sans succès depuis plus de douze heures. Dites-lui que si elle tient à rester muette indéfiniment, le *Tribune* trouvera quelqu'un d'autre pour remplir son soutien-gorge.

— Elle n'en porte pas.

— Ce n'était qu'une figure de réthorique, lui lança Jimi Brocke sauvagement.

— Pardonnez ma stupidité. Je lui ferai part de votre message.

— Triste connard », lui répondit Jimi Brocke en tournant les talons.

Wunderlicht écouta ses pas décroître dans l'escalier et referma la porte. Puis il retourna s'allonger en constatant qu'il n'était pas vraiment surpris de ce qu'il venait d'apprendre. Il renouait avec sa vieille incrédulité devant le miracle. Au pire, il allait devoir à nouveau jouer serré et gagner alors qu'il n'envisageait, quelques minutes plus tôt, que de se laisser aller aux joies du sport érotique. Quand le bruit de la douche eut cessé et que les effluves d'un mélange de talc et d'eau de toilette se glissèrent de la salle de bains jusqu'à ses narines, il se trouvait prêt à toute éventualité, sans toutefois se faire trop d'illusions. Une partie de lui-même manquait de ressort pour ce qui allait suivre, soupirait après quelque chose de très différent. Mais quoi ? L'amour ? Du romantisme ? Une jouissance sans fin ? Quoi donc ? Et ce désir s'adressait-il à n'importe quelle femme ? Ou à celle-là uniquement ?

Lisa Briande. Une merveille. Mais une journaliste. Quelle tristesse.

Reste sur tes gardes, Wunderlicht, ou une femelle causera ta perte.

Il sentit le cœur lui manquer en la voyant sortir de la salle de bains, nue, douce et dorée.

« J'ai trop bu de calvados, dit-elle. La tête me tourne. Est-ce que je vous ai entendu parler à quelqu'un ?

— Oui. Je parlais tout seul. J'étais en train de me dire que j'étais un sacré veinard. Vous êtes trop bien pour moi. Je ne vous mérite pas.

— Je ne vous contredirai pas. Surtout à ce prix-là. Vous pourriez peut-être faire un effort pour arrondir les angles ?

— Ces Françaises, toutes les mêmes. Mais je regretterai que vous soyez autrement.

— Avant que je m'habille, dit-elle en se tournant vers lui, pendant que je suis encore toute fraîche, propre et parfumée, y a-t-il quelque chose que je puisse faire pour vous ?

— Oui. Je vais vous regarder et vous parler pendant ce temps-là. Ecoutez-moi attentivement, et si je vais trop vite ou s'il y a quelque chose que vous ne comprenez pas, n'hésitez pas à m'interrompre. D'accord ?

— Ça semble facile.

— Peut-être bien que oui, peut-être bien que non. »

Il alluma une cigarette et s'installa confortablement contre les oreillers. Il la regardait, paupières mi-closes, remonter une culotte couleur chair au long de ses ravissantes jambes. Il avait encore envie d'elle. Mais il fallait faire ce qui devait l'être : parler.

« Je parle français avec un accent, commença-t-il. Un accent allemand. Rien ne pourrait me faire paraître moins perspicace ou moins intelligent que je ne le suis, excepté que cet accent fut américain. »

Elle resta quelques instants avant de répondre, puis, en tournant les yeux vers lui, elle dit :

« Accent ou non, je n'ai pas encore remarqué que vous ayez fait une seule faute. »

Il exhala bruyamment de la fumée.

« Et comment qualifiez-vous l'erreur de vous avoir prise pour une prostituée ? Vous me voyez décrocher le prix Nobel pour celle-là ?

— Je suis désolée si je vous ai paru manquer d'expérience. »

Elle était en train d'enfiler un chemisier éclatant de blancheur qu'elle laissa déboutonné.

« Si vous ne vouliez pas jouir aussi vite, poursuivit-elle, vous auriez dû le dire. J'aurais pu continuer à vous faire bander plus longtemps. »

Elle lui faisait un peu de peine. C'était trop facile, trop inéquitable.

« Ecoutez, je ne perdrai plus que quelques minutes à me montrer brillant, parce que je souffre toujours un peu dans mon orgueil quand on a cru pouvoir me prendre pour un imbécile. Tout d'abord, les putains ne mouillent pas aussi vite que vous, si même ça leur arrive, et, croyez-moi, je parle en connaissance de cause...

— Je vous crois, dit-elle.

— Le plus souvent, elles trouvent mon sexe trop gros...

— On ne peut pas plaire à tout le monde. »

Elle prit un peigne qu'elle commença à passer dans ses cheveux brillants.

« Deuxième observation : les gémissements, les cris et les contorsions d'une femme qui feint l'orgasme me sont aussi familiers que les films de mes acteurs préférés. Tandis que vos soupirs, ma chère enfant, vos sublimes obscénités involontaires, la morsure de vos ongles dans mon dos, l'étreinte de vos jambes et de vos cuisses à cet instant crucial, et ces spasmes divins venus du fond de vos entrailles, tout cela était assez authentique pour figurer au Louvre auprès de *Mona Lisa.*

— Je doute que ça plaise à Da Vinci.

— Vous voyez où je veux en venir, non ? »

Il souffla un petit nuage de fumée de cigarette en la regardant se tripoter les cheveux.

« Où va le monde, dit-elle, si une putain risque de se faire prendre pour une autre uniquement parce qu'elle a envie de s'envoyer en l'air. Vous êtes plutôt un bon coup, vous savez. »

Il hocha la tête en signe de remerciement et continua :

« Autre observation. Je promets qu'il n'y en aura plus beaucoup d'autres. Cette machine à écrire, là sur cette table, elle a l'air d'avoir pas mal servi. Ce n'est pas exactement le genre de gadget pour écrire des lettres à la famille. Elle ressemble plutôt à un outil de travail. A un outil de professionnel de l'écriture, hein ? »

Elle hésita un instant avant de répondre :

« Vous voulez que je vous écoute en continuant à m'habiller, ou vous voulez que je réponde à vos questions ?

— Ecoutez-moi encore un peu, nous passerons ensuite au dialogue, répondit doucement Wunderlicht. Entre parenthèses, inutile de mettre davantage de vêtements. Vous me plaisez telle que vous êtes. »

Lisa reposa le peigne.

« Pendant que j'y pense, avant que votre bavardage ne me le fasse oublier, pensez donc à déposer une somme convenable sur la table, voulez-vous ?

— Mais certainement.

— Même une putain qu'on s'obstine à ne pas prendre pour une putain s'attend à être payée pour ses services.

— N'ayez crainte. Et maintenant, pour conclure, je suis persuadé que votre stationnement cette nuit devant le siège de la police judiciaire était à peu près aussi accidentel que l'incendie du Reichstag.

— Je l'ignore. Adolf ne m'a jamais fait de confidences à ce sujet. »

Wunderlicht décida qu'il s'était suffisamment passé de pommade.

« Vous êtes américaine, ma ravissante, ou anglaise. Mais je penche pour américaine, parce que les Anglaises sentent souvent des aisselles et que vous êtes sans reproche de ce côté-là. Il y a donc fort à parier que vous travailliez pour *United Press International* ou pour le *Herald Tribune*. Et je parie pour le *Herald Tribune*. Ce sera tout, Votre Honneur. »

Elle pivota brusquement pour lui faire face, et remit sa longue chevelure dorée en place d'un violent mouvement de tête. Elle essaya de chasser les vapeurs du calvados de son cerveau.

« O.K. Sherlock Holmes Il me semble que vous en avez maintenant assez jeté pour cicatriser votre orgueil blessé et même pour qu'il se gonfle. Où voulez-vous qu'on vous accroche une médaille, sur le nombril ? »

Il sourit paisiblement.

« Holmes, mes fesses. Vous connaissez parfaitement mon nom, mademoiselle Lisa Briande. »

Elle prit sa respiration.

« Je connais celui que vous utilisez.

— Vous pouvez m'appeler Julian.

— Comme vous voudrez, monsieur Wunderlicht.

— Lisa Briande. J'aime bien votre nom, au fait...

— Chic alors !

— ... que savez-vous exactement ?

— A quel sujet ? Sur la vie ? La destinée humaine ? Le monde ?

— Sur le *Marseille*.

— Oh ! ce... tout.

— Non. Il n'y a personne qui sache tout.

— J'entends tout ce qui s'est passé jusqu'ici, jusqu'à et y compris votre tête à tête de cette nuit avec Jean-Claude Raffin. La seule chose que j'ignore, c'est l'avenir. Si tout va marcher sur des roulettes ou capoter. Je veux dire : imaginez que le *747* pris dans des turbulences perde une aile, qu'Aristide Bonnard substitue du plomb à l'or, que Max Dechambre, dans un moment de folie, téléphone l'histoire à la télévision française avant de se jeter par la fenêtre du haut de la tour Française, ou encore que, à bord du *Marseille,* les conspirateurs pris de trouille se rendent au commandant. Pas même Dieu ne pourrait prévoir ça. Alors, que reste-t-il donc que vous sachiez et que je ne sache pas ? Rien. En un mot, je sais tout. »

Et il s'étonna de ce qu'elle sache presque tout.

« Pourquoi ne vous en êtes-vous pas servi ? Pourquoi votre journal n'en a-t-il pas publié un seul mot ?

— Toutes les blondes ne sont pas stupides, monsieur Wunderlicht.

— Toutes les blondes ne font pas non plus l'amour aussi bien que vous. Croyez-en un amateur de blondes.

— La flatterie ne vous mènera nulle part.

— Je me sens très bien ici. Je n'ai pas l'intention d'un d'en bouger.

— Ne pariez pas là-dessus, Julian. La vie est pleine de surprises.

— Je m'en suis déjà aperçu. Donc, vous savez tout, et vous ne vous en servez pas. Alors, pourquoi m'avez-vous ramassé ? Que vouliez-vous de moi ?

— Rien. J'ai eu un coup de veine, c'est tout. Pour une fois, je me trouvais au bon endroit, pour une raison fausse, au bon moment.

— Voulez-vous dire que ce n'était pas moi que vous attendiez ?

— Exactement. J'attendais Raffin. Il s'est enfui comme une gazelle apeurée. A l'idée que la presse puisse savoir ce qui se passait...

— Bien sûr. Cela risquerait de tout compromettre. Pour les innocents aussi bien que pour mes amis, moi-même, tout le monde.

— Je n'ignore pas cela.

— Alors, que cherchez-vous, mademoiselle Briande ? »

Cela lui semblait encore plausible même à l'instant où elle s'apprêtait à le dire. Elle n'avait simplement pas disposé de suffisamment de temps jusque-là pour y réfléchir vraiment.

« Le gros coup, tout juste comme vous et vos amis, répondit-elle. A ceci près que, pour moi, il sortira de cette machine à écrire. Un livre. Un gros. Toute l'histoire, par quelqu'un qui l'a vécue, qui en connaît tous les labyrinthes que vous ne soupçonnez même pas, monsieur, depuis la première seconde. Il y a encore beaucoup à venir, et j'ai bien l'intention d'assister au déroulement des événements jusqu'à ce que tout soit fini.

— Et que faites-vous du *Herald Tribune* ? demanda-t-il sur un ton glacial.

— On m'y exploite depuis cinq ans. Depuis que je suis arrivée dans la ville Lumière. Regardez donc où je vis. Et ça aurait été encore pire si j'étais laide, ou si je refusais les petits cadeaux qui se présentent pour m'aider à continuer.

— Vous êtes une femme selon mon cœur, Lisa Briande.

— J'attends plus que cela, monsieur Wunderlicht. J'attends de connaître les détails du dénouement de cette affaire. J'attends des millions de francs de droits d'auteur et cela signifie que je n'ai pas l'intention de vous perdre de vue. »

Il sourit.

« Si l'idée de continuer nos relations me paraît séduisante, en revanche, je dois avouer que je ne comprends pas votre façon de voir les choses. Ne réalisez-vous pas que je suis capable de vous tuer ? »

Elle éclata d'un rire sans joie.

« On peut craindre cela de n'importe qui. Et pourquoi voudriez-vous vous débarrasser de moi ?

— Tout d'abord, pour avoir essayé, sans succès, de me tromper. Vous ne m'auriez jamais dit qui vous étiez ni ce que vous cherchiez.

— Ce n'est tout de même pas un crime.

— Et à supposer que vous contrariiez mes plans ? Que vous soyez une entrave dangereuse pour moi ?

— Ridicule. Je n'ai aucune raison de vous mettre des bâtons dans les roues quand cela se traduirait par un désastre pour tout le monde, moi y compris. Comment terminerais-je mon livre autrement ? Vous devez convenir que j'en tiens jusqu'ici deux bonnes parties. Il ne me manque plus que le final. Les lingots seront-ils livrés ? Les méchants libéreront-ils le navire ? Est-ce que tout ce monde s'en tirera croûlant sous l'or ? Ou les autorités déjoueront-elles les bandits et conduiront-elles les infâmes créatures en justice ? »

Wunderlicht la regardait d'un air un peu railleur.

« Pour une fille dans une situation très précaire, vous parlez avec beaucoup de frivolité, mademoiselle Briande.

— Je ne vois vraiment rien de précaire dans ma situation, Julian. J'ajouterai même que la vôtre l'est bien davantage.

— Je n'ai nul besoin d'un crampon qui me colle aux fesses, dit-il d'une voix plus dure. D'un crampon qui ne pourrait que me gêner. Votre situation vous paraît-elle plus claire ?

— Vous n'êtes pas en situation de pouvoir me menacer, monsieur.

— Je suis pour l'instant tranquillement étendu sur le dos à jouir du spectacle de votre corps ravissant qu'il serait navrant d'abîmer. Mais cette position est trompeuse, car elle ne révèle rien du revolver armé d'un silencieux qui se trouve dans la poche gauche de mon pantalon, là, sur cette chaise, dit-il en faisant un geste paresseux de la main droite pour la désigner.

314

— Je ne vois pas vos pantalons sur cette chaise, dit Lisa. Et vous ne les verriez pas non plus si vous preniez la peine de regarder. »

Wunderlicht tourna la tête et son visage blémit. Quand il se retourna vers Lisa, il vit le revolver dans ses mains.

« Que diable avez-vous fait de mes vêtements ? »

Elle sourit.

« Voyez-vous, pendant que nos mecs foncent vers la salle de bains pour laver leur précieuse petite queue, nous, les putains dilettantes, ne perdons pas notre temps à nous fourrer des Kleenex dans le vagin. Vos affaires, à l'exception de vos chaussures et de ce portefeuille plein à craquer, sont parties faire une glissade jusqu'à l'incinérateur et doivent maintenant avoir rejoint l'Univers. Pouf.

— Oh, ma stupide petite garce, soupira-t-il avec lassitude. Vous n'avez pas fait ça.

— Héhé. »

Il amorça un mouvement pour se lever.

« Restez où vous êtes, Julian. »

Il regarda fixement le revolver et se laissa retomber sur l'oreiller.

« Ce n'est pas un jouet, dit-il. Il arrive que ça parte, vous savez.

— Pas sans que j'appuie sur la gâchette. Et je n'ai pas l'intention de le faire à moins que vous ne m'obligiez à me défendre. Alors, restez tranquille. »

Il rejeta la serviette, découvrant son sexe en érection.

« Je suis supposé faire quoi maintenant, du nudisme pour le restant de mes jours ?

— Vous n'avez jamais pensé à vous faire gigolo ?

— Je suis trop vieux pour changer mon genre de vie. »

Il secoua la tête avec impatience.

« Allons, dit-il, que comptez-vous faire de moi ?

— Hé bien, il se fait tard. Nous pourrions, par exemple, dormir un peu. Vous ici, enfermé ajouterai-je au cas où il vous prendrait des velléités d'aller vous promener nu dans les rues de Paris.

— Je n'ai aucun désir de vous quitter.

— Je dormirai dans la pièce à côté, où se trouve le téléphone.

— J'ai deux collègues au " Prince-de-Galles ". Les pilotes du 747. Je vais leur manquer.

— Vous allez leur téléphoner pour leur dire que tout va bien. Et, bien sûr, vous n'oublierez pas d'appeler Georges Sauvinage, demain à midi à la Françat, comme prévu. Vous pouvez faire ça d'ici...

« — Y a-t-il quoi que ce soit de cette sordide affaire que vous ignoriez ?

— Selon vous, il semblerait que oui. Ce pourquoi je vais vous poser quelques pertinentes questions...

— Je pensais que nous allions dormir...

— ... auxquelles vous allez me répondre franchement.

— Et si je ne vous disais que des mensonges, comment le sauriez-vous ?

— Je vous le déconseille, Julian. Vous pouvez toujours essayer, vous verrez bien ce qu'il en résulte. Combien y a-t-il de balles dans ce machin ? Une ? Deux ? Quatre ? Six ?

— Six. Quatorze. Vingt-quatre. Qu'est-ce que ça changerait ? Vous ne me tirerez pas dessus, vous le savez très bien. Pas davantage que je ne chercherai à vous faire de mal, vous le savez également très bien. Il se trouve que nous avons trop besoin l'un de l'autre, ma chère. Et pour l'instant, j'ai besoin de vous pour des raisons très précises. Si vous voulez être assez bonne pour me rendre service, je promets de répondre à toutes les questions que vous me poserez, en toute franchise et honnêteté. Venez près de moi, je vous en prie, et asseyez-vous comme une gentille petite fille, en arrêtant de me braquer avec ce maudit engin, voulez-vous ?

— Que voulez-vous ? dit-elle en s'avançant lentement vers le lit, le cerveau encore embrumé de vapeurs d'alcool.

— Que pensez-vous que je veuille ? dit Wunderlicht en tendant une main vers elle.

Il la trouvait captivante en culotte et avec son chemisier ouvert.

— Vous êtes cinglé, monsieur Wunderlicht.

— Asseyez-vous et taisez-vous, murmura-t-il. »

Elle s'assit lentement, à distance prudente.

« Si je vous ai laissée jacasser ainsi, et je ne veux pas dire que je vous aie trouvée ennuyeuse ou inintéressante, c'était pour me donner le temps de réfléchir à mes sentiments exacts envers vous. Parce que vous faites partie de mes fantasmes pour la suite de cette aventure. Si je ne suis pas exactement l'homme de vos rêves, la fortune que je pourrais mettre à vos pieds offre certaines compensations...

— Nous perdons du temps, alors qu'il me reste plein de choses à éclaircir...

— Vous y parviendrez, vous y parviendrez si vous savez me prendre. Dois-je me montrer plus explicite ? Quoi qu'il en soit, comme je vous le disais, je réfléchissais à mes sentiments envers vous. J'en étais arrivé à la conclusion que, à l'exception de vos seins et de vos fesses, vous ressembliez trop pour me plaire à toutes ces jeunes femmes pleines de science et de talent, agressives et arrivistes, quand je me suis aperçu que ce bon sang de truc entre mes jambes recommençait à se raidir. Regardez donc, il ne veut pas s'arrêter de grossir et de se durcir. Voilà qui me remplit de confusion car, de toute évidence, vous me plaisez bien davantage que je ne voulais l'admettre. »

Elle ne pouvait s'empêcher de regarder « ce bon sang de truc » avec beaucoup trop d'intérêt.

« Voyons, pourquoi ne le prenez-vous pas dans vos mains pour vous débarrasser de cette confusion pendant que je vous regarderai faire ?

— Ne croyez-vous pas que vous êtes un peu cruelle, et que ce n'est pas le moyen de me rendre coopératif ?

— Allons, Julian, servez-vous donc de ces vieilles meilleures amies de l'homme, vous adorerez ça. »

Wunderlicht poussa un soupir résigné et se saisit de son érection palpitante avec une certaine maladresse.

« Je ne suis pas très sûr de me rappeler comment faire.

— Personne n'oublie vraiment, dit Lisa. Ça va vous revenir, comme quand on recommence à monter à bicyclette. »

Wunderlicht commença à se branler sans enthousiasme.

« Ça doit être ce revolver dans votre main qui me fait manquer de conviction.

— Vous vous débrouillez très bien.

— Comment, je me débrouille très bien ? Je n'arrive à rien. Lisa, aidez-moi, je vous en prie.

— Vous aider ? »

Cet homme était vraiment dément, se dit-elle, et *elle,* ivre...

« Allons... je vous en prie..

— Deux cents francs de mieux ? plaisanta-t-elle étourdiment

— Je ne blague pas. Pour l'amour de Dieu, Lisa, aidez-moi... »

Elle se pencha et le prit dans sa main gauche.

— Oh, vos deux mains... je vous en prie... vos deux mains, Lisa...

— Contentez-vous de ce qu'on veut bien vous donner, espèce de fou...

— Oh, Dieu que c'est bon... vous êtes merveilleuse... oh, Dieu.. oui... oui... devinez ce qui va arriver... »

Il lança brusquement ses jambes vers elle et lui étreignit convulsivement la taille entre ses cuisses.

« Une seconde... dit-elle, haletante. Je ne peux...

— Oh oh... cria-t-il.

— ... plus respirer... Julian... je ne...

— C'était bien bon, grogna-t-il. Désolé de me montrer aussi ingrat.

— Desserrez vos... oh, non... je ne... mes côtes... »

Elle laissa tomber le revolver.

« Je serre un peu plus fort, bébé ? Qu'en pensez-vous ? Un peu plus fort ? Il n'y a encore rien qui craque ?

— Oh... oh... je ne... peux plus... supporter... je vous en prie... arrêtez...

— Promettez que vous vous laisserez rouler sur le plancher ?

— Oh... arrêtez...

— Promettez ? Hein ? Je serre plus fort ?

— Je... vais mou...

— Le plancher ! Promettez ! Si je serre encore, je vous tue ! Oui ou non ?

— Oui... oui... je... oui...

— Attention, sur le plancher. »

Il relâcha son étreinte et elle se laissa choir sur le sol, la respiration sifflante, haletant hystériquement.

« Cessez donc de faire tant d'histoires. Vous survivrez, dit-il en s'essuyant avec la serviette d'une main pendant qu'il se saisissait du revolver de l'autre, et sortait du lit. Respirez profondément. C'est ça. Respirez. Soufflez. Respirez. Soufflez. Un, deux, trois. Un, deux, trois, disait-il, goguenard. A présent...

— Immonde tricheur !... lança-t-elle, le souffle encore court, en se redressant lentement.

— Pas mal, hein, pour un type d'âge moyen qui en est à son deuxième coup de la soirée ? Il y a encore du muscle dans cette vieille carcasse, hé ?

— Si vous m'avez cassé des côtes... dit-elle, debout, se tâtant le torse.

— Arrêtez de vous faire de la bile. Je vous ai un peu serré le diaphragme, c'est tout. C'est bon de manquer de respiration de temps à autre. Ça vous aide à mieux apprécier la vie. Je me suis dit que j'avais davantage de chances de la conserver si ce machin se trouvait entre mes mains plutôt que dans les vôtres. Les femmes sont souvent prises de réactions hystériques quand elles sentent une gâchette sous leur index. Une alliance leur fait parfois le même effet. »

Lisa se laissa tomber sur le lit et se mit à pleurer doucement, davantage d'humiliation et de colère contre elle-même d'avoir trop bu que de douleur. Wunderlicht trotta jusqu'à la pièce voisine, trouva le téléphone, composa le numéro du " Prince-de-Galles " et demanda son appartement.

Klaus Freuling sortit d'un profond sommeil pour lui répondre.

« Ecoutez-moi sans aucun commentaire et faites exactement ce que je vais vous dire, annonça Wunderlicht d'un ton sec et autoritaire. Dans la penderie de ma chambre et dans le tiroir supérieur de la commode, prenez mon costume marron, une chemise blanche, une cravate marron à pois verts, des chaussettes marron, un slip. Mettez-les dans un sac ou dans ce que vous voudrez... Prenez un taxi que vous ferez arrêter devant le 2 rue Récamier. C'est une rue qui donne dans la rue de Sèvres, sur la rive gauche. Vous avez tout compris jusque là ?

— Oui, dit Freuling. Mais qu'est-ce... ?

— Une femme portant un chapeau et une robe de chambre, ou peut-être un imperméable, sortira sur le trottoir à votre arrivée. Vous ouvrirez la portière et lui tendrez les vêtements, puis vous retournerez à l'hôtel pour terminer votre nuit. Tout va bien, et se passera comme prévu.

— Qu'est-ce qui se passe ? demanda Freuling.

— Voulez-vous vous presser, je vous prie ? » dit Wunderlicht avant de raccrocher.

Puis il retourna dans la chambre.

« Donnez-moi un chapeau, n'importe lequel, et un long imperméable si vous en avez un. Sinon, une robe longue ou une robe de chambre feront l'affaire. »

Lisa étendue sur le lit lui tournait le dos.

« Servez-vous vous même », marmonna-t-elle sans se retourner.

Pendant qu'il fouillait dans ses placards, il dit :

« Il va falloir que je vous attache pendant que je vais en bas. Je vous détacherai pour vous laisser dormir confortablement dès que je remonterai. »

Elle tourna vers lui des yeux qui ne pleuraient plus.

« J'en conclus que nous passons la nuit ici.

— Exact.

— Et demain ?

— Vous m'accompagnez. Ou je vais, vous allez. Vous désiriez être témoin de la suite des événements pour ce gros livre ? Hé bien, je ne vais pas vous désappointer.

— Est-ce que j'ai le choix ?

— Non. Vous m'accompagnez.

— Puis-je demander où ?

— Vous pouvez poser toutes les questions que vous voudrez. Vous y obtiendrez peut-être une réponse de temps à autre.

— Vous savez, Wunderlicht, que votre personnalité s'est transformée pour le pire depuis que vous avez fait main basse sur ce revolver.

— Je ne crois pas que ça vienne de là. Il en va toujours de même quand je me suis purgé de tout désir sexuel. Physiologiquement, je me décontracte. Psychologiquement, je me raidis. C'est un trait de caractère déroutant, j'en conviens. Il a toujours rendu mes relations avec les femmes difficiles, sinon impossibles. Dites-moi, avez-vous des bagages de taille convenable, pour vous et moi ?

— De toutes sortes. Je pars en voyage ?

— Oui, dit Wunderlicht. Avec une valise vide. »

Il avait finalement décidé comment il allait se servir d'elle... avant de s'en débarrasser. Elle était d'une minceur qui lui donnait une apparence trompeuse de fragilité. Ce qui venait de se passer dans son lit lui avait démontré qu'elle était plus solide qu'elle n'en avait l'air. Il ne doutait plus qu'elle soit capable de porter une cinquantaine de kilos en faisant un petit effort.

Au prix actuel de l'or, cela signifiait environ un peu plus de deux cent cinquante mille dollars supplémentaires pour lui.

Chapitre XXXIII

James Bagget, ancien arrière de l'équipe de football de l'université du Maryland, ex-second du service de sécurité de la Maison Blanche, était maintenant responsable de celui de la Remo Corporation. Il fronça le sourcil en voyant passer Arkady Slocum devant la porte ouverte de sa loge. Le vénérable spécialiste en informatique de la Remo s'avançait en clopinant dans le couloir du sous-sol en direction de la salle abritant le gigantesque *307*. Bagget bondit hors de sa cage et s'élança à sa poursuite. Il arriva en même temps que lui devant la porte fermée du *307*.

« Je ne peux pas vous laisser entrer là, docteur Slocum, dit Bagget poliment mais fermement.

— Ne vous faites pas de bile, Jim. Je n'en ai pas pour longtemps. »

Slocum, un homme courtois d'une soixantaine d'années, le nez chaussé de lunettes, marchait avec une canne depuis son enfance, à la suite d'une attaque de polio. Il tenait dans sa main gauche un dossier contenant les cent soixante photocopies de la liste d'information sur les passagers du *Marseille,* ainsi que l'inventaire des réserves pharmaceutiques du navire.

« Ce n'est pas la question, répondit Bagget avec un visage chagrin. Je ne crois pas qu'il soit très sage que la sécurité ne soit pas informée de ce qui se passe dans les environs. »

Le vieil homme feignit la surprise :

« Le président ne vous a pas expliqué ?

— Rien. Tout ce qu'on nous dit, c'est que vous avez, avec ceux qui se trouvent dans la salle des simulations de stratégie, la disposition de cette aile jusqu'à demain matin. »

Arkady Slocum haussa les épaules et sortit une carte magnétique blanche de sa poche.

« Il n'y a rien d'autre à savoir, Jim.

— Foutaises, docteur.

— N'en est-il pas ainsi de tout ? » soupira Slocum.

Il contourna le gardien et inséra sa carte magnétique dans la fente.

« Ecoutez, voyons... »

La lourde porte d'acier s'ouvrait.

« Ne vous faites pas de bile, Jim. Ne vous faites pas de bile. »

Slocum qui s'était rapidement faufilé à l'intérieur entendit la porte claquer au nez d'un James Bagget très soucieux.

La salle, si on pouvait donner ce nom à cet endroit fonctionnel et hideux, était équipée de dispositifs de contrôle de température, de conduites de ventilation, de détection de fumée et de flammes, et un système extincteur à neige carbonique occupait tout son plafond éclairé au néon. Tout cela pour le confort et la protection d'un seul occupant, la superstar de Remo : le *307*. Quinze mètres de haut, neuf de large, les pieds bien assis au sous-sol, sa tête atteignait le deuxième étage de l'immeuble. A travers sa façade en plexiglass, on pouvait observer son âme. Pour Arkady Slocum, il était la huitième merveille du monde.

Il se dirigea vers le pupitre de travail sur lequel il déposa le dossier, accrocha sa canne au dos d'une des deux chaises en bois qui se trouvaient dans la pièce et s'assit sur l'autre. Puis, tendant la main, il attira vers lui le terminal portatif installé sur une console à roulettes. Au-dessus du clavier d'un blanc crémeux, se trouvait un écran de visualisation où, sur un fond noir, s'inscrivaient en lettres d'un vert brillant les réponses du 307. Slocum leva les mains avec le même geste que celui du pianiste de concert qui s'apprête à attaquer un morceau. Ses doigts voletèrent sur les touches pour poser sa première question à l'ordinateur géant par l'entremise de son clavier :

« Etes-vous occupé ?

— Définissez occupé », répondit *307*.

Slocum sourit.

« Exécutez-vous des travaux à la demande d'autres terminaux ?

— Affirmatif, répondit *307*. Aberdeen, Baltimore, Houston, Milwaukee, Colorado Springs, et Pasadena.

— Combien de temps vous faut-il au plus vite, pour exécuter la phase actuelle de tous les programmes et couper ?

— Entre deux minutes vingt secondes et trois minutes cinq secondes.

— Poursuivez le service, interrompez dès que possible et informez m'en.

— Ordre enregistré. En cours d'exécution. »

Slocum attendit, écoutant le faible murmure du moteur électrique qui entraînait les piles de disques magnétiques derrière la vitre de plexiglass à trois mille cinq cent révolutions minute. L'écran de visualisation s'alluma :

« Terminé. »

Slocum actionna rapidement le clavier :

« Jusqu'à plus ample informé, refusez de recevoir toute communication d'un terminal extérieur.

— Définissez extérieur », répondit *307*.

Slocum hocha lentement la tête.

« Tout ce qui se trouve à l'extérieur de cette pièce.

— Compris, répondit *307*. Je vais aviser tous les autres terminaux que je dois couper pour des travaux d'entretien. »

" Pourquoi n'ai-je pas pensé à cela ", se dit Slocum qui répondit :
« Excellent.

— En cours, répliqua *307*. »

Puis après une pause :

— Terminé.

— Un instant, demanda Slocum. »

Il souleva le dossier du pupitre de travail, tendit la main pour attraper sa canne, se leva et se rendit auprès du lecteur optique de caractères : un dispositif en acier gris ressemblant à une machine Xerox portative. De même que l'écran de visualisation, il était relié au *307*. Slocum sortit les cent soixante feuillets de la liste d'information sur les passagers, souleva le capot du lecteur optique de caractères et plaça soigneusement le paquet de documents à l'intérieur. Il enfonça la touche de commande automatique du tourne-feuille et retourna s'asseoir devant le clavier sur lequel il frappa :

« Etes-vous prêt ?

— Affirmatif, répondit *307*.

— Enregistrez les informations du lecteur optique de caractères, et rentrez les noms par ordre alphabétique.

— Ordre enregistré, répondit *307*. En cours d'exécution. »

La capacité de lecture du lecteur optique étant de mille caractères seconde, l'ordinateur eut absorbé le contenu complet de la liste dans sa banque mémorielle au bout de cinq minutes.

« Terminé », annonça *307*.

Slocum salua comme s'il se trouvait en face d'un être humain.

« Les informations que vous venez de rentrer seront notre

donnée de base, frappa-t-il sur le clavier. J'y ferai référence sous le code LIP.

— LIP, répondit *307*. Compris.

— Vous pouvez maintenant rétablir la communication avec tous les terminaux de la salle des simulations de stratégie, mais avec aucun autre.

— Terminaux 119 à 140, répondit 307.

— Affirmatif, frappa Slocum.

— Terminé », répondit *307*.

Arkady Slocum se leva, alla retirer la liste d'information sur les passagers du lecteur optique de caractères, remit le paquet de feuillets dans son dossier, et jeta un coup d'œil d'adieu sur son ami géant avant de se diriger vers la porte d'acier. Il l'ouvrit devant James Bagget qui montait la garde dans le couloir en faisant craquer nerveusement ses jointures.

« Voyons, ça ne s'est pas si mal passé, n'est-ce pas ? » lui dit Slocum.

Bagget hocha la tête d'un air ahuri, et dit :

« Vous êtes des drôles de numéros...

— Je sais, dit Slocum. Nous sommes de mauvais garnements. »

Et il partit en boitillant vers la salle des simulations de stratégie en jetant un coup d'œil sur sa montre. Il aurait aimé passer le reste de la journée, la nuit entière si nécessaire, seul avec *307*. Il était si calme *307*, si direct, si insensible et dépourvu d'orgueil. Slocum se troublait à l'idée de devoir maintenant retourner s'asseoir parmi des hommes, dont aucun n'excellait à vous écouter sans vous interrompre, ni ne savait recevoir des ordres et les exécuter sans antagonisme. Il y avait des moments où Arkady Slocum aurait souhaité pouvoir se tenir à l'écart de toutes les manifestations de la vie au lieu de s'y trouver plongé. Cela viendrait un de ces jours.

Quand il pénétra dans la salle des simulations de stratégie, leur bavardage s'éteignit. Il sentit leurs yeux se poser sur lui comme s'ils s'étaient attendus à ce qu'il annonce que tout était fini, qu'il avait miraculeusement trouvé la solution. Mais il ne fit que dire :

« Très bien, nous avons un point de départ à présent. »

Puis il s'adressa à Al Santley, son assistant et futur génie en formation, de trente ans son cadet et avec deux jambes bien valides :

« Al, étalonnons tous les terminaux qui se trouvent ici sur 307 comme si nous allions réussir à lui faire tourner la tête en l'accablant de travail.

— Séance tenante, répondit Santley en bondissant hors de son siège.

— Vous avez mis dix minutes, lui dit Mike Keegan sur un ton presque amicalement sarcastique. Vous devenez lent, Arkady.

— Il a fallu que je trompe la vigilance du costaud de la sécurité. »

Slocum se laissa tomber dans un des fauteuils de cuir noir, pour prendre en grippe ce cube de béton sans fenêtre, éclarié par du néon éblouissant et dont un pan de mur entier était un écran de visualistation. Les cendriers étaient encore pleins des mégots laissés par les équipes des Rouges et des Bleus qui leur avaient abandonné la salle au beau milieu de la mise en place du nouveau siège du gouvernement à la Nouvelle Orléans, à la suite de la destruction par l'ennemi de Washington, D.C., et de quatre-vingts pour cent des Etats-Unis continentaux. Slocum jeta un coup d'œil alentour, sur les hommes qui, comme lui, affalés dans leurs fauteuils, faisaient face à l'écran. En bras de chemise, aucun n'avait encore desserré sa cravate. De même que Slocum, tous s'étaient laissé entortiller par Lloyd Shipley et son ami exalté de la télévision à se lancer dans cette aventure douteuse de sauver le *Marseille,* tout autant en raison d'un mélange complexe de culpabilité, de goût du défi et de romantisme que pour briser la monotonie de leurs recherches solitaires.

« Hé bien, messieurs, commença Slocum, puisque vous avez eu la légèreté de me nommer leader de ce groupe, cela me donne l'avantage de poser des questions. Voici ma première : quelqu'un dans cette assemblée a-t-il une idée lumineuse ? »

Angelo Martini, un homme mince au teint olivâtre, psychologue du comportement détaché de Berkeley au Centre de Princeton, leva la main :

« Il n'y a rien de particulièrement brillant là-dedans, mais il faut tout de même que je le dise : on imagine mal des gens qui élaborent un crime de cette nature assez stupides pour permettre à la Compagnie française atlantique de découvrir quoi que ce soit de signifiant sur aucun d'eux. En conséquence, je pense que cette liste d'informations sur les passagers ne saurait que nous faire perdre un temps précieux. A mon opinion, il serait préférable de laisser cette pacotille de côté et, plutôt que d'avoir recours à un cerveau en acier et en aluminium, de nous mettre sans retard à utiliser les ressources de nos intelligences.

— A propos de perte de temps, rétorqua Mike Keegan, où diable croyez-vous que nous entraîne ce genre de baratin, Martini ? Si vous n'avez rien de concret, rien de positif...

— Voyons Mike ! le coupa Arkady Slocum. A vrai dire...

— Hé ! merde...

— Aucun d'entre nous n'est ici habilité à jouer les dictateurs, poursuivit Slocum. Toutes les opinions sont requises. Le nom de ce jeu est " Tout va ".

— Le temps est notre plus grand ennemi ! protesta Keegan violemment.

— Très bien, Mike, dit Slocum en haussant les épaules. Impressionnez-nous.

— O.K., aboya Keegan. Je suggère que nous décidions d'une liste de toutes les banques de données de ce pays susceptibles de contenir les informations qui pourraient nous aider, en la limitant à un nombre de postes raisonnables, puis de programmer *307* pour accéder à chacune d'elle.

Slocum plissa les yeux et dit :

— Pourriez-vous me dire à quoi vous pensez ?

— Eh bien, naturellement, en tout premier lieu, je crois qu'il faudrait rechercher ces deux mille noms dans les fichiers des différents services de police. »

Slocum n'était pas autrement étonné que Keegan, ancien chef de la Brigade criminelle de la police de Los Angeles, penche à supposer qu'un pareil forfait ne puisse avoir été conçu que par des malfaiteurs patentés.

« Naturellement, dit Slocum. Cependant, le message radio du commandant stipule qu'il ne pense pas que les conspirateurs soient des professionnels du crime.

— Je doute des compétences en matière criminelle d'un commandant de navire marchand, dit Keegan avec impatience.

— Voyons votre liste, lui dit Slocum.

— En premier lieu, je pense au fichier central du F.B.I. »

Slocum sentait son estomac se nouer.

« Continuez.

— Puis à celui des passeports au State Department. Si on y découvrait que des identités sont bidons, ils seraient faits aux pattes et nous pourrions rentrer chez nous pour le dîner. »

Slocum opina, les lèvres serrées.

« Puis la Sécurité sociale — son fichier national, bien entendu. Et en parlant d'*information* que diriez-vous des archives intérieures du State Department ? Comparé à ce que Washington collationne sur ceux qu'ils ont dans le collimateur, cette liste d'information sur les passagers de la Compagnie française atlantique ne peut être qu'un ramassis de balivernes...

— Hé bien, n'est-ce pas exactement ce que je disais ? intervint Angelo Martini aigrement.

Keegan l'ignora, et poursuivit :

— Le service des Immatriculations automobiles, Etat par Etat...
Le Bureau central des Cartes de crédit... ce qu'ils ignorent ne
vaut pas la peine qu'on s'en soucie. Et n'oublions pas le joyau
de la C.I.A. à Langley...

— La C.I.A. ne s'occupe que de l'étranger, dit Slocum sans
ciller. Pas de l'intérieur.

— Ah... dit Keegan. »

Slocum se détourna de lui et lança à la cantonade :

« Quelqu'un a-t-il quelque chose à ajouter à cette liste ?
Répondez à votre tour dans le sens des aiguilles d'une montre.

— Oui, dit Rudi Fleischman, un retraité du service du Chiffre
du département de la Défense. J'aimerais que l'on étalonne sur le
central de réservations des transporteurs aériens, et sur le fichier
général des hôtels et motels des Etats-Unis.

— Et pourquoi diable ? » demanda Mike Keegan.

Le corpulent Fleischman lui répondit avec un air un peu
narquois :

« Je n'en ai pas la moindre idée, Keegan. Mais si ne recherche
pas dès maintenant toutes les données de base, comment pourrais-je espérer me voir ensuite gratifié d'un don de perspicacité ?
Dès que je l'aurai obtenu, vous en serez le premier informé.

— Restons sérieux, Nom de Dieu, dit Keegan.

— Mais je le suis, Nom de Dieu », dit Fleischman toujours
souriant.

Arkady Slocum jeta un coup d'œil alentour.

« Et vous, Irving, qu'en dites-vous ? »

Irving Harris avait publié de nombreux romans hauts en couleur
mais qui tous paraissaient pourtant bien pâles auprès du projet
secret sur lequel il travaillait à Remo depuis un an : « Voies
d'approche pour une acquisition non violente des champs pétro-
lifères du Moyen Orient sans réduction de production des puits. »
Le romancier gratta sa crinière grise ébouriffée et dit :

« J'ai beaucoup écouté et réfléchi, les amis. Je trouve les idées
qui me sont venues à l'esprit jusqu'ici trop déprimantes pour
vous en faire part. Je préfère donc garder le silence pour l'instant.

— Avant que la dépression ne gagne quelqu'un d'autre que
M. Harris, intervint Frank Skinner, un statisticien aux cheveux
argentés qui avait exercé ses talents d'expert entre le Fond moné-
taire international et le Stock Exchange de New York avant de
choisir le soleil de Californie et la solitude de Remo pour terminer
ses jours, je voudrais souligner que nous n'allons pas avoir à
traiter de deux mille personnes. Cessons de nous renvoyer ce
chiffre comme s'il signifiait quelque chose. Certains éléments
doivent être acceptés comme des *faits,* même si nous ne sommes

pas certains qu'ils soient des faits. Si le commandant de ce navire dit que le groupe dont nous avons à traiter se compose proba-blement uniquement d'Américains, cela signifie que nous devons commencer par écarter tous les *non*-Américains. Je pense éga-lement que si certains de ces passagers ont moins de dix-huit ans et plus de soixante, nous devons également les éliminer de la liste... autrement nous serons encore là à Noël prochain. Peut-être ne nous restera-t-il plus à examiner que neuf, douze ou quatorze cents personnes et non plus deux mille. Et nous savons au moins le nom d'un type, leur leader, Craig Dunleavy. Et combien de prénoms ? Quatorze, vingt-quatre ? Ce n'est pas comme si nous ne disposions d'aucun point de départ.

— Très bien, Frank, dit Mike Keegan. Prenons cela pour une certitude. Pourquoi diable perdons-nous un temps précieux à *palabrer* ? Arkady, ne devrions-nous pas faire appel à ces banques mémorielles dès maintenant ? »

Slocum le regarda fixement.

« Je me demandais quand vous alliez en venir à cette question, Mike.

— Que voulez-vous insinuer ? s'emporta Keegan.

— Vous ignorez sur quoi je travaille depuis ces trois dernières années ?

— Vous savez très bien que je ne l'ignore pas.

— Et cela ne signifie rien pour vous ? »

Le visage de Keegan s'empourpra.

« Ecoutez, rien ne m'obligeait à venir ici cet après-midi. Je pourrais être encore au soleil à poser des bardeaux sur mon toit et à siroter une ou deux bières fraîches. Mais quand Shipley m'a appelé et m'a dit qu'il s'agissait de vie ou de mort, je suis descendu de mon échelle et je suis *venu*...

— Et nous vous en sommes reconnaissants, Mike...

— Alors, je vous en prie, Arkady, cessez de lancer des vannes moralisatrices, à moi ou à n'importe qui d'autre. Nous savons ce que vous avez consacré de votre vie à lutter contre la violation illégale de la vie privée. Mais je présume qu'après avoir passé trois ans à chercher le moyen d'interdire l'accès de groupes non autorisés à des banques de données, vous savez *exactement comment y accéder*. Et je présume encore, étant donnée la situation qui est la nôtre, bon sang ! nous sommes tous dans le même bain, que vous allez faire ce qui doit être fait, même si vous devez pour cela contrevenir à quelques foutues lois et fouler aux pieds votre précieux code moral. Vous risquez d'avoir à en répondre devant une commission du Congrès, et peut-être même la prison, mais quoi, nous irons vous porter des oranges les jours de visite, pas vrai les gars ? » dit-il comme son visage rugueux s'éclairait d'un large sourire.

Il jeta un coup d'œil alentour. Personne ne souriait.

« Je ne suis pas seul à risquer la prison, dit Arkady Slocum doucement. Il se pourrait que nous nous y retrouvions tous. »

Une sourde agitation se fit dans la salle.

« Pour ce qui me concerne, poursuivit-il, je suis prêt à en prendre le risque. Mais je voudrais m'assurer, Messieurs, qu'il en va de même pour vous tous. »

Le silence fut total pendant quelques instants. Puis il y eut quelques raclements de gorge et Frank Skinner lança :

« Bof, que diable... »

Et Rudi Fleischman avança :

« Des vacances me feraient du bien. »

Le regard d'Arkady Slocum fit le tour de l'assemblée et il demanda :

« Y a-t-il d'autres commentaires ?

— A quoi bon perdre davantage de temps ? aboya Angelo Martini en regardant fixement Mike Keegan.

— Si je peux me permettre ?... » demanda Lawrence Wibberly dont la crinière grise ébouriffée ne nuisait en rien à une apparence distinguée.

Slocum opina :

« Professeur ?

L'astrophysicien qui avait passé des années au mont Palomar à observer le ciel était affligé de l'inexplicable manie de ne pouvoir prendre la parole autrement qu'en fixant le sol.

« Une nuit, dit Wibberley, alors que je recherchais une super-nova récemment identifiée et dont je connaissais la position exacte, il me fut impossible de la trouver. Ce fut ainsi, tout à fait par hasard, que je découvris le trou noir voisin du Cygne. A la suite de cet accident, je me mis à observer dans tous les azimuts en quête de nouveaux trous noirs, sans succès jusqu'ici. Mais ce faisant, je suis tombé sur deux quasars encore inconnus. »

Mike Keegan s'agitait sur son fauteuil.

« Professeur, voudriez-vous redescendre sur cette terre où nous autres pauvres mortels vivons ? »

Wibberly fronça le sourcil.

« Je ne faisais que suggérer, Messieurs, qu'en cherchant avec acharnement dans une direction que l'on croit bonne, on peut faire fausse route. Mais que sur cette fausse route, en gardant l'esprit ouvert, on découvre parfois quelque chose de plus important que le premier objet de sa recherche.

— Cela me semble un avis judicieux, docteur Wibberly, dit

Arkady Slocum, qui ne voyait pas très bien ce qu'ils pouvaient tirer de tout cela. Dois-je conclure que vous prenez la route avec nous pour le pénitencier de Leavenworth ? »

Wibberly sourit en fixant le bout de ses souliers :

« Ma femme a conduit nos petits-enfants à Disneyland pour l'après-midi et la soirée, et mon estomac se rebelle à l'idée d'un dîner solitaire devant la télévision. Rien ne pourrait me faire quitter cette salle à l'exception de l'éventuel mais bien improbable succès de notre mission.

— Merci de cette précision, Monsieur, lui dit Arkady Slocum en se levant. Messieurs, lança-t-il à la ronde, je vous prie de bien vouloir évacuer cette salle pour environ une dizaine de minutes, à l'exception de Al Santley. Allez-vous chercher des bonbons au distributeur automatique, faire pipi, ce que bon vous semble, excepté de chercher des histoires à Jim Bagget si vous pouvez vous en empêcher.

— Qu'est-ce que vous pensez de ce zigoto ? grogna Mike Keegan tandis qu'ils se levaient tous lentement. Il s'imagine vraiment que nous chercherions à espionner par-dessus son épaule quelques-uns de ses vilains secrets.

— Je ne pensais pas du tout à cela, lui répondit aimablement le cybernéticien tandis qu'il s'avançait en compagnie de Santley vers les terminaux de l'ordinateur. Ce n'est qu'une façon de vous offrir une porte de sortie devant la barre des témoins : vous ignoriez tout de ce que j'étais en train de faire ici. Autrement, vous ne l'auriez jamais permis.

— N'essayez pas d'apprendre à un vieux singe à faire des grimaces, Arkady, marmonna Keegan, en entraînant les autres vers la sortie. Avouez que vous ne nous faites pas confiance, c'est tout. »

Arkady Slocum attendit que la porte se fut refermée pour se tourner vers son assistant et lui exposer rapidement :

« Le premier ordre que vous allez donner à *307*, c'est de ne jamais, en aucun cas, même si un terminal de cette salle, le vôtre ou le mien y compris le lui demandait, de ne jamais répéter ou se référer sur l'écran aux étalonnages ou aux codes que nous allons lui programmer maintenant. Point deux : à moins qu'on ne lui en donne préalablement l'ordre, *307* détruira le programme complet demain à midi et ne conservera aucune mémoire de son existence. »

Santley leva les yeux vers lui en fronçant le sourcil :

« Sérieusement, patron. Ça pourrait être dangereux ?

— Vous devriez vous pencher sur la nouvelle législation. Nous pourrions vraiment nous retrouver dans une sacrée mélasse.

330

— Une question... »

Slocum fit un geste impatient vers le clavier du terminal. « Je vous en prie, allez-y.

— Comment se fait-il, insista Santley, que personne ne parle de la façon dont nous allons détruire ces salopards quand nous les aurons identifiés ? Pourquoi n'avons-nous pas programmé également cette liste de médicaments et de produits chimiques dans l'ordinateur ? »

Arkady Slocum se sentit rougir.

« Faut-il que je vous fasse le dessin d'une charrue devant des bœufs ? »

Santley était encore bien trop jeune pour comprendre certaines choses. Par exemple qu'on venait à Remo chercher un refuge et non pas la réalité, que c'était un endroit où l'on pouvait passer des années studieuses à construire des édifices inviolables pour ensuite chercher le moyen de les démolir, en se racontant qu'on apportait une contribution capitale au bien-être futur du genre humain. Aucun des hommes honnêtes qui travaillaient là, et Slocum se comptait parmi eux, n'était prêt à dértuire des vies humaines, à se confronter à quoi que ce soit d'aussi réel qu'un assassinat de masse. Ils n'y viendraient que lentement, précautionneusement, à contrecœur, et peut-être pas du tout s'ils ne réussissaient pas à envisager les choses comme un nouveau jeu.

« Et si vous avez encore d'autres questions, posez-les à *307* plutôt qu'à moi », aboya Slocum avant de tourner les talons.

Santley baissa les yeux sur son clavier. Un vague malaise se glissait en lui à l'idée que la colère de cet homme qu'il admirait venait de lui enseigner quelque chose de pénible et triste. Il y réfléchirait plus tard. Pour l'instant il avait du travail. Ses doigts se mirent rapidement en mouvement sur les touches.

Chapitre XXXIV

*Latitude 17° N., Longitude 52° O. Salle à manger Luxembourg :
21 h 40*

« Les stabilisateurs de ce bateau doivent être polonais, et ta dramamine, fabriquée à Varsovie. Elle ne me fait pas le moindre effet.

— Craig, tu ne devrais vraiment pas mélanger tellement d'alcool avec.

— Tu es bien moralisatrice, ce soir, Betty.

— Ne te retourne pas.

— Qu'est-ce qui se passe ?

— Ce sont eux. Ils descendent l'escalier ensemble.

— Columbine et la garce ?

— Oui.

— Juste comme prévu.

— Ne t'en réjouis pas si vite.

— Tu crois qu'il prend soin d'elle pendant que son mari prend soin de sa grippe ?

— Veux-tu, s'il te plaît, arrêter de boire ça.

— Qu'est-ce que tu as contre le cognac ?

— Ce n'est pas seulement le cognac, il y a eu les dry-martinis *et* le vin *puis* le cognac. Pourquoi ne me dis-tu pas ce qu'il y a, qu'est-ce qui ne va pas ?

— Il faut que je puisse affronter cette nuit, c'est tout. Où en sont-ils maintenant ? Suis-je autorisé à tourner la tête, ma jolie, s'il te plaît ?

— N'en fais rien. Ils se sont installés à sa table à elle. Craig, je veux savoir.

— Quoi, bon Dieu ?

— Ce que vous avez l'intention de faire d'eux. Pourquoi, pour la toute première fois, vous réunissez-vous uniquement entre hommes ?

— Parce que nous sommes des cochons phallocrates, tu sais bien, Betty.

— Tu ne t'en tireras pas comme ça. Raconte ces salades à d'autres, mais pas à moi.

— Que commandent-ils ?

— Je te jure que je te flanque ça à la tête si tu en prends encore une goutte. Et maintenant, sacré bon sang, explique-moi ce qui se passe.

— Oh ! Betty, Betty, Betty...

— Au fait.

— Tu y tiens vraiment ?

— Oui.

— C'est bon. C'est bon. Jésus. C'est bon. Nous avons dû... prendre soin de dix-huit d'entre eux ce soir. Voilà.

— Dix-huit quoi ?

— Des gens. Des passagers. Maris et femmes.

— Qu'en avez-vous fait ? Où les avez-vous mis ?

— Tu ne comprends pas, Betty. Tu ne veux pas comprendre. Ce qui ce conçoit. C'est pourquoi nous ne voulons pas des femmes à notre réunion de ce soir.

— Au nom du ciel, qu'avez-vous... ?

— C'était des otages.

— Craig, qu'est-ce que... ? *Craig...* !

— Je crois que tu y es.

— Oh ! mon Dieu... *Oh... non...*

— Voilà.

— Je ne peux pas le croire.

— C'est pourtant vrai.

— *Je ne veux pas le croire.*

— Ne me regarde pas comme ça. Tu sais foutre bien que nous ne jouons pas aux billes. Quelle différence ça fait qu'ils disparaissent aujourd'hui ou demain ?

— Aucune.

— Très bien. Alors ne me fais pas cette tête.

— Je ne te fais pas la tête.

— Et comment.

— Tu bois trop, je suis bouleversée et j'ai la nausée. Que devrais-je faire ?

— M'aider. Me soutenir. Surtout quand ça devient insuppor- table. Me remonter le moral. Tu ne vois pas que j'ai besoin de toi ?

— Oui... oui... je regrette... tu as raison, chéri... pardonne-moi.

— Voilà qui est mieux. Bien mieux. Tu vas bien ?

— Oui. Je ne veux plus y penser.

— Ça aide.

— Toi, peut-être. Pas moi.

— A chacun ses goûts.

— Mais y étiez-vous vraiment obligés, Craig ?

— Si ça peut te consoler, j'étais contre. Et Herb aussi. Les autres étaient déments.

— Je crois que nous ferions mieux d'arrêter de parler de ça.

— Très bien. Mais ça me tracasse, Betty, ça m'inquiète vrai- ment que les gars aient pensé que toi et Harriet, et les autres femmes ne seriez pas capables de le supporter. J'ai pensé qu'ils n'avaient pas tort et je suis maintenant certain qu'ils avaient raison. Or, demain, il faudra que vous soyez capables de voir les choses en face. Nous le devrons tous.

— Je sais. Je sais. Mais ce sera tout de même différent.

— Comment, différent ?

— Nous ne... serons pas là... quand ça se passera. Ce ne sera, je ne sais pas, qu'une idée, une idée floue, comme ce que repré- sente réellement un trillion, ou combien il y a de kilomètres d'ici à la plus proche étoile.

— Parfait. Si tu peux t'en tirer comme ça, c'est très bien.

— Je l'espère.

— J'en suis certain.

— Craig, verse-moi quand même un peu de ce cognac.

— Bravo. Comme ça ?

— Continue.

— Ça va ?

— Très bien. A la tienne.

— A la tienne, à notre départ et à tout ce qui s'ensuit.

— Dis-moi une chose que je ne comprends toujours pas : pour- quoi ces deux-là ne faisaient-ils pas partie du lot ce soir ? Et je t'en prie, ne me raconte pas d'histoires.

— Nous avons décidé qu'il était plus important d'essayer de découvrir ce qu'ils savent.

— Mais nous le savons.

— Pas vraiment, Betty. Nous ignorons ce que Louise a pu raconter à Columbine avant d'aller prendre son dernier bain. De plus, nombre de nos amis étaient bien trop éméchés, pendant le bal masqué, pour que nous soyons absolument certains qu'ils n'ont rien laissé échapper d'important devant la petite dame, vers qui tu ne veux pas que je me retourne, quand elle nous a infiltré sous son satané masque.

— Je croyais qu'elle savait tout juste quelques-uns de nos prénoms.

— C'est ce que nous *supposons*. Mais tu n'y étais pas, ni moi non plus pour garantir que personne n'a eu la langue trop longue.

— C'est pourquoi tu voulais que Harriet et moi l'interceptions ?

— Plus ou moins, oui.

— Mais ils disparaissent avec les autres demain, pas vrai ?

— Juste.

— Alors, qu'importe ce qu'ils peuvent savoir ? Ils n'auront personne d'autre à qui le raconter que les poissons.

— Tu fais une supposition dangereuse, Betty.

— Vraiment ?

— Imagine que d'une manière ou d'une autre ils aient découvert ce que sont nos intentions véritables et soient aller le répéter au commandant.

— Oui, mais je ne vois pas... je veux dire, que pourrait-il faire ?

— Nous l'ignorons. Nous ne pouvons que le conjecturer. Pour le moins, un piège tendu par un millier d'entre eux pourrait nous faire passer demain un très mauvais quart d'heure...

— Voilà une idée déplaisante...

— Au pire, Girodt pourrait, j'ai bien dit *pourrait,* nous donner le change, faire semblant de nous croire, et puis ne pas gober nos histoires de désamorçage. Imagine qu'il attende que nous ayons quitté le bord pour donner immédiatement l'ordre de mouiller les canots de sauvetage ? Ce bon Dieu de navire peut-être évacué en moins d'un quart d'heure tu sais.

— Grands dieux... quand je songe à ces morts absurdes, sans raison... pourquoi avons-nous laissé ces deux-là survivre un seul instant après les avoir identifiés pour des ennemis actifs ?

— Ça, Betty, c'est un coup bas de la plus parfaite mauvaise foi, et tu le sais bien.

— Je ne sais rien du tout. Tout ce que je sais, c'est les boniments que vous nous avez servis, Herb et toi : il est trop *célèbre. Elle,* on l'a vue trop souvent avec lui, ce *fameux* imbécile ! Ils forment un *couple* dans l'opinion des passagers. Ça ferait *jaser* s'ils disparaissaient.

— Un peu facile la critique a posteriori.

— Mais d'où diable ces deux-là, entre tous, tiennent-ils le charme qui les protège ?

— Appelle l'enfer au téléphone et demande-le à Don Campbell ou à Louise. Ils ont *essayé,* non ?

— Mais tu as toujours été contre...

— Ça va. Nul n'est parfait, ni Don, ni Louise, ni aucun de nous et certainement pas moi.

— Sûr.

— Toujours est-il que nous avons commis beaucoup moins d'erreurs qu'on aurait pu le craindre. Et, je m'en flatte, aucune de beaucoup d'importance...

— Eh bien, Craig, il faut célébrer ça ! dit-elle en levant son verre.

— Hé ! Vas-y mollo ! Veux-tu ? Ou tu ne seras plus bonne à rien. Or nous avons un petit travail à faire avec ces deux-là. Va falloir les interviewer d'une manière ou d'une autre. Prendre le dessert à leur table, ou les suivre à un bar, les accrocher d'une manière quelconque. Et nous aurons l'un et l'autre besoin d'avoir la tête claire si nous voulons réussir notre coup.

— Tu penses au revolver de Louise ?

— Ne t'inquiète pas. Ce cognac, c'est du blindage anti-balles.

— Chéri... ?

— Oui ?

— Je suis impardonnable, je le sais, mais je t'aime.

— Je sais, mon cœur.

— Je ne veux pas que nous mourions autrement qu'ensemble.

— Le plus tard sera le mieux, si tu n'y vois pas d'inconvénient.

— Si tu insistes.

— Si nous commandions un café pour nous éclaircir les idées avant d'aller voir à cette table comment vit le reste du monde ?

— D'accord.

« Bébé, vous ne m'écoutez pas...

— Mais si. Continuez. Et arrêtez de m'appeler bébé, Harold.

— Alors, c'est que vous faites exprès de ne pas comprendre ce que je vous dis.

— Elle n'arrête pas de nous regarder.

— Et après ? Laissez-la faire.

— Elle me donne froid dans le dos.

— Je suis à votre disposition pour vous réchauffer. A présent, voulez-vous me laisser mener la barque et me faire confiance ?

— Vous pourriez pas être un peu plus explicite sur la destination ?

— Impossible. Je l'ignore encore moi-même. Ça dépend beaucoup d'*eux*, de ce qu'*ils* vont dire. Improvisez avec moi au fur et à mesure, en nous renvoyant la balle et en regardant venir, nous verrons où nous en sommes et quels sont nos rôles dans ce jeu. Nous serons emportés par notre propre élan. Vous allez voir que ça marche.

— C'est comme ça que vous écrivez vos romans ?

— Seulement de temps à autre, quand j'ai une gueule de bois sévère ou si mes idées se bousculent trop vite pour les mettre en forme de manière rationnelle et créative.

— Je comprends que cela vous apporte une sélection pour un Club du livre du mois. Mais je ne vois ce que nous pouvons attendre du jeu de ce soir ?

— Je vous donne le choix entre cinq réponses, dont n'importe laquelle ou toutes peuvent se révéler exactes ou fausses. *A* : tout ce que nous pourrons faire pour vous tenir éloignée de votre cabine sera bienvenu. *B* : peut-être au hasard d'une gaffe ou d'un lapsus découvrirons-nous quelque chose d'important à transmettre au commandant et sur les ondes par votre mari. *C* : vous ou moi, ou tous deux conjointement réussissons l'impossible, à savoir : nous les convainquons que leur complot ne saurait réussir et qu'ils doivent se rendre. *D* : ils nous trouvent si charmants et adorables qu'ils renoncent à nous tuer. *E* : ils ne s'occupent pas de nous et, alors, je n'ai plus rien d'autre à faire de la nuit qu'à vous séduire pour vous entraîner dans mon lit, ce qui serait très inéquitable pour vous car j'ai l'intention de me montrer irrésistible. Vous avez trente secondes.

— Qu'avez-vous pensé de Billy quand vous l'avez rencontré ce soir ?

— Vingt-quatre secondes.

— Harold ?

— J'ai été marié quatre fois. Et vous pourriez faire tenir l'expérience que j'en ai retirée dans une tête d'épingle.

— Dites-moi ce que vous pensez de Billy ?

— Je n'en sais rien. Combien de temps ai-je passé avec lui, *vingt minutes* ? Et encore, pendant qu'il essayait de transmettre ce message de mort à un ami qui ne répondait pas. Bien, il a un joli talent de radio. Il reste calme dans la tempête. Probablement un bon médecin. Très sérieux, très honnête...

— Très ennuyeux ?

— Il vous aime, vous adore, ne vous trompera jamais, sera là pour votre cinquantième anniversaire de mariage. Vous avez encore dix secondes.

— Mais il n'est pas du tout l'homme qu'il me faut ?

— Bien au contraire.

— Vous mentez.

— Le chrono est stoppé. Votre réponse ?

— Vous avez peur, n'est-ce pas Harold ? Peur d'être sincère en face de quelqu'un comme moi. Vous ne pourriez jamais y faire face. Vous risqueriez de devoir aimer et être aimé au lieu de baiser...

— Ne prononcez pas de pareils mots devant moi, nom de Dieu !

— Baiser n'est pas un mot nouveau pour vous.

— C'est de « aimer » que je parlais. Les cinq réponses sont possibles.

— Pourquoi est-il l'homme qu'il me faut ?

— Parce que les types dans mon genre courent les rues. Nous ne nous faisons aucune illusion sur nous-mêmes et ça nous plaît. Nous connaissons une seule méthode pour toucher le cœur d'une femme : la faire jouir. Mais avec les fines mouches comme vous qui nous percent à jour, il n'y a que deux solutions : soit elles prennent le large en disant : à quoi bon ? Soit elles décident de se donner un peu de bon temps et finissent quand même par prendre le large. Et ce n'est pas le genre de vie que vous voulez n'est-ce pas ? Vous voulez... quoi ? La sécurité ? Je vous recommande le bon docteur. Avec lui, ma bonne dame, vous n'aurez jamais envie de prendre le large.

— Et le juste milieu ? Il n'y a pas que des situations aussi extrêmes, Columbine.

— Le juste milieu, mon cul ! Tout est affaire de relativité, mais je ne connais qu'une seule méthode pour résoudre les problèmes à leur plus simple expression : ne pas s'embarrasser de l'incompréhensible. Il y a les types solides et les planches pourries. Vous, il vous faut un type solide, et vous en avez un. Ce qui ne veut pas dire que vous ne trébucherez pas en chemin, sur la longue route du mariage qui ne se termine qu'au tombeau, contre quelques individus de l'autre espèce. J'aimerais simplement être le premier.

— Vous avez un sacré culot.

— Pour croire que vous pourriez trébucher ?

— Non. Pour penser que vous seriez le premier.

— J'ai tort ?

— Non.

— J'ai du nez...

— Fat !

— Et les parfums qu'il renifle me montent à la tête.

— Mais quel est ce badinage ? De pauvres gens viennent à peine de se faire horriblement assassiner, Billy sue sang et eau à essayer de transmettre ces abominables nouvelles aux Etats, ces deux affreux là-bas ne nous quittent pas du coin de l'œil, et de quoi parlons-nous ?

— Voyez-vous une vertu quelconque à dîner en silence ?

— Non.

— Cela vous donnerait-il meilleure conscience de réciter les prières pour les morts en mangeant ce caviar ?

— Nous pourrions au moins être sérieux.

— Je ne connais rien de plus sérieux que ce genre de conversation. C'est le type même des propos que l'on échange avec l'inconnue assise dans le fauteuil voisin du vôtre sur un *747* à des milliers de kilomètres de tout et à quinze mille mètres d'altitude, parce qu'on sait l'un et l'autre qu'on ne se reverra jamais, que l'on ne court donc aucun risque de ce côté-là, et parce que ça évite de penser que l'avion pourrait s'écraser et la mort vous surprendre d'une minute à l'autre...

— Notre situation est identique. Parfait. Vous êtes un vrai boute-en-train ce soir, Harold.

— J'ai une confidence à vous faire, Julie.

— Vraiment ?

— Oui. J'ai un revolver sur moi. Chargé. Un magnum, équipé d'un silencieux.

— Où diable l'avez-vous trouvé ?

— Je vous ai parlé d'une fille qui me faisait de l'œil au bar, cet après-midi, quand vous m'avez posé un lapin. Vous vous souvenez ?

— Vaguement.

— Je suis allé à sa cabine, et... euh... j'ai couché avec elle...

— Il y a juste quelques heures...

— Oui.

— Merci, Harold.

— J'étais saoul...

— Je n'en doute pas.

— Et quand j'ai découvert qu'elle était avec eux, qu'elle m'avait levé pour me tuer, je lui ai pris son arme et puis je... ciel, je n'arrive pas à le croire... je l'ai enculée. Vous m'avez entendu ?

— Oui.

— Ça a dû l'anéantir. Louise Campbell. C'est elle qui a fait un plongeon par-dessus bord ce soir.

— Pourquoi me racontez-vous cela ?

— Parce que je ne veux pas avoir de secret pour vous, Julie. Je veux que vous sachiez exactement qui je suis.

— Je le sais déjà, Harold. Alors, cessez d'essayer de vous faire passer pour un autre.

— Peut-on s'empêcher d'essayer ?

— Je suppose que non.

— Alors, bouclez-la.

— Harold...

— Oui ?

— Ils viennent juste de se lever. Ils partent.

— Alors ?

— J'ai l'impression qu'ils viennent par ici... vers nous.

— Parfait. Arrêtez de trembler.

— Je vous hais. Tenez-moi la main. »

« Salut. Je suis Craig Dunleavy. Et voilà ma femme, Betty.

— Ouais. Je pense inutile que nous nous présentions ?

— Bien sûr.

— Vous nous tenez compagnie un moment ?

— Volontiers, quelques minutes. Nous avons déjà dîné. »

Comme ils prenaient place, Betty Dunleavy regarda Julie et lui dit :

« Je suis vraiment désolée pour cet après-midi.

— Vous voulez dire que vous regrettez de n'avoir pas porté vos chaussures qui courent toutes seules ? dit Julie.

— Prendrez-vous un alcool ? demanda Harold Columbine.

— Non, rien, merci, dit vivement Betty Dunleavy.

— Très bien, dit Harold Columbine. Que pouvons-nous faire pour vous, monsieur Dunleavy, à l'exception de tomber raides morts ? »

Craig Dunleavy sourit :

« A vrai dire, nous n'avons qu'une seule question à vous poser, à tous deux : que penseriez-vous d'une trêve, d'un armistice, d'un traité de paix en quelque sorte ?

— A quelles conditions ?

— Vous nous laissez tranquilles, nous vous laissons tranquilles... jusqu'à notre départ.

— Nous n'avons rien fait d'autre que de débarquer par hasard au milieu de votre opération.

— C'était peut-être vrai au début, monsieur Columbine. Mais vous avez ensuite délibérément cherché à nous infiltrer. Vous surtout, mon chou, dit-il en s'adressant à Julie.

— C'est bien vrai, monsieur. Que ne ferait-on pour agrémenter un peu ce sinistre voyage ?

— Ne me prenez pas pour un imbécile, madame Berlin...

— Loin de moi l'idée de vous prendre pour quoi que ce soit, monsieur Dunleavy.

— Vous avez cherché à réunir des informations sur nous.

— Pour les envoyer dans une bouteille à la mer ? dit Julie.

— Je pense que vous avez dû les transmettre au commandant via le médecin du bord.

— C'est donc lui qui peut les mettre dans une bouteille à la mer.

— C'est juste ?

— Oui, reprit Harold Columbine. Et après ?

— Qu'avez-vous appris exactement ?

— A quel propos ?

— Sur nous.

— Des tas de choses. Vous êtes des amateurs, vous buvez et vous tuez trop, et si vous avez un instant pu croire que nous allions gober votre histoire à dormir debout sur votre inquiétude à propos de ce que nous avons pu découvrir, vous êtes non seulement des amateurs, mais de second ordre. »

Craig Dunleavy cilla.

« Que croyez-vous que je veuille, monsieur Columbine ?

— En premier lieu, notre aide...

— Comment pourriez-vous nous être utiles autrement qu'en ne vous mettant pas en travers de notre route ?

— En rien.

— Vous voyez autre chose ? demanda Dunleavy.

— Le revolver de Louise Campbell, répondit Columbine.

— Sans importance.

— A long terme, peut-être. Mais je doute que vous envisagiez sereinement la possibilité qu'un cinglé entraîné six d'entre vous dans la mort avant de succomber lui-même.

— Quel mélo.

— C'est que je suis écrivain, Dunleavy. Et vous, quelle est votre partie ?

— Faire fortune rapidement. Remettez-moi cette arme, Columbine.

— Des clous.

— Je crois pourtant que ce serait préférable.

— Sinon ?

— Vous voyez, là-bas, le serveur qui nous observe ?

— Oui.

— Il ne fait pas partie du personnel de la Compagnie française atlantique.

— Je doute qu'il soit assez rapide pour m'empêcher d'appuyer sur la gachette de ce machin que je tiens, sous la table, braqué sur — pardonnez-moi, mesdames — vos couilles.

— Je ne sais pas ce que vous en pensez, dit Betty Dunleavy à Julie, pour moi, je trouve ces propos de machos particulièrement rasoirs.

— Tout à fait d'accord, dit Julie. Détournez-la Harold, voulez-vous ?

— Vous croyez tout ce que je dis ? demanda-t-il en la regardant.

— Que dites-vous de ma proposition de paix, Columbine ? demanda Dunleavy. Oui ou non ?

— Vous avez parlé de " jusqu'à votre départ ", ce serait quand ?

— Quand nous quitterons le navire.

— C'est-à-dire quand ? »

Craig Dunleavy le regarda avec un visage inexpressif.

« Vous savez déjà cela parfaitement bien.

— Rafraîchissez-moi quand même la mémoire, répondit Columbine.

— Demain après-midi.

— Très bien. Nous commencions à craindre que vous nous emmeniez dans une croisière autour du monde. Je ne crois pas que j'aurais pu le supporter.

— Il n'y a pas assez de champagne et de caviar à bord, dit Dunleavy. »

Harold Columbine se tourna vers Julie.

« Voilà qui ne nous laisse pas beaucoup de temps, mon chou. »

Et sous son regard surpris, il poursuivit :

« Un coup de veine que ces gens soient venus nous parler ce soir. »

Julie opina d'un air un peu embarrassé.

« Vous voulez commencer ?

— Moi ? fit-elle en rougissant.

— Oui.

— Non, je... euh... Je trouve ça trop...

— Gênant ?

— On peut l'exprimer comme ça. Oui, gênant.

— De quoi diable parlez-vous ? interrogea Dunleavy.

— Ecoutez, Dunleavy, je sais que vous et la dame ici présente, ainsi que Dieu sait combien de vos " confédérés ", pensez que Julie et moi n'avons cherché qu'à vous mettre des bâtons dans les roues. Vous allez donc avoir du mal à en croire la *vraie* raison...

— Dites toujours, le coupa Dunleavy.

— Vous êtes certaine que vous ne voulez pas vous en charger, mon chou ?

— Non, Harold. Je vous en prie. Vous ferez ça mieux que moi.

— Préféreriez-vous que j'en discute en votre absence ? lui demanda-t-il ?

— Que voulez-vous dire ? répondit Julie.

— Vous pourriez vous absenter de la table pour un moment, ou lui et moi pourrions le faire.

— Non, lui répondit-elle en le regardant droit dans les yeux. Ne vous inquiétez pas de moi, Harold. Allez-y, dites-le.

— Très bien, dit-il en se détournant d'elle vers Dunleavy. C'est tout simple. Nous voulons passer un marché avec vous. »

Craig Dunleavy échangea un regard avec sa femme.

« Nous vous écoutons, dit-il.

— Julie et moi avons rassemblé plus d'une vingtaine de prénoms de vos collègues...

— Vous vous êtes donné beaucoup de mal.

— Elle surtout.

— Et vous avez remis ces noms au commandant, si bien qu'à l'arrivée du *Marseille* au Havre, il pourra lancer la balle qui risque de nous écraser tous. »

Harold Columbine haussa les épaules.

« Si j'avais fait cela, qu'aurais-je à vous offrir maintenant ?

— Vous ne les avez pas dénoncés ? dit Dunleavy en le regardant fixement.

— Exact.

— Pourquoi devrais-je croire ça ?

— Parce que c'est la vérité.

— Bon. Continuez.

— Ceci est *notre* participation au marché. Vous aurez la liste.

— Et votre mémoire, vous la comptez pour quoi ?

— Nous serons trop compromis pour ne pas garder le silence.

— Par quoi ? Je ne saisis pas.

— Vous n'aurez pas la liste pour rien, Dunleavy.

— Bien sûr, dit Dunleavy après un moment de silence. Combien ? 10 % de notre prise déposée dans une banque suisse ? »

Harold Columbine secoua lentement la tête et son regard se tourna sur Julie.

« Pas un sou, dit-il.

— T'as entendu ça, Betty ? demanda Craig Dunleavy.

— J'ai entendu, répondit-elle.

— Quel est le prix de votre silence, Columbine ?

— Je l'annonce, mon chou ? C'est notre dernière chance. Oui ou non ?

— C'est à vous de décider, Harold.

— Je veux que cette décision nous soit commune.

— Je sais. Mais je préfère que vous en preniez seul la responsabilité.

— Assez tergiversé ! » intervint Dunleavy impatiemment.

Harold Columbine se tourna vers lui et dit :

« Son mari.

— Le Dr. Berlin...

— Celui qui a la grippe.

— Hé bien ?

— C'est une maladie dont on se rétablit, dit Columbine.

— Oui.

— Nous ne voulons pas, excusez-moi, *je* ne veux pas qu'il...

— Se rétablisse, termina Dunleavy en cillant.

— C'est tout à fait ça, dit Harold Columbine sans regarder Julie.

— Craig... fit Betty Dunleavy.

— Un moment. Et vous voudriez que nous... ?

— Oui, dit Harold Columbine. Que vous le preniez au hasard, comme vous avez fait pour les autres.

— Craig, c'est...

— Personne ne soupçonnera jamais rien, dit Harold Columbine.

— Vous avez le magnum, dit Dunleavy. Vous pourriez le faire vous-même et on croirait que c'est nous.

— Nous avons envisagé cette solution... »

Il entendit Julie gémir.

« Ne secouez pas la tête, mon chou. Nous l'avons fait. Regardez les choses en face, nous...

— Et alors ? le coupa Craig Dunleavy.

— Je ne pourrai jamais, dit Columbine. Je n'ai pas assez d'estomac.

— Craig, je ne veux rien avoir à faire là-dedans...

— Le divorce, vous n'avez pas entendu parler de ça ? demanda Dunleavy.

— Bien sûr que si, répliqua Harold Columbine. Et les polices d'assurance sur la vie, vous en avez peut-être également entendu parler ? Un gros magot.

— Je vois.

— Que penseriez-vous de cette nuit ?

— Si vous arrêtiez un peu de me bousculer ? Betty, qu'est-ce que tu en dis ?

— Je ne crois pas un mot de ce qu'il raconte, et si je le croyais, je trouve son histoire beaucoup trop sordide pour même y réfléchir...

— Vous ne manquez pas d'air, madame Dunleavy, pour juger de ce qui est sordide ou non.

— Allez-y doucement, Columbine.

— Bien moins dégueulasse que vos assassinats sans raison.

— Vous m'avez entendu ?

— Oui ou non ? Vous voulez la liste ? Oui ou non ?

— L'avez-vous sur vous ?

— Non, mais je peux aller la chercher.

— Ecoutez. Laissez-moi en discuter avec mes amis, et nous en reparlerons plus tard.

— Cette nuit.

— Cette nuit. Où vous trouverai-je ?

— Au bar du " Café Montmartre ". Adressez-moi un signal et je vous rejoindrai quelque part. Je pense qu'il vaudrait mieux éviter qu'on nous voie ensemble.

— D'accord. L'une des conditions qu'ils exigeront, je peux vous le garantir, c'est que vous nous rendiez le Magnum.

— Jamais.

— Voilà un mot bien catégorique.

— Je serai peut-être amené à ne pas manquer d'estomac si vous me laissez tomber. »

Betty Dunleavy se leva brusquement et s'éloigna de la table en marmonnant :

« Malade...

— A plus tard... » lança Craig Dunleavy en bondissant dans le sillage de sa femme.

Harold Columbine et Julie les regardèrent s'éloigner.

« On prend l'ascenseur ou on marche ?

— On marche. J'ai vraiment besoin de prendre l'air.

— Que diable as-tu qui ne va pas, Betty ?

— Je ne sais pas. Tout cela commence à faire... trop.

— Mais tu as toi-même affirmé ne pas croire un mot de ce qu'il disait...

— C'est ce que j'ai *prétendu,* oui.

— Hé bien, tu avais raison. Il écrit mal, et il ment plus mal encore.

— En es-tu bien certain, Craig ?

— Puisque je te le dis. Oh, bien sûr, il a une liste. Et nous nous moquons bien qu'il l'ait remise au commandant ou non. Elle peut encore leur servir à se torcher le cul... s'ils se dépêchent. Quant à cette histoire de nous demander de nous occuper du mari de la dame, c'est du vent, des sornettes, de la merde, mon cœur.

— Ça ne te ferais rien de sortir un peu du siège des toilettes ?

— Ils ne faisaient qu'inventer une bonne raison pour établir des relations avec nous, n'importe quoi pour garder le contact avec nous afin de découvrir quelque chose qui pourrait leur être utile.

— Très bien. Alors, qu'avons-nous trouvé qui vaille la peine de nous asseoir en compagnie de cet homme répugnant ?

— Ceci : ils n'ont pas la moindre idée de ce qui va se passer demain. Autrement, il n'aurait pas cru qu'une liste de noms puisse être d'une utilité quelconque au commandant, et encore moins à nous. Tu piges ?

— Vu. Et maintenant, que vas-tu faire de lui, *et* d'elle ?

— N'as-tu pas dit que demain serait assez tôt pour eux ?

— Je veux simplement savoir ce que tu as l'intention de faire. J'en ai assez des surprises, Craig.

— Je vais aller en parler avec Herb, voilà ce que je vais faire. Tu veux venir avec moi ?

— Oui. »

« C'est horrible, dit-elle.

— Je me suis bien amusé, répondit-il.

— Ça ne m'étonne pas.

— C'était si... logique.

— Imaginez qu'ils acceptent votre offre et aillent jusqu'au bout ? Voulez-vous me dire où se trouverait la logique, Harold ?

— Arrêtez de vous faire un sang d'encre, voulez-vous, bébé ? Il n'a pas cru un traître mot de ce que je disais. Et quand bien même l'aurait-il fait, il voudrait d'abord la liste. Nous gardons le contrôle. Maintenant, bouclez-la une seconde que je puisse réfléchir, voulez-vous ?

— J'ai aussi éprouvé l'impression abominable que chacune de vos paroles n'était que l'expression de la stricte vérité.

— Mais qu'est-ce que ça peut bien être ?... Que craignent-ils que nous puissions avoir découvert ? Ils ne se doutent même pas que nous avons un moyen de communication avec le monde extérieur. Un fait dont nous pourrions avoir connaissance les inquiète pourtant. Quoi que ce soit, ça doit pouvoir démanteler tout leur projet, autrement, ils ne s'en préoccuperaient pas à ce point. C'est la seule raison qui les a fait venir à cette table, la seule raison pour laquelle nous sommes encore en vie. Sacré bon sang, de quoi peut-il s'agir ? »

Chapitre XXXV

Maggie Joy baissa au minimum la flamme sous son poulet aux olives et alla répondre au téléphone. Une opératrice lui annonça un appel en PCV de Tampa, Floride, pour M. Brian Joy.

« Qui le demande ? interrogea Maggie.

— Le demandeur dit être un radioamateur en contact avec un bâtiment en mer, répondit l'opératrice, M. Joy est-il là ?

— Oui, dit Maggie. Restez en ligne, s'il vous plaît. »

Elle alla rapidement jusqu'au bureau où elle le trouva l'oreille collée devant le haut-parleur de son émetteur-récepteur Singa One. Il tournait le bouton de son oscillateur à fréquence variable avec le doigté léger d'un perceur de coffre.

« Un amateur de Tampa, Floride, sur la ligne un », lui dit-elle. Il appelle en PCV.

« Hé ! »

Il se jeta sur le téléphone qui se trouvait sur son bureau.

« Allô ?

— Monsieur Brian Joy ?

— Lui-même.

— J'ai un appel PCV pour vous de Tampa, Floride. Acceptez-vous de régler les frais de la communication, Monsieur ?

— Oui, oui, passez-le moi.

— Parlez, monsieur, dit l'opératrice.

— Allô ? Vous êtes bien Brian, W6LS ? lui demanda une voix posée.

— Oui, lui-même.

— Je suis Jim Hogan, K4 Kilowatt Romeo, à Tampa...

— Oui, Jim. Qu'est-ce qui se passe ?

— J'ai un QSO en cours avec votre ami Billy, W6VC Mickey Mouse, sur 14 220. Il dit vous avoir entendu faiblement l'appeler mais que, de toute évidence, vous ne l'entendez pas. Il me demande de relayer. Il a des nouvelles pour vous.

— Formidable, dit Brian Joy. Merci beaucoup.

— Y a pas de quoi, dit le Floridien. Vous voulez essayer d'accrocher avec moi sur vingt mètres, ou on reste sur l'automatique sans prendre de risques ?

— Sur l'automatique, et comment ! dit Brian Joy.

— Roger. Ne quittez pas. »

Brian Joy leva les yeux sur Maggie qui l'observait sur le seuil de la porte.

« Quoi de neuf ? dit-elle. »

Il haussa les épaules.

« Je ne sais pas encore. Tu veux me servir un verre ?

— Non, dit-elle.

— Merci.

— A quelle heure veux-tu dîner ? Si toutefois tu voulais bien manger quelque chose.

— Mais oui, mais oui. Vers les 7 heures. Quelque chose comme ça.

— Tiens moi au courant s'il y a du nouveau...

— Bien sûr. Ne t'inquiète pas. »

Elle le laissa et retourna vers sa cuisine. La main serrée sur le combiné du téléphone, il attendait en pensant aux hommes réunis à Remo. Il se demandait s'il aurait jamais de leurs nouvelles. Quelle terne assemblée de... perdants. Puis ses pensées s'envolèrent vers Lisa Briande. A Paris, il devait être une heure et demie du matin. Elle était probablement couchée. Il se demanda avec qui et sentit une pointe de jalousie. La voix de Tampa revint en ligne :

« Brian ?

— Oui. Allez-y.

— Votre ami m'a indiqué des noms. Il veut que vous les écriviez. Vous avez un crayon ?

— Oui. Je suis prêt. »

L'homme de Floride lui lut lentement dix-huit noms. Ceux de neuf hommes et de neuf femmes, que Brian Joy écrivit sur son bloc-note jaune.

« J'ai encore un nom, lui dit la voix. Louise Campbell.

— Noté, dit Brian Joy.

— Il dit que celle-là, cette dernière, est l'une d'entre eux, sans le moindre doute possible. Il dit que vous comprendrez ce que ça signifie. »

Brian Joy fit un cercle autour du nom de Louise Campbell et dit :

« Voudriez-vous demander à Billy ce qu'il en est de ces noms, ce que je suis supposé en faire ?

— Oh, pardon, mon vieux, j'ai oublié de vous le dire. Les dix-huit premiers noms doivent être rayés de la liste. Je suppose que vous savez de quelle liste il veut parler.

— Rayés de la liste ? dit Brian Joy en ravalant sa salive de travers. Demandez-lui si ce sont des opérateurs silencieux, dit-il enfin. »

Il y eut une pause à l'autre bout du fil.

« Vous voulez dire morts ?

— Demandez-le lui, voulez-vous, Jim ?

— Bien sûr, mon vieux, bien sûr. Restez en ligne. »

Il sentit la peur lui nouer l'estomac. Il appela :

« Maggie ?...

— Qu'est-ce qu'il y a ? l'entendit-il répondre au loin dans la cuisine.

— Sers-moi un verre et apporte-le moi ici tout de suite.

— Va au diable !

— Vas-tu m'apporter un verre, nom de Dieu ?

— Brian ? demanda la voix de Floride.

— Je suis là, dit-il dans le haut-parleur du téléphone.

— La réponse est oui. »

Brian Joy eut un instant d'hésitation avant de dire :

« Des opérateurs silencieux ?

— Oui, tous les dix-huit. Plus la dame du nom de Louise Campbell. »

Il aurait voulu dire quelque chose mais se trouvait atteint de mutisme.

« Qu'est-ce que tout cela signifie ? demanda la voix.

— Rien... Rien qu'un jeu... Ecoutez, Jim, il vaudrait mieux que je raccroche maintenant. Ce PCV va me coûter une fortune...

— Oui, je sais, mais avant de vous quitter, votre ami voudrait savoir si vous avez quelque chose de neuf pour lui.

— Non. Rien. Une minute. Oui. Dites-lui qu'on travaille surtout. Dites-lui que je chercherai à le joindre sur notre bande habituelle à chaque heure.

— Roger. Ce sera fait. Eh bien, ravi d'avoir fait votre connaissance, mon vieux. Peut-être qu'on pourra se rencontrer sur l'air un de ces jours et que vous pourrez m'éclairer sur tout ça.

— Bien sûr, Jim, bien sûr, et mille fois merci pour le relais.

— Ce fut un plaisir. »

Brian Joy raccrocha et regarda fixement son bloc-note, le cœur serré. Il déchira la page jaune, éloigna son fauteuil du bureau, se leva et partit en direction de la cuisine.

Le brouillard de l'après-midi s'était levé sur l'océan comme pour venir donner la réplique. Maggie se tenait devant son fourneau et ne se retourna pas vers lui, la garce.

« Bon sang, pourquoi n'allumes-tu pas la lumière là-dedans ?

— Pourquoi ne le fais-tu pas toi-même ? » répondit-elle sans se retourner.

Il alluma.

« Et quand je te demande de me servir un verre, le moins que tu pourrais faire, c'est de le *faire*. Je n'ai vraiment pas besoin de ce genre de brimades de ta part, surtout pas aujourd'hui.

— J'essaie de te garder en vie, espèce de crétin, dit-elle calmement.

— Merde. »

Il déboucha une bouteille de Sauza Gold, en versa dix bons centilitres dans un verre gobelet, sortit une bouteille de jus d'orange du réfrigérateur et en versa sur la tequila. Il ajouta quelques cubes de glace, un trait de sirop de grenadine, mélangea le tout avec son index, puis avala le contenu du verre d'un trait.

« Ah, Seigneur ! » soupira-t-il quand le choc fut passé.

Il tendit la main devant Maggie, décrocha le combiné du téléphone mural, et composa le numéro direct de la salle des simulations de stratégie de Remo.

« Est-ce vous, Brian ? répondit Arkady Slocum.

— Comment est-ce que vous vous en sortez ?

— Je vous avais dit que je vous appellerai si...

— Je sais. Où en êtes-vous ?

— A moins de quatre cents possibilités. Je suis enclin à considérer cela comme un progrès », dit Arkady Slocum glacialement.

Brian Joy serra les lèvres.

« J'ai quelques nouvelles qui pourraient intéresser *317,* c'est pourquoi je vous appelle.

— Vous voulez dire *307,* précisa Arkady Slocum.

— Excusez-moi, dit Brian Joy qui sentait la tequila commencer à lui monter au cerveau en le rendant prompt à la colère. Le nom d'une d'entre eux, et cela est certain, est Louise Campbell.

— Attendez une minute, dit Arkady Slocum. Oui, reprit-il, nous l'avions comme probable.

— Elle est morte, dit Brian Joy en entendant la cuillère que Maggy tournait ralentir son mouvement. Ne me demandez ni comment ni pourquoi.

— C'est drôle, dit Slocum.

— Ouais, hilarant, dit Brian Joy aigrement. Si vous voulez

noter, pour *307*... les dix-huit noms suivants... par ordre alphabétique... »

Il fit une pause.

« Allez-y, dit Arkady Slocum.

— Ned et Myra Clayworth... Frank et Millicent Holdorf...
Edgar et Sue Ann Lockhart... Tom et Adele Rice... Gary et
Claire Rogers... Walter et Geraldine Sneed... Milton et Ruth
Tempkin... Stanford et Margot Whitman... Lawrence et Maxime
Willow...

— Quelles nouvelles à leur sujet ? demanda Slocum devant le
soudain mutisme de Brian Joy.

— Des passagers à ne plus prendre en considération. A rayer
de la liste, en fait. »

Arkady Slocum se racla la gorge.

« Ça ne vous ferait rien de me dire pourquoi ?

— Rien du tout, docteur Slocum, j'en serai ravi. Ils sont
morts... M-O-R-T-S, épela-t-il.

— Je comprends, dit-il Arkady Slocum calmement. Autre chose
à me dire ?

— Oui, dit Brian Joy avec amertume. Réveillez-moi quand
vous aurez fini. »

Il raccrocha et vit Maggie se retourner vers lui. Qu'elle aille
se faire voir ! Il ne voulait pas de sa compassion.

« Brian... »

Il tendit la main vers la bouteille de Sauza. Elle pivota rapidement et s'accrocha à la bouteille qu'il essaya de soustraire à son
étreinte en criant :

« Mais... que... diable... veux-tu... ?

— Nom ! Nom de Dieu ! dit-elle en lui arrachant la bouteille
des mains.

— Rends-la moi », dit-il d'une voix rauque.

Il la regarda sans dire un mot vider sa vie dans l'évier.

« Mais que fais-tu, pour l'amour de Dieu ? finit-il par demander.

— Je ne sais pas, gémit-elle. Je ne sais pas... »

Il tourna les talons et l'entendit qui commençait à pleurer
doucement. Il retourna lentement, sans but, vers son bureau. La
lumière orange des chiffres de l'écran numérique du fréquen-
cemètre de son émetteur-récepteur clignotait silencieusement dans la
pièce plongée dans la grisaille du brouillard. Il se laissa tomber
dans son fauteuil, regarda fixement les lumières clignotantes et
finit par fermer lentement les paupières.

Julie Berlin et Harold Columbine restèrent assis à l'une des petites tables du " Café Montmartre " jusqu'à minuit passé à attendre l'apparition de Craig Dunleavy. Ils burent trop, fumèrent trop, et évitèrent soigneusement d'aborder une conversation trop intime. L'un et l'autre s'étaient, plus tôt dans la soirée, laissés aller à en dire plus qu'il n'aurait fallu pour ne pas se sentir maintenant mal à l'aise. Les menus propos valent parfois de l'or par leur légèreté. Quand il devint évident que Dunleavy n'apparaîtrait plus, Harold Columbine réclama l'addition. Le garçon l'apporta avec une enveloppe dont il dit qu'on venait de la lui remettre à son intention. Harold Columbine attendit le départ du garçon pour l'ouvrir et lut à Julie le message qui s'y trouvait :

« Votre offre est acceptée. Apportez la liste à ma cabine, la 405 sur le pont-principal, dès que possible. Apportez aussi la clé de *sa* cabine, et prenez du bon temps ailleurs jusqu'à 1 h 30 du matin. Prêts à vous servir. Signé C.D. »

Le visage de Julie était devenu blême.

« Et maintenant ? demanda-t-elle.

— Ne vous faites pas de bile », dit-il en lui tapotant la main d'un geste rassurant.

Il bénissait les grondements de la mer déchaînée et les craquements des structures du *Marseille* ; ils permettraient peut-être qu'elle n'entende pas son cœur battre la chamade. Il réfléchit rapidement, et griffonna au dos du message :

« Je regrette, il faudra que vous veniez à ma cabine. Je vous téléphonerai dès que je l'aurai rejointe. H. C. ».

Il montra la note à Julie, la remit dans l'enveloppe, et rappela le garçon.

« Retournez cela à l'homme qui l'a envoyé, fit-il.

— Mais, monsieur, j'ignore qui c'est.

— Ne me racontez pas de boniments. Portez-la lui. »

Le garçon prit l'enveloppe avec une mine renfrognée et s'éloigna.

« Allons-nous en. »

Il reconduisit Julie à la porte de sa cabine et attendit avec elle pendant que Billy se débattait avec les verrous. La porte s'ouvrit enfin sur le jeune médecin qui avait le visage livide d'un homme qui manque de sommeil. Il les fit entrer et dit en regardant Columbine :

« J'ai enfin pu le joindre.

— J'étais certain que vous réussiriez, lui répondit-il. Avait-il quelque chose d'encourageant pour nous ?

— Oui. Il a dit que tout était en train, qu'ils y travaillent.

— Vous voyez, je vous l'avais bien dit, dit Harold Columbine en souriant à Julie. »

Elle le regarda avec des yeux inquiets et demanda :

« Qu'allez-vous faire, maintenant, Harold ?

— Me rendre à ma cabine. A un rendez-vous urgent. Quant à vous deux, que ni l'un ni l'autre n'ouvre la porte à qui que ce soit cette nuit. Et je dis bien à qui que ce soit, pas même au commandant. Bonne nuit.

— Qu'est-ce qui se passe ? intervint Billy vivement.

— Votre femme vous racontera. Mais, Docteur, je parie que vous n'allez pas la croire ! » dit-il en gloussant.

Il tournait les talons quand Julie le retint :

« Harold ?... »

Elle le regardait d'une manière qui le payait de tout ce qui pourrait lui arriver.

« Oui, Julie ?

— Vous m'appellerez ?

— Quand ?

— D'ici une heure ?

— Mais, cela vous réveillerait ?

— Je veux savoir que vous allez bien. »

Il jeta un coup d'œil sur Billy qui les observait.

« J'irai bien, dit-il.

— Appelez-moi. »

Il sortit et attendit d'entendre le bruit de la fermeture des verrous avant de s'éloigner rapidement dans le couloir qui tanguait.

Devant sa propre cabine, la coursive était déserte. Il déverrouilla sa porte, la poussa, et attendit un instant sur le côté avant d'y pénétrer, la main droite serrée sur l'automatique. Il ouvrit le commutateur électrique, referma la porte et fouilla sa cabine avec ce qu'il crut suffisamment d'attention regardant jusqu'à sous le lit. Puis il remit le revolver dans sa ceinture.

Il décrocha le combiné du téléphone et composa le numéro de la cabine de Dunleavy.

« Allô, lui répondit Betty Dunleavy.

— A-t-il reçu mon message ?

— Oui.

— Passez-le moi, s'il vous plaît.

— Il n'est pas là.

— Quand sera-t-il de retour ? demanda-t-il après un instant d'hésitation.

— Cela dépend de vous.

— Je ne comprends pas », dit-il en fronçant le sourcil.

Il entendit le déclic du téléphone qu'elle raccrochait, puis un autre bruit, derrière lui. Il pivota et vit Dunleavy qui se tenait sur le seuil de la salle de bains. Avec une expression impassible sur son visage bronzé, il lui dit :

« Vous avez oublié la cabine de douche. »

La main droite d'Harold Columbine esquissa un mouvement vers sa ceinture.

« Tss-tss ! » fit Dunleavy.

La main de Columbine renonça, et il dit :

« Ça ne vous ferait rien de braquer ce machin autre part que sur moi ? »

Dunleavy s'avança jusqu'à lui, lui déboutonna son veston et retira l'automatique de sa ceinture qu'il glissa dans sa propre poche. En lui reboutonnant son veston, il dit :

« Voilà qui est mieux.

— Je suis content que vous ayez fait ça, dit Harold Columbine. J'aurais pu tirer sur quelqu'un et lui faire mal.

— Oui, et ce n'est pas ce que nous voulons, n'est-ce pas ? dit Craig Dunleavy.

— Je suppose que vous voulez la liste, maintenant...

— Quelle liste ? » demanda Dunleavy en s'éloignant vers la porte.

Harold Columbine ravala sa salive.

« Qu'allez-vous faire maintenant ? »

Dunleavy ouvrit la porte et se tourna vers lui.

« Je ne sais pas ce que vous allez faire, Columbine, pour moi, je vais me coucher. J'ai eu une journée fatigante.

— Vous n'avez pas une chance de vous en tirer, Duleavy. Ne le voyez-vous pas ?

— Peut-être, lui répondit Dunleavy en souriant. Mais ce risque fait la moitié du plaisir. »

Il sortit et referma la porte sur lui.

Harold Columbine alla rapidement en fermer tous les verrous. En se retournant, il aperçut son image reflétée dans le miroir sur le mur opposé et lui dit :

« Harold le malin, tu n'es qu'un enfant de chœur. »

Dans la touffeur de cette nuit, la France dormait d'un sommeil agité. A 4 h 32 du matin, Aristide Bonnard se réveilla en sursaut et se glissa hors du lit. La sentinelle qui restait toujours en éveil dans son cerveau venait de lui rappeler que le président ne pouvait pas se permettre une seconde de plus d'oubli irresponsable.

Bonnard chercha ses pantoufles à tâtons dans la pénombre de

la chambre et les enfila en écoutant le léger ronflement rythmé de son épouse endormie. Puis il descendit dans son cabinet de travail d'où il téléphona à voix basse au palais de l'Elysée.

Marcel Fleck, un homme d'une grande nervosité qui se mettait à bégayer quand il y avait de l'agitation, était l'ordonnance de plus haut rang présent au palais de l'Elysée à cette heure incongrue. Aristide Bonnard nota la soudaine paralysie de sa voix quand il reconnut son interlocuteur.

« Oui-i, monsieur le Président.

— Fleck, le message suivant doit être envoyé sur-le-champ au président des Etats-Unis à la Maison-Blanche, en utilisant le code Bleu. Répétez, s'il-vous-plaît.

— Le Co-co-de-Bleu.

— Strictement privé et confidentiel.

— Stri-i-ic-te-e-ment pri-i-vé et con-on-fi-i-den-entiel.

— Le texte... Vous êtes prêt ?

— Oui, monsieur le Pré-é-sident.

— Problème dans l'Atlantique a été résolu. Stop. Tous arrangements conclus. Stop. Demain apporte liberté. Stop. Vous confirmerai. Stop. Signé, Bonnard. »

Marcel Fleck relut le texte au Président sans la moindre erreur.

« Bien, dit Bonnard. Datez le message d'hier soir 10 heures, et portez la mention " différé en transit ".

— M-m-mais il ni-n'y aura au-o-cun re-retard, monsieur le...

— Faites comme je vous dis.

— B-bien, monsieur le Président. »

En remontant les escaliers pour regagner la chambre conjugale, Aristide Bonnard se disait qu'il n'avait peut-être pas vraiment *oublié* d'aviser son homologue américain. Peut-être avait-il subconsciemment espéré de sa part un signe de sollicitude ou de sympathie. C'eût été le moins qu'il puisse faire. Il sentit que la colère le gagnait en pénétrant dans la chambre et s'assit lentement sur le bord du lit en marmonnant à mi-voix : « L'immonde salaud ».

Althéa Bonnard s'étira dans l'obscurité. « Oui, mon cœur », murmura-t-elle dans son rêve. Puis elle retomba dans son ronflement mesuré.

Approximativement vers la même heure, comme relié par une chaîne de perception extra-sensorielle, Max Dechambre, le président-directeur général de la Compagnie française atlantique, s'éveilla d'un cauchemar du troisième stade de sommeil, dans sa chambre privée, au deuxième étage de sa maison de Neuilly. Il changea de côté et replongea dans les profondeurs de l'inconscience du quatrième stade de sommeil. Pendant ce temps-là, dans son appartement du XVe arrondissement de Paris, son directeur-adjoint, Georges Sauvinage, bougonnant comme à son habitude, en raison des mêmes circonstances nocturnes, sur lesquelles il eût été possible à n'importe qui de se mettre à l'heure exacte, trottina jusqu'à sa salle de bains, souleva le siège de la cuvette des waters et se mit à soulager sa vessie tourmentée. " N'est-ce que pour cela, se disait-il, que les vignerons du Bordelais et leurs concurrents italiens se font la guerre ? "

A cette même heure, sur la Rive Gauche, rue Récamier, dans l'appartement en désordre de Lisa Briande, Julian Wunderlicht et sa captive à la peau douce ne dormaient pas trop mal sinon très confortablement. Wunderlicht avait trouvé du cordage assez solide dans la petite cuisine et avait attaché Lisa après lui, de telle manière que toute tentative de sa part pour lui échapper l'aurait immédiatement réveillé. Ils reposaient face à face sur le lit défait. Il tenait sa main droite sous l'oreiller, serrée sur le revolver, et l'autre, posée sur la cuisse droite de Lisa. Juste avant de sombrer dans le sommeil, elle lui avait fait remarquer que leur posture trouverait difficilement place dans un manuel d'éducation sexuelle. A quoi Wunderlicht avait répliqué l'avoir déjà vue, à cette exception que le revolver n'était pas chargé.

Quant à Jean-Claude Raffin, directeur général de la Sûreté nationale, il n'avait plus conscience de cet univers, ni d'aucun autre d'ailleurs. Il s'était affalé sur son lit dans sa résidence de Vincennes, son anxiété enfin terrassée par non pas un, mais deux suppositoires hypnogènes.

A six mille cinq cents kilomètres de là, au sud-ouest, le *Marseille* fendait les roulis de l'Atlantique, ses bossoirs plongeant et se relevant élégamment au rythme des houles ennemies, protégé de la curiosité de la Lune et des étoiles par le déferlement d'un épais manteau de nuages bas. La musique battait son plein dans plusieurs night-clubs où les barmans remplissaient généreusement les verres au milieu des éclats de rire. Au moins trois cents passagers de diverses confessions sexuelles s'accrochaient opiniâtrement à la nuit, refusant d'abandonner l'espoir d'une aventure. Les gens mariés, les enfants et les vieillards, eux, avaient depuis longtemps regagné leurs cabines pour essayer de trouver le sommeil.

Assis près du lit devant son émetteur-récepteur, Billy Berlin le regardait fixement, comme si ses yeux avaient recélé le pouvoir magique d'en faire surgir des voix amies, celle de Brian Joy de préférence. Mais la bande des vingt mètres était devenue complètement muette, et il n'entendait que le chuintement continu d'une ionosphère défaillante et la respiration régulière de Julie qui, de l'autre côté du lit, s'était assoupie en tenant un magazine dans ses mains.

Dans la fraîcheur de l'air conditionné de sa cabine, Harold Columbine allait et venait nerveusement. Il évoquait les corps alertes qui se mouvaient sur les piste de danse, leurs hanches se balançaient dans son imagination sur une variété de rythmes qui le rendaient fou. Mais tu es sans arme, maintenant. Dieu sait quels dangers t'attendent hors de cette cage. Ne crois-tu pas que tu en as eu ta dose ? se demandait-il tout en sachant que la réponse à cela n'avait jamais été et ne serait jamais oui. Il alla vers le téléphone et composa le numéro de Julie. Mais ce fut Billy qui répondit dans un murmure :
« Oui ?
— Ici, Columbine.
— Oh ?
— Pourrais-je lui parler ?
— Elle s'est endormie, Harold.
— Je vois... hé bien... je voulais juste lui dire que je vais bien.
— Si elle se réveille, je le... je le lui dirai.
— C'est elle qui m'a demandé de l'appeler, vous savez.
— Oui, je sais. Si elle se réveille, Harold.
— Merci. »
Connard ! se contenta-t-il de penser. Il raccrocha le combiné et commença à se déshabiller rapidement, comme si cela avait pu le sauver. Il lança son veston de velours, sa cravate et sa chemise à la volée sur une chaise. Mais il alla ensuite se placer devant un

miroir devant lequel il resta un instant immobile à contempler son torse nu. Il baissa la fermeture à glissière de son pantalon, sortit sa verge, l'examina dans le miroir, se mit à la caresser, puis la sentit se redresser, bourgeonner. Il sourit, l'œil brillant malgré la peur. Il la remit dans son pantalon et tendit la main vers sa chemise qu'il renfila. « Et merde ! ils ne peuvent pas me toucher, le monde m'appartient. » Cette seule pensée suffit à le réconforter. Les doigts tremblant d'impatience, il boutonna sa chemise en hâte et tendit la main vers sa cravate.

Dans les quartiers de Charles Girodt, le commandant du *Marseille,* affalé dans son fauteuil, feignait d'écouter avec vivacité les rapports individuels de son état-major sur la situation. Mais les propriétés narcotiques de l'alcool qu'il avait absorbé plus tôt dans la soirée produisaient encore leurs effets sur son cerveau. Ce comportement inhabituel n'échappa pas à l'attention d'Yves Chabot, dont le visage reflétait une inquiétude croissante à chaque fois que son supérieur marmottait quelques mots confus de commentaire. Rien d'autre ne sortit de ce brainstorming que des constatations réitérées que le lever du jour serait l'instant capital, qu'une coopération totale avec les criminels demeurait la politique officielle, et que les passagers restaient remarquablement calmes et ignorants des circonstances. Apparemment, aucun d'eux ne s'était inquiété de la disparition de certaines personnes avec lesquelles ils venaient récemment de nouer des relations à bord du navire. En voyant le visage de Charles Girodt se décomposer devant cette observation, Yves Chabot se leva brusquement et proclama d'autorité la clôture des débats.

« Si nous voulons nous trouver d'attaque à l'heure du petit déjeuner, je prescris le sommeil immédiat, lança-t-il à l'assemblée quelque peu ahurie.

— Mais, docteur Chabot, protesta Pierre Demangeon, qu'en est-il de la communication radio avec la terre ? »

Chabot raccompagna le Chef mécanicien à la porte en lui disant :

« Quand nous aurons des nouvelles précises à vous communiquer, soyez assurés que nous vous les ferons connaître, Demangeon. Je vous souhaite des cauchemars agréables, messieurs. »

Il referma la porte sur le dernier d'entre eux et se tourna vers le commandant qui, effondré, se tenait le visage dans les mains. Chabot coupa les lumières du plafonnier, s'avança derrière le fauteuil de Girodt et lui posa doucement les mains sur les épaules.

« Venez, mon cher ami, je vais vous aider à vous coucher, lui dit-il.

— Mon Dieu, Chabot... dit la voix assourdie derrière l'écran de ses mains.

— Ça va aller mieux, je vous le promets, lui murmura Chabot avec douceur. »

Il se demandait intérieurement combien de temps le commandant pourrait encore se contrôler. Il lui faudrait lui-même prendre du Valium en regagnant ses quartiers. Il n'avait partagé qu'avec Christian Specht le souci qu'il se faisait pour Charles Girodt et qui mettait son équilibre nerveux à rude épreuve.

Craig Dunleavy se tenait devant une des portes de sortie et Herb Kleinfeld devant l'autre. Bien que la dernière projection se soit terminée à minuit, le hall était encore éclairé par quelques lampes, et ils n'avaient aucun mal à identifier chacun de ceux qui arrivaient. Tous restèrent silencieux. Vers 1 heure moins 10 du matin, tous les membres du groupe, à l'exception de ceux de service à divers postes, s'étaient glissés à l'intérieur de la salle de spectacle plongée dans l'obscurité et avaient pris place dans les premiers rangs. Quelques chandelles avaient été disposées sur le devant de la scène pour éviter que les assistants se cassent une jambe dans le noir. Quelques femmes s'étaient munies de lampes de poche. On aurait dit une assemblée de fidèles réunis pour la célébration du rituel d'un culte bizarre. Dunleavy avait réclamé l'obscurité non seulement par prudence mais aussi, et bien davantage, parce qu'il pensait que certains prendraient la parole plus facilement, sans crainte d'exposer des doutes de dernière heure, au couvert de l'ombre.

Ils chargèrent Lou Foyle de monter la garde et descendirent l'allée jusqu'au devant de la scène et se tournèrent pour faire face à ceux qu'ils pouvaient à peine distinguer dans leurs sièges.

« Nous allons essayer d'en terminer au plus vite, commença Dunleavy. Il va sans dire mais encore mieux en le disant que vous avez tous été formidables. Je suis fier de vous... »

Il attendit que les applaudissements étouffés s'interrompent pour reprendre :

« Y a-t-il quelqu'un qui ne soit pas *totalement* sûr du rôle personnel qu'il ou elle devra remplir demain ? »

Seul le silence lui répondit.

« Parfait. Et maintenant, ne vous en offusquez pas, je dois vous poser la question suivante : quelqu'un désire-t-il prendre la parole pour essayer de nous convaincre de renoncer pendant qu'il en est encore temps ? »

Après un moment de silence une voix s'éleva qu'il reconnut pour celle de Charlotte Segar :

— Craig ?

— Oui ?

— Est-il vraiment impossible de mettre les enfants les plus jeunes dans un bateau de sauvetage ?

— Je ne trouve qu'une seule réponse à cela : les enfants grandissent, et leur mémoire ne s'efface pas.

— Oui. Très bien.

— D'autres questions à ce sujet, Charlotte ?

— Non. Ce sera tout. Merci.

— Quelqu'un a-t-il d'autres questions ? »

Après un silence total, Dunleavy lança :

« Herb ? »

Kleinfeld se racla la gorge et fit face à l'auditoire :

« Je sais que vous allez penser que je rabâche, car je vous ai peut-être répété mille fois ce qui va suivre. Alors pourquoi pas une de plus ? Ne laissez rien traîner de personnel derrière vous. Et quand je dis rien, j'entends bien *rien*. Ce que vous n'emporterez pas doit être largué par-dessus bord cette nuit. Je sais ce que vous pensez. Ce que je pense moi, c'est que d'ici une dizaine d'années, on aura peut-être bien découvert une méthode d'exploration des profondeurs qui permettra de rejoindre les antipodes. Mais, d'ici là, rien de tout cela ne sera plus identifiable. Ai-je oublié quelque chose, Craig ? »

Dunleavy lança à la cantonnade :

« A-t-il oublié quelque chose ? »

Un chorus de « non » lui répondit.

« Les amis, que diriez-vous d'aller au lit ? »

Il y eut un bruissement de corps qui se levaient et de sièges qui se refermaient. Kleinfeld souffla les chandelles. Dunleavy les ramassa en suivant et lui emboîta le pas vers la sortie. En quelques minutes, la salle de spectacle redevint sombre, silencieuse et déserte.

Pour Leonard Ball, c'était aussi simple que cela : il n'aurait pas pu survivre à la nuit sans elle. Une expression telle que « tourmenté par le désir » dans une émission à l'antenne, même dans un feuilleton guimauve, l'aurait fait grimacer de dédain, mais, par Dieu, c'était pourtant bien ce qu'il avait été : *tourmenté par le désir* depuis la minute où il s'était lavé les mains de l'avenir de la liste d'informations sur les passagers en quittant la cabine de contrôle du studio de Flash. Il s'était alors brusquement souvenu des yeux violets et d'un bruissement de cuisses soyeuses au milieu d'un nuage de « Je Reviens ». Hors de question d'attendre jusqu'au lendemain. Il avait sur-le-champ appelé le bureau de Pierre Broussard, et avait entamé avec elle une joute amoureuse téléphonique qui avait bien failli l'amener à jouir dans son pantalon de gabardine, au beau milieu de son bureau. Puis il avait rapidement mis au point quelques craques à l'intention d'Amanda qui lui avaient été transmises au domicile conjugal par une Thelma Stutz glacialement désapprobatrice. Enfin, il venait de passer une merveilleuse heure et demie en tête à tête au " Elaine's ", sans se soucier de *qui* pourrait les voir main dans la main, genoux contre genoux, les yeux dans les yeux...

Il se trouvait maintenant dans la cabine téléphonique proche des toilettes, attendant que la standardiste lui obtienne une liaison téléphonique avec la Côte en la portant au débit de sa carte de crédit. Le cœur n'y était qu'à moitié, signe évident qu'il devenait un mauvais journaliste. Il était tout entier, corps et âme, littéralement tendu vers la porte fermée des toilettes des dames, derrière laquelle, il en avait la conviction, la plus ravissante des filles jamais nées sur le sol de France devait procéder à des ablutions intimes. Elle devait savoir, d'instinct et d'expérience, que ni elle ni son amant n'auraient le temps d'approcher d'une salle de bains, ni même d'un lit, avant de s'arracher leurs vêtements et de se prendre sauvagement sur le tapis dès leur entrée dans sa garçonnière de Park East. Le seul problème qui se posait à Leonard Ball en attendant l'établissement de sa communication était d'imaginer comment il allait réussir à ne pas éjaculer sur le siège arrière du taxi. Peut-être s'ils prenaient place sur le siège avant avec le chauffeur...

Quand le téléphone sonna, Brian Joy était assis en face de Maggie à la table de la cuisine, chipotant avec son poulet aux olives. Depuis qu'il s'était fait mettre au régime sec d'autorité, il demeurait plongé dans un mutisme aussi profond que l'épaisseur du brouillard qui, derrière les vitres, noyait Beverly Hills. Elle le regarda en restant immobile. Par défi, il ne se bougea pas. Elle finit par dire :

« Je suis bien certaine que ça ne peut pas être pour *moi*. »

Il tendit la main sans se lever pour poser l'appareil sur la table.

« Oui ? dit-il en décrochant le combiné.

— Brian, ici Leonard Ball à New York...

— Oui, Leonard ? interrogea-t-il sèchement.

— Est-ce que je vous dérange ?

— Pas du tout. Nous sommes juste en train de dîner, au milieu d'un plat que ma femme a fait mijoter pendant toute cette foutue journée. Vous ne dérangez rien du tout.

— Arrête ça, lui dit Maggie.

— Je regrette, dit Leonard Ball. J'appelais seulement pour savoir où en sont les choses.

— De quelles choses voulez-vous parler ? fit-il d'un ton désagréable, comme s'il rendait l'homme de la C.B.S. responsable de son manque alcoolique.

— De quoi diable voulez-vous que je parle, sinon du *Marseille* ?... du groupe de réflexion. Y a-t-il du nouveau ?

— Que dalle. Le navire continue à naviguer et le groupe de réflexion à réfléchir. Ne m'appelez plus, je vous appellerai.

— Hé bien, j'ai fait ce que je pouvais...

— Je suppose que je devrais vous remercier.

— Rien ne vous y oblige, mais vous pouvez le faire si vous voulez, dit Leonard Ball.

— Parle-lui des morts, intervint Maggie.

— Une minute, Leonard... Quoi ? dit-il à Maggie.

— Parle-lui des morts.

— Pour quoi faire ?

— Tu le lui dois.

— Mais pas à la C.B.S. L'oublies-tu ? Leonard, reprit-il dans le téléphone, où serez-vous cette nuit au cas où je souhaiterais vous joindre ? »

Leonard Ball gloussa.

« Je serai, dirons-nous, plaisamment occupé ?

— Quelqu'un que je connais ?

— Disons que vous aimeriez connaître.

— J'en suis très heureux pour vous, dit Brian Joy amèrement.

— Vous vivez sur la mauvaise côte, mon bon.

— Au fait, dit Brian Joy. Sur le bateau, ils ont assassiné vingt-six hommes et femmes qui les dérangeaient aujourd'hui.

— Que dites-vous ?

— Vous m'avez parfaitement entendu, Leonard. Vingt-six. Il faut que je vous quitte maintenant.

— Attendez une minute...

— Amusez-vous bien », dit-il en coupant la communication.

Puis il décrocha le combiné de son berceau et le posa près de l'appareil sur le buffet en marmonnant à mi-voix :

« Prétentieux connard. »

Leonard Ball ouvrit la porte de la cabine téléphonique et en sortit d'un pas un peu chancelant. Il n'éprouvait plus aucune tension et il en serait de même toute la nuit. Peu d'hommes connaissaient aussi bien les caprices de leur anatomie que Leonard Ball. Il avait déjà inventé le mensonge qu'il allait servir à la Française quand elle émergerait des toilettes exhalant cette bon sang de fragrance féminine.

« Pourquoi l'avoir traité de cette manière ? demanda Maggie.

— Il ne m'est plus d'aucune utilité, répondit Brian Joy. De plus, je manque de sommeil, je suis complètement éreinté, et je me moque d'appels insignifiants de New York alors que je suis là, agacé d'attendre un appel de Remo.

— Ou de Paris.

— Je m'attendais à celle-là.

— Comment peux-tu espérer recevoir un appel de qui que ce soit avec le téléphone décroché ? »

Il raccrocha le combiné.

« Va te coucher et essaie de dormir, dit Maggie sans le regarder. Je surveillerai le téléphone.

— Vraiment ? Comment se fait-il ?

— Parce que je ne peux plus supporter de te voir ni de t'entendre te comporter de pareille manière une seconde de plus. Tu es répugnant.

— Merci beaucoup.

— Y a pas de quoi. »

Il se leva de table et monta se coucher.

Les classifications typologiques continuaient à leur infliger un véritable supplice de Tantale. Au lieu de déboucher sur une évidence qu'elles semblaient parfois prêtes à révéler, elles terminaient régulièrement dans une impasse. Craig Dunleavy avait été facilement relié à Herb Kleinfeld. L'examen de leur passé sur un assez grand nombre d'années les avait resitués tous deux travaillant pour la N.A.S.A. Et, plus récemment, vivant en compagnie de leurs épouses dans la même zone géographique. Mais, très curieusement, aucune typologie n'avait su établir de liens entre eux et d'autres passagers, ni parmi ces derniers les uns avec les autres. Le premier espoir de Mike Keegan de lire des casiers judiciaires de criminels sur l'écran de visualisation de la salle des simulations de stratégie, et de déjouer les conspirateurs à cette lumière, n'avait pas abouti : tous les passagers du *Marseille* étaient d'une respectabilité sans reproche. L'examen minutieux des archives du State Department s'était révélé plus décevant encore :

pas un passeport n'était faux. Ce fut alors qu'Arkady Slocum annonça à son équipe que pour parvenir à une solution il leur faudrait recourir au désespoir plutôt qu'à l'inspiration.

La première brèche apparente dans l'opacité du problème fut le fait d'Angelo Martini. Il en fut redevable à sa vie de famille bien plus qu'à ses connaissances en psychologie du comportement.

« Savez-vous ce qui pourrait *me* retenir d'essayer une aventure similaire à celle que tentent ces fous ? Ni la moralité, ni la peur du danger, ni le dédain de l'argent. Une seule raison : deux garçons et une fille.

— Traduisez, Angelo, demanda Mike Keegan.

— Qu'on me dise ceux qui n'ont pas d'enfants, les joyeux célibataires, les couples mariés sans progéniture, tous ceux qui n'ont reçu aucun cadeau vivant du ciel. »

Keegan se tourna vers Arkady Slocum.

« Pouvez-vous trouver cela ? lui demanda-t-il.

— Non, répondit le spécialiste de l'ordinateur. Mais *307* le fera. Al ?

Santley se courba au-dessus du clavier et, au bout de trente minutes de recherches comparées entre la liste référencée LIP et les banques de données des archives du State Department, de la Sécurité sociale, et du Bureau central des cartes de crédit, sept cent vingt-cinq mille quatre cents noms furent éliminés sur les mille quatre cents avec lesquels ils comptaient jusque-là.

« Quelqu'un d'autre ressent-il un désespoir constructif ? demanda Arkady Slocum.

— La faim, offrit Rudi Fleischman. Le spécialiste du Chiffre se pencha en avant dans son fauteuil de cuir noir et tapota son ample estomac. Un ventre plein n'a pas la bougeotte. S'il se déplace c'est pour aller s'en mettre plein la panse dans des endroits comme la Riviera française et déborder des bikinis. Mais la véritable faim économique, celle qui creuse des rides psychologiques dans les tripes, celle-là peut lancer des gens sur le *Marseille,* revolver au poing et des visions d'or plein les yeux.

— Vous permettez que je reprenne ce raisonnement un de ces jours ? lui demanda Irving Harris.

— Je vous en prie », répondit Rudi Fleischman au romancier à la crinière grisonnante.

Vingt-cinq minutes après qu'Al Santley ait donné un ordre bref à *307,* l'ordinateur géant fournissait la réponse suivante : sur les six cent soixante quinze personnes qui restaient à prendre en considération, les revenus de cinq cent quatre-vingts avaient été, pour l'année précédente, égaux ou inférieurs à $ 20 000.

« Et si nous demandions leurs ressources exactes ? suggéra Irving

Harris en interrogeant l'assemblée du regard. Si Rudi voit juste, vingt mille dollars permettent encore de se caler confortablement l'estomac.

— Je vote pour, lança Frank Skinner. »

Mike Keegan approuva d'un grognement. Arkady Slocum donna donc à Al Stanley le signal d'un nouveau sondage.

Cette fois, *307* en élimina encore cent quatre-vingts. Il restait encore quatre cents passagers à bord du *Marseille* qui avaient gagné moins de onze mille dollars. Une nouvelle recherche rapide dans les archives du State Department trouva les mêmes quatre cents dans la même situation financière pour l'année précédente. Le fait que Craig Dunleavy et Herb Kleinfeld se trouvent faire partie de cette compagnie éveilla les premiers sursauts d'optimisme.

Irving Harris bondit sur ses pieds si rapidement que ses genoux flanchèrent.

« Avec deux cents dollars la semaine, lança-t-il, on ne pourrait même pas s'offrir un passage dans les cabinets du *Marseille*. Je vous le dis, les gars, il y a quelque chose de pas kascher là-dessous.

— A moins que vous n'ayez une fortune personnelle, dit Lawrence Wibberly à ses pieds. Certains des plus distingués ingrats de ce pays ramassent des millions en rentes sur l'Etat, qui ne sont pas soumises à l'impôt. Ils n'ont donc aucune déclaration de revenus à établir. Ils n'auraient pas besoin de demander une rançon contre le *Marseille*. Ils pourraient l'acheter comptant.

— Ne jouez pas les rabat-joie, docteur Wibberly, lui dit Frank Skinner. Pour moi, je trouve ces statistiques favorables. Je propose que nous poursuivions avec ces quatre cents-là comme nouvelle donnée de base. Mais tout d'abord, il me semble plus important d'appeler le colonel Sanders. J'ai besoin de me mettre quelque chose sous la dent, sinon je vais défaillir.

Ce fut pendant qu'ils étaient en train de dîner que Brian Joy leur téléphona sa liste de morts. Ils trouvèrent soudain un goût de cendre à leurs aliments.

A 21 h 35, Tony Kuhn, qui avait pris la relève de Jim Bagget au service de sécurité, leur apporta deux thermos de café noir dans la salle des simulations de stratégie. A 22 h 30, Arkady Slocum, ragaillardi par la caféine, se prit à penser qu'aucun groupe aussi important que celui qui avait détourné le *Marseille* ne pouvait avoir agi sans plan d'action. La mise au point de ce plan avait obligatoirement dû nécessiter des réunions. Mais il ne dit rien de cette réflexion avant d'avoir passé une heure de dialogue animé avec *307*. Il le lança sur la piste des transporteurs aériens, sur le fichier central des réservations hôtelières de tous les Etats-Unis, et lui fit fouiller dans ces archives sur une période de deux ans pendant qu'il prenait des notes tout au long de leur entretien par l'intermédiaire de la console. Puis, un peu grisé par ce qu'ils venaient de découvrir, il tendit la main vers sa canne, il se leva de devant le pupitre de commandes et se tourna vers son équipe interloquée. Sa feuille de notes tremblait légèrement dans sa main.

« Quelqu'un voudrait-il réveiller Rudi ? demanda-t-il.

— Je ne dors pas, répondit vivement Rudi Fleischman en se redressant de sa position affalée.

— Voici qui est curieux, messieurs, des plus curieux, commença Arkady Slocum. Je vais essayer de vous l'expliquer petit à petit. »

Il s'éclaircit la gorge.

« En mai de l'année dernière, le quatorze pour être précis, M. et Mme Craig Dunleavy ont séjourné dans un grand motel de Twentynine Palms, en Californie. Le même jour, M. et Mme H. Kleinfeld sont arrivés dans un autre motel de Twentynine Palms. Et à la même date, de nombreux hommes et femmes s'installaient dans cinq autres motels à Twentynine Palms et dans les environs. Est-ce que vous me suivez jusque-là ?

— Il n'y a rien à suivre, dit Mike Keegan.

— En septembre suivant, poursuivit Arkady Slocum, deux jours avant la fête nationale, les Dunleavy et les Kleinfeld vont passer le week-end à l'hôtel " Broadmoor " de Colorado Springs, ainsi que quelque deux ou trois cents veinards. Et, parmi ces veinards, trente-six femmes et quarante-deux hommes se trouvaient également à Twentynine Palms le 14 mai précédent. Soixante-dix-huit personnes se sont trouvées à *deux reprises* au même endroit et au même moment que les Dunleavy et les Kleinfeld...

— Jésus, dit Irving Harris.

— Voilà qui est intéressant », dit Frank Skinner calmement.

Arkady Slocum leva la main et poursuivit :

« En avril dernier, la veille de Pâques, les Dunleavy arrivent au " Merlin Inn ", à Baja, en Californie ; on y retrouve aussi les Kleinfeld au " Fisherman's Lodge ", ainsi que les soixante-dix-huit hommes et femmes qu'on avait déjà rencontrés en mai de l'année précédente à Twentynine Palms et à Colorado Springs qui, eux, s'installent au " Holiday Inn "...

« Arkady, vous êtes formidable ! lança Rudi Fleischman.

— Pas moi, *307*. Et attendez, ce n'est pas tout. Il y avait d'autres hôtes au " Merlin Inn ", au " Fisherman's Lodge " et au " Holiday Inn ", à Baja, pour Pâques dernier. Plusieurs centaines, en fait. Mais quatre-vingt douze d'entre eux, quarante-quatre couples mariés et quatre femmes célibataires, figurent sur la liste des quelques centaines de veinards qui avaient passé le précédent week-end de fête nationale à l'hôtel " Broadmoor " à Colorado Springs...

— Cent soixante-quatorze, dit Frank Skinner.

— Vous êtes en avance sur moi, Frank, lui répondit Arkady Slocum. *307* connaît maintenant les noms de tous les conspirateurs, Craig Dunleavy et sa femme ainsi que Herb Kleinfeld et la sienne y compris, cela nous en fait cent soixante-quatorze au total, dont la plupart ont assisté à trois reprises à ce que j'imagine comme des réunions de travail sur la mise au point de leur plan. Tous étaient présents aux deux dernières...

— Nous les tenons ! exulta Rudi Fleischman.

— La partie est terminée », dit Mike Keegan en se frappant la paume de la main gauche de son poing droit.

Arkady Slocum regarda le groupe avec un sourire navré.

« Je crains bien que non », dit-il.

Un silence consterné accueillit cette déclaration.

« Quel jeu jouez-vous avec nous ? demanda Irving Harris en fronçant le sourcil.

— Je vous sers tout cela lentement, avec précautions, afin que vous puissiez le digérer. J'ai gardé les mauvaises nouvelles pour la fin...

— Oh, merde, grogna Mike Keegan.

— Je suis un affreux sadique, mais voici : nous connaissons les noms des cent soixante-quatorze conspirateurs, d'accord ?

— Exact, dit Frank Skinner.

— La plus mauvaise nouvelle n'est pas que ces noms ne figurent pas parmi les quatre cents que nous avions retenus comme probables, dit Arkady Slocum avant de prendre une profonde respiration. Mais bien qu'à l'exception des Dunleavy et des Kleinfeld, pas un seul ne se trouve sur la liste des passagers du *Marseille*. »

Un soupir collectif de désappointement couvrit le doux chuitement de l'air conditionné.

Irving Harris se mit à rire.

« Qu'y a-t-il de si drôle, Harris ? lui demanda Mike Keegan.

— Qui a dit qu'il y avait quelque chose de drôle ?

— Alors, bouclez-la, pour l'amour de Dieu.

— Je suis désolé, dit Arkady Slocum, mais je baisse les bras. » Frank Skinner se passa la main dans sa chevelure argentée.

« Ne nous laissons pas aller à la panique, hein ? dit-il.

— Et voulez-vous me dire pour quelle raison je ne le devrais pas ? demanda Rudi Fleischman.

— Ils ont assisté aux réunions en utilisant des noms d'emprunt, proposa Skinner.

— Et voulez-vous me dire pourquoi Dunleavy et Kleinfeld n'en ont pas fait autant ?

— Je n'en sais rien.

— Peut-être que ces noms étaient les leurs, et que ceux qu'ils utilisent à bord du *Marseille* sont bidons, dit Angelo Martini.

— Mais les passeports ont tous été authentifiés, dit Irving Harris sur un ton haut perché.

— Irving, lui dit Arkady Slocum avec calme, si vous croyez que les ordinateurs sont toujours plus malins que des hommes désespérés, et qu'aucun faussaire ne soit assez futé pour induire une mémoire électronique en erreur, vous n'êtes qu'un jeune homme naïf.

— Je me sens en train de prendre un coup de vieux.

— Alors, où diable en sommes-nous ? demanda Mike Keegan.

— Accordez-moi quelques minutes de réflexion, dit Slocum.

— J'ai toute la nuit », rétorqua Mike Keegan.

Slocum s'adressa à son assistant :

« Faites un échantillonnage à l'aveuglette parmi les cent soixante-quatorze qui ont assisté aux réunions. Tout ce que je veux savoir, c'est s'ils existent, s'ils sont des gens réels ou des identités fictives.

— Bien, monsieur.

— Authentiques, répondit presque instantanément *307*. »

Arkady Slocum se retourna vers les autres, et dit :

— Hé bien, voilà. Quel est notre plus probable sur ce bateau ?

— Craig Dunleavy, bien sûr, dit Angelo Martini.

— Voyons, Angelo, je veux dire à part lui et Kleinfeld.

— Louise Campbell, alors, dit le psychologue du comportement.

— Parfait. Al, demandez à *307* de me donner son adresse et son numéro de téléphone.

— Mais Louise Campbell est morte, monsieur.

— Voulez-vous faire ce que je vous demande ? » dit Arkady Slocum en se frottant les yeux.

307 donna une adresse et un numéro de téléphone à Portland, dans l'Oregon. Arkady Slocum composa le numéro sur la ligne de téléphone directe et brancha le haut-parleur afin qu'ils puissent tous entendre la conversation.

La femme qui répondit chevrotait légèrement comme une personne plutôt âgée, et semblait inquiète :

« Oui ? Allô ?

— Louise Campbell est-elle là ?

— Oui. Ici Mme Campbell. Qui... ?

— Louise Campbell ?

— Exactement. Qui est à l'appareil ?

— Madame Campbell, ici le lieutenant Slocum de la police de San Diego...

— Oh, mon Dieu...

— Il n'y a aucune raison de vous alarmer...

— Mon neveu aurait-il encore des ennuis ?

— Non, madame Campbell, je désire simplement vous poser quelques questions, et vous pourrez retourner vous coucher...

— Nous n'étions pas couchés. Je suis en train de regarder Johnny Carson avec mon mari...

— Je vais vous laisser aller le rejoindre.

— Vous ne me dérangez pas, c'est la publicité qui passe en ce moment.

— Bien. Bien. Madame Campbell, n'était-il pas question que vous vous trouviez, à l'heure qu'il est, sur un bateau qui fait route vers l'Europe ?

— Grands dieux, qu'est-ce qui a bien pu vous donner cette idée ? M. Campbell a horreur des voyages. Je ne peux même pas réussir à le convaincre de rendre visite à ma sœur qui n'habite pourtant pas plus loin que Seattle. On ne fait pas plus casanier que Donald.

— Connaîtriez-vous, par hasard, ou auriez-vous entendu parler d'un homme du nom de Craig Dunleavy ?

— Craig comment ?

— Craig Dunleavy.

— Jeune homme, comment avez-vous dit que vous vous appelez, déjà ?

— Lieutenant Slocum, madame Campbell.

— Hé bien, vous faites fausse route, monsieur Slocum. Et la publicité se termine.

— Je vous remercie beaucoup, madame Campbell.

— Tout à votre service. Bonsoir, monsieur. »

Arkady Slocum raccrocha le combiné du téléphone et son regard fit le tour des autres hommes.

« Il me semble que nous venons d'apprendre quelque chose, dit-il.

— Essayez-en un autre, dit Frank Skinner dont le regard brillait.

— Avez-vous remarqué que le prénom de son mari est Donald ? dit Rudi Fleischer. Nous avons un Don Campbell à bord de ce bateau...

— Qui fait partie des morts, dit Al Santley.

— Ne nous laissons pas troubler, voulez-vous ? dit Arkady Slocum. Jusqu'ici, nous avons repéré deux passagers de la liste qui utilisent des identités d'emprunt.

— Essayons quelqu'un d'autre, voulez-vous, Arkady ? demanda Frank Skinner sur un ton impatient.

— Al, sur cette liste de prénoms, quels sont ceux qui vous semblent les meilleures cibles ?

— Hé bien, monsieur, nous avons trois Eric, huit Charles, deux Charlotte...

— Donnez-moi une Charlotte.

Stanley interrogea *307* sur Mme Charlotte Fox et reçut en retour une adresse et deux numéros de téléphone à Alexandria, Virginie.

Aucun des numéros ne répondit.

« A 3 heures du matin, elle pourrait dormir avec les téléphones débranchés, suggéra Irving Harris.

— Ou légitimement se trouver au milieu de l'Atlantique, le contra Angelo Martini.

— Essayez l'autre Charlotte, Arkady.

— Voulez-vous le faire, Frank ? Je suis épuisé, dit Arkady Slocum.

— Ne le sommes-nous pas tous ? » dit Frank Skinner en tendant la main vers le téléphone.

Al Santley joua de nouveau de son clavier et *307* afficha sur l'écran de visualisation l'adresse et le numéro de téléphone d'une Charlotte Segar de Boise, dans l'Idaho.

La voix somnolente d'un homme répondit dans le haut-parleur :

« Bonjour, monsieur, dit Frank Skinner. Excusez-moi de vous déranger à cette heure-ci. Ici le capitaine Skinner de la police de Los Angeles. J'ai quelques questions d'une grande importance à vous poser.

— Vous devez faire erreur, capitaine.

— Cela n'est pas impossible. Vous êtes bien monsieur Segar ?

— Oui. C'est juste.

— Charlotte Segar est-elle en route pour l'Europe en ce moment ?

— Du diable si je vois ce dont vous voulez parler. Ma fille, Charlotte, dort dans la chambre voisine, avec une jambe dans le plâtre, à moins que ce maudit téléphone ne l'ait réveillée.

— Connaît-elle ou connaissez-vous quelqu'un du nom de Craig Dunleavy ?

— Non. Et moi non plus. Vous autres, à Los Angeles, vous êtes vraiment une bande de cinglés. C'est moi qui vous le dis si personne ne l'a jamais fait !

— On ne cesse de nous le répéter. Excusez-moi si... »

Boise dans l'Idaho raccrocha.

Frank Skinner se tourna vers le groupe et dit :

« Je pense pouvoir maintenant considérer ce qui suit comme un *fait* plutôt que comme une supposition : les noms utilisés à Twentynine Palms, Colorado Springs et Baja, sont les vrais noms des cent soixante-quatorze qui ont détourné le *Marseille*. Ils ne nous sont malheureusement d'aucune utilité et pas davantage au commandant de ce navire ; parce que cent soixante-dix d'entre eux utilisent en mer des identités différentes qui coïncident avec leurs passeports. Cette soi-disant liste de probables que nous avons établie est relativement sans valeur maintenant, car elle a pris une donnée de base d'après une liste faisant état de ces soixante-dix noms de personnes qui se trouvent actuellement à terre. Etes-vous d'accord avec moi, Arkady ?

— Plus ou moins, répondit le spécialiste de la cybernétique.

— Puis-je poser une question ? demanda Irving Harris. Qu'est-ce qui a pu pousser les conspirateurs à choisir l'identité de certaines personnes existant vraiment pour la leur emprunter ? Y a-t-il une relation entre la femme qui, à bord, se fait appeler Louise Campbell et la véritable Louise Campbell de Portland, dans l'Oregon ? Il se trouve que je suis un Juif très tâtillon.

— J'ignore les réponses à vos questions, Irving, lui dit Frank Skinner.

— Nous est-il possible de les obtenir ? demanda Irving Harris sur un ton irrité.

— Je ne suis pas non plus en mesure de répondre à cela.

— Jésus-Christ...

— La réponse est probablement oui, intervint vivement Slocum. Mais cela prendrait beaucoup plus de temps que celui dont nous disposons. Il est concevable que *307* puisse faire une exploration sur chacun des noms authentiques et nous établir une biographie concise sur chacun d'eux. Il pourrait ensuite leur rechercher des liens communs avec quelques-uns des deux mille passagers qui se trouvent à bord de ce navire...

— Fariboles ! lança Frank Skinner.

— Je suis tout à fait d'accord avec vous, répondit Arkady Slocum. Alors, trouvez mieux.

— Les amis, vous savez ce à quoi il va falloir nous atteler, pas vrai ? dit Mike Keegan d'une voix sinistre. Al Santley et *307* vont nous fournir les noms et les numéros de téléphone, et nous, on va s'installer chacun devant un poste et appeler chacun de ces bon sang de passagers à leurs domiciles jusqu'à ce que nous ayons trouvé les noms qui sont vraiment en mer et ceux qui sont à terre, parce que ceux qui sont à terre sont les noms utilisés, en ce moment, par les criminels qui se trouvent sur ce bateau. Je ne vois pas d'autre moyen de procéder.

— Pourquoi n'avons-nous pas pensé à cela plus tôt ? demanda Rudi Fleischman avec un enthousiasme inhabituel.

Frank Skinner leva la main.

— Laissez-moi vous exposer un petit calcul simple. Si chacun de nous six doit appeler trois cents numéros, en considérant qu'il nous faudra cinq minutes par communication : le temps de composer le numéro, d'obtenir une réponse et de vérifier les faits à l'autre bout de la ligne — il nous faudra quinze cents minutes, c'est-à-dire vingt-cinq heures...

— Vingt-cinq ? »

Le statisticien opina.

« Et il nous reste douze heures avant l'instant limite.

— Nous prendrons donc deux minutes par communication, avança Mike Keegan d'un ton bravache mais sans conviction.

— Sans repos, sans sommeil, sans composer de faux numéros, sans aucun pépin ? Impossible », dit Angelo Martini.

Arkady Slocum se leva brusquement.

« Voyons, messieurs, nous avons déjà un point de repère avec quelques prénoms, et nous pourrions avoir la chance de découvrir tout le groupe au bout de quatre ou cinq cents passagers. Alors, cessons de nous perdre en palabres inutiles et mettons-nous à composer les numéros. Mais tout d'abord, nous ferions peut-être mieux d'aller pisser. C'est un ordre. Allons-y. »

Il prit sa canne et s'avança vers la porte.

« Cela s'adresse également à vous, docteur Wibberly. »

L'astrophysicien n'avait pas prononcé un mot depuis plusieurs heures. Il n'avait prêté qu'une oreille distraite aux propos qui se tenaient dans la salle, suçant le tuyau de sa pipe froide, le regard perdu dans la contemplation du plancher, l'esprit voguant dans les galaxies, rêvant de supernovae, de quasars et de trous noirs. Il savait qu'au détour d'un coin quelconque de l'univers, attendant qu'on bute contre elle, se tenait une inconnue imprévisible qui se révélerait la clé du problème posé par le *Marseille*. Ce n'était sûrement pas maintenant qu'il allait abandonner sa recherche pour se livrer à leur jeu ridicule. Il continuerait son exploration du cosmos dans l'attente de la rencontre du heureux hasard qu'il ne saurait tarder à croiser : seules quelques années-lumière les séparaient encore.

« Je regrette, messieurs, dit-il les yeux baissés. Je crains que vous ne deviez exécuter sans moi cette opération téléphonique. »

Arkady Slocum qui arrivait près de la porte pivota brusquement sur lui-même.

« Comment, sans vous ? demanda-t-il.

— Jésus, professeur, nous n'y parviendrons jamais à cinq ! s'exclama Mike Keegan.

— Il m'est impossible d'interrompre ce que je suis en train de faire, répondit l'astrophysicien calmement.

— De quoi diable s'agit-il ? » demanda Mike Keegan.

Lawrence Wibberly abandonna la contemplation du plancher pour le regarder droit dans les yeux et lui répondit :

« Je pense. »

Nick Moustakos, dit le Taurillon ou le Furieux, était de quart. Haut perché dans le nid de pie de l'*Angela Gloria,* trempé, glacé jusqu'aux os sous son ciré de marin, il lançait des imprécations contre le sale temps, les vents mugissants, la pluie qui venait lui cingler les yeux en oblique tandis qu'il s'efforçait de percer du regard les ténèbres de la nuit. Mais il ne voyait rien paraître en direction du nord. Il hurlait et hurlait les mêmes invectives, amer d'être seul à les entendre. Il aurait pris plaisir à ce qu'elles aillent écorcher les oreilles de Panos Trimenedes.

Son commandant n'était qu'une pourriture de menteur de Grec, et sa saloperie de cargo, un tas de ferraille rouillée ; et s'il y avait une bonne raison pour que cet immonde tas de ferraille grecque lutte pour maintenir une vitesse de seize nœuds contre les houles géantes qui l'assaillaient, lui, Nick Moustakos était en droit de la connaître cette raison ! C'était son estomac qui se trouvait chahuté dans ce nid de pie, pas celui de Panos Trimenedes. Cette pourriture de menteur de Grec reposait bien au chaud sur sa couchette, rêvant de maritornes aux cuisses écartées dégoulinantes d'ouzo.

Nick Moustakos n'avait pas cru un mot de l'histoire que le commandant avait raconté à son équipage quand ils avaient levé l'ancre de Paramaribo en plein milieu de la nuit. Même s'il le voyait se dessiner brusquement devant lui dans la nuit, ou apparaître dans la grisaille de l'aube qui poindrait d'ici moins d'une heure, ou se matérialiser brusquement sous ses yeux en estoquant les ponts du *Angela Gloria* au-dessous de lui, on ne lui ferait jamais croire que le grand transatlantique français, le *Marseille,* ait pu fixer un rendez-vous à ce tas de ferraille grecque rouillée afin de lui confier quelques-uns de ses passagers qui souffraient d'une intoxication alimentaire ou Dieu sait quoi.

« Peu importe où nous les mettrons », leur avait hurlé cette pourriture de menteur de Grec, « tout ce que nous aurons à faire sera de les transporter jusqu'à des îles des Petites Antilles où des avions les prendront en charge ».

Avec un rictus méchant, Nick Moustakos adressa une œillade de connivence à la nuit en murmurant entre ses dents : « Cocaïne, héroïne ou opium... » Le démon lui-même n'aurait su dire quelles marchandises de contrebande contenaient les caisses qui se trouvaient en dessous de lui dans la cale. Quoi que ce soit, seul un idiot aurait pu douter que Panos Trimenedes ne soit très pressé de mouiller dans un port franc pour y transformer son chargement en or. Il n'était pas un mensonge que ce porc n'aurait inventé pour stimuler ses matelots et les faire trimer comme des esclaves pour pousser ce rafiot pourri à ses limites.

« Holà ! du *Marseille* ? » hurla Nick Moustakos dans la pluie balayée par le vent. « Montre-moi ton cul putain de bateau français qui n'existe pas... »

Le vent hurla de rire à la tête du Furieux et le cingla à lui couper le souffle.

Troisième Partie
LE JOUR DU JUGEMENT

Construis sans tarder ton embarcation funéraire. Construis-la
[solide !
Tu auras besoin qu'elle le soit.
Car il est long ce voyage de l'oubli qui t'attend.

D.H. Lawrence.

Chapitre XXXVI

Lisa Briande prit tout d'abord conscience que c'était le matin, qu'elle se trouvait dans son lit, chez elle, au 2 rue Récamier. Elle émergeait tout juste d'un long et profond sommeil, aux bruits familiers de la circulation dans la rue de Sèvres, et se remémorait un rêve dans lequel elle se trouvait attachée à un poteau ou Dieu sait quoi quand, soudain, elle se trouva complètement réveillée : elle n'avait pas rêvé, impossible de s'asseoir dans son lit, elle gisait étendue bras et jambes en croix, les poignets et les chevilles soigneusement arrimés avec de la corde aux quatre montants de son lit.

« Nom de Dieu ! » jura-t-elle à voix haute.

Elle se tortilla sans résultat. Elle ondula des hanches pour voir ce qu'elle avait de liberté de mouvements. Pas grand-chose. Puis elle leva la tête et aperçut, au-delà de son torse nu, fixé au pied du lit par un morceau de scotch, le message de Julian Wunderlicht, écrit au feutre en grosses majuscules d'imprimerie sur une feuille de papier machine blanche : « *Vous êtes délicieuse et faite pour être attachée. Ne paniquez pas. Je rentrerai vite... J.W.* »

Elle laissa retomber sa tête sur l'oreiller en lançant vers le plafond :

« Fasciste enfant de pute ! »

Une mauvaise migraine lui serrait les tempes, résultat de ses abus de psycho-stimulation à la Nitraline et à l'alcool au cours des dernières vingt-quatre heures. Elle se demandait quand l'Allemand l'avait quittée, où il avait bien pu aller et quand il serait de retour. « Vite » pouvait signifier de cinq minutes à cinq heures, selon le besoin qu'on éprouvait d'aller aux toilettes, de fumer un cigarillo ou de prendre une tasse de café noir bouillant. Elle pourrait peut-être patienter encore vingt minutes, mais pas davantage.

En réfléchissant aux événements de la nuit précédente, elle se dit qu'il lui serait probablement plus profitable, ainsi qu'aux passagers du *Marseille,* de ne pas essayer de se tirer des pattes de Julian Wunderlicht. Elle pourrait ainsi être un témoin oculaire des événements excitants qui ne sauraient manquer de se produire dans le courant de la journée. Elle n'avait d'ailleurs pas vraiment le choix en la matière, rêvassait-elle en tirant légèrement sur la corde qui serrait son poignet droit. Bien qu'elle se sache réellement en danger, son optimisme inné l'empêchait de prendre sa situation aussi au sérieux que sa conscience lui dictait de le faire. Mais elle sentait pourtant naître les premiers sursauts confus de culpabilité qui venaient d'ordinaire l'agacer quand elle se refusait à s'alarmer de menaces imaginaires ou réelles contre sa survie. Elle essaya de se persuader qu'un homme aussi porté que lui sur la bagatelle ne pouvait pas être totalement mauvais ; et, malgré ses doutes à ce sujet, elle réussit à se rassurer en se racontant qu'elle pourrait toujours le posséder par le sexe quand elle voudrait.

La précédente et unique fois où elle s'était ainsi trouvée attachée à un lit lui revint en mémoire. Deux ans auparavant, en août, tous les Parisiens ayant déserté leur ville pour la côte d'Azur, il ne restait plus, dans tout Paris, que deux adultes consentants : elle et Gaston B. Hart, un Américain qui faisait dans le film de court-métrage et l'éjaculation précoce, le pauvre. A l'époque, avec la vie de chien qu'elle menait, elle aurait fait n'importe quoi pour glaner un tuyau.

Tu as vraiment fait des progrès depuis lors ! se dit-elle sarcastiquement. Tu es l'incarnation d'un nouveau style de journaliste. Les autres prennent leurs amants parmi les ministres et les états-majors présidentiels tandis que toi, Lisa Briande, tu n'hésites pas, pour obtenir une bonne histoire, à coucher avec un voyou d'âge moyen qui joue du revolver et te ficelle sur ton lit. A son retour, avec un peu de chance, il va se mettre à te frapper jusqu'au sang avec un ceinturon de cuir...

La sonnerie perçante du téléphone la replongea dans la réalité. Elle tenta de tirer sur ses liens, tout en se disant que ce serait sans résultat, tandis que le téléphone lui brisait les tympans.

« Il n'y a personne à la maison », hurla-t-elle à la sonnerie qui s'obstina à retentir encore un moment avant de s'arrêter.

Julian Wunderlicht raccrocha le combiné du téléphone de la cabine publique temporaire installée auprès d'un chantier de construction, et sortit au milieu de la cacophonie des bruits de la circulation, des marteaux-piqueurs et des excavatrices. Il tenait un attaché-case gris-bleu flambant neuf avec un grand luxe de précautions. S'il avait une grande confiance en sa capacité de faire des nœuds coulants qui tiennent, il se sentait tout de même rassuré que personne n'ait répondu au téléphone de Lisa Briande. Il pouvait maintenant prendre son temps pour se rendre aux Galeries Lafayette fouiner dans leur rayon de matériel d'équipement électrique, jusqu'à ce qu'il ait trouvé tout ce dont il avait besoin : fil, piles au mercure et mécanisme d'horlogerie.

Il s'avança sur l'un des trottoirs temporaires en bois qui étaient devenus une offense permanente pour les regards des gens qui travaillaient dans les gratte-ciel des environs. S'il s'amusait toujours des ironies du destin, ce n'était cependant pas pour satisfaire à son sens de l'humour qu'il s'était rendu sur ce vaste chantier de construction et de destruction qui se nomme La Défense. Il rejoignit l'aire de parking où il avait garé son break Fiat de location, ravi de pouvoir enfin s'éloigner de ces monstrueuses poutrelles d'acier, du vacarme ininterrompu des riveteuses, du viol de cette merveilleuse ville.

Il jeta un coup d'œil vers les étages supérieurs de la tour Française qui se profilait devant lui, et eut une brève pensée pour Dechambre et Sauvinage qui devaient attendre son appel téléphonique de midi avec une humeur plutôt morose. En s'installant derrière le volant de la Fiat, il entendit le bruit sourd de l'explosion d'une chaîne de dynamite qui brisait le cœur de granit de Paris. Un sourire glacé se dessina sur ses lèvres : ils étaient bien négligents ces destructeurs de la belle ville...

Wunderlicht regagna l'appartement de Lisa Briande dès sa sortie du grand magasin. Il déposa ses emplettes et l'attaché-case sur une table de l'entrée et se rendit dans la chambre. Le corps nu étendu sur le lit lui apporta une distraction tentatrice qui ne pouvait trouver place dans son programme de la journée.

« N'avez-vous pas honte ? lui dit-il en s'avançant vers le lit.

— Si vous ne me détachez pas très vite, lui répliqua-t-elle, je vais faire pipi au lit. »

Il gloussa en se penchant sur elle pour lui détacher les chevilles, puis les poignets, et lui vola un rapide baiser sur les lèvres sans lui laisser le temps de protester.

« Vous pouvez aller vaquer à vos besoins maintenant, lui dit-il.

— Que de bonté ! répondit-elle d'un ton amer en se levant.

— Préparez-vous à partir d'ici à une heure, dit-il en lui pelotant les fesses.

— Comment dois-je m'habiller ? demanda-t-elle en ignorant sa main baladeuse.

— Comme vous voudrez. Vous pouvez mettre une jupe, il n'est pas question de sauter en parachute. »

Il attendit qu'elle soit entrée dans la salle de bains et l'y enferma à clé. Il se rendit ensuite calmement dans l'entrée pour y prendre ses paquets et l'attaché-case et les apporta dans le living-room. Il se mit à l'ouvrage, étonné lui-même de sa dextérité.

Sur la côte Ouest de France, à Audierne, assis devant son poste de commandes, Bernard Delade fit pivoter sa Yagi rotative pratiquement plein sud et accorda le puissant récepteur Raytheon sur chacune des fréquences assignées à F.N.R.C. mais n'entendit rien d'autre que des parasites. Il n'avait pas capté un seul signal du navire depuis maintenant plus de trente-six heures. Si Paris ne s'en inquiétait pas, pourquoi lui s'en soucierait-il ? ne cessait-il de se répéter, sans que cette question ne suffise à dissiper son malaise.

Il se leva pour aller jeter un coup d'œil à travers les stores vénitiens. Le ciel de l'aube était gris et des nuages noirs s'amoncelaient sur l'horizon. Il avait senti de l'humidité dans l'air en venant prendre son travail. Delade se prit à penser à l'éventualité d'un orage, et son malaise tourna à l'anxiété. Tous les paratonnerres et les perfectionnements des prises de terre ne réussiraient jamais à vaincre sa peur de l'électrocution venue du ciel.

Il se détourna et, pour se distraire de son angoisse, appela le service des radiocommunications aux P.T.T. de Saint-Lys. On était désolé, mais on n'y avait capté aucun report en provenance du *Marseille*, y avait-il des problèmes ? Il répondit que non et raccrocha. Puis il appela Le Conquet et Boulogne où on lui fit les mêmes réponses négatives. Il se passa la main dans les cheveux et alla taper un bref message telex adressé à Paris, à l'attention de Georges Sauvinage :

Silence persistant de Foxtrot November Romeo Charlie. N'avez-vous rien à me signaler ? Delade. Quand il se rassit devant le récepteur Raytheon, il ne pensait même plus à l'orage.

Maurice Boulot, directeur de l'aéroport Charles-de-Gaulle, n'eut aucune difficulté à affronter la suspicion et l'incrédulité de son correspondant téléphonique : il venait de réagir de la même manière que lui en recevant les ordres et les instructions du ministre des Transports.

« Je n'ai pas le droit de vous donner leurs noms, expliqua-t-il patiemment. Si je vous dis qu'ils sont tous deux qualifiés pour piloter des avions gros porteurs, vous devez me croire sur parole. »

André Delaporte lui répondit sur un ton irrité :

« Mes contrôleurs vont se payer ma tête, et je ne les en blâmerai pas.

— Répondez-leur que l'ordre émane du président de la République.

— L'aéroport Charles-de-Gaulle ne peut pas autoriser le décollage d'un 747 qui a un numéro de vol bidon, pas de plan de vol, pas de destination, et deux pilotes dont on ignore même les noms, insista le directeur du contrôle aérien.

— Dans le cas présent, mon cher Delaporte, je crains que vous ne deviez le faire. Le vol Air France 1000 doit être autorisé à prendre l'air à n'importe quel moment sur simple requête de son commandant de bord. Il indiquera son cap et son altitude de croisière à la tour. Vos hommes devront lui donner satisfaction immédiate, sans opposer la moindre difficulté, et sans poser de question ni répondre à aucune d'où qu'elle vienne. Ce vol est une mission spéciale pour le service du président. A part vous et moi, il ne regarde personne, pas plus la T.W.A. ou la Pan Am qu'aucune autre compagnie. Me suis-je bien fait comprendre, mon cher Delaporte ?

— C'est complètement ridicule, finit par dire André Delaporte après un long silence.

— Mais clair ?

— Oui, très clair.

— Bien, dit Maurice Boulot. Si tout se passe bien, je vous recommanderai personnellement au ministre qui, j'en suis certain, en touchera un mot au président.

— Vous pouvez leur rapporter, à l'un comme à l'autre, que je trouve tout cela complètement ridicule, dit André Delaporte.

— Au revoir et merci », dit Maurice Boulot avant de raccrocher.

Il sortit un mouchoir dont il s'épongea le front. Il s'apprêtait à le remettre dans sa poche quand il lui vint à l'idée qu'il valait mieux le laisser sur sa table. Il en aurait sûrement à nouveau besoin après avoir informé le service de sécurité de l'aéroport de prendre trois heures pour déjeuner, à la minute où l'ordre leur en serait notifié.

Il soupira en décrochant à nouveau le combiné du téléphone.

Quelque chose éveilla Harold Columbine : le mouvement d'un corps dans le lit : celui d'un corps qui s'en levait. Il revint d'un voyage dans l'espace intersidéral et ouvrit les yeux. Elle se trouvait au pied du lit, en train d'enfiler sa culotte dans la lumière grise du matin qui filtrait par le hublot dont le rideau n'était pas tiré. Un léger film de transpiration rendait sa peau luisante et son parfum imprégnait l'atmosphère tiède de la cabine. Il avait dû oublier de rebrancher l'air conditionné en rentrant la nuit dernière. Et ce n'était pas tout ce qu'il avait oublié au cours de cette nuit. Il souleva la tête et la vit qui se tâtait les seins comme pour s'assurer qu'ils étaient toujours en place.

« Ils sont toujours là, dit-il à haute voix.

Elle tourna les yeux vers le lit, et lui adressa ce sourire de réclame pour crème dentifrice qui le fascinait.

— A votre disposition, dit-elle. Si vous le souhaitez toujours. Je vous ai cru mort.

— Seigneur, cette herbe !

— La meilleure. »

Elle s'agenouilla à la recherche de son soutien-gorge sur le plancher et se redressa en commençant à l'enfiler.

« C'est indispensable ? plaida-t-il.

— Absolument.

— Pourquoi ?

— Pour me réveiller dans un endroit respectable.

— Où cela ?

— Chez moi.

— Ça se trouve où ?

— Pont-A. A-42.

— C'est bien Terri votre prénom ?

— Un bon point pour vous.

— Terri Worthington ?

— Montgomery. Où êtes-vous allé pêcher ce Worthington ?

— Ça me dépasse. Et où suis-je allé pêcher Terri Montgomery ?

— Mon vieux, vous êtes un sacré numéro. »

Elle s'assit au pied du lit et posa légèrement sa main au-dessus du drap à l'emplacement de ses parties génitales.

« Au bar du " Place Pigalle ", en touristes, poursuivit-elle. Vous avez essayé d'allumer une cigarette avec mon rouge à lèvres.

— Qu'est-ce que j'ai fait d'autre ?

— Je vais plutôt vous dire ce que vous n'avez pas fait.

— Non, non. Je ne veux pas le savoir.

— Vous n'avez pas réussi à redresser cela, dit-elle en le serrant doucement.

— Oh, honte sur toi, Harold, dit-il. Honte, honte, honte. Ce truc ne pouvait pas être de l'herbe. Que diable était-ce ? Avec quoi avez-vous empoisonné le pauvre étranger sans défense, Terri ?

— Avec rien d'autre que de la bonne vieille colombienne. Je vous avais bien dit que deux bouffées suffisaient largement. Vous avez tiré sur ce joint comme s'il ne devait plus y avoir de lendemain.

— Je suppose que j'avais tort, puisque nous y voilà, et que c'est aujourd'hui. »

Il remua légèrement son corps sous sa main et reprit :

« Et si je faisais amende honorable pour vous avoir ainsi négligée ?

— Mais vous ne m'avez pas négligée, Harold. Vous avez été très bien.

— Vraiment ?

— Vous avez une tête sur les épaules qui vous sert à quelque chose, mon chou.

— C'est bien vrai. Parfois, je l'utilise même quand j'écris. Soit dit en passant, si vous insistez pour partir, je vous suggère d'enlever votre main de là.

— Pardonnez-moi, dit-elle. »

Elle se leva et continua à s'habiller. Il la regardait faire avec une admiration non dissimulée.

« Est-ce que vous m'avez dit ce que vous faites dans la vie ?

— Oui, dit-elle en se perchant sur ses sandales à semelles compensées et en reprenant une réserve mondaine.

— Mannequin ?

— C'est ça. »

Elle noua la ceinture assortie à sa robe de soie de couleur fauve, glissa un sautoir de perles autour de son cou, donna un coup de peigne à ses longs cheveux bruns, ramassa son sac à main sur la commode, et se tourna pour lui envoyer un baiser du bout des doigts.

Il se redressa dans son lit et demanda :

« Vous reverrais-je jamais ?

— Ce soir, dit-elle. Même heure, même endroit.

— Ecoutez, dit-il en souriant, au cas où j'aurais quelques difficultés à me débarrasser de certaines relations, je vous promets...

— Pas de problème, dit-elle. J'attendrai au bar que vous soyez libre, peu importe l'heure.

— Etes-vous toujours aussi compréhensive, Terri ?

— Seulement sur l'eau », dit-elle en sortant, accompagnée par l'éclat de rire de Columbine.

Il se rallongea, souriant. Puis il se rappela brusquement où il se trouvait, quel jour c'était, les raisons qui avaient transformé un voyage d'agrément en un jeu dangereux au milieu duquel il se trouvait directement impliqué. Son sourire s'estompa. Il tendit la main vers le téléphone et composa le numéro de Julie Berlin.

Elle répondit avec prudence.

« Comment allez-vous ? demanda-t-il sur un ton joyeux.

— Très bien, répondit-elle sur un ton bizarrement morne.

— Comment va la grippe de votre mari ? Je veux dire, y a-t-il eu une quelconque amélioration dans le courant de la nuit ?

— Non. Il est encore trop tôt pour savoir... heu... quoi que ce soit. Il ne pense pas qu'il puisse se produire une amélioration avant environ une heure. Il est dans la salle de bains, en ce moment, en train de prendre une douche.

— Je vois.

— C'est gentil à vous de m'avoir appelée la nuit dernière pour me dire que vous étiez sain et sauf dans votre cabine.

— C'était le moins que je puisse faire.

— Je me suis réveillée très peu de temps après votre appel. Et je vous ai rappelé. Sans obtenir de réponse.

— C'est curieux, dit-il.

— Comme j'étais inquiète, j'ai enfilé un manteau, et je suis allée frapper à la porte de votre cabine. Vous n'étiez pas là. »

Il hésita un instant.

« Vous n'auriez pas dû. Ça aurait pu être dangereux.

— Où étiez-vous, Harold ? demanda-t-elle calmement.

— Oh, juste en vadrouille.

— En vadrouille ?

— Une petite exploration du navire.

— Dans quel but ?

— Je ne peux plus vous le cacher, je suis un voleur de bijoux. »

Elle resta muette. Après un long silence pesant, il avança : « C'est une vieille plaisanterie. »

Elle ne répondit toujours pas.

« Prendrez-vous le petit déjeuner avec moi ? demanda-t-il.

— Je l'ai déjà pris.

— Voulez-vous me tenir compagnie pendant que je prends le mien ?

— Pour quelle raison ?

— Vous pourriez souffler dessus pour le refroidir. »

Elle resta à nouveau silencieuse pendant un moment, puis, d'une voix rauque de colère, il l'entendit lui lancer à l'autre bout du fil :

« Vous êtes immonde, et je vous déteste, espèce de salaud...

— Hé !...

— Non pas en raison de ce que vous êtes, poursuivit-elle, mais parce que vous me donnez honte de moi. Pouvez-vous comprendre ce que je veux dire ?

— Ne dites pas des choses pareilles, mon chou, voyons. Je vous en prie... »

Il commençait déjà à se sentir très mal à l'aise, tout en sachant que ça n'allait faire que s'aggraver.

« Je suis vraiment une belle idiote...

— Mon chou, je vous en prie, dit-il en l'entendant pleurer. Chérie ?... »

Il entendit en arrière-plan la voix de Billy qui demandait : « Qui est-ce ? » Et comme il n'obtenait pas de réponse : « Julie, qui est-ce ?... Qu'est-ce qui ne va pas ? » Puis la voix de Billy résonna sur la ligne :

« Allô ?

— Ici, Harold Columbine.

— Qu'est-ce qui se passe ? demanda Billy.

— Rien. Elle est bouleversée, c'est tout.

— A quel propos ?

— Ne croyez-vous pas qu'il y ait de nombreuses raisons de l'être sur ce bateau ?

— Ecoutez, Columbine, écoutez-moi bien. Je sais que vous vous êtes montré serviable, mais faites-moi un plaisir, voulez-vous ? Arrêtez de tourner autour de ma femme. C'est compris ?

— Où diable voulez-vous... ?

— Compris ?

— N'avons-nous pas à parler de choses plus importantes que de pareilles sottises ?

— Ne l'approchez plus, vous m'entendez ?

— Oui, je vous entends, Roger, terminé et je rends la ligne. »

Il raccrocha et se laissa rouler sur l'estomac, enfouissant son visage dans l'oreiller. Il n'avait jamais eu l'intention de blesser Julie, jamais, jamais. Il ne s'était même pas douté qu'il en ait le pouvoir. Seigneur, il en était malade. Il ne réussirait jamais à aller jusqu'au bout de la journée avec un pareil poids sur la conscience. Il faudrait qu'il trouve un moyen quelconque de s'étourdir. Il allait se lever, se raser, prendre une douche, s'habiller et sortir à la recherche de quelques-uns d'entre eux, n'importe lesquels, et les tuer, ou se faire tuer... à la réflexion, non, pas se faire tuer, mais au moins faire quelque chose de dangereux, de courageux qui lui fasse oublier son ignominie...

Le *Marseille* traçait un sillon blanc dans les grandes houles sous un ciel d'encre, cap sur son rendez-vous à 24 nœuds. A quatre mètres au-dessus de la passerelle de commandement, les yeux fatigués à force d'observer l'horizon avec ses puissantes jumelles, un homme qui sous son identité d'emprunt se nommait Paul Tendler, écarta les pieds pour assurer ses assises sur la petite plate-forme tanguante du nid de pie et retint sa respiration. Quelque chose venait enfin d'apparaître dans son champ de vision au sud-ouest.

Tendler serra les lèvres sous l'effort de la concentration, mit et remit ses jumelles au point. Oui, sur l'horizon courbe de la mer, c'était bien la fumée noire d'une cheminée de navire. Puis il aperçut une superstructure qui ressemblait à celle d'un cargo. Il vit enfin la coque du bâtiment. Aussi petite fût-elle dans sa vision prismatique, la configuration de ce bateau était bien celle qu'il cherchait depuis l'aube. Exultant de joie, il décrocha le téléphone qui se trouvait à son côté pour prévenir son collègue qui se trouvait au-dessous de lui sur la passerelle :

« *Angela Gloria* en vue à environ vingt-cinq milles à tribord avant. »

Craig Dunleavy attendait dans son appartement l'arrivée de cette nouvelle. Il l'annonça tout d'abord à Kleinfeld. Puis il appela Charles Girodt :

« Envoyez-moi votre officier radio dans la salle des transmissions immédiatement.

— Très bien, lui répondit Girodt sèchement.

— J'ai entendu dire que vous n'étiez pas dans votre assiette hier soir, commandant. Je tiens à vous informer que cette journée sera meilleure, pour vous comme pour nous tous.

— Vos informations m'indiffèrent, Dunleavy. Une seule chose m'intéresse, votre départ. »

Christian Specht se trouvait dans la salle des transmissions quand Dunleavy y arriva. Dunleavy ramassa un bloc-notes et un crayon et se mit à écrire tout en parlant :

« Veuillez interrompre le silence radio pour un bref message, monsieur Specht. »

Le radio-chef opina, le visage impassible.

« Transmettez sur 2 856 kilohertz, onde entretenue. L'indicatif du bâtiment que vous devez contacter est E.L.H.X. Ne signez pas de l'indicatif du *Marseille*, mais de celui du *Bordeaux* : Fox Mary Baker Baker. Dès qu'on vous aura accusé réception, quittez l'air. »

Specht prit la feuille de papier qu'il lui tendait et lut :

« N'approchez pas à plus de vingt milles. Suivez-nous si vous dépassons. »

Il leva les yeux et dit :

« Je transmettrai moi-même.

— Bien, dit Dunleavy. »

Il se dirigea vers un téléphone mural et composa le numéro de la timonerie.

« John ? demanda-t-il.

— Soi-même.

— Ici Craig Dunleavy. Réduisez la vitesse à douze nœuds.

— Douze nœuds. Roger. Et congratulations.

— De quoi ? aboya Dunleavy. Nous sommes encore à bord. »

Il raccrocha et retourna auprès du poste de commandes où était assis Christian Specht.

« Monsieur Specht...

— Oui, monsieur ? demanda le radio-chef en se tournant vers lui.

— Sans douter des compétences de mes hommes, j'aimerais que vous supervisiez la surveillance de la fréquence du radio-téléphone terre-mer. J'attends un appel de Paris. Je ne crois pas devoir vous expliquer à quel point il est important que je le reçoive.

— Tout à fait exact. Inutile de me l'expliquer, dit Christian Specht en se retournant vers son récepteur. »

Dunleavy trouva quelque chose de déplaisant dans son intonation et décida d'assister personnellement à la transmission du message à l'*Angela Gloria*.

En dépit de la circulation automobile matinale qui s'écoulait en deux sens, assis à une petite table de la terrasse du " Café-bar de la Banque ", Wunderlicht jouissait d'un splendide point de vue pour observer par les portes piétonnières, au-delà du portail à double vantail de la Banque de France, dans sa cour intérieure, une agitation qui le remplissait d'aise. De plus, il lui suffisait de tourner la tête sur sa gauche pour surveiller son break Fiat et son précieux chargement, garé au coin de la rue Coquillère. Un coup d'œil sur sa montre lui indiqua qu'il était 11 h 16. Ils avaient de l'avance. Il sentit le regard de Lisa peser sur lui et tourna les yeux vers elle. Elle en était à son troisième café. Il se demanda comment elle pouvait en avaler autant sans avoir la tremblote.

« Pourquoi me regardez-vous de cette manière ? lui demanda-t-il.

— Que voulez-vous dire ? lui répondit-elle en souriant.

— Comme si vous me trouviez amusant.

— Je m'en garderais bien. J'admirais votre sang-froid. Comment faites-vous ?

— Très simple. Je bois du Perrier pendant que les autres s'intoxiquent au café. C'est un exemple que vous devriez suivre.

— Merci de votre sollicitude. »

Il haussa les épaules et se laissa aller quelques instants à admirer sa grâce, tout en se disant qu'il n'en pourrait rien sortir de bon pour lui. Elle portait un ravissant tailleur en serge de coton bleu, avec quatre poches obliques à fermetures à glissière ; un sac à main à bandoulière en cuir blanc, assorti à une petite casquette à visière perchée sur les longs cheveux d'or qui encadraient la douce carnation de son visage aux yeux vert pâle. Tout cela représentait plus qu'il n'en pouvait supporter. Il n'avait pas de temps à perdre à se déchirer entre le désir et l'angoisse. Pas maintenant. Il avait trop à faire. L'heure de la douleur viendrait quand il ne pourrait plus l'éviter : brève, soudaine, terrible, définitive...

Il détourna les yeux sur le bâtiment sévère qui étendait sa masse sombre et trapue devant lui, de l'autre côté de la rue Croix-des-Petits-Champs, sous laquelle reposaient les réserves d'or de la France. Une appréciable portion de ces réserves se trouvait à ce moment transportée des chambres fortes du sous-sol jusqu'à une plate-forme de la cour intérieure devant laquelle étaient garées deux fourgonnettes Citroën grises blindées. Une vision à vous donner des frissons de joie, se disait Wunderlicht en se laissant aller à un moment d'euphorie. Son Perrier prit soudain le goût d'un pur nectar, et lui chauffa l'estomac comme du cognac.

« Combien de temps est-ce que ça va prendre ? entendit-il lui demander Lisa.

— Chaque lingot d'or pèse douze kilos, expliqua-t-il sans la regarder. Il y en a cinq barres dans chacune des boîtes en métal gris. Il faut cinq cents barres ou cent boîtes grises de cinq, pour arriver à l'équivalent de trente-cinq millions de dollars. Soit, au total, un peu plus de six tonnes et demie d'or à charger sur ces deux camions.

— Je suis désolée, dit-elle, j'ai oublié ma calculatrice de poche au bureau.

— Si vous observez attentivement, continua-t-il toujours sans la regarder, le temps qu'il leur faut pour transporter une boîte de métal dans la fourgonnette, et le multipliez par cent, vous connaîtrez la réponse à votre question.

— Ma raison de la poser, Julian... c'est que j'ai besoin d'aller au petit coin. »

Il lui jeta un bref coup d'œil et fronça le sourcil.

« Vous attendrez, dit-il en retournant immédiatement son regard vers l'autre côté de la rue. »

Six hommes en bleus de travail allaient et venaient rapidement entre les plates-formes des ascenseurs et les fourgonnettes blindées sous le regard attentif d'un fonctionnaire de la Banque de France en costume noir. Wunderlicht supputa qu'il devait représenter le caissier général qui avait dû autoriser le transfert des lingots sur les ordres du président Bonnard en personne.

Les ouvriers vinrent à bout de leur tâche en moins de vingt minutes.

Wunderlicht opina son approbation muette en voyant deux gardes républicains s'avancer pour ouvrir les vantaux du lourd portail d'acier. Deux chauffeurs prirent place sur le siège avant de chaque fourgonnette, et les moteurs ronflèrent. Quatre motards armés sortirent d'un bâtiment intérieur et enfourchèrent leurs motos garées près de la plate-forme de chargement. Ils démarrèrent leurs moteurs dans un rugissement. Lentement, deux estafettes passèrent le porche de sortie et virèrent sur leur droite, suivies du premier fourgon blindé qui passa sous les drapeaux tricolores de la Banque de France, puis du deuxième fourgon, suivi des deux autres motards qui fermaient la marche. Le convoi s'engagea dans le flot de la circulation et entama sa longue route vers Roissy, vers le *747* qui l'attendait à l'aéroport Charles-de-Gaulle.

Wunderlicht grogna de satisfaction. Il se leva et posa un billet de dix francs sur la table.

« Maintenant, vous pouvez aller au petit coin », dit-il.

Lisa se leva et il la conduisit à l'intérieur en la tenant par le bras. Le café était désert, à l'exception du garçon et d'un homme grand, au teint olivâtre, qui se tenait derrière le comptoir mais semblait trop jeune pour être le patron. Wunderlicht s'approcha de lui :

« Où se trouvent les toilettes, s'il vous plaît, monsieur ? »

L'homme désigna l'arrière-salle du doigt.

Wunderlicht précéda Lisa, ouvrit la porte, alluma la lumière et jeta un coup d'œil sur les lieux : un évier surmonté d'un petit miroir, un water, mais pas de fenêtre donnant sur l'extérieur. Il se tourna vers elle.

« Parfait, lui dit-il. »

Elle le regarda avec une expression amusée.

« Même si je voulais vous échapper, ce que je ne tiens pas à faire, je ne prendrais pas le risque de chercher à gagner de vitesse un revolver armé d'un silencieux.

— J'admire votre bon sens, répondit Wunderlicht. Prenez votre temps, j'ai plusieurs coups de téléphone à passer. »

Elle attendit qu'il ait tourné les talons. Puis elle prit très vite sur une desserte qui se trouvait sur la droite deux serviettes et un grand verre à eau. Elle les emporta avec elle dans les lavabos où elle s'enferma.

En examinant l'endroit, elle se rendit compte que le verre lui serait inutile et le posa sur le lavabo. Le miroir qui le surmontait était non seulement fendu, mais mal ajusté au mur. En un rien de temps, sans grand effort, elle acheva de le desceller. Elle l'enveloppa dans les deux serviettes, s'agenouilla, disposa l'une des extrémités du miroir sur le plancher près du siège des toilettes, appuya l'autre contre le mur à angle aigu, se redressa, tendit la main pour actionner la chasse d'eau. Elle attendit que le bruit de la chasse d'eau parvienne à son maximum pour écraser violemment son pied droit sur le miroir. Elle le sentit avec plaisir craquer sous le choc.

Son cœur battait la chamade sans raison.

Du calme, se tança-t-elle, tu te débrouilles très bien.

Elle se pencha et ramassa soigneusement les serviettes et leur contenu et les déposa dans une corbeille métallique qui se trouvait à côté du lavabo. Elle déroula un long ruban de papier hygiénique du rouleau qui se trouvait près du siège des toilettes, le déchira en deux, et le plia pour s'en faire des tampons pour se protéger les mains. Elle se baissa et déplia les serviettes pour examiner son travail.

Le miroir s'était brisé en plusieurs tessons irréguliers. L'un d'eux faisait environ quinze centimètres de long sur sept de large, et les bords de la cassure étaient tranchants comme un rasoir. Elle se servit du papier hygiénique comme d'un gant pour saisir le tesson aux arêtes tranchantes et le plaça dans son sac à bandoulière, la pointe vers le bas, en le couvrant du papier plié. Elle fourra les serviettes et la seconde partie du ruban de papier dans la corbeille au-dessus du miroir brisé et la poussa dans le petit placard sous le lavabo. Elle se redressa et ouvrit le robinet, laissa couler l'eau quelques instants, et le referma. Elle déverrouilla la porte, jeta un coup d'œil alentour, ferma la lumière, ouvrit la porte et sortit.

Julian Wunderlicht n'était pas en vue.

Elle s'avança lentement vers le bar. L'homme au visage olivâtre se tourna vers elle et indiqua une direction derrière lui d'un geste du pouce par-dessus son épaule. Elle vit alors la porte ouverte du petit bureau qui se trouvait au bout du bar. Wunderlicht y était assis, les pieds sur la table, en conversation téléphonique ; de sa main libre, il lui faisait signe de le rejoindre. Elle pénétra dans la pièce et resta debout près de l'entrée à l'écouter.

Elle connaissait très peu d'allemand, mais suffisamment pour déduire qu'il parlait à l'un ou à ses deux collègues pilotes, leur donnant des instructions. Il se répéta plusieurs fois, leur enjoignant de l'écouter, de ne pas parler. Il leva les yeux sur Lisa quand il leur expliqua de ne pas s'étonner de le voir arriver en compagnie d'une femme quand il les rejoindrait à l'avion. Puis il s'irrita de leur réponse, marmotta un bref au revoir et raccrocha.

« Comment avez-vous obtenu l'utilisation d'un bureau et d'un téléphone privés ? lui demanda-t-elle. En le braquant ?

— Un billet de cent francs est plus efficace et moins bruyant. Asseyez-vous, je vous prie.

— Bien, *Mein Führer*, dit-elle en s'asseyant. »

Il lui lança un regard furieux.

« Voici le premier de vos propos que je déteste franchement.

— Je vous revaudrai ça, Julian. »

Sa décision quant à cela était prise. Il lui restait à choisir son heure. Trop de précipitation la laisserait à tout jamais ignorante de ce qu'avaient pu être ses plans. En revanche, à trop attendre, elle courrait le risque qu'il la devance ; et de tout perdre.

« Contentez-vous de ne pas recommencer, dit-il en jetant un coup d'œil à sa montre-bracelet.

— Bien, Julian. »

Il décrocha le téléphone et composa un numéro.

« Vous êtes en avance, lui dit-elle.

— Assis sur une fourmilière comme ils le sont à la Françat, ils ne s'en plaindront pas.

Quand Max Dechambre sut que le caissier général avait informé le gouvernement du départ de l'or, il fut pris d'une agitation fébrile : allant et venant nerveusement devant les baies vitrées de son cabinet de travail de la tour Française, il dictait avec un débit tellement précipité que Mme Grillet capitula.

« S'il vous plaît, monsieur, excusez-moi, je n'ai pas saisi ce dernier nom, dit-elle en s'efforçant de ne pas geindre. »

Il avait horreur de cela.

« Blume. Blume. Mary Blume. Au *Herald Tribune,* aboya Dechambre. Et parlez-lui personnellement, pas à sa secrétaire. Présentez-lui toutes mes excuses, et précisez bien que je ne suis pas responsable des perturbations téléphoniques sur les navires de la Compagnie française. Néanmoins, dès que le service sera rétabli — et il le sera cet après-midi...

« Vraiment ?

— Je m'occuperai personnellement de lui faire établir une liaison radiotéléphonique terre-navire. Et si ça ne lui suffit pas, je la ferai conduire en hélicoptère Sikorsky sur le pont du *Marseille* pour y rencontrer ce maudit auteur...

— Oh, voyons, monsieur Dechambre...

— Faites ce que je vous dis !

— Bien, monsieur.

— Vous appellerez ensuite tous les membres du conseil d'administration. Sans exception. Où qu'ils se trouvent. Et leur transmettrez le même message. Ouvrez les guillemets. Vous pourrez dîner de bon appétit ce soir. C'est une promesse. Je vous demande la vôtre, soulignez *vôtre,* je vous demande la vôtre de ne rien révéler à aucun membre de la presse avant la clôture de notre réunion de demain. Fermez les guillemets. Vous y êtes ?

— Je crois...

— Comment vous *croyez* ?

— Oui, cria-t-elle. Oui, oui, j'y suis.

— Cessez donc de geindre, madame Grillet. »

Il se caressa la barbe, et reprit :

« Il n'y a pas eu d'appel de Mlle Lisa Briande pour moi ?

— Je regrette, monsieur. Pas que je sache.

— Pourquoi devriez-vous le regretter, je vous en prie ? dit-il sèchement.

— Ce n'était qu'une manière de... »

L'interphone sonna. Il alla jusqu'à son bureau à grandes enjambées et appuya sur l'interrupteur :

« Oui. Qu'est-ce que c'est ?

— C'est lui, dit la voix de Georges Sauvinage.

— Qui cela, bon sang ?

— Wunderlicht.

— Wunderlicht ? Mais il n'est que...

— Il semble impatient, monsieur.

—Faites transférer l'appel et ramenez vos fesses ici sur-le-champ. »

Le silence lui répondit.

« Vous m'avez entendu ?

— Oui, monsieur. »

Dechambre relâcha l'interrupteur de l'interphone. Il sentit son cœur accélérer ses battements. Qu'est-ce qui pouvait l'inquiéter ? Tout allait pour le mieux. Il se tourna vers sa secrétaire :

« Allez prendre l'appel qui va vous être transféré. Faites patienter jusqu'à l'arrivée de Sauvinage.

— Aurez-vous encore besoin de moi ?

— Non. Vous avez déjà de quoi faire, lui dit-il en lui faisant signe de s'en aller. »

Elle se leva d'un bond et s'en fut.

Il se tâta le pouls. Bien trop rapide. Il faut te surveiller, Dechambre. Il te reste encore quelques belles années.

Il entendit la sonnerie du téléphone retentir dans la pièce voisine. Il serra les mains sur le bord de son bureau pour contenir son impatience, mais elle fut plus forte que lui. Il pressa le bouton de l'interphone et dit :

« Passez-le moi.

— Mais vous aviez dit...

— Passez-le moi. »

Son téléphone sonna. Il décrocha le combiné.

« Ici, Max Dechambre.

— Bonjour, monsieur, dit la voix onctueuse de Julian Wunderlicht. Je présume que c'est une belle journée pour vous.

— Eu égard aux circonstances de ces dernières vingt-quatre heures, Wunderlicht...

— Quarante serait un chiffre plus juste.

— Je ne me suis jamais senti aussi bien de ma vie. J'espère que vous m'en approuvez.

— Voilà qui me réchauffe le cœur, *Herr* président-directeur général.

— Je vous en remercie. »

Sauvinage passa la porte, essoufflé, le visage blême. Dechambre lui désigna du doigt le poste téléphonique posé près d'un fauteuil, pendant que Wunderlicht poursuivait :

« Voici probablement la dernière fois où j'aurais le plaisir de vous parler, Dechambre, ainsi qu'à mon cher ami Sauvinage, dont la respiration bruyante me dit que sans aucun doute il écoute sur un autre poste... oui, Sauvinage ? Etes-vous là, camarade ? Parlez-moi. Allô ? Sauvinage ? Dites-moi quelque chose. Je vous l'ordonne.

Dechambre claqua ses doigts d'un air agacé.

— Que voulez-vous ? murmura Sauvinage dans le haut-parleur du combiné. »

Wunderlicht gloussa.

« Vous êtes donc là, mon gros. Et qui encore avec vous ? La Sûreté me ferait-elle l'honneur de me dire quelques mots ? M. Raffin ? Jean-Claude ? Faites marcher votre sifflet...

— Arrêtez ces idioties, Wunderlicht, le coupa Dechambre. Il n'y a personne d'autre ici que Sauvinage et moi. Maintenant, que souhaitez-vous dire ou savoir ? Je vous écoute.

— L'avion, dit Wunderlicht.

— Air France *747,* vol 1000, piste S-801, plein fait pour quinze mille kilomètres de rayon d'action avec une charge de sept tonnes.

— Vous avez fait une excellente estimation du poids de l'or et de ses accompagnateurs. Mes félicitations.

— Quoi d'autre ?

— La sécurité.

— Aucune.

— Bien. Mes pilotes porteront des uniformes d'Air France.

— La vie est pleine de profanations temporaires.

— Très profond. Maintenant, au sujet des portes...

— Quelles portes ? demanda Dechambre.

— Celles du mur coupe-feu qui entoure les limites les plus éloignées de l'aérodrome, répliqua Wunderlicht.

— Vous n'avez jamais parlé des portes.

— Je le fais à présent. Je veux qu'elles soient toutes déverrouillées et ouvertes.

— Pour quelle raison ?

— Pour laisser pénétrer la brise. Que vous importe. Vous allez veiller à ce que ça soit fait, parce que je vous le dis. Je vous en prie, faites en sorte que notre dernière conversation reste chaleureuse et amicale, Dechambre.

— Très bien, très bien, les portes seront ouvertes. Au lieu de m'ennuyer avec des vétilles, pourquoi ne me demandez-vous pas ce qu'il en est de l'or ?

— C'est inutile, répondit Wunderlicht. Bien que ce ne soit pas à vous que je fasse confiance, Dechambre, mais seulement à mes yeux.

— Grâce à Dieu, nous n'avons pas affaire à un cynique total, dit Max Dechambre. Pourrions-nous maintenant parler de la libération du *Marseille* ?

— Il n'y a rien à en dire. Vous connaissez les conditions. De plus, je n'en ai pas encore terminé avec vous.

— Oh, je vous demande pardon, monsieur Wunderlicht.

— Reste à voir la question du personnel au sol.

Dechambre se hérissa.

— Quel personnel ? Vous avez bien spécifié que, en dehors des mécaniciens pour démarrer les moteurs, nul ne devait approcher l'appareil à moins de mille mètres, non ?

— Monsieur le Président-directeur général me donnera-t-il la permission de changer d'avis ?

— Continuez.

— Un petit oubli, dit Wunderlicht. Il me faut un homme, deux au plus, pour fermer et verrouiller la porte de la cabine de l'extérieur, et pour écarter l'escalier d'embarquement avant que l'avion ne commence à rouler.

— Vous et votre équipage, si on peut les appeler ainsi, pouvez facilement fermer cette porte de l'intérieur.

— Cessez donc d'argumenter, Dechambre. Sauvinage, vous m'entendez ?

— Oui, répondit Sauvinage.

— Vous avez entendu mon ordre ?

— Oui.

— Je vous prie de veiller à ce que votre supérieur s'y conforme.

— Oui, dit Sauvinage en sentant peser sur lui le regard furieux de Dechambre.

— Et je veux que ces hommes attendent hors de vue, dans le bâtiment de l'aérogare, que les moteurs de l'avion soient démarrés depuis cinq minutes. Est-ce bien clair ?

— Oui, dit Sauvinage.

— Une dernière requête, dit Wunderlicht. L'escalier d'embarquement sera placé sur le flanc *sud* de l'appareil...

— Allons, Wunderlicht... essaya vainement de le couper Dechambre.

— Tout chargement, toute entrée ou sortie de l'avion se fera sur le flanc sud, insista Wunderlicht.

— Comment pouvez-vous espérer que nous puissions arranger cela sous un aussi bref délai ? L'or est déjà en route, dit Dechambre furieux.

— Sauvinage, veillez à ce qu'il en soit ainsi, voulez-vous ?

— Oui, dit Georges Sauvinage.

— Eh bien, je crois que ce sera tout, messieurs, dit Julian Wunderlicht.

— Un instant, intervint Dechambre. Pourriez-vous me donner une estimation quelconque, une heure approximative du moment où nous pourrons tous respirer librement de nouveau ?

— C'est un calcul très simple, Dechambre : à déduire de l'heure du décollage, du temps de vol en fonction des vents favorables ou contraires, du vol d'approche, du transfert de l'or, des communications de radiotéléphonie terre-mer, de la durée du débarquement. Je ne peux donc pas vous dire précisément ce que vous voudriez savoir. Il vous faudra de la patience. Vous pourrez aussi, en attendant les bonnes nouvelles, prier pour que personne ne se mette en travers de mon chemin.

— Que voulez-vous dire ? demanda Dechambre d'une voix perchée. Vous serez dans l'avion, qui pourrait se mettre en travers de votre chemin ?

— Contentez-vous de tenir compte de ma mise en garde et de

ne pas la perdre de vue, dit Wunderlicht. Quant à ce qui est de respirer librement, Dechambre, je pense que notre ami Sauvinage respire assez pour nous trois. Au revoir, les amis. *Auf wiedersehen.*

— Wunderlicht ? »

Il avait coupé.

Dechambre raccrocha brutalement le combiné sur l'appareil, et se tourna vers Sauvinage.

« Très bien, lui dit-il. Vous savez ce qu'il veut. Faites-le. Si qui que ce soit vous créait des problèmes, informez m'en sans tarder. »

Georges Sauvinage contemplait fixement son supérieur sans bouger. Seules ses lèvres épaisses tremblaient légèrement dans son visage blafard par ailleurs sans expression.

Dechambre alla prendre place derrière son bureau, essayant de chasser des idées importunes. Pourquoi ce maudit Allemand avait-il donc fait allusion à Jean-Claude Raffin ? Que signifiait cette histoire de placer l'escalier d'embarquement sur le flanc sud et de laisser ouvertes les portes du mur coupe-feu ? Et que fabriquait donc Sauvinage à rester planté là avec cette expression bizarre dans le regard ?

« Hé bien, qu'attendez-vous ? lui demanda-t-il sèchement.

— Je m'en vais, dit Georges Sauvinage avec calme.

— Bien, et dépêchez-vous, pour l'amour de Dieu, dit Dechambre en désignant la porte du geste.

— Je quitte la société, monsieur, dit Sauvinage. »

Dechambre leva les yeux vers lui et fronça le sourcil.

« De quoi parlez-vous ?

— De ma démission, monsieur. Effective dès cette minute. »

Dechambre eut un petit rire sec.

« Ce n'est pas à un moment pareil que vous allez partir ? Voyons, Sauvinage, allez dans votre bureau faire ces appels, et nous parlerons de vos problèmes personnels ce soir devant un dîner au champagne. »

Georges Sauvinage prit sur lui-même pour poursuivre d'une voix égale :

« Ce n'est pas parce que vous êtes allé contre les décisions du conseil d'administration dans cette affaire du *Marseille*, ni parce que vous avez agi en secret derrière le dos de tout le monde, le mien y compris...

— Voilà qui ne vous...

— Ni en raison de la manière humiliante dont vous m'avez chassé du restaurant hier afin d'aller vous glisser entre les cuisses de cette femme...

— Holà, Sauvinage...

— Ni en raison de votre grossièreté envers tout le monde, de Mme Grillet jusqu'à Mme Dechambre...

— Espèce d'insolent gredin...

— Non, monsieur Dechambre, je crois que c'est à cause de votre allusion à mes fesses que je démissionne. Ramenez vos fesses ici sur-le-champ, voilà ce que vous m'avez dit, monsieur...

— Et vous pouvez les sortir d'ici immédiatement ! hurla Dechambre.

— Je suis d'une grande susceptibilité quant à mon postérieur. Son ampleur, je la dois à la manière dont je me suis empiffré pour essayer, en vain, de compenser les avanies dont vous m'avez accablé, monsieur Dechambre ; et les longues stations assises sur ces fesses dans l'attente de vos aboiements occasionnels dans l'interphone dont s'orne mon bureau... »

Dechambre décrocha le combiné de son appareil téléphonique et enfonça sauvagement la touche d'appel de sa secrétaire.

« Demandez-moi Maurice Boulot à l'aéroport Charles-de-Gaulle ou ailleurs... Oui, oui, *Boulot*. C'est urgent. »

Il raccrocha le combiné brusquement.

« Maintenant, sortez d'ici », dit-il calmement.

Georges Sauvinage s'avança vers la porte, la démarche raide, et le sourire amer. Dechambre le regardait avec une expression sarcastique.

— C'est vrai, dit-il, qu'il est imposant.

— Au revoir, monsieur Dechambre, dit Sauvinage avec calme en ouvrant la porte.

— Aussi lourd que votre intelligence, continua Dechambre.

La sonnerie de son téléphone vibra.

Georges Sauvinage traversa le bureau de Mme Grillet et sortit dans le couloir. Il ne se dirigea pas vers les ascenseurs. Il passa la porte de l'escalier et se mit à le descendre à pied. Il commença à pleurer au-dessous du douzième étage.

Chapitre XXXVII

Elle pénétra en coup de vent dans la chambre plongée dans le noir, alluma la lumière du plafonnier, et s'avança vers le lit où il gisait étendu sur le ventre au-dessus des couvertures, ronflant comme un sonneur.

« Bri ?... Bri ?... Bouge-toi... »

Elle le tira par le pied gauche.

« M'entends-tu ? »

Brian Joy arracha convulsivement son pied à l'étreinte de sa femme et grogna dans son sommeil. Maggie avança jusqu'à la tête du lit et le secoua sans ménagement par les épaules. Il se redressa en sursaut, ahuri.

« Mais que diable ?...

— Lève-toi, Brian. Ils ont appelé.

— Qui ça ? »

Il jeta un coup d'œil stupéfié alentour.

« Quelle heure est-il ?

— Trois heures et quart. Remo. Ils ont les noms. »

Il pivota sur son séant et posa les pieds sur le plancher en disant :

« Je n'ai pas entendu le téléphone.

— Je l'avais coupé à cet étage. J'ai somnolé dans le bureau. »

Il la dévisagea avec une admiration envieuse.

« Veux-tu y aller ? dit-elle. Slocum demande que tu le rappelles immédiatement.

— Ouais, ouais. »

Il se mit debout, encore à moitié endormi, s'étirant et se grattant. Maggie regarda le lit.

398

« Peut-être que je pourrais dormir ici maintenant, dit-elle.

— Non. Je peux avoir besoin de toi. Retourne en bas et sors-moi un bloc-notes neuf et des stylos à bille pendant que je me passe la tête sous l'eau froide. »

A 3 h 21 du matin, heure de Californie, la voix d'Arkady Slocum, rauque de fatigue, commença à dicter au téléphone les noms d'emprunt et les numéros de cabines des cent soixante-quatorze hommes et femmes qui avaient détourné le *Marseille,* et dont quatre étaient maintenant morts. Brian Joy l'écoutait sur l'appareil posé à côté du divan, répétant chaque nom et chaque numéro de cabine à haute voix, tandis que Maggie, assise devant l'appareil du bureau, prenait note des informations.

« Et voilà, dit Arkady Slocum après le dernier nom de la liste.

Brian Joy se frotta les yeux en lui disant :

— Oui, mais et le plan d'extermination ? Comment le commandant va-t-il faire pour se débarrasser de ces gens ?

— Nous y travaillons, Brian, lui répondit Arkady Slocum d'un ton qui lui parut irrité. Dès que nous aurons trouvé une solution, si toutefois nous y parvenons, je vous rappellerai.

— Hé bien...

— Vous avez de quoi vous occuper. Vous feriez mieux de vous y mettre. »

Il avait coupé la communication. Brian Joy raccrocha le combiné en disant :

« Quelle mouche le pique ?

— Ils ont fait l'impossible et tu ne trouves rien à leur dire, pas même merci, dit Maggie en brandissant le bloc-notes.

— Prépare du café, veux-tu ? lui demanda-t-il en la dévisageant.

— Le perco est déjà en marche depuis un bout de temps, dit-elle en lui lançant le bloc-notes sur les genoux. »

Il le feuilleta en disant :

« Voici donc les noms de ces salopards qui empoisonnent la vie de tout le monde.

— Y compris la nôtre, répliqua Maggie. »

Sur un signe d'invite, elle se pencha vers lui et il l'embrassa sur les lèvres. Puis il se leva, emporta le bloc-notes jusqu'à sa table de travail, s'y assit, enfonça la touche de mise en marche du Signal One, regarda l'écran numérique du fréquence-mètre s'éveiller à la vie, tourna lentement le bouton sélecteur de fréquences variables, et obtint exactement le résultat auquel il s'attendait : pas un signal.

« Il est trop tôt, dit-il. Je ne peux rien faire avant le lever du soleil. J'aurais pu dormir encore deux ou trois heures, nom d'un chien.

« — Pauvre trésor, dit Maggie.

— La barbe.

— Il me vient une idée, dit-elle. »

Il tourna la tête vers elle et dit :

« Annonce.

— Appelle Mort Styne.

— Mort Styne ? A Woodmere ?

— Il est trois heures plus tard, là-bas, pas vrai ? Il est donc plus proche de Billy Berlin de quatre mille cinq cents kilomètres, non ?

— Ciel ! Mais tu connais Mort, il voudra tout savoir.

— Tu n'es tout de même pas un enfant sans défense ? »

Elle avait raison, Bon Dieu ! Il en avait plein le dos qu'elle ait toujours raison.

« Hé bien, dit-il, ne reste pas plantée là. Va me chercher une tasse de café. Ou plutôt un bol. »

Il composa un numéro de Long Island. Mort Styne avait vendu plus d'assurances sur la vie qu'aucun autre Américain. Retraité à quarante-cinq ans, il était probablement l'unique radio amateur de la planète à posséder en triple chaque pièce d'équipement d'une station électronique. « Je me rassure comme je peux, ne m'embêtes pas », avait-ild coutume de dire en guise d'explication. Eh bien, des embêtements, d'une espèce différente certes, il n'allait pas en manquer, vraiment à la mesure de ses extravagances répugnantes.

La bonne répondit au téléphone :

« Monsieur Styne est-il là ? demanda Brian Joy.

— Qui le demande, je vous prie ?

— Dites-lui seulement que c'est un ami. Et qui appelle de loin.

— Oh, un instant, je vous prie. »

Puis il eut Mort Styne en ligne :

« Oui ?

— Mort ? Ici, Brian Joy.

— Brian. Je n'arrive pas à y croire. C'est quelle heure là-bas, 4 heures moins le quart ? J'y suis, tu n'es pas encore couché. Que se passe-t-il ? Comment va Maggie ? Comment vas-tu, pour l'amour du ciel ?

— Pressé. J'ai besoin que tu me rendes un grand service, Mort.

— Combien ?

— J'ai un ami en mer, un mobile maritime dans l'Atlantique Sud, qui me cherche sur 14 220. J'ai des informations urgentes à lui transmettre sans retard, et la bande est complètement muette ici et...

— Hé, Brian, hé, mon chou, ton petit Mortie est attendu par trois maladroits devant le premier trou d'un parcours de golf au

" Woodmere Club ". Je suis *déjà* en retard d'un quart d'heure, et tu viens me parler de Q.S.O., et d'un *relais* en plus...

— Mortie, tu dois le faire ! hurla-t-il dans le téléphone.

— Vraiment ? demanda Mort Styne avec calme.

— Oui, absolument, dit Brian Joy.

— Tu as raison, répondit finalement Mort Styne au bout d'un long silence. Je dois le faire.

— Son indicatif est W6 Victor Charlie, Région Deux. Dirige ta beam au sud-est. Il est sur 14 220. Son nom est Billy.

— C'est tout ce que tu as à me dire ?

— Jusqu'à ce que tu t'arranges pour le contacter. Je te donnerai ensuite les informations à son intention.

— Et tu ne me donnerais pas quelques informations pour moi, comme, par exemple, de quoi il retourne ?

— Je regrette, Mortie. Il faut que tu me suives sans poser de questions.

— Tu en es certain ?

— Tout à fait, Mortie.

— C'est bon, dit-il après un instant de pause. Je te suis.

— Rappelle-moi sur l'automatique dès que tu l'auras trouvé, d'accord ?

— Brian ?

— Oui ?

— Tu permets que je donne tout d'abord un coup de téléphone au " Woodmere Club " ?

— Est-ce indispensable ? » demanda Brian Joy.

Mort Styne gloussa et lui dit :

« Espèce de gredin. »

Dans la tour de contrôle de l'aéroport Charles-de-Gaulle, un seul élément de son environnement immédiat donnait satisfaction à Jean-Claude Raffin : le fond sonore. L'ensemble des instructions criaillées dans les micros par les aiguilleurs du ciel et des accusés de réception des radios de bord dans les haut-parleurs, situés au-dessus des écrans radar, produisait un grondement ininterrompu qui couvrait les jurons échappés des lèvres du directeur de la Sûreté. Il ne cessait de pester en poursuivant son observation à la jumelle du gros oiseau d'argent qui, dans un isolement impressionnant, était stationné à un peu plus de mille mètres de lui. Raffin savait que les deux fourgonnettes blindées et les quatre motos en provenance de la Banque de France se trouvaient garées près de l'avion. Il n'ignorait pas non plus que les gardes étaient en train de transférer le chargement d'or à bord de l'appareil dans la cabine. Son irritation venait de ce qu'il ne pouvait pas observer leurs allées et venues.

Il maudissait les vitres fumées de la tour d'atténuer la quantité de rayons lumineux qui pouvaient parvenir jusqu'à son regard vigilant. Il maudissait Bausch et Lomb de ne pas avoir inventé des jumelles à prismes capables de vous permettre de voir à travers l'acier. Il maudissait le personnel d'Air France qui avait installé l'escalier d'embarquement sur le flanc sud de l'appareil, hors de sa vue.

En fait, toutes ces imprécations ne s'adressaient qu'à lui-même. Qu'était-il donc venu chercher d'autre à Charles-de-Gaulle, se demandait-il, qu'une vérification pénible de son incroyable stupidité d'avoir, la nuit précédente, fait confiance à Julian Wunderlicht ?

La jeep bleue et blanche d'Air France qui circulait au long des limites lointaines de l'aéroport n'attira son attention qu'après plusieurs arrêts devant le lointain mur coupe-feu. Il détourna ses jumelles du *747*, les remit au point, et vit le chauffeur de la jeep, un homme en combinaison de travail blanche, en train d'enlever le cadenas de l'un des portails d'acier et de l'ouvrir en grand, puis remonter dans la jeep et poursuivre sa route. Raffin fit alors un tour d'horizon et constata que d'autres portes avaient été ouvertes.

Il abaissa ses jumelles, fronçant le sourcil d'étonnement, et se mit à respirer profondément pour se calmer les nerfs. Il se promit de prendre de longues vacances après cette épreuve, si toutefois il n'était pas limogé. Mais il n'eut pas le loisir de s'attarder sur ce projet : il reprit sa relation symbiotique avec les jumelles. Les quatre motos de la Banque de France venaient de sortir en trombe de derrière l'avion gros-porteur et s'éloignaient, bientôt suivies par les fourgonnettes Citroën grises dont la vitesse de croisière se ressentait du soulagement de leur charge.

Raffin observa encore quelques instants le monstre ailé du vol Air France 1000, contemplant en esprit l'éclat doré du trésor caché dans ses flancs. Puis, baissant ses jumelles, il alla vers le poste téléphonique réservé à son intention par André Delaporte et composa un numéro connu de bien peu de gens.

Une voix familière lui répondit et Jean-Claude Raffin annonça :

« Monsieur le Président, Madame m'a chargé de vous informer que les jaquettes de sa prothèse dentaire sont maintenant en place.

— C'est très aimable à vous de m'en informer, répondit Aristide Bonnard qui raccrocha aussitôt. »

« Pourquoi est-ce que je reste assise là comme si cet homme me tenait sous son contrôle hypnotique ? Si je me levais de ce divan et me dirigeais vers la sortie, que pourrait-il faire, me tirer dessus dans le hall de l'hôtel " George-V ", sous les yeux de centaines de témoins ? Non, se dit Lisa, il ne me tirera pas dessus pour la simple raison que je ne chercherai pas à lui fausser compagnie. Il sait tout aussi bien que moi que je ne le tenterai pas. Il sait que mon désir de savoir ce qu'il va faire me retient auprès de lui bien mieux que des menottes. En quoi pourrais-je être utile à qui que ce soit à bord du *Marseille* si je n'ai rien de positif à apprendre à Bryan Joy pour qu'il le transmette ? Et n'oublions pas la une du *Trib* et, qui sait, un livre. »

Son regard se tourna vers Wunderlicht qui piétinait devant le standard en attendant que l'opératrice obtienne une liaison radio-téléphonique avec le navire. Ses pensées s'envolèrent vers son complice californien et elle annonça silencieusement à celui qu'elle croyait endormi à dix mille kilomètres d'elle : « Je ne sais strictement rien de nouveau. »

Enfin, ce n'était pas tout à fait exact. Elle savait que le rêve de Max Dechambre de payer rançon pour le *Marseille* semblait devenir réalité. L'or était probablement arrivé à l'aéroport à présent. Mais l'aura de duplicité qui entourait les faits et gestes de l'Allemand depuis la veille n'aurait pas manqué de terroriser Max Dechambre s'il en avait été témoin. Elle se demanda si les consignes énigmatiques de Wunderlicht avaient éveillé des soupçons chez le P.-D.G. de la Française Atlantique, ou s'il était, en toute candeur, en train de déjeuner paisiblement dans son restaurant favori en compagnie de son directeur adjoint, le pesant Sauvinage. Mieux valait cesser de l'évoquer, se dit-elle. Une éventuelle transmission de pensée entre eux risquerait de lui gâcher sa journée.

Elle entendit Wunderlicht l'appeler et tourna les yeux vers lui. Il lui faisait signe de le rejoindre. Elle obtempéra.

« L'appel est sur le point d'aboutir, lui dit-il. Je ne vois pas d'inconvénient à ce que vous écoutiez mes propos.

— Vous voulez dire que vous ne pourrez pas me surveiller si je ne suis pas dans la cabine téléphonique avec vous.

— N'en jetez plus, Lisa. Vous n'avez plus à me convaincre de votre intelligence. »

Il la prit par le bras et l'entraîna vers la même cabine d'où il avait téléphoné au *Marseille* pour la première fois. Il lui avait expliqué en se rendant au " George-V " que, de toute manière, cet hôtel se trouvait sur le chemin de l'aéroport. Mais la véritable raison qui lui avait fait choisir cet endroit était sa certitude — qui se révéla exacte — qu'il réussirait à convaincre l'une des trois standardistes de demander la liaison par Madrid. La station des radiocommunications de Saint-Lys n'aurait jamais pu trouver le navire errant. Quoi qu'il en soit, l'établissement de la liaison avait pris beaucoup trop de temps. Il avait senti l'irritation et l'inquiétude le gagner pendant l'interminable attente.

Il pénétra à l'intérieur de la cabine pendant que Lisa se tenait dans l'entrebâillement de la porte, et décrocha le combiné de l'appareil.

« Votre correspondant est en ligne, monsieur, lui dit la ravissante standardiste qui s'était plus tôt laissée persuader par deux cents francs.

— Allô, c'est vous, Dunleavy ? dit Wunderlicht en entendant sa propre voix résonner dans l'écouteur par l'effet d'un retard de phase d'une fraction de seconde.

— Ici Dunleavy, entendit-il en écho répondre une voix fantômatique, brouillée par les parasites, qui ne ressemblait plus que de très loin à celle du Dunleavy qu'il avait connu en Californie.

— Ici l'oncle Julian, dit Wunderlicht qui voyait Lisa l'écouter avec attention. Est-ce que vous m'entendez ?

— Oui, oncle Julian, continuez je vous prie.

— L'oiseau a les ailes en or, dit Wunderlicht. Je répète : l'oiseau a les ailes en or.

— Merveilleux. Est-ce que vous le voyez, oncle Julian, cet oiseau ?

— De mes propres yeux, mentit Wunderlicht.

— Et quand s'envole-t-il avec vous ?

— D'ici cinq minutes, dix au plus.

— C'est parfait, absolument parfait, dit Craig Dunleavy depuis l'Atlantique Sud. Bravo, oncle Julian. Je vous félicite.

— Merci, Dunleavy, et bonne chance pour vous tous.

— A vous de même, oncle Julian. Bon atterrissage.

— *Auf wiedersehen*, cher ami. »

Wunderlicht entendit l'interruption de la communication, puis une voix espagnole masculine vint en ligne, probablement de Madrid. Il raccrocha, conscient qu'il transpirait abondamment et sentant des crampes lui nouer les intestins.

« Voilà qui est fait, marmotta-t-il pendant que Lisa se reculait pour le laisser sortir de la cabine.

— Que va-t-il se passer d'ici cinq à dix minutes, Julian ? lui demanda-t-elle avec calme. »

Wunderlicht passa devant elle sans lui répondre pour se rendre devant le bureau vitré du standard, épongeant son visage avec un mouchoir.

« Vous n'avez pas parlé très longtemps, monsieur, lui dit la standardiste avec un sourire. Ça fait trois cent cinquante francs, s'il vous plaît. »

Wunderlicht la regarda de travers et jeta quelques billets à travers le guichet en lançant :

« Une petite conversation qui revient cher ! »

Le sourire de la jeune fille s'évanouit et elle lui dit :

« Je regrette, monsieur. »

Que pouvait-elle connaître au regret ? S'était-elle jamais engagée sur la route de la trahison ?

Il se tourna vers Lisa qui s'était rapprochée de lui.

« Allons-y, lui dit-il brusquement. »

Ils avancèrent en silence au milieu de la foule qui encombrait le hall. En arrivant près de l'entrée, Lisa lui jeta un regard en biais et demanda :

« Julian, qu'est-ce qui va se passer d'ici cinq ou dix minutes ? »

Il lui jeta un regard furieux.

« Ce n'était qu'une anticipation de ce qui se passera quand nous arriverons à l'aéroport, lui répondit-il avec impatience. Et moins vous poserez de questions, plus vite nous y serons. »

Il poussa la porte et sortit devant elle, marchant à grands pas vers le break, ravi de ne pas l'avoir près de lui, d'échapper à sa présence, même pour quelques instants. La perspicacité de son regard, ajouté au poids de ses propres préoccupations, allait rendre plus grandes encore les difficultés de la circulation.

On travaillait rapidement dans les compartiments étanches de la cale du navire, sans nervosité, avec beaucoup de soin. L'appel de Paris avait fait disparaître la tension de la longue attente. Ils appliquaient maintenant un plan d'action concerté de longue date. Anthony Palazone, Al Tomlinson et Carmen Ferrante remontaient le côté bâbord ; Ed Lambert, Floyd Jackson et Caroll Wright, celui de tribord. Les boîtes de minuterie n'étaient pas plus grosses que le plus petit compte-minutes de cuisine, mais leur ressemblance s'arrêtait là. Leurs différences, et elles étaient nombreuses, se trouvaient dans la conception du conjoncteur dont le graphique original ne pouvait se lire que dans les méandres de la mémoire de Leonard Horner.

Les hommes s'arrêtaient devant chacun des petits boîtiers rouges qu'ils rencontraient, s'agenouillaient devant et, la main habile et sûre, tournaient le cadran noir dans le sens des aiguilles d'une montre. Ils enlevaient ensuite le cadran, se relevaient, et partaient s'occuper du boîtier suivant.

Dans les chambres des chaudières, dans celles des moteurs, sous les quatre énormes turbodynamos, sous les cuves à mazout de neuf mille tonnes, contre les plaques d'acier de la quille, contre celles des cloisons étanches et des double-fonds, près des pales des hélices, dans la salle centrale du contrôle de sécurité, tout au long des rampes de génératrices et de turboalternateurs, dans la station de distribution d'électricité, à l'intérieur des systèmes de conditionnement d'air, dans tous les centres vitaux qui distribuaient la respiration et la vie au *Marseille* et le maintenaient à flot, les envoyés de Dunleavy remontaient les mécanismes d'horlogerie qui devaient simultanément et instantanément enclencher les commandes électriques qui feraient détonner le vaste réseau gris-blanc de l'enduit apparemment inoffensif qu'ils avaient implanté si soigneusement quelques jours plus tôt.

Elles étaient très visibles ces délicates petites boîtes rouges, mais leur léger cliquetis s'entendait à peine au milieu du ronflement des vibrations du navire géant qui traçait maintenant sa route à une allure réduite à la moitié de sa capacité.

Les matelots de Charles Girodt avaient pourtant vu les étrangers à l'ouvrage, mais en les observant en silence et sans intervenir. Se sachant réduits à l'impuissance, certains avaient préféré quitter les lieux. Une petite plaque métallique avait été fixée sur chaque boîte à la place du cadran enlevé. On pouvait y lire, gravée en capitales d'imprimerie, en français, anglais, espagnol et italien, cette mise en garde explicite : *Danger. Ne pas toucher.*

La minuterie était réglée sur 1 600 Zulu : moins de cinq heures plus tard.

Debout devant le hublot, Julie Berlin laissait errer son regard sur les grandes houles qui roulaient leur furie sous un ciel de plomb. Elle ne parvenait pas à s'apitoyer sur son sort. Trop d'événements nouveaux venaient la distraire de ses blessures d'amour-propre et de Harold Columbine : le ralentissement du *Marseille,* par exemple, devait avoir une signification. Ce cargo, à tribord sur l'horizon, demeurait trop obstinément à leur approche pour que sa présence soit fortuite. Billy, sur le lit, penché sur son Atlas-210, coiffé d'un casque d'écoute, noircissait fébrilement des feuilles et des feuilles de papier à en-tête de la Française Atlantique tout en parlant, mais davantage en écoutant cet ami New-Yor-kais de Brian Joy : Mort Styne.

« Il y en a encore beaucoup ? disait Billy dans le micro.

— Pas mal. Continuez. »

Elle s'avança vers le lit et demanda :

« Je peux t'aider ?

— Q.R.X. un instant, dit Billy dans le micro. »

Il écarta les écouteurs et leva les yeux vers elle :

« Je ne peux pas t'entendre avec ces trucs sur les oreilles.

— Je te demandais seulement si je pouvais t'aider.

— D'ici quelques minutes, sûrement. Pour l'instant, assieds-toi, veux-tu ? »

Il enfonça le bouton du micro et dit :

« Reprenez, Mort. Après E. Caroll Wright. »

Et il réajusta rapidement son casque écouteur.

" Peut-être, se disait-elle, sa jalousie n'est-elle pas le pire qui puisse soudain surgir dans notre mariage. L'ennui, c'est qu'il est tellement préoccupé, qu'elle provient davantage de son irritation que d'un renouveau d'intérêt pour moi. "

Elle le regarda : l'oreille aux aguets, il manipulait le bouton de réglage du récepteur avec le doigté d'un chirurgien. Elle se demanda pourquoi elle s'obstinait à refuser l'évidence. C'était un homme adulte qui se trouvait en face d'elle, le seul sur ce navire paralysé qui ait été capable d'offrir une possibilité de survie à trois mille personnes en détresse, pendant qu'elle persistait à le considérer comme un gamin qui s'occupait à des jeux d'enfants.

Quelle inhibition la poussait à s'imaginer moins vulnérable devant un petit garçon que face à un homme adulte ?

" La barbe ! " se dit-elle en allumant une cigarette. Elle souffla de la fumée en songeant que Albert de Grooning ne l'aurait pas complimentée d'éluder ainsi la question.

Elle entendit Billy annoncer son final à Mort Styne. Elle l'observa pendant qu'il ôtait son casque écouteur, débranchait sa fiche de connection, et rebranchait le récepteur sur le haut-parleur en baissant la tonalité. Puis il plia la liasse de feuillets qu'il venait d'écrire et les glissa dans une enveloppe. Il se leva, les yeux brillant d'excitation et lança :

« Nous les tenons ! Nous les tenons !

— Comment ? »

Il brandit l'enveloppe en l'agitant.

« Leurs noms et leurs numéros de cabine. Tous ces maudits...

— Mon Dieu ! Pourquoi ne me le disais-tu pas ?

— Voilà qui est fait. Cent soixante-quatorze au total, dont quatre sont morts.

— Je n'avais pas la moindre idée...

— Tu ne pouvais pas entendre mon correspondant. Tu voulais m'aider : voilà le moment, chérie. Mets ça dans ton sac à main et porte-le vite au commandant. Mais, pour l'amour de Dieu, prends-en soin comme de ta vie. »

Elle lui prit l'enveloppe des mains et l'enfouit au fond de son sac en disant :

« Tu ne penses pas que je devrais d'abord lui passer un coup de fil ? »

Il se gratta la tête en réfléchissant.

« Tu as peut-être raison, dit-il. Mais surtout ne lui dis pas de quoi il retourne. »

Elle décrocha le téléphone et composa le numéro du bureau de Charles Girodt. Léon Carpentier, l'ordonnance du commandant, lui répondit, d'une voix sourde et bizarre :

— Le commandant ne peut parler à personne pour l'instant.

— C'est très important, insista-t-elle.

— Je regrette, dit-il sèchement.

— Hé bien, puis-je lui rendre une brève visite ? Je n'en aurai que pour une minute, deux au plus.

— Non, je crains que non, répondit Léon Carpentier.

— C'est très *urgent*.

— Je regrette, c'est impossible. »

Sur quoi il coupa la communication. Elle raccrocha et se tourna vers Billy.

« Il y a quelque chose qui ne tourne pas rond, lui dit-elle.

— C'est un euphémisme, répondit-il avec une grimace. »

Elle composa un autre numéro.

« Qui appelles-tu ? lui demanda-t-il.

— Yves Chabot. »

Son infirmière en chef répondit, sur un ton étrangement glacial :

« Je regrette, Madame. Le docteur assiste à une réunion d'état-major chez le commandant.

— Puis-je venir l'attendre ?

— Je ne pense pas que cela soit souhaitable, répondit Geneviève Bordoni.

— Et si j'étais malade ?

— J'enverrais quelqu'un à votre cabine, madame.

— Qu'à cela ne tienne, dit Julie avant de raccrocher. »

Elle aperçut Billy l'oreille collée contre le haut-parleur de l'émetteur-récepteur.

« Je vais aller porter cela au commandant tout de suite, lui dit-elle, quoi qu'il advienne. C'est trop important. »

Billy leva la main et dit :

« Attends une minute. Je crois qu'on essaie de me joindre.

Il se pourrait que ce soit à nouveau l'ami de Brian. »

Trois minutes plus tard, casque d'écoute sur la tête, il percevait la voix de Mort Styne au milieu d'un fort parasitage :

« J'ignore ce que ça signifie, mon vieux, mais Brian dit que vous comprendrez. Quoi que ce soit, Remo vient tout juste de le lui transmettre. Il appelle ça le Plan E. »

D'un geste impératif, Billy Berlin fit signe à Julie de s'asseoir.

Pendant qu'il s'adressait à eux sur un ton impassible, Dunleavy affronta tour à tour leurs visages de marbre aux yeux durs et glacés qui lui disaient clairement leur haine de se voir réduits à sa merci.

« Une simple entaille, le moindre débranchement d'un seul fil du circuit électrique que nous avons implanté déclencheraient immédiatement tous les détonateurs. Aussi, Messieurs, je ne saurais trop vous conseiller de ne pas commettre la plus infime maladresse. Quant à vous, commandant Girodt, veillez à ce qu'aucun de vos hommes ne cherche à jouer les héros en déclenchant un cataclysme... »

Charles Girodt prit une autre gorgée de l'eau Perrier dans laquelle Yves Chabot lui avait fait dissoudre un sédatif léger, reposa le verre sur son bureau, et dévisagea l'homme bronzé qui, assis en face de lui, formulait d'une voix douce des ordres d'une pareille arrogance. Girodt n'arrivait pas à accepter de ne pouvoir jamais tirer vengeance de cet étranger qui avait définitivement brisé sa vie. Définitivement, parce qu'il ne se remettrait jamais tout à fait de cette épreuve, même si on l'accueillait comme un héros national à l'entrée du *Marseille* dans le port du Havre.

« Je trouve touchante tant de sollicitude pour notre sécurité maintenant que vous allez nous quitter, monsieur Dunleavy. Mais je puis vous assurer que nul ici — et je pense pouvoir parler au nom de tous — nul ici, n'éprouve envers vous et votre bande d'assassins autre chose que le plus profond mépris. Rien de ce que vous pourrez dire à présent ne saurait atténuer notre résolution de vous traîner en justice. Ainsi, monsieur Dunleavy, c'est vous qui n'êtes pas du tout en sécurité. »

Girodt eut l'impression de voir Yves Chabot lui faire non de la tête d'un signe imperceptible, mais ne voulut pas y prendre garde. Qu'ils restent donc tous : Leboux, Specht, Demangeon, Vergnaud, Ferret, Dulac, Plessier... qu'ils restent tous dans un silence prudent. Lui, Charles Girodt, maître du *Marseille,* ne laisserait pas ce minable gangster américain s'en tirer sans qu'on lui dise quelle merde il était.

« Avant la fin du jour, vous et votre racaille serez tous morts, continua-t-il d'une voix chevrotante. Vous serez tous...

— Excusez-moi, commandant... le coupa Yves Chabot.

Girodt se détourna et dit :

— Oui ?

— Si vous ne terminez pas cela... lui dit Chabot en désignant d'un hochement de tête le verre qui se trouvait sur son bureau, ça va devenir plat.

— Peu importe ! aboya-t-il. »

Craig Dunleavy s'éclaircit la gorge :

« Une question, monsieur, si vous permettez, sur l'un de vos bateaux de sauvetage... »

Girdot se détourna et dit :

« Répondez-lui, Ferret.

— Que désirez-vous savoir ? demanda le premier lieutenant Henri Ferret.

— Le grand avec une cabine fermée, une vedette...

— Oui, monsieur ?

— Est-ce que ses diesels sont alimentés et en état de marche ? »

Henri Ferret se raidit d'orgueil :

« Bien entendu. Sur quelle sorte de... ?

— Du calme, lui dit Dunleavy. Faites descendre la vedette sur le pont des embarcations, prête à embarquer des passagers.

— Très bien, monsieur. »

Le premier lieutenant Ferret restait assis.

« Faites-le tout de suite, monsieur Ferret.

— Tout de suite ?

— Oui, monsieur Ferret. Par téléphone. »

Henri Ferret lança un coup d'œil hésitant vers son commandant. Puis il se leva, avança jusqu'au bureau, décrocha le téléphone blanc, et donna les ordres nécessaires à René Derbos, l'officier responsable du poste 23.

« Voilà qui est fait, annonça Ferret en retournant s'asseoir sur le divan de cuir. »

Dunleavy se leva lentement et s'adressa à l'assemblée :

« Nous vous délivrerons de notre présence dès que j'aurai reçu un message de l'un de nos représentants à terre m'annonçant que l'or est arrivé à bon port à sa destination. A notre arrivée sur le cargo, nous vous enverrons des instructions très précises pour désarmer sans danger tous les engins explosifs... »

Une expression inquiète s'inscrivit sur le visage de Pierre Demangeon qui demanda :

« Après votre départ du *Marseille* ?

— Exact, répondit Dunleavy.

— J'avais cru comprendre, dit le chef mécanicien, que vous désarmeriez vous-même les explosifs avant de quitter le bord, après que vous ayez reçu l'appel dont vous venez de parler.

— Je crains que ce ne soit un malentendu de votre part, monsieur. Notre intention est de mettre le plus de distance possible entre notre cargo et votre superbe navire avant que les minuteries ne s'éteignent à 1 600 Zulu en vous permettant de suivre nos instructions de désarmement. Tant que ces minuteries ne sont pas arrêtées, personne, même nous, ne pourrait désarmer le réseau de plastic. Dès que ces minuteries seront stoppées, n'importe qui sachant exactement quoi faire peut transformer ce réseau en un tas de mastic inoffensif. »

Charles Girodt prit la parole d'une voix chevrotante :

« Et où vous conduira toute cette habileté, monsieur Dunleavy, quand nous aurons pris contact avec la terre et que les forces aériennes et navales vous prendront en chasse ? »

Dunleavy sourit.

« Au cas où vous penseriez nous jouer un tour de votre façon quand nous aurons pris place sur la vedette, commandant, laissez-moi vous dire que nous avons l'intention d'embarquer deux de vos passagers avec nous en otages. Quand nous serons montés à bord du cargo, ils seront autorisés à rejoindre le *Marseille* avec la vedette. Je pense que vous serez impatient de les revoir, car ce sont eux qui vous rapporteront les instructions pour désarmer les explosifs. »

Son regard devenu glacial, il poursuivit :

« Quant à informer la terre, commandant, ou n'importe quel autre endroit, je crains que ça ne vous soit très difficile. Nous allons détruire tous les appareils de communication avant de quitter ce navire. »

Il fit une pause afin de lui permettre d'apprécier, et dit :

« Vous ne pourrez communiquer qu'avec les mouettes, monsieur, d'ici votre arrivée au Havre. »

Charles Girodt le regarda fixement sans rien dire. Puis ses lèvres se retroussèrent sur un sourire bizarre. Il échangea un coup d'œil avec Christian Specht, puis il tourna son regard vers Yves Chabot et le retourna sur Dunleavy. Il allait se mettre à parler quand Yves Chabot bondit et lui arracha le verre de boisson sédative qu'il tenait à la main et lui coupa la parole en lançant :

« Donnez-moi cela, commandant, voulez-vous ? »

Une expression étonnée s'inscrivit l'espace d'un instant sur le visage de Dunleavy qui dit :

« Que signifie ? »

Charles Girodt lut l'avertissement dans le regard sévère de Chabot et son sourire s'effaça.

Christian Specht baissa les yeux sur ses mains.

N'obtenant pas de réponse à sa question, Dunleavy s'avança vers la porte, l'ouvrit et lança :

« Très bien, vous pouvez entrer maintenant. »

Lou Foyles et Wendell Cronin abandonnèrent leur garde auprès du bureau de Léon Carpentier et pénétrèrent dans la pièce en faisant disparaître leurs affreux revolvers. Ils ne jetèrent pas un seul coup d'œil sur les officiers qui se trouvaient là et se dirigèrent tout droit vers la rampe de téléphones qui se trouvaient sur le bureau de Girodt et arrachèrent leurs cordons de connexion au pied du mur.

Charles Girodt les regarda faire, le visage blême de colère.

« Je déplore de me montrer aussi destructif, dit Craig Dunleavy, mais c'est indispensable. Oh, encore une chose. Je vais me trouver dans l'obligation de vous demander de ne pas bouger de cette pièce jusqu'à notre départ du navire. Ça ne devrait pas demander plus d'une heure ou deux...

— Mais on a besoin de nous ailleurs, de nous tous, insista Pierre Demangeon.

— Pas autant que j'ai besoin de vous ici, dit Dunleavy. »

Puis il se tourna vers Charles Girodt :

« Au revoir, commandant. »

Le premier capitaine se détourna et, d'une voix grave et forte, lança :

« Sortez d'ici avant que l'un de nous ne vous tue de ses mains nues.

— Mes amis que voici monteront la garde devant votre porte, commandant, pour veiller à ce que vous ne fassiez rien d'enfantin. »

Girodt pivota sur lui-même, le visage défiguré par la rage, et s'élança sur lui, coupé dans son élan par Yves Chabot qui s'était interposé entre eux.

« Allez-vous-en, dit calmement Chabot à Dunleavy. »

Dunleavy détourna les yeux, les ignorant tous deux.

« Au revoir, Messieurs, dit-il aux autres. J'aurais aimé vous dire que ce fut un agréable voyage, mais je ne vois pas de raison à perdre ma crédibilité dans un pareil moment. »

Il sortit rapidement, suivi de Foyles et Cronin qui portaient les appareils téléphoniques endommagés.

Léon Carpentier blêmit en voyant les hommes approcher de lui et lancer les instruments abîmés sur le divan. Il entendit la voix de Dunleavy lui dire :

« Vous aussi.

— Pardon, Monsieur ?

— Là-dedans, et vite. »

Carpentier se leva et rejoignit les autres.

Dunleavy referma la porte et regarda ses deux acolytes.

« Ouvrez l'œil, leur dit-il, ces crétins mijotent peut-être quelque chose. »

Il se tourna, et l'aperçut, tout juste comme elle entrait et le voyait. Elle tourna aussitôt les talons.

« Attendez ! appela-t-il derrière elle. »

Mais elle était partie au pas de course.

Il entendit Lou Foyles qui demandait derrière lui :

« J'y vais ? »

Il jeta un coup d'œil derrière lui, décida que non, se retourna et s'avança jusqu'au couloir : elle courait le long de l'interminable tunnel aux lumières tamisées et aux portes closes. Un homme en uniforme d'officier marchait lentement à sa rencontre. Il portait des lunettes de soleil.

Des lunettes de soleil ?

« Arrêtez-la ! lui cria Dunleavy. »

L'homme en uniforme attrapa Julie par le bras comme elle tentait de fuir.

« Lâchez-moi... »

— Ça va, Craig, lança l'homme. Je la tiens. »

Et, en lui serrant le bras, il commença à l'entraîner en sens opposé de celui où attendait Dunleavy.

« Où allez-vous ? appela Dunleavy, étonné.

— La mettre sous clé, répondit l'homme en continuant à entraîner Julie.

— Charlie ?

— Ouais ?

— Vous avez une drôle de voix. Qu'est-ce qui vous arrive ?

— Mal à la gorge, Craig. »

Dunleavy les vit disparaître par le passage d'accès aux ascenseurs. Il resta quelques instants à contempler le couloir maintenant désert, réfléchissant à ses priorités, puis il tourna les talons et partit en sens inverse. Ça ne prenait que trois heures de vol de Charles-de-Gaulle à Brazzaka. Il voulait se trouver près de ses hommes dans la salle des transmissions, devant un téléphone, quand arriverait l'appel d'Otto Laneer.

La voix ne l'avait pas trompé. Il ne connaissait aucun Charlie qui, même enroué, ait un timbre semblable. Il y songea quelques instants sans éprouver la moindre colère. Un sourire lui vint même aux lèvres pendant qu'il s'éloignait à grands pas, impatient de recevoir cet appel qui allait, d'ici peu, leur permettre de grimper dans la vedette de sauvetage et de s'échapper de ce maudit navire condamné.

Il savait maintenant qui seraient leur deux otages.

« Ne me serrez pas le bras comme ça, bon sang ! Je vais avoir un bleu.

— Vous devriez me remercier d'être encore en vie, espèce de tête de linotte.

— Ne vous croyez pas autorisé à me parler sur ce ton parce que vous portez cet uniforme ridicule. Où l'avez-vous déniché ?

— A la teinturerie des officiers.

— Pourquoi faire ?

— Il me donne un sentiment de sécurité. Je ne pense pas faire longtemps illusion à quelqu'un comme Dunleavy. Mais je parie que certains d'entre eux me prendront pour l'un d'eux en me voyant.

— Ne comptez pas là-dessus.

— Vous vous y êtes bien trompée.

— Jusqu'à ce que vous ouvriez la bouche. Vous pouvez me lâcher maintenant. Nous sommes hors de vue.

— Il faut que je vous parle, Julie.

— Je n'en doute pas. Je suis certaine que vous voulez vous frapper la poitrine en me racontant que vous êtes un horrible bonhomme mais, refrain : c'est plus fort que vous. Et puis vous tomberez à genoux en me suppliant de vous pardonner... Aïe !... vous...

— Vous allez la boucler ou vous voulez que je vous casse le bras ? Vous oubliez que je ne suis pas votre mari. Je veux dire, pour qui vous prenez-vous pour me jeter sans arrêt vos jugements à la tête ?

— Hé bien, hé bien ! On se met en colère plutôt que d'implorer son pardon quand on se fait pincer à jouer des sales tours. On va même jusqu'à brutaliser les dames, à condition qu'elles ne soient pas assez grandes pour...

— Je vous préviens, Julie...

— Ne vous inquiétez pas, j'ai besoin de vous. Autrement, je n'en resterais pas là.

— Quoi qu'il en soit, je vous présente mes excuses. Je regrette vraiment de vous avoir donné de l'inquiétude. Ça vous va ? On peut parler à présent ?

— C'est bien parce que je n'ai pas d'autre solution. Et ni de vous ni de moi. Où pouvons-nous aller ?

— A ma cabine ?... N'ayez donc pas l'air aussi effrayée, je ne vous toucherai pas.

— Vous n'auriez peut-être pas l'air plus rassuré à ma place. Le commandant et son état-major sont sous clé. Il va falloir qu'on se débrouille tout seuls, vous et moi.

— Pour quoi faire ?

— Je vous expliquerai dans votre cabine.

Ses cheveux bruns ramassés en chignon sous une ravissante coiffe d'infirmière à visière, Geneviève Bordoni leva les yeux vers l'homme en uniforme qui venait de franchir la porte d'entrée de la salle d'attente. Ce n'était pas un officier du bord. Il devait probablement remplacer l'individu déplaisant qui avait parfois monté la garde dans son secteur et qu'elle n'avait pas revu. Il s'approcha de son bureau, jeta un coup d'œil sur les passagers qui attendaient patiemment leur tour pour se faire soigner des maladies imaginaires, et lui dit à voix basse :

« Il faut que je vous parle en privé. Où allons-nous ?

— Je regrette, Monsieur. Je ne peux pas quitter mon poste pour l'instant.

— Faites ce que je vous dis, et en vitesse, dit-il d'un ton égal. »

Quelle arrogance, ces gansters ! Finiraient-ils jamais par quitter le navire ? Elle se leva et l'invita à la suivre d'un signe de tête. Elle le conduisit dans une salle d'examen vide sous les regards curieux des hypocondriaques impatients.

« Très bien, dit-elle en se tournant vers lui. Que voulez-vous ? »

L'homme sortit un morceau de papier et le lui tendit en disant :

« Ceci. Tout ce que vous avez. »

Elle lut ce qui était inscrit sur le morceau de papier et le lui rendit.

« Je regrette. Seul le Dr Chabot peut autoriser la délivrance d'une telle préparation. »

Deux jours plus tôt, ces gens étaient venus fouiner dans leurs armoires à pharmacie et avaient décidé qu'elles ne renfermaient aucun produit dangereux. Auraient-ils changé d'avis ?

« Pour l'instant, votre bon docteur ne se trouve pas en situation de pouvoir délivrer la moindre prescription, même celle d'un comprimé d'Alka Seltzer, lui dit l'homme d'un ton bourru. Vous perdez votre temps, mademoiselle Bordoni.

— Qu'avez-vous fait de lui ? demanda-t-elle d'une voix qui tremblait un peu.

— Il se trouve en lieu sûr, en compagnie du commandant et de quelques-unes de vos superstars, pour empêcher qu'ils s'attirent des ennuis. Vous faites pas de bile, vous le retrouverez d'ici environ deux heures. Je parierais que vous fricotez un peu ensemble, hein ? »

Elle le gifla de toutes ses forces. Ce qui le fit éclater de rire. Puis elle le couvrit d'insultes en français sans qu'il puisse identifier un seul autre mot que *merde*.

« Vous avez pas mal de collègues dans le coin, mademoiselle Bordoni. Deux infirmières, un infirmier, et Dieu sait combien d'assistants de votre patron derrière ces portes closes. Vous ne voudriez pas qu'il leur arrive des choses désagréables, ainsi qu'à vous-même, non ? Où peut-être aimez-vous la vue du sang ? »

Il la saisit brutalement par le bras.

« Bon Dieu ! vous vous décidez à aller me chercher ça, oui ou non ? »

Elle fixa un moment ses lunettes noires, puis dégagea son bras et lui dit :

« Suivez-moi. »

Au fond d'un couloir qui se trouvait au bout de l'hôpital, ils arrivèrent devant une porte fermée. Elle sortit un trousseau de clés de la poche de sa blouse blanche, déverrouilla la porte, pénétra dans la pièce et ouvrit les lumières.

Puis elle ouvrit la porte d'un cabinet secondaire, y entra, s'accroupit devant un rayon d'où elle sortit un petit coffre qu'elle apporta dans la pièce principale de la réserve où elle le posa par terre. Elle ouvrit ce coffre avec une autre clé, tendit la main pour en sortir un flacon de huit onces d'une substance qui ressemblait à du gros sel de table. En manipulant le flacon avec précaution, elle le déposa sur le couvercle de métal blanc du coffre.

« Strychnocyanate-K ? demanda l'homme en uniforme en regardant fixement le flacon.

— Oui, répondit-elle.

— En cristaux solubes ?

— Lisez donc l'étiquette.

— C'est tout ce que vous avez ? demanda-t-il en la regardant attentivement. »

Elle hésita un instant avant de sortir un second flacon et de refermer le coffre.

« Seize onces, dit-elle. »

Puis d'un ton amer et méprisant, elle continua :

« Mais cent onces ne vous serviraient pas à grand-chose de plus. Des rats de cinq kilos meurent de son simple contact, mais ça n'est d'aucun effet sur les humains. Et nous ne sommes pas des rats, monsieur. Il vous faudra trouver un autre moyen pour nous tuer.

— Ne gaspillez pas votre salive, dit-il en lui tendant un nouveau morceau de papier. Maintenant, trouvez-moi cela. »

Elle prit le morceau de papier et le lui rendit après y avoir jeté un coup d'œil, en disant :

« Nous n'en avons pas.

— Vous mentez. Vous avez douze flacons de quatre onces de concentré de parahoxydil HCL quelque part ici. J'en veux un. Et vite. »

Elle le regarda fixement, les lèvres serrées, puis retourna dans le cabinet dont elle ressortit en tenant un petit flacon contenant un liquide blanc et sirupeux. Elle le posa auprès des deux autres, et dit :

« Si vous ne savez pas quoi faire de ça, je vous conseille de le prendre en guise d'apéritif, à jeun de préférence.

— Vous feriez une détestable barmaid, lui dit-il en retirant sa casquette d'officier à galons dorés et ses lunettes noires. Et un sourire éclaircit son visage en la regardant. »

Les yeux de Geneviève Bordoni s'élargirent de surprise et son expression s'adoucit.

« Ciel... monsieur Columbine...

— J'espère que vous voudrez bien me pardonner, dit-il en souriant. »

Elle alla rapidement fermer la porte de la réserve et revint vers lui.

« Vous ne devriez pas être ici, lui dit-elle. Ça pourrait être dangereux. »

Il était en train de ranger les flacons dans les poches de son uniforme, et lui répondit.

« Vous jurez magnifiquement, mon chou.

— Je crains que vous ne l'ayez mérité, dit-elle gravement.

— Maintenant, dites-moi la vérité. M'auriez-vous remis ces produits, à moi Harold Columbine, si je vous les avais demandés ?

— Jamais. Mes ordres sont très stricts. Tous nos produits peuvent être dangereux, même ceux apparemment les plus inoffensifs si on en fait un mauvais usage.

— Si on en fait un mauvaise usage de la bonne manière, dit-il d'un ton entendu.

— Qu'envisagez-vous de faire exactement avec ces deux substances, monsieur Columbine ? dit-elle en l'observant d'un œil soupçonneux.

— Les mélanger.

— Pour quelle raison ? Ils sont complètement dissemblables, tout autant par leur structure chimique que dans leur usage.

— Je suppose que vous nommeriez ce que j'ai en tête, créer un très mauvais cas de dermatite de contact. Je parle de celle d'un genre où la victime se trouve dans un état très grave en cinq à trente minutes. ».

Elle fronça le sourcil d'un air complètement ahuri.

« Pour des rats, oui. Comme je vous l'ai déjà dit, ils meurent instantanément d'un bref contact avec une particule microscopique de strychnocyanate, mais...

— Je songe à des rats *humains,* mademoiselle Bordoni... »

Elle blêmit à vue d'œil. Il hocha la tête.

« Avec eux aussi ça peut arriver.

— Non, dit-elle d'une voix tremblante. Ce n'est pas...

— Si. A condition qu'on y ajoute une quantité précise de ce parahoxydil machin-truc-chouette pour provoquer un bon effet de synergie, et à condition que la quantité d'eau soit bien dosée. La seule différence, dit-il en haussant les épaules, c'est que ça met un peu plus longtemps à se produire. »

Les yeux de Geneviève Bordoni se remplirent lentement d'horreur au fur et à mesure qu'elle commençait à comprendre.

« Monsieur Columbine, vous ne devez pas essayer une chose pareille. S'il vous plaît, ne jouez pas à l'apprenti sorcier avec des produits dont vous ignorez tout...

— Je n'y connais peut-être rien, mais il y a apparemment quelqu'un aux Etats-Unis qui, lui, sait. Et c'est sur ce numéro-là que nous prendrons le pari, dit-il sur un ton intentionnellement sinistre. »

Elle le regarda et resta muette.

Il ne pouvait pas savoir que ce quelqu'un aux Etats-Unis, ce numéro sur lequel il pariait, était le *307.*

René Derbos était un officier compétent et un homme intelligent. Il n'était pas du genre à jouer les héros dans une situation impossible, simplement pour se prouver qu'il avait du courage. Quand il vit venir vers lui, au poste 23 sur le pont des embarcations, où il gardait la rapide vedette blanche, un homme vêtu en matelot qui portait des bottes et des gants de caoutchouc, il sut tout de suite, avant qu'il ne pose son seau d'eau devant lui et ne commence à parler, que c'était l'un d'eux. Aucun matelot de la Française Atlantique n'avait une pareille allure de bandit de Chicago comme on les voit au cinéma.

« C'est ça, le bateau sur lequel nous partons ? » demanda l'homme.

Derbos opina.

« Combien il tient de personnes ?

— Deux cents, répondit Derbos.

— On n'a pas confiance en vous, espèces de grenouilles, dit l'homme sur un ton désagréable. Je vais laver ce machin de la proue à la poupe, et quand j'en aurai fini, que plus personne ne l'approche ou ne monte à bord, vous y compris. Vous avez pigé ?

— Certainement, monsieur, dit René Derbos.

— Quiconque toucherait cet engin ou poserait un pied dessus, j'lui brûle la cervelle. Et c'est vous qu'allez surveiller que ça se produise pas. Donnez-moi un Roger là-dessus. »

Derbos cilla devant tant de vulgarité.

« Un Roger ? demanda-t-il.

— Répondez OK, *oui,* sacré bon sang ! fit l'homme sauvagement.

— Oui, monsieur, répondit calmement l'officier.

— Oui, quoi ?

— J'ai compris votre requête.

— Parfait. Ouvrez-moi la porte. »

René Derbos fit pivoter le portillon sur ses gonds.

Emmailloté dans tous les vêtements de protection que Geneviève Bordoni avait pu lui trouver, Harold Columbine glissa le manche d'une balayette sous son bras gauche, de sa main droite souleva lentement le seau plein aux trois-quarts d'une solution à 12 % de strychnocyanate-K mélangée à 72,8 cc de concentré de parahoxydil HCL, et avança prudemment vers la vedette bimoteur à diesel suspendue par ses bossoirs et se balançant légèrement au-dessus de la mer qui rugissait à trente mètres sous elle.

Julie Berlin se dissimulait dans l'entrée d'un passage à moins de six mètres de là, prête à lui crier un avertissement si Craig Dunleavy venait à faire une apparition catastrophique dans les environs. Mais la proche présence de Julie n'atténua en rien la terreur qui lui nouait les tripes, et n'endigua pas non plus le flot de transpiration qui se mit à ruisseler de son front dans ses yeux quand il commença à brosser l'intérieur de la vedette rapide avec la solution meurtrière.

Il couvrit le plafond et les lames du plancher de la vaste cabine. Il enduisit les murs et les six hublots circulaires, les mains-courantes, les bancs et les sièges baquets, le tableau de bord, la manette des gaz, la roue du gouvernail. A peine le liquide incolore était-il appliqué sur le bois, le métal ou le plexiglass, qu'il s'évaporait, ne laissant derrière lui qu'une fine pellicule invisible.

Il ramassa le seau vide et sauta de la vedette sur le pont des embarcations. Il passa devant René Derbos impassible, se dirigea rapidement vers le passage où Julie se cachait et abandonna son seau vide pour en prendre un autre, plein aux trois-quarts.

Elle le regarda faire avec un air inquiet. Mais, la bouche sèche, il ne trouva rien d'autre à lui dire que :

« Ciel... »

Il rejoignit la vedette et se remit au travail avec grand soin sur le pont extérieur qui entourait la cabine, il barbouilla tout le bastingage, allant de l'arrière tribord à l'avant, et redescendant par bâbord. Puis en suivant à nouveau le même chemin, il s'occupa des lames du plancher du pont lui-même.

Ses mains commençaient à trembler, la sueur lui brûlait les yeux, et il fit tomber un peu du liquide sur la jambe droite de son pantalon, juste au-dessus de sa botte de caoutchouc. Son cœur bondit et un cri rauque lui échappa. Mais ça ne suffisait pas pour traverser le tissu.

Peut-être Julie avait-elle eu raison.

« Nous connaissons les numéros de leurs cabines. Les poignées des portes feront l'affaire, avait-elle avancé. »

Mais il l'avait contredite après avoir constaté que la vedette accrochée par ses bossoirs était prête à prendre la mer :

« Nous ne pouvons pas être certains de les posséder tous avec les boutons de portes, et certainement pas tous en même temps. »

Imbécile heureux qu'il était, il allait finir par s'attraper lui-même.

Il termina en moins d'un quart d'heure.

Julie Berlin n'eut pas un seul avertissement à lui lancer.

Craig Dunleavy était occupé ailleurs, ne songeant qu'à l'appel qui allait lui parvenir dans la salle des transmissions, attendant cet instant où une voix lointaine lui annoncerait que l'avion avait atterri à bon port à Brazzaka, et que les 35 millions en lingots d'or roulaient dans des camions à destination de leur cachette. Dunleavy regardait par la fenêtre de son hublot le *Angela Gloria* qui, à vingt milles à tribord, sans problème, suivait vers le sud le *Marseille* dont les turbines tournaient à moitié de leur puissance. Il se sentait détendu et confiant.

Sur le cargo grec, Nick Moustakos observait avec amertume et respect le superbe paquebot qui se dessinait à l'est. Il se disait qu'avant la fin de cette journée il devrait prendre une cuite phénoménale ou mourir. Il ne pourrait pas supporter plus longtemps le chagrin et l'humiliation de devoir reconnaître que son porc de commandant, Panos Trimenedes, n'avait, après tout, pas menti à ses matelots. C'était typique de cet ignoble Grec de trahir son équipage de toutes les manières imaginables, même en lui disant la vérité.

Chapitre XXXVIII

Bien que l'aube n'ait pas encore dispersé l'ombre de la nuit sur la Californie du Sud, l'air léger du matin promettait une belle journée. Lawrence Wibberly roulait en direction du sud sur l'autoroute de San Diego, heureux du silence qui régnait dans sa voiture et de la rareté de la circulation routière dans un sens comme dans l'autre. Son système nerveux avait aspiré toute la nuit à un repos de cet ordre. Cette autoroute, se disait-il, serait d'ici peu prise d'assaut par la foule matinale laborieuse qui lancerait ses machines infernales à cent à l'heure et plus, sans même que les contrevenants à la limite de vitesse se fassent pincer. Il espérait bien avoir à ce moment-là rejoint Palos Verdes et se trouver au creux de draps frais dans la pénombre de sa chambre à coucher, auprès de Clara qui ne se serait même pas aperçue de son retour et ne l'accablerait donc pas de questions. Elle dormait toujours avec des protège-tympans en cire rose et un masque de repos en satin de même couleur sur les yeux, elle ne verrait donc pas Wibberly ni ne l'entendrait, le ciel en soit loué.

Le vieil astrophysicien conduisait lentement, les mains serrées sur le volant de sa Pontiac de dix ans tout autant pour se soutenir que pour contrôler la direction de sa voiture. Il fixait le long ruban monotone qui se déroulait devant lui, écarquillant ses yeux secs et irrités afin de les garder grands ouverts, de peur que, s'il relâchait son effort, ils ne se ferment complètement. Il était mort de fatigue, mais cet épuisement ne provenait pas seulement d'un manque de sommeil.

Wibberly avait connu bien d'autres nuits blanches. Aucune ne lui avait semblé aussi interminable que celle passée dans l'air conditionné de cette salle aveugle des simulations de stratégie à Remo. Au mont Palomar, il lui était arrivé de rester plus de quarante-huit heures sans même songer à aller se coucher, et sans jamais connaître pareil épuisement. En fait, à la suite de ces veilles, il se sentait d'ordinaire tout ragaillardi et débordant de joie de vivre. Il est vrai que son environnement d'alors était fondamentalement différent : les étoiles ne lui parlaient pas ; les galaxies ne lui répondaient jamais ; le ciel restait silencieux — toutes raisons qui avaient fait naître sa première attirance pour l'astronomie. Il n'avait jamais su réfléchir efficacement que dans le calme. Son esprit faisait un blocage dès que deux humains ou plus venaient à émettre des bruits dans le même endroit.

Il continuait à rouler sans prendre garde aux voitures qui, de temps à autre, devaient déboîter pour le doubler sur sa droite. Il réfléchissait à cette expérience conduite par Arkady Slocum comme meneur d'un groupe maintenant amputé d'un de ses membres, se demandant s'il n'était pas en train de se forger une mauvaise excuse à son propre échec. Ce ne serait pas la première fois, ni probablement la dernière, qu'il se surprendrait à se fabriquer des alibis spécieux.

Il était resté assis parmi eux sous les néons, devant l'écran de visualisation, à sucer sa pipe en fixant le plancher, l'esprit voguant dans l'univers à la recherche d'une solution exotique à la menace qui pesait sur le *Marseille* et lui aurait permis de les éblouir de son brio. Mais aucune supernova n'avait éclaté, aucune lumière n'avait jailli d'un trou noir. Rien, il n'avait absolument rien découvert. Son cas s'aggravait encore d'un manque de participation à leur approche terre-à-terre. Et voici qu'il se permettait de rejeter sur eux la faute de son échec, de les accuser de l'avoir distrait par leurs discussions jargonnantes avec l'ordinateur, leur brainstorming, leurs petites études rapides, leurs jeux de simulation, et, pire que tout, pour eux du moins, l'interminable enquête téléphonique dont ils avaient finalement décidé. Participer à un groupe de réflexion, c'était se mettre en situation de ne même plus pouvoir s'écouter penser...

Deux lumières rouges qui clignotaient dans son rétroviseur finirent par attirer son attention sans qu'il comprenne tout de suite de quoi il retournait. Puis la vérité finit par se faire jour dans son cerveau fatigué : ces deux lanternes rouges étaient disposées sur le guidon d'une moto, et, derrière le guidon, se tenait un agent en uniforme kaki de la police de l'autoroute de Californie qui lui faisait signe, de sa main gauche gantée, de se rabattre sur la voie de droite.

Lawrence Wibberly sentit le cœur lui manquer devant sa culpabilité involontaire. Il jeta un bref coup d'œil par-dessus son épaule droite, braqua son volant, franchit trois voies pour aller s'arrêter sur celle de droite en se disant que c'était le comble de cette nuit abominable.

Il baissa sa vitre et sortit son portefeuille de la poche intérieure de son veston froissé et fourragea parmi ses cartes de crédit et celles de membre de différents clubs, s'attendant presque à découvrir qu'il avait perdu son permis de conduire, ce qui aurait été le couronnement du tout. Mais il le trouva, le sortit, et attendit, appuyé contre son volant, que la Loi gare sa moto et s'approche d'un pas nonchalant de sa fenêtre ouverte. Il ne s'était pas encore fait une idée très claire de son irritation profonde à cette interruption humiliante de sa réflexion sur le chemin de son domicile.

« Bonjour, monsieur, lui dit aimablement le jeune homme coiffé du casque bleu et or qui le dévisageait, par sa vitre ouverte, de son œil bleu pâle indifférent dans un visage bronzé où frisotait un duvet blond qui aurait voulu être une barbe.

— Bonjour, répondit Lawrence Wibberly qui lui tendit son permis de conduire en détournant les yeux.

— Vous conduisiez plutôt lentement, monsieur Wibberly, dit le policier qui examinait son permis.

— *Docteur* Wibberly, précisa-t-il avec lassitude.

— A soixante à l'heure, Docteur.

— Hé bien, ça vaut tout de même mieux qu'à cent vingt ! dit Wibberly un peu surpris lui-même de son irascibilité.

— Pas toujours. Non monsieur, pas toujours, lui dit le policier souriant. Surtout quand vous roulez dans la voie rapide. Or, vous vous trouviez sur la voie rapide, Docteur. Vous faisiez obstruction à la fluidité de la circulation. Vous obligiez les autres véhicules à déboîter sur la droite pour vous dépasser. Cela fait parfois prendre des risques inutiles. Vous comprenez cela, n'est-ce pas, monsieur ?

" Mettez-moi une contredanse et fichez-moi la paix ", pensa Wibberly. Mais il dit :

— Oui, vous avez tout à fait raison, monsieur l'agent. Je ne le conteste pas.

— Je suis heureux que vous soyez d'accord avec moi.

— Je ne crois pas que je recommencerai, dit Wibberly. Je vous remercie de me l'avoir fait remarquer. A présent, voulez-vous me rendre mon permis, que je puisse reprendre la route.

— Est-ce que vous avez bu, monsieur ?

— Bu ? Si j'ai bu ? Oui, j'ai bu. Beaucoup d'eau et environ six tasses de café. Mais ce n'est pas de ce genre de boisson que vous vouliez parler, n'est-ce pas ?

— C'est bien vrai. Vous auriez pas pris de came ?

— De came ?

— Avez-vous utilisé une drogue quelconque dans le courant de la nuit ou ce matin ?

— Est-ce que j'ai l'air d'un homme qui se drogue ? A mon âge ?

— Vos yeux me paraissent bizarres, monsieur.

— Ecoutez un peu, jeune homme, j'ai sommeil. Je suis fatigué. J'ai veillé toute la nuit. Voilà pourquoi je conduisais lentement et prudemment. Si j'ai enfreint la loi, dressez-moi une contravention et laissez-moi repartir.

— Qu'est-ce qui vous presse, monsieur ?

— Je ne suis pas pressé. Si je l'avais été, j'aurais roulé plus vite.

— Où allez-vous, maintenant ?

— Chez moi, me coucher.

— Vous travaillez de nuit, monsieur ?

— Je suis astrophysicien. Il m'arrive souvent de travailler de nuit, parce que c'est à ce moment-là que les étoiles sont visibles, vous voyez ce que je veux dire ?

— Elles ne l'étaient pas la nuit dernière, monsieur. Les nuages s'étaient levés de la mer en début d'après-midi.

— Je n'observais pas les étoiles la nuit dernière, monsieur l'agent.

— Ah ? Et que faisiez-vous, docteur Wibberly ?

— Vous voulez vraiment le savoir ?

— J'y tiens.

— Hé bien, je me trouvais avec un groupe d'hommes, des scientifiques pour la plupart, et nous avons passé la nuit à essayer de déterminer si l'univers est un système stable ou en expansion. Nous sommes finalement convenus qu'il était un peu des deux. »

Le policier dévisagea Wibberly attentivement et dit :

« Vous ne devriez pas vous trouver sur l'autoroute dans votre état, Monsieur.

— Vous avez tout à fait raison, dit Wibberly. C'est bien pour cela que je veux rentrer chez moi. Allez-vous me laisser rentrer chez moi, ou continuer à me faire rester sur cette autoroute dans mon état ? »

Le policier serra les lèvres. Il tendit un index vers Wibberly et dit :

« Vous ne bougez pas d'ici, monsieur, d'accord ? Détendez-vous et restez tranquillement ici jusqu'à mon retour.

— Comme vous voudrez, monsieur l'agent, dit Wibberly. Si je suis endormi quand vous reviendrez, voulez-vous avoir l'obligeance de me réveiller ? »

Le policier s'apprêtait à dire quelque chose mais se ravisa et

424

rejoignit sa moto. Wibberly le regarda faire dans le rétroviseur et, soudain, sentit monter en lui une envie folle de démarrer brutalement en marche arrière et de l'écraser, puis de sauter de sa voiture et de lui arracher son permis de conduire et son carnet de contraventions et de s'enfuir à toute allure. Il ne passait personne qui puisse témoigner de son acte. Nul n'aurait jamais pu le soupçonner, ni le découvrir, ni le poursuivre. Sa conduite lente dans la voie rapide, son crime, cesserait alors d'exister. Un arbre qui tombe dans la forêt — Wibberly avait toujours cru cela — ne fait pas de bruit s'il n'y a pas d'oreilles pour l'entendre.

Ces horribles pensées le firent frissonner de culpabilité. Il ne voulait aucun mal à ce jeune homme. Les conséquences d'une contravention pour un excès de lenteur sur une voie rapide ne pouvaient vraiment pas être d'une importance assez grave pour justifier qu'on se débarrasse de leur témoin, même par la pensée. Il en irait différemment, songea-t-il, s'il avait détourné un paquebot de ligne en haute mer et assassiné des dizaines de gens innocents...

Un quasar résonna dans ses oreilles et cessa d'émettre. Sa tête se pencha vers son gouvernail et ses paupières lourdes comme du plomb commencèrent à se fermer. Il combattit instinctivement le doux sommeil, se redressa, respira profondément, et secoua sa tête, essayant d'entrer dans la peau d'un conspirateur pendant quelques instants, essayant d'envisager un plan tel qu'ils avaient dû le faire eux-mêmes, confiants dans le fait que toutes les radio-communications du navire vers le monde extérieur pourraient être coupées à volonté, ignorant tout de la présence accidentelle d'un radio amateur qui émettait clandestinement.

Un trou noir disparut, remplacé par un faisceau lumineux. Wibberly regarda dans son rétroviseur. Au lieu de voir un jeune policier blond levant un microphone vers ses lèvres, il vit trois mille hommes en uniformes penchés sur trois mille motocyclettes en train d'écrire une contravention pour meurtre, pour laquelle l'amende serait la prison à vie ou la mort...

Trois mille témoins ?

Jamais.

Le plan ne pouvait pas permettre cela. Il fallait que les témoins disparaissent ou les conspirateurs risqueraient toujours de se voir soupçonnés, découverts et poursuivis. Et toute preuve devait également être totalement détruite. C'étaient là des nécessités préalables fondamentales. Il en était certain.

Il ne pouvait en aller autrement.

Une supernova explosa, prenant momentanément la forme de l'explosion d'un paquebot de ligne, et dans son cerveau fatigué, Wibberly entendit les échos du doux rire d'Arkady Slocum, les cris de triomphe rauques de Irving Harris, les obscénités grinçantes de Mike Keegan mêlées aux voix des autres qui se renvoyaient des félicitations. Il se souvint de son malaise dans la salle des simulations de stratégie parce qu'il ne faisait rien pour mériter ces congratulations, et comprit brusquement que son embarras ne venait pas d'un sentiment de culpabilité ou d'envie, mais simplement de ses doutes agaçants, de son sentiment persistant que l'identification des conspirateurs ou un plan pour leur liquidation n'étaient peut-être pas ce sur quoi ils auraient dû s'attarder.

Avant toute autre considération, il fallait tout d'abord déterminer avec une certitude absolue l'intention ultime des conspirateurs. Sans elle, toutes leurs instructions à l'adresse de ceux qui se trouvaient sur le navire devenaient dangereuses et irresponsables, car elles ne tenaient pas compte de l'intention ultime. Or, cette intention ultime, il le voyait maintenant clairement, ne pouvait être qu'un ultime désastre. Lawrence Wibberly en était aussi certain que si ça avait été écrit dans les étoiles.

Il commençait à se demander s'il restait suffisamment de temps pour les prévenir quand le sommeil le surprit. Sa tête tomba en avant. Il commença à rêver. Moins de deux minutes plus tard il fut ramené à la conscience par le bruit d'une portière de voiture qui claquait. Il ouvrit les yeux avec difficulté, se souvint de l'endroit où il se trouvait, et entendit des voix derrière lui. Il tourna la tête et vit une voiture de patrouille blanche et noire garée auprès de la moto. Le jeune policier blond casqué de bleu et or parlait avec un beau Noir en uniforme bleu sombre. Un autre homme en uniforme bleu foncé était assis au volant de la voiture de patrouille. Puis le jeune policier blond avança en direction de la vitre ouverte de Wibberly accompagné par le Noir.

« Comment allez-vous, docteur Wibberly ? »

Wibberly essaya de parler mais ne put que hocher la tête d'un air somnolent.

Le policier lui tendit son permis de conduire par la vitre ouverte et dit :

« Voilà, monsieur. Et voici le sergent Hudgin. Il va vous conduire chez vous.

— Non, pas tout de suite, protesta Wibberly. Je... euh... je dois... »

Sa portière s'ouvrit devant le sergent.

« Allons, pépé, passez sur le siège d'à côté et attachez votre ceinture comme un beau garçon, lui dit-il en le soulevant pour l'aider. »

Puis il se glissa derrière le volant.

« Il faut que je donne un coup de téléphone tout de suite, lui dit Wibberly.

— Au revoir, monsieur, lui lança le jeune policier blond. Prenez bien soin de vous à présent. »

Wibberly vit la voiture de patrouille démarrer sur l'autoroute en direction du sud et sentit la Pontiac bondir en avant et suivre la voiture de tête.

« Jeune homme... » dit-il à son chauffeur.

Il avait sommeil, mais ne voulait pas dormir. Il voulait appeler Arkady Slocum, le réveiller, lui faire prendre conscience qu'il fallait joindre Brian Joy sur-le-champ et lui dire d'essayer de prévenir le *Marseille* sans tarder.

« S'il vous plaît, conduisez-moi au téléphone le plus proche, dit-il au sergent qui se trouvait derrière le volant de sa voiture.

— Je vous ramène à la maison, pépé, lui répondit calmement le policier noir.

— C'est très important, dit Wibberly qui sentait ses yeux se fermer. Il faut que nous les prévenions... les prévenions de ne pas faire confiance à la situation...

— Je sais ce que c'est, lui dit le sergent.

— Peu importe ce qu'ils prétendent... ne les croyez pas... il faut que nous leur disions cela.

— Hum, hum.

— S'il vous plaît, dit faiblement Lawrence Wibberly. Il faut... que je téléphone... à...

— Quand vous serez arrivé à la maison, pépé, vous pourrez téléphoner autant que vous voudrez, dit le sergent qui décida de ne plus rien dire. »

Il ne voulait pas réveiller le vieux monsieur.

Chapitre XXXIX

Raffin reconnut tout de suite Klaus Freuling et Wilhelm Gritzen : boudinés dans des uniformes de pilotes d'Air France. Ils traversaient rapidement le terrain en direction du *747* comme s'ils fuyaient devant quelqu'un dont ils auraient risqué d'attirer l'attention s'ils s'étaient mis à courir au lieu de marcher vite. Raffin les suivit dans ses jumelles jusqu'à ce qu'ils disparaissent derrière l'énorme avion argenté. Puis il laissa son imagination prendre le relais — quel autre choix avait-il ? Ils devaient monter les marches, pénétrer dans la cabine des passagers, monter l'escalier en spirale qui conduit au salon, déverrouiller la porte d'entrée du poste de pilotage, y pénétrer, défaire leurs vestons, glisser leurs corps vieillissants dans les deux sièges avant, le plus près des contrôles.

Bien, pensa Raffin avec un optimisme prudent. Les choses tirent à leur fin. Peut-être, plaise à Dieu, sera-t-elle celle promise par Wunderlicht.

Une voix à l'épais accent germanique résonna soudain derrière lui dans le haut-parleur situé au-dessus de l'écran radar :

« Air France 1000 appelle la tour. »

Le contrôleur de navigation aérienne, un français brun avec des cheveux clairsemés, répondit :

« A vous, 1000.

— Nous commençons notre liste de contrôle, annnonça Klaus Freuling.

— Air France 1000, dit le contrôleur, nous avons besoin de votre plan de vol.

— Je ne l'ignore pas, répondit Freuling.

— Pouvez-vous me dire quel sera votre cap ?

— La patience est une vertu, répliqua Freuling.

— Merde, marmonna le contrôleur à mi-voix.

— Il veut dire qu'il n'en sait pas plus que vous pour l'instant, se surprit à expliquer Jean-Claude Raffin. »

Le contrôleur jeta un coup d'œil sur cet étranger au service qui tenait des jumelles dans ses mains et lui dit :

« Si vous voulez me remplacer à ce poste, faut pas vous en priver, vous savez ! »

Puis il se retourna et baissa les yeux sur son écran radar.

Raffin dissimula le rouge qui venait de lui monter aux joues derrière ses jumelles. Il lui aurait suffi de décliner son identité pour voir l'insolent se mettre à trembler, se disait-il, les yeux collés aux jumelles et la vue brouillée par la colère. Il digéra lentement l'humiliation et, sa rage retombée, retrouva une vision nette. Un objet rouge se déplaçait rapidement de gauche à droite sur la route en bordure des limites de l'aérodrome : une voiture, une petite voiture rouge, un break. Il suivit sa course à travers ses jumelles : elle vira brusquement sur sa droite, franchit l'une des portes ouvertes du mur coupe-feu et fonça vers l'avion en stationnement. Wunderlicht.

Il fallait que ce soit Wunderlicht.

Tous les sens en alerte, Raffin se pencha en avant, mobilisant tout son pouvoir de concentration sur son acuité visuelle : oui, c'était bien Wunderlicht au volant. Mais à côté de lui... une longue chevelure blonde... une femme... qui était cette femme assise sur le siège voisin de celui du chauffeur ? Une complice ? Et Wunderlicht n'y aurait fait aucune allusion la nuit précédente ? Représentait-elle la raison de l'ouverture des portes du mur coupe-feu et de cette arrivée subreptice ?

Raffin sentit son inquiétude renaître. Alors que son esprit tourmenté aspirait à des certitudes, voici que des bribes d'un nouveau mystère venaient épaissir son angoisse. Qu'est-ce qui pouvait bien lui donner à penser qu'il avait déjà vu cette femme auparavant ? Son visage ? Non, il ne le distinguait pas assez nettement pour le reconnaître. Sûrement pas ce chapeau blanc, en tout cas. Mais cette longue chevelure blonde...

Que lui évoquait cette longue chevelure blonde ?

Il jura de frustration entre ses dents : la masse opaque de l'avion venait de lui cacher l'approche de l'automobile.

La conduite fastidieuse jusqu'à l'aéroport avait mis Wunderlicht en nage. Il passa le premier, suivi de Lisa qui ne le quittait pas des yeux. Son sac en bandoulière sur une épaule, elle tenait la valise vide de sa main droite. Lui, la main droite serrée sur la poignée du petit attaché-case, tenait deux valises encombrantes de la main gauche et sous l'aisselle du même bras. Il fallait que le contenu de cet attaché-case lui soit bien précieux, se disait Lisa, pour qu'il ne prenne pas le moindre risque de le voir lui échapper accidentellement.

A son arrivée en haut de l'escalier d'embarquement, il s'arrêta, se tourna et se mit à observer l'horizon dans toutes les directions. Il entendit une toux étouffée en dessous de lui.

« Qui est là ? lança-t-il. Montrez-vous. »

Deux hommes en salopettes blanches sortirent de l'ombre de l'escalier, la peur inscrite sur leurs visages.

« Qu'est-ce que vous foutez là ? demanda Wunderlicht.

— Nous attendons pour verrouiller la porte de la cabine, monsieur... et pour reconduire la jeep avec l'escalier d'embarquement...

— On ne vous a pas donné pour consigne d'attendre dans le bâtiment de l'aéroport jusqu'à cinq minutes après le démarrage des moteurs ?

— Ce n'était pas très clair, monsieur...

— Tirez-vous ! leur lança-t-il. »

Il les regarda s'éloigner à toutes jambes.

« Ce connard de Sauvinage, grogna-t-il encore avant de se retourner vers Lisa pour lui dire : allons. »

Puis il pénétra dans l'avion suivi de Lisa.

Elle n'avait jamais rien vu de semblable : l'intérieur de la cabine lui parut immense et fantômatique sans la présence d'êtres vivants. Sur chacun des cent sièges en peluche rouge à dossier inclinable de l'allée centrale se tenait un passager inhumain, muet et immobile : une boîte métallique grise qui contenait soixante kilos d'or.

Elle s'attendait à moitié à voir apparaître une hôtesse de l'air offrant de la conduire à son siège. Mais il n'y avait pas la moindre hôtesse. Seul Wunderlicht se trouvait là. Après avoir déposé ses valises, il se pencha sur une des boîtes métalliques dont il souleva le couvercle. Il observa ce qui se trouvait dedans avec le même regard lascif qu'elle lui avait vu la nuit précédente quand il s'était agenouillé entre ses cuisses accueillantes et qu'elle l'avait guidé en elle.

Elle frissonna de dégoût, autant d'elle-même que de lui. Elle se rapprocha et baissa les yeux sur l'or : cet horrible métal jaunâtre, c'était pour sa possession que, depuis toujours, les hommes semaient la terreur et répandaient le sang. Et il en irait toujours ainsi. Comment pouvait-elle même songer à les en empêcher ?

Elle se sentit soudain accablée sous une dépression incontrôlable, désespérée...

Pourquoi essayer de les arrêter ?

Quelle importance tout cela avait-il ?

Aucun d'eux avait-il une importance quelconque ?

Et pas seulement eux... elle... Wunderlicht... n'importe qui... *N'importe quoi...* Il la dévisageait, rouge d'excitation.

« Déposez votre valise et montez avec moi au salon », lui dit-il.

Ahurie, anesthésiée, elle posa le bagage dans l'allée, près du coffre métallique ouvert. Wunderlicht s'élança dans l'escalier en spirale, son attaché-case à la main. Elle regarda vers la porte ouverte de la cabine. Elle aurait pu y courir, dévaler les marches de l'escalier d'embarquement, sauter dans le break et prendre la fuite. Mais elle n'en fit rien. Elle se détourna et suivit Wunderlicht dans l'escalier en spirale, parce qu'il lui avait dit de le faire.

Le salon était vide ; la porte du poste de pilotage, fermée. Wunderlicht lui désigna du doigt un siège tournant près du palier de l'escalier. Elle s'y assit, le fit pivoter, et le regarda décrocher le téléphone mural qui se trouvait à la porte du cockpit.

« Ici, Wunderlicht, dit-il en allemand dans le téléphone. »

Il raccrocha. La porte du cockpit s'ouvrit sur un homme chauve. Ses manches, de chemise étaient roulées, et son visage luisant de transpiration. Wunderlicht s'adressa à lui en l'appelant " Gritzen ", et sortit une feuille de papier qu'il déplia. L'homme qui s'appelait Gritzen fit signe à Wunderlicht d'entrer dans le cockpit. Mais, d'un geste du pouce par-dessus son épaule, Wunderlicht lui désigna Lisa. Le chauve se pencha pour regarder dans la direction indiquée par Wunderlicht et se mit à questionner ce dernier en apercevant Lisa pour la première fois. Wunderlicht secoua la feuille de papier avec colère et lui dit de la regarder et de l'étudier. Quand l'homme eut prit le papier et jeté un coup d'œil dessus, il s'exclama :

« Brazzaka ? »

Puis une autre voix qui parlait allemand s'éleva du fond du cockpit et Wunderlicht lui répondit, en élevant le ton, qu'il était temps de décoller. Pendant qu'ils continuaient à se parler, Gritzen étudiait le morceau de papier qu'il tenait en main et lançait des noms d'endroits et des chiffres à l'autre homme qui restait invisible et auquel Wunderlicht avait parlé en l'appelant " Freuling ". Lisa écoutait tout cela en ne comprenant que partiellement et en s'en moquant d'ailleurs complètement...

... Dans la tour de contrôle, la voix à l'épais accent germanique résonna dans le haut-parleur, ordonnant au contrôleur de la navigation aérienne de faire démarrer les moteurs sur-le-champ. Assis devant son écran radar, le français brun aux cheveux clairsemés décrocha un téléphone et lança quelques ordres brefs. Puis Jean-Claude Raffin vit le camion générateur d'alimentation rouler rapidement sur l'aéroport pour aller s'arrêter près de l'avion. Un mécanicien sauta à terre en tenant une grosse fiche de connexion qui se trouvait au bout du câble du générateur et la brancha dans la prise qui jouxte le nez de l'avion. Dans le haut-parleur, la voix de Klaus Freuling annonça :

« Le vol 1 000 sera le prochain à prendre l'air. Nous mettrons le cap sur cent soixante-douze degrés, et volerons à une altitude de croisière de onze mille six cents mètres. Aviser tous les transporteurs que nous voulons un couloir dégagé au moins jusqu'à la côte nord de l'Algérie. »

L'aiguilleur du ciel s'énerva :

« Notre compétence ne s'étend pas aussi loin, cria-t-il dans son microphone. Je ne peux pas vous donner de telles garanties.

— Vous vous arrangerez pourtant pour qu'il en soit ainsi, mon cher ami, lui rétorqua Freuling. »

... Juste avant que le premier moteur ne se mette à rugir, Lisa entendit Wunderlicht dire au chauve Gritzen de fermer la porte du cockpit parce qu'ils décolleraient dès qu'il aurait verrouillé la porte de la cabine. Puis les moteurs commencèrent à pousser crescendo leur long mugissement. Pendant que la porte du cockpit se refermait, Wunderlicht se tourna vers Lisa et lui adressa un geste impératif pour qu'elle se lève et le suive. Il s'engouffra dans l'escalier en spirale la main toujours serrée sur la poignée de son attaché-case. Quand elle arriva au pied de l'escalier, elle le vit devant sa valise abandonnée. Il la désignait du doigt en criant :

« Ouvrez ça. Dépêchez-vous. »

Elle ouvrit la valise et recula d'un pas.

Il posa son attaché-case avec grand soin, se pencha au-dessus de la boite métallique grise ouverte et en sortit deux barres d'or qu'il déposa dans son bagage vide.

Elle se sentit blêmir. Mais pas de surprise. Ce qui la choquait le plus, c'était de n'être pas le moins du monde surprise. Elle aurait dû se douter depuis le début qu'il allait se passer quelque chose de cet ordre. S'agissait-il d'une traîtrise qui déclencherait le désastre ? Etait-il encore plus abject que tous les autres réunis cet homme à qui elle avait permis de pénétrer son corps ?

Il transféra une autre barre d'or du container dans sa valise, puis encore une autre, et referma la valise.

« Emportez-la, lui cria-t-il au-dessus du bruit des moteurs. »

Elle saisit la poignée et tira.

« Je ne peux pas, dit-elle. C'est trop...

— Emportez-la, nom de Dieu ! Emportez-la à la voiture et attendez moi.

— Julian, je ne peux pas...

— Faites un effort. Il le faut. Dépêchez-vous. »

Il ouvrait ses propres valises frénétiquement.

Elle s'y prit à deux mains, tira de toutes ses force, gémissant sous l'effort. Je vais mourir, se disait-elle. Mon Dieu, mais qu'est-ce que je fais ici ? Mais elle savait ce qu'elle faisait là et ne mourut pas. Elle traîna la valise jusqu'à la porte, puis sur la plate-forme de l'escalier d'embarquement et la souleva d'une marche à l'autre, trébuchant et vacillant en poussant des gémissements de douleur et d'angoisse. Quand elle arriva en bas de l'escalier, elle laissa tomber la valise sur le sol et se laissa aller contre le flanc du break pour reprendre sa respiration.

Elle entendit la voix de Wunderlicht lui crier au-dessus du grondement des moteurs :

« Entrez dans la voiture ! »

Elle se tourna et le regarda descendre les marches, le corps déformé, le visage tendu de souffrance, luttant pour soutenir le lourd fardeau qui tirait sur ses deux bras. Il grognait à chaque marche, les muscles du cou tendus à se rompre. Il arriva devant elle en trébuchant, faillit tomber, et vint s'affaler contre la voiture, projeté par les forces combinées de la gravité et du poids de trois quart d'un million de dollars en or que la convoitise avait placés dans ses mains. Il laissa tomber les valises sur le sol, et resta un moment à reprendre sa respiration.

« Montez dans la voiture », ahana-t-il.

Elle le regarda tirer les valises, une par une, jusqu'à l'arrière de la Fiat, ouvrir le hayon du break, glisser les bagages sur le plancher plat, refermer le hayon. Elle se laissa tomber sur le siège passager de l'avant et claqua sa portière. Puis il vint s'asseoir à côté d'elle derrière le volant, appuya le starter, et démarra le moteur. Elle vit les deux préposés en salopettes blanches s'élancer en courant sur l'aérodrome en direction de l'avion. La Fiat bondit en avant, vira sur la gauche, et fonça vers la lointaine porte ouverte dans le mur coupe-feu.

Elle se retourna sur son siège et, par la lunette arrière, assista à la fermeture de la porte de la cabine. Puis l'ouvrier dégringola les marches de l'escalier d'embarquement qui s'éloignait déjà sur la jeep. Le grand avion commença à rouler, gagna de la vitesse, dans un hurlement de réacteurs. Bientôt, il serait parti. Il y avait maldonne quelque part. Son anxiété accrue par le bruit infernal, elle n'y tint plus. Elle se tourna vers Wunderlicht et dit d'une voix rauque :

« Il décolle.

— Bien, aboya Wunderlicht avec un plaisir sauvage.

— Mais la rançon... elle sera incomplète...

— Quelle importance ?

— Comment cela, quelle importance ? hurla-t-elle au milieu du grondement de la voiture lancée à toute vitesse et des rugissements des réacteurs de l'avion pendant que la Fiat passait le portail grand ouvert et enfilait la route. L'avion roulait de plus en plus vite sur la piste.

— Julian... répondez-moi. »

Son visage devint tendu et hideux.

« Pas maintenant, bon Dieu !... » lui lança-t-il.

Elle le dévisageait en silence tout en hurlant intérieurement : *Je ne le demanderai plus ! Je ne veux pas le savoir !*

Et elle entendit la réponse : *Tu le sais bien, alors inutile de faire cette tête horrifiée...* mais cette réponse, elle se la faisait elle-même. Le hurlement provenait de son propre cerveau, et il couvrait le gémissement déchirant des quatre réacteurs du vol Air France 1000 qui avait pris l'air, et grimpait... grimpait...

Ce fut à ce moment qu'elle nota l'absence de l'attaché-case.

... Raffin détourna ses jumelles de l'avion en pleine ascension et les braqua sur le break rouge qui s'éloignait sur la gauche de la route en bordure des limites de l'aéroport. Elle serait bientôt hors de vue. Il abaissa ses jumelles, se mordant les lèvres d'inquiétude. Wunderlicht lui avait-il assuré la nuit précédente qu'il s'envolerait avec l'or ou n'avait-il fait, lui, que de le tenir pour acquit ? Qui se trouvait derrière le volant de cette voiture à présent : Wunderlicht ou la fille, seule, sans passager ? Qui était-elle, et pourquoi était-elle restée si longtemps à bord de l'avion ? Il y avait vraiment trop de choses qu'il ignorait. Beaucoup trop.

La jeep qui reconduisait l'escalier d'embarquement dans les bâtiments de l'aéroport apparut soudain dans son champ de vision. Il leva les yeux et vit l'avion rapetisser dans le lointain. Aucune réponse ne lui viendrait de là-haut. Mais en dessous de lui, il y avait deux hommes en salopettes blanches et, devant la porte de l'aéroport, sa Mercedes Benz grise l'attendait. Il passa précipitamment la porte de sortie et se dirigea vers les ascenseurs. Il pressa le bouton d'appel, mais son impatience le jeta dans les escaliers qu'il descendit quatre à quatre.

Il voulait savoir.

Passé le village de Moussy-le-Vieux qui se trouve aux abords de l'aérodrome, Wunderlicht relâcha sa pression sur l'accélérateur et se mit à rouler à une vitesse plus modérée. Il y avait peu de circulation sur la départementale qu'il venait d'emprunter ; mais s'il était bien une chose qu'il préférait éviter à présent, c'était un accident stupide qui le jetterait sanglant dans un fossé. Même ces bon sang de manœuvres sur l'aérodrome en avaient vu bien davantage qu'ils n'auraient dû. Mais Wunderlicht avait la certitude que Jean-Claude Raffin ne se risquerait jamais à le prendre en chasse avant que l'avion n'ait atterri à Brazzaka et que l'appel d'Otto Laneer ne soit parvenu au *Marseille*. Or, cet appel ne parviendrait jamais au *Marseille*. De plus, il n'avait aucune raison de penser que Raffin ou qui que ce soit d'autre soupçonne son absence du bord de l'avion. Même Freuling et Gritzen dans leur paradis à onze mille six cents mètres ignoraient qu'il n'était pas à bord. Il avait garé la Fiat sur le côté de l'avion et démarré sous un angle soigneusement étudié pour rester en dehors de leur champ de vision.

Conduisant avec la prudence excessive d'un nouveau riche, Wunderlicht jeta un coup d'œil sur sa droite, à sa passagère renfrognée et silencieuse, la seule personne à connaître presque toute la vérité sur ce qu'il avait fait et sur ce qu'il projetait. Il n'était même pas impossible qu'elle sache ou soupçonne toute la vérité. En réfléchissant à cette possibilité, Wunderlicht se sentit envahi d'un désir irrésistible qu'elle la connaisse tout entière. Ainsi, il n'aurait jamais dans l'avenir à considérer sa mort comme inutile, elle ne le hanterait pas en assombrissant le reste de ses jours de tristesse. Oui, sa mort ne devait pas être inutile.

Il la regarda de nouveau : ravissante, les traits délicats, les yeux fixés sur la route, l'air sombre et préoccupé, elle serrait son sac en cuir blanc comme s'il avait eu le pouvoir de la réchauffer et de la réconforter.

« Très bien, dit-il d'un ton amical et détendu. Voyons votre problème, à présent, petite fille. »

Elle ne le regarda pas, ne lui répondit pas mais, comme il gardait également le silence, elle finit par dire d'une voix atone :

« Que va-t-il arriver au bateau et à tous ces gens quand la rançon arrivera avec... combien y manque-t-il ?

— Grosso modo un million, répondit-il flegmatiquement. Mais nul n'en saura jamais rien. L'or n'arrivera jamais là-bas ni nulle part ailleurs. »

Elle lui lança un bref coup d'œil et regarda de nouveau droit devant elle en disant :

« Où l'avez-vous laissé ?

— Quoi donc ?

— Votre attaché-case.

— Vous auriez dû être reporter. Rien ne vous échappe. »

Elle ne lui répondit pas.

« Dans l'un des cabinets de toilette », dit-il.

Elle serra un peu les lèvres, puis demanda :

« Lequel ?

— Près de la porte par laquelle nous sommes entrés.

— C'est le L-I, porte avant gauche de la cabine », dit-elle.

Wunderlicht haussa les épaules en disant :

« Si vous le dites.

— A quelle heure doit-il... ?

— L'*endroit* importe plus, dit-il. Au-dessus de l'eau, entre Minorque et la Sardaigne.

— A quelle heure ? »

Il jeta un coup d'œil sur sa montre, et dit :

« D'ici environ une heure. »

D'une voix anormalement ferme, elle demanda :

« Et si l'avion n'arrive jamais à... où il est supposé aller...

— Brazzaka.

— Qu'adviendra-t-il de l'appel radiotéléphonique au navire ?

— Je présume qu'il ne sera jamais fait.

— Et dans ce cas ? »

Il la regarda et répondit :

« Boum ! »

Elle en eut le souffle coupé et crut un instant qu'elle allait se mettre à sangloter. Mais elle retrouva vite tout son contrôle et demanda sans émotion apparente :

« Qui se lancera à vos trousses en premier ? Vos collègues désappointés ou la police internationale ?

— Ma douce enfant, vous n'y êtes pas du tout. Pourquoi me rechercherait-on ? Je serai considéré comme mort dans une catastrophe aérienne en plein ciel. Quand l'avion aura été désintégré par l'explosion, qui pourrait imaginer que son chargement n'était pas intact ? Trente-quatre millions de dollars en or pèsent aussi lourd que trente-cinq et couleront tout aussi vite. Ils resteront au fond de la Méditerranée pendant des années ou des siècles, peut-être même pour toujours. Qui le saura jamais ? »

Elle tourna vers lui ses yeux vert pâle.

« Et moi, Julian ? Ne serais-je pas, pour toujours, celle qui saura ? »

Il la regardait en la remerciant silencieusement de l'avoir énoncé elle-même.

« Cela, dit-il, je pourrais le supporter. C'est-à-dire si vous pouvez, vous, supporter de vivre en compagnie d'un homme qui aura parfois les cheveux teints en noir, parfois en brun, parfois en gris ; qui portera des moustaches assorties et des lunettes à montures en corne ou en acier selon les jours ; qui voyagera beaucoup et devra parfois quitter un endroit dans l'heure si la prudence l'exige... »

Elle détourna les yeux et prit une expression songeuse comme si elle réfléchissait attentivement à la question. Il glissa furtivement sa main gauche sous son veston jusqu'à sa ceinture, certain qu'elle ne le voyait pas faire.

« Je vous connais, Lisa. Et je me fie à mon flair. Il me dit que vous avez déjà décidé de me suivre, parce qu'il ne se représentera jamais rien d'aussi excitant dans votre vie. J'ai raison ou je me trompe ?

— Vous avez raison, Julian, dit-elle sur un ton étouffé. Sacré bon sang, oui, c'est bien vu. Mais n'allez pas imaginer que ce truc jaune entassé sur le plancher derrière nous n'ait rien à y voir. »

Il savait qu'elle mentait. Mais quelle importance ?

Il vira sur la droite dans une route secondaire parce qu'il sentait qu'il était temps d'agir.

« Vous savez, lui dit-il, je ne me fais pas d'illusion quant à vos sentiments pour moi. J'ai même parfois l'impression que c'est la haine qui vous excite.

— C'est drôle, répliqua-t-elle. J'aurais plutôt pensé que c'était votre compassion qui m'émeuvait, votre souci pour la vie de trois mille personnes innocentes, pour être précise.

— C'est cela, dit-il, n'oublions jamais d'être précis. »

Il était ravi qu'elle le prenne ainsi, satisfait de la sécheresse de son ton. Cela allait lui rendre les choses plus faciles.

« Que va-t-il leur arriver, Julian, maintenant que vous avez fait cela ? Leur reste-t-il la moindre chance de survivre ? »

Ils roulaient à présent sur une route de terre à travers champs et les rares habitations se trouvaient assez éloignées.

« Aucune, répondit-il. Tout ce qui vit doit mourir un jour. Et pour eux, l'heure est venue, Lisa. Un peu en avance, peut-être, un peu humide, un peu bruyante, un peu... étouffante ? Au moins, ils ne mourront pas seuls. Ils pourront même se tenir par la main, s'il leur reste des mains. »

Il vit ses lèvres trembler juste avant qu'elle ne détourne la tête. Il en profita pour glisser rapidement le revolver sur le siège entre sa cuisse gauche et la portière.

« Pour l'amour de Dieu, vous n'allez pas vous mettre à pleurer ? »

Elle secoua la tête plusieurs fois tout en se débattant avec son sac à main pour l'ouvrir.

« Non, j'ai juste besoin d'un mouchoir, c'est tout, dit-elle d'une voix qui tremblait.

— Je n'ai fait que répondre à votre question. Je préfère qu'il n'y ait pas de mensonge entre nous. »

Il aperçut un chemin qui allait vers un bouquet d'arbres et ralentit imperceptiblement.

« Il vaut mieux que nous commencions tout de suite à regarder la vérité en face, car elle ne changera pas.

— Oui », dit-elle calmement, la main à l'intérieur de son sac.

Il vira sur le chemin sans même se préoccuper de lui fournir une explication, et pensa un instant que c'était une erreur car elle se mit à hurler presque aussitôt. Il crut que c'était de peur, qu'elle avait compris ses intentions, mais il vit sa main gauche pointée vers le toit au-dessus de lui pendant qu'elle criait :

« Mon Dieu ! Qu'est-ce que c'est que ça ? »

Il pencha la tête en arrière pour regarder et sentit une brûlure tranchante lui déchirer la gorge sans même avoir le temps de comprendre le brusque mouvement de son corps et l'éclair dans sa main droite, ou d'entendre son propre cri étouffé. Puis il vit sa main bouger encore et encore. Et quand il essaya de reprendre son souffle et de parler, il comprit qu'il ne pourrait plus, plus jamais, qu'elle venait de le tuer. Le cri d'horreur qui s'éleva du fond de ses entrailles devant cette horrible constatation monta jusqu'à sa gorge tranchée, mais ce fut sa vie qui ruissela silencieusement de sa bouche béante...

« Mon Dieu ! cria Lisa hystériquement. Aidez-moi, aidez-moi. »

Elle poussa la carcasse agonisante de devant le volant de la voiture qui poursuivait sa course. Accrochée au volant, elle donnait des coups de pieds dans la jambe du mourant pour écarter le sien qui appuyait convulsivement sur l'accélérateur. Elle sentait le liquide tiède et visqueux se répandre sur elle et, tandis que l'horreur lui arrachait des cris incohérents, les arbres s'élançaient sur elle. Elle essaya de les éviter. Voyant qu'elle n'y réussirait pas, elle se roula en boule en se couvrant la tête de ses bras ensanglantés. Puis ce fut la collision, sa tête heurta le tableau de bord au milieu d'une étourdissante secousse et d'une pluie de verre... Un instant de silence. Puis le sifflement de la vapeur... Le gargouillis du sang dans la gorge béante... L'abominable râle de la mort commença...

Elle gémit, l'élancement de sa tête lui donna un étourdissement,

mais elle reprit conscience dans l'instant et cria faiblement :
« A l'aide... »

Puis elle poussa la portière tordue qui, devant elle, était entrouverte. Elle se retrouva dehors à quatre pattes, la respiration courte, sentant les larmes ruisseler sur son visage. Elle tendit la main vers un morceau de ferraille tordue et s'y accrocha pour s'aider à se relever. Chancelante, elle se soutint contre l'épave de la voiture, et, au milieu du brouillard de l'étourdissement, elle jeta un coup d'œil à l'intérieur : sur l'or étalé dans les valises qui s'étaient ouvertes, et le corps qui, sur le siège avant, commençaient à se raidir...

« Julian ? dit-elle doucement.
— Julian ? répéta-t-elle.
— Julian ! hurla-t-elle. »

Puis elle s'aperçut qu'elle était couverte de son sang et elle fut si horrifiée qu'elle souhaita sombrer dans l'inconscience, puis, soudain, elle se souvint. Quelle heure était-il ?... Combien de temps cela avait-il duré ? Combien en restait-il ? Avant que l'avion...

Elle partit en courant, loin de l'épave du break, loin de l'or, loin du cadavre de Julian Wunderlicht. Elle se sentait les jambes en coton et la tête lui tournait, mais elle continua à courir tout au long du sentier. En arrivant sur la route de terre, elle songea à partir en direction de l'aéroport, mais elle ne se souvenait pas avoir croisé aucune maison ni aucun endroit où trouver un téléphone et se dit qu'elle ne pourrait jamais courir jusqu'à l'aéroport. Elle se sentait trop faible, à bout de souffle, sans force, sans volonté. Elle partit en direction opposée et suivit le chemin de poussière à travers champs sans savoir qui elle devrait appeler ni ce qu'ils pourraient faire, ni s'il était encore temps. Puis, derrière un rideau d'arbres, elle aperçut une grange grisâtre et une ferme en ruines. Un vieil homme assis sur le porche se leva en la voyant trébucher dans sa direction en lui criant :

« Avez-vous le téléphone ? Il faut que je téléphone, il y a eu un accident très grave. »

Le vieillard édenté lui cria :

« Fichez-moi le camp d'ici ! Qu'est-ce qui vous prend ! Fichez-moi le camp ! »

Comme elle arrivait sur lui, il se recula devant ses vêtements et ses mains couvertes de sang et elle sanglota :

« Je vous en prie, aidez-moi, il faut que je téléphone. »

Il la repoussa si rudement qu'elle dégringola les marches du perron et tomba en se faisant mal à l'épaule. Il s'engouffra dans la maison en claquant la porte sur lui et elle entendit le bruit des verrous qu'il fermait. Elle se releva, monta les marches du perron en trébuchant, se mit à tambouriner sur la porte. Elle entendit sa voix qui lui répétait de ficher le camp. Elle alla jusqu'à la fenêtre et le vit se déplacer avec un fusil dans les mains. Elle se détourna et s'enfuit en courant. Les gémissements lointains de la messagère de la mort lui bourdonnaient aux oreilles. Elle courait ; dépassant le rideau d'arbres, elle se retrouva sur la route de terre, courant vers le chemin où le sang gargouillait encore au milieu des lamentations de la pleureuse. Le paysage se mit à vaciller autour d'elle et, à travers la brume qui embuait son regard, elle aperçut le break rouge surgir du bouquet d'arbres à sa rencontre : tout cabossé et déformé, il produisait un sifflement strident. Wunderlicht se tenait derrière le volant, grimaçant de ses deux bouches sanglantes. La voiture fonçait sur elle sans qu'elle puisse rien faire pour lui échapper. Elle tituba avant de s'écrouler devant le véhicule qui arrivait sur elle. Les lamentations de la pleureuse cessèrent en même temps qu'elle entendit le grincement des freins et vit les portières s'ouvrir à la volée tandis que trois hommes jaillissaient du véhicule et s'élançaient vers elle. Au bout du compte, ce n'était pas une voiture rouge, mais une Mercedes grise, et elle avait vu dans le courant de la nuit précédente l'homme qui la souleva dans ses bras. Ce n'était pas Julian Wunderlicht. Julian Wunderlicht était mort...

« Je l'ai tué, sanglota-t-elle. Il le fallait ! »

Puis elle se mit à parler à cet homme de la bombe dans l'avion. Il la pressait de tant de questions qu'elle tenta de se réfugier dans l'inconscience. Il la gifla pour l'en empêcher avant de finalement l'allonger avec douceur sur la banquette arrière de la voiture. Avant de sombrer dans un oubli miséricordieux, la dernière chose qu'elle entendit fut sa voix qui disait :

« Trouvez-moi Arsène Schreiner à Interpol et appelez-moi tout de suite la tour de contrôle de Roissy.

Le *747* passa du survol de la côte sud du territoire français à celui des eaux de la Méditerranée, filant vers sa destination du Libwana. Dans le poste de pilotage, le vétéran corpulent et grisonnant, Klaus Freuling, jeta un coup d'œil à travers les flocons translucides des cirrus qui l'entouraient à dix mille mètres au-dessus des eaux bleues et, sur l'horizon oriental, aperçut la masse terrestre de la Sardaigne, plate et informe, juste à l'endroit où il s'attendait à la voir. Jusque-là, tout au cours de ce vol s'était trouvé exactement à sa place, à l'exception de Julian Wunderlicht. Son pilote automatique était la seule chose en laquelle un homme puisse désormais se fier, se disait Klaus Freuling avec ennui.

Il se tourna vers le chauve assis à côté de lui et lui dit :

« Essaie de le rappeler, Willy.

— La barbe, Klaus ! répondit Wilhelm Gritzen. J'ai appelé chacun des foutus postes de cet avion. Il refuse tout simplement de nous parler pour l'instant.

— Pourquoi refuserait-il de nous parler ? demanda Freuling.

— Parce qu'il est probablement allongé en travers de trois sièges vides, en train de fourrer le con de cette blonde osseuse, voilà pourquoi.

— Bon sang, Gritzen, sais-tu que tu as vraiment un langage de palefrenier ? »

Wilhelm Gritzen gloussa lourdement. Il était toujours ravi de réussir à choquer son vieil ami.

« Je vais aller un peu en bas, dit-il en grimaçant un sourire, les regarder faire la bête à deux dos pendant un moment. Puis j'y dirai que tu veux le voir. D'accord ?

— Et d'urgence ! dit Freuling. Sur quelle fréquence es-tu à l'écoute ?

— Le trafic européen. Ils ont essayé de nous joindre comme des malades. Montpellier tout d'abord. Et Barcelone ensuite. Tu veux que je leur réponde ? demanda-t-il avec une étincelle malicieuse dans l'œil.

— Non, non, espèce de crétin, hurla Klaus Freuling. Ils essaient de nous faire parler pour qu'on révèle notre position. N'as-tu pas lu les instructions qui m'étaient adressées ? Tu n'as pas encore compris ce que signifie le silence radio, espèce de tête de bois ?

— Tiens ! mais oui, c'est vrai ! dit Gritzen en explosant de rire. »

Puis il se leva et se décoiffa des écouteurs qu'il posa sur la tête grisonnante de Freuling.

« Reviens tout de suite, marmonna Freuling.

— Voyons, Klaus, dit Gritzen comme s'il s'adressait à un enfant. Reste assis là tranquillement et rêve à toute cette viande noire que tu vas pouvoir tripoter à Brazzaka. »

Il ouvrit la porte du cockpit et pénétra dans le salon. Comme il le voyait désert, il descendit l'escalier en spirale et inspecta les alentours. Personne non plus. Rien que les caisses pleines d'or.

Wunderlicht devait sûrement sauter la fille dans la queue de l'avion.

Pris d'une envie soudaine, Gritzen entra dans les premières toilettes. Quand il eut fini de se soulager et eut refermé son pantalon, il aperçut la mallette de cuir gris qui dépassait de la fente de l'appareil distributeur de serviettes. Il la sortit, la regarda brièvement en souriant, et sortit du cabinet.

Si le porte-documents de Julian Wunderlicht se trouvait là, il ne pouvait pas être bien loin.

« Hé ! Wunderlicht ! » appela-t-il au-dessus du ronflement régulier de l'avion.

En trottant vers l'arrière, il lança :

« J'arrive, Wunderlicht ! »

Mais Wunderlicht ne se trouvait pas non plus à l'arrière. La fille non plus. Il ne les trouva pas davantage dans aucun des postes de service ni dans les toilettes ni dans aucun endroit de l'avion.

Gritzen fronça le sourcil pendant quelques instants, puis il gloussa intérieurement en pensant à la rage qu'allait prendre Freuling. Il grimpa rapidement vers la cabine de pilotage avec le porte-documents, impatient de voir la colère s'inscrire sur son visage.

Freuling serrait les écouteurs étroitement contre ses oreilles. Il paraissait préoccupé.

« Devine qui nous a joué la fille de l'air, dit Gritzen. Ce salopard doit avoir mis les voiles juste avant le décollage. »

Freuling n'eut aucune réaction. Gritzen en fut tout désappointé.

« Branche la fréquence d'urgence sur le haut-parleur, lui dit Freuling.

— Pourquoi ça ? demanda Gritzen en s'asseyant.

— Radio Barcelone nous dit de les écouter immédiatement sur la fréquence d'urgence si nous ne voulons pas leur répondre.

— Des salades, répondit Gritzen.

— Fais-le tout de même », dit Freuling.

Puis il montra du doigt l'objet que portait Gritzen et ajouta :

« Qu'est-ce que c'est que ça ?

— Son porte-documents, je suppose. Il l'a abandonné derrière lui quand il est parti.

— Wunderlicht ?

— Oui.

— Il est parti ? demanda Freuling les yeux incrédules.

— Est-ce qu'il t'arrive parfois d'écouter ce que je dis ? demanda Gritzen avec amertume.

— Prends l'écoute de 121,5 tout de suite, Willy. »

Gritzen restait immobile essayant de comprendre le ton pressant de son ami.

« Vas-tu faire ce que je te dis, nom de Dieu ! rugit Freuling. »

Gritzen se pencha en avant et appuya sur le bouton qui ouvrait le circuit international de détresse. Ils entendirent immédiatement une voix qui parlait en allemand sur un ton inquiet :

« ...Dans un des cabinets de toilette, près de la porte L-I de la cabine. On suppose que l'attaché-case gris renferme un engin

442

explosif à retardement qui risque de sauter d'une seconde à l'autre. Ne l'ouvrez pas. Je répète, ne l'ouvrez pas. Utilisez n'importe quelle méthode, je répète, n'importe quelle méthode, pour expulser la bombe hors de l'avion immédiatement... Air France 1000, ici Radio Barcelone. Urgent, urgent... »

Ils se dévisagèrent, blêmes. Gritzen pressa son oreille contre la mallette de cuir.

« Sacré bon Dieu ! » grogna-t-il d'une voix rauque.

Il se leva d'un bond.

« Entamez descente d'urgence, continuait la voix dans le haut-parleur. Utilisez la sortie de secours au-dessus de l'aile. Je répète, sortie de secours au-dessus de l'aile. Air France 1 000 ici Radio Barcelone...

— Pour l'amour de Dieu, emporte ça d'ici ! » hurla Freuling.

Avant même que le chauve Gritzen ne parte en courant du cockpit en tenant l'objet effrayant, son aîné poussait le manche vers l'avant, réduisait la puissance des moteurs, baissait les volets, descendait le train d'atterrissage, mettait tout en œuvre pour descendre en plongée, pour amener l'avion géant à une altitude où la pression de l'air serait égale à l'intérieur comme à l'extérieur. Puis Freuling se mit debout et se dirigea en luttant pour conserver son équilibre vers le poste du mécanicien navigant et tira sur la roue qui ouvre la valve de dépressurisation, parce que si Gritzen ouvrait quoi que ce soit dans l'avion pendant que la cabine était encore préssurisée...

« Mon Dieu... » gémissait Gritzen en dégringolant l'escalier en spirale et en trébuchant dans l'allée de la cabine de l'avion qui piquait.

Il s'accrochait aux dossiers des sièges vides et s'efforçait de rester debout sans cogner l'horrible objet qu'il tenait contre quoi que ce soit. Il essayait de se souvenir des consignes de sécurité. Cela faisait des années que les consignes...

« Jésus ! cria-t-il. Où est-elle ? Où est-elle ? »

Cherchant, trébuchant, il avançait...

Au-dessus de l'aile, crétin, au-dessus de l'aile. C'est marqué « sortie de secours ». Il y a un levier. Il faut le baisser. Le hublot est projeté à l'intérieur de la cabine. Tu pourras jeter cette bon sang de bombe par le hublot ouvert...

Mais, attends une minute. Cette sortie a été conçue pour servir à terre ! La sortie de secours n'a jamais été destinée à fonctionner en plein ciel ! Il y a un toboggan de grosse toile connecté à la sortie de secours ! Il se déploie pour permettre aux passagers de passer sur l'aile ! La bombe ne glissera jamais dans le ciel ! Elle va rester coincée dans le toboggan de toile ! Mais si elle arrivait tout de même jusqu'au bout et rebondissait sur l'aile et...

Elle risque de sauter d'une seconde à l'autre, avait dit la voix de Barcelone. D'une seconde à l'autre !

Il tendit la main, saisit le levier, le tira de toutes ses forces : le hublot gicla de son emboîture dans un bruit d'explosion ; propulsé à l'intérieur de la cabine par un souffle d'air violent qui l'envoya voler de l'autre côté de l'allée sur les sièges vides. Le toboggan de toile se déplia sur le flanc de l'avion en piqué. Gritzen resta un instant figé, tenant la mallette comme le batteur qui attend pour relancer la balle. Avec l'espoir qu'elle glisserait sur la rampe, il prit son élan pour la projeter à travers le trou qui béait à l'emplacement du hublot, criant à l'intention du traître que la vie avait déjà fui : « Attrape, Wunderlicht ! » Mais Gritzen fut brutalement transformé en atomes, molécules, et particules minuscules de tailles variées...

Le patron pêcheur du chalutier corse *Bastia-Poretta* prêta peu d'attention au roulement de tonnerre et à l'éclair qui embrasa le ciel à une vingtaine de kilomètres de lui. Il se produisait sans cesse là-haut des phénomènes auxquels il ne comprenait rien, comme ces étoiles filantes qu'il voyait pleuvoir au mois d'août depuis plus de soixante ans. Il ne se souvenait pas avoir jamais vu une étoile filante en plein jour. Mais il y avait tant de choses qu'il avait oubliées. Il oublia cette lueur dans le ciel avant même que son écho tonitruant ne soit éteint.

Un homme grisonnant au visage basané se tenait près de la longue piste poussiéreuse sous le brûlant soleil africain. Il scrutait le ciel en plissant des yeux mais ne voyait rien venir. Les mouches bourdonnaient autour de son nez et la sueur ruisselait dans son dos et sur son ventre, maculant sa chemise blanche et ses pantalons de coton marron. Il aurait été beaucoup plus à l'aise assis sur le siège avant de l'un des trois camions garés à une trentaine de mètres de là. Mais il préférait souffrir à l'air sous le soleil plutôt que de rester assis auprès d'un chauffeur en prenant le risque qu'il découvre à quel point il détestait leur odeur aigre. Il ne pouvait pas se permettre de les perdre, pas en ce moment.

Laisser les chasseurs retrouver sa piste en retournant à Buenos Aires, il y avait souvent songé depuis deux ans qu'il se trouvait au Libwana. Rien de ce qu'ils pourraient lui faire ne saurait égaler le dégoût de cette odeur aigre qui l'obligerait sans cesse à pincer les narines. Mais il n'était pas reparti pour Buenos Aires, il avait préféré vivre encore quelque temps. Et la rétribution qu'il allait recevoir pour ce boulot rapporterait aussi un peu de style dans cette vie.

Il entendit avec surprise résonner derrière lui le bruit d'un moteur de voiture. Il se retourna et la vit tourner le coin du bâtiment en stuc jaunâtre de l'aéroport. Elle avança sur l'aérodrome dans sa direction. Comme elle se rapprochait, il put voir que c'était une voiture américaine d'un modèle assez récent, conduite par un homme blanc auprès duquel était assis un autre homme blanc. Il ne connaissait pas ces hommes et ignorait pourquoi ils roulaient vers lui mais il était certain d'une chose : ils ne venaient pas lui apporter de l'argent, ni un billet d'avion pour l'Australie, ni la nouvelle que Hitler venait de renaître de ses cendres.

La voiture s'arrêta près de lui et les deux hommes en descendirent, laissant le moteur tourner. D'un blond très pâle, ils paraissaient la trentaine bien sonnée. Le plus grand portait un costume en lin blanc et un chapeau de paille cacao. L'autre, en complet de crépon de coton gris, allait nu-tête, probablement parce que son opulente chevelure blonde ne lui permettait pas le port d'un chapeau.

« Etes-vous Otto Laneer ? lui demanda l'homme en complet de lin blanc.

— Oui, répondit l'homme aux cheveux gris.

— Voulez-vous nous accompagner quelques minutes dans le bureau du directeur de l'aéroport ?

— Je ne peux pas tout de suite », dit Laneer.

Puis il remarqua le Luger braqué sur lui par l'homme plus petit et ajouta :

« Mais si vous insistez... »

L'homme désigna la voiture de son Luger. Laneer ouvrit la portière et prit place sur la banquette arrière. Il se souvint des chauffeurs qui se trouvaient dans les camions et passa la tête par la vitre ouverte pour leur crier qu'il revenait tout de suite. Puis l'homme au Luger monta près de lui et celui vêtu du costume de lin blanc conduisit la voiture en direction du bâtiment de stuc.

« Qui êtes-vous et que me voulez-vous ? demanda Otto Laneer.

— Vous devez appeler un navire en mer, dit l'homme qui conduisait sans se retourner. Nous avons fait établir un circuit à votre intention par Tripoli. »

Tout en se disant que les deux hommes allaient trouver sa réplique ridicule, il ne se sentit pas moins l'obligation de la leur faire :

« C'est bien aimable à vous. Mais vous n'ignorez pas, je suppose, que je ne suis censé faire cet appel qu'à la suite de certains événements.

— Oui, bien sûr que nous savons cela », dit l'homme en complet de lin blanc.

L'homme qui tenait le Luger sourit sans rien dire. C'était la première fois que son expression changeait.

La voiture stoppa devant l'entrée latérale. Les deux hommes encadrèrent Laneer et l'escortèrent dans un petit hall jusqu'au bureau du directeur. Laneer fut surpris de constater que le bâtiment était désert. Le directeur lui-même était absent. Sur sa table de travail, il n'y avait rien d'autre que le téléphone. L'homme en complet de lin décrocha le combiné et, debout devant le bureau, composa un numéro à Brazzaka. Il dit en anglais à son correspondant :

« Voulez-vous informer l'opérateur numéro 67 au service radio-téléphonique de Tripoli que M. Otto Laneer est prêt pour la liaison avec le *Marseille*... C'est bien ça. »

Il raccrocha et fit signe à Laneer de s'asseoir derrière le bureau. Laneer glissa son corps en nage sur la chaise. L'homme au complet en crépon de coton gris s'approcha de lui et Laneer sentit le bout du canon du Luger se coller dans son oreille gauche.

« Ce n'est pas la peine de faire ça », dit Laneer.

L'homme en costume de lin blanc lui dit :

« Annoncez-leur que tout s'est passé exactement selon leurs plans. Au moindre mot de travers, vous perdriez l'ouïe. Y a-t-il quoi que ce soit que vous n'ayez pas parfaitement compris ?

— Non, rien », répondit Laneer.

Le téléphone sonna. Il le décrocha rapidement et entendit un bref échange de propos entre les deux opérateurs dans une langue qu'il ne comprit pas. Puis il fut en communication avec le navire. Les deux hommes qui le surveillaient l'observaient avec une telle intensité et le contact métallique du Luger était si froid dans son oreille qu'il pensa ne pas réussir à faire ce qu'on attendait de lui. Mais la voix nette et familière de Dunleavy le réconforta. Il avait peine à croire qu'il se trouvait quelque part dans l'Atlantique.

Laneer lui raconta que l'avion avait bien atterri, décrivit le transfert aux camions, et réussit même à plaisanter en lui disant que tout s'était déroulé si facilement qu'il était prêt à réceptionner un chargement similaire. Quand Dunleavy lui demanda à échanger quelques mots avec Wunderlicht, Laneer lui répondit sans se troubler qu'il était occupé à des préparatifs de transport automobile pour lui et les pilotes. Dunleavy lui parut si euphorique en lui faisant ses adieux que Laneer pensa qu'il était ivre ou sous l'effet d'une drogue quelconque.

Il raccrocha le combiné du téléphone et dit aux deux hommes :

« Hé bien, voilà qui est fait selon vos désirs. »

Mais le canon froid du Luger demeura contre son oreille, et l'homme en complet de lin blanc se recula comme s'il craignait des éclaboussures. Laneer sentit la peur lui tordre les tripes.

« Non ! dit-il. Vous n'allez pas... »

Le complet de lin blanc ne reçut pas la moindre tache. Mais il n'en alla pas de même pour les rideaux ni pour le mur opposé.

L'homme de haute taille contourna le bureau, décrocha le combiné du téléphone après l'avoir tout d'abord essuyé avec un mouchoir qu'il jeta dans la corbeille à papiers, composa un numéro, et dit à la personne qui lui répondit :

« Prévenez Schreiner que c'est terminé. »

Puis, en compagnie de l'homme au Luger, ils quittèrent le bâtiment et retraversèrent l'aérodrome en voiture jusqu'à l'endroit où se trouvaient garés les trois camions. Quelques instants après leur arrivée, les chauffeurs des camions, eux aussi, perdirent à tout jamais le sens de l'ouïe.

Chapitre XL

La bonne nouvelle les atteignit tous à une vitesse record, en quelque point du navire qu'ils se trouvent. Rien ne pouvait plus aller de travers désormais. Le pire était passé. Ils n'avaient plus pour horizon qu'un voyage heureux vers leur rêve devenu réalité : quelque part au lointain Libwana, dans des cavernes humides et sombres dont ils avaient entendu parlé mais qu'ils n'avaient encore jamais vues, six tonnes et demi de métal doré les attendaient, pour leur offrir la liberté, l'aventure et une vie nouvelle. Bouillant d'impatience, en dépit de la griserie qui leur chavirait la tête, ils respectèrent scrupuleusement toutes les consignes de débarquement dont ils étaient convenus. Ce n'était pas le moment de compromettre toute l'affaire par un excès d'optimisme.

Craig Dunleavy et Herb Kleinfeld y veillaient.

Les yeux brillant d'excitation, animé d'une énergie nouvelle, Dunleavy grimpa allègrement l'escalier de la passerelle. Les mots prononcés par Otto Laneer lui revenaient sans cesse à l'esprit, le remplissant de joie. Il savait Kleinfeld occupé à réunir sur le solarium l'équipe des six hommes qui lui étaient nécessaires pour passer à l'action. Ils avaient décidé depuis longtemps que les passagers supporteraient l'imprévu de la situation sans paniquer, à la condition que l'opération se déroule assez vite pour ne pas leur laisser le temps de réfléchir ni de s'inquiéter. Quand Dunleavy, arrivé dans la timonerie, ouvrit le micro branché sur la sono générale du navire, les hommes de Kleinfeld avaient déjà entamé leur destruction systématique des systèmes de transmissions du navire, en commençant par les mâts d'antennes extérieures.

Sachant que sa voix serait entendue dans le moindre recoin du *Marseille,* Dunleavy commença :

448

« Attention, attention. Je demande l'attention de tous les passagers. Ici l'officier de quart. D'ici quelques minutes, les sirènes d'alarme sonneront sur tous les ponts. Dès que vous les entendrez, veuillez rejoindre vos cabines sans délai et y demeurer jusqu'à la sonnerie suivante. Nous procédons à une simple vérification de matériel, mais de première importance, et comptons sur votre coopération totale. De la part du commandant, je vous remercie d'avance de vous conformer à cette requête. »

Il coupa le micro, tendit la main et appuya sur le bouton de déclenchement de la sirène qu'il laissa sonner pendant trois minutes. Puis il se tourna vers le grand timonier blond et lui cria :

« Tous les moteurs au point mort. »

Le timonier ahuri hésita un instant avant de lever les bras de son sémaphore à la verticale, sur la position signalant aux chambres des machines de couper les turbines. Satisfait, Dunleavy quitta la passerelle et partit rapidement vers sa cabine où Betty l'attendait. Tous les autres devaient également avoir quitté leurs postes et se préparer pour le départ. Il jeta un coup d'œil sur sa montre et fut ravi de ce qu'il vit : il restait cinquante-neuf minutes avant d'atteindre 1600 Zulu. Plus qu'il ne leur en fallait pour prendre le large en toute sécurité.

Dans ses quartiers transformés en prison, Charles Girodt entendit la sonnerie d'alarme ainsi que les bruits éloignés des coups de barres et de haches qui semaient le ravage dans la salle des transmissions. Puis il sentit le ralentissement du navire comme s'éteignaient les ronronnements des turbines et des quatre puissantes hélices. Il dévisagea les officiers de son état-major tandis qu'une lueur bizarre se jouait dans ses yeux et dit fièrement à ses hommes :

« La vermine s'apprête à fuir le navire qui sombre, mais il est toujours à flot. »

Mais pourquoi semblaient-ils ne prêter aucune attention à ses propos ? Ne savaient-ils pas son rang ?

Dans sa cabine, Billy Berlin fronça le sourcil en attendant la clameur devant sa porte et serra les écouteurs contre ses oreilles pour s'isoler du vacarme. Il était certain qu'il venait juste d'entendre Brian Joy l'appeler de Californie sur vingt mètres.

Dans l'ombre d'une porte du pont des embarcations, à une cinquantaine de mètres à l'arrière du poste 23, Julie Berlin et Harold Columbine, à nouveau revêtu d'un uniforme d'officier, étaient restés à surveiller René Derbos et la vedette blanche. Au milieu du vacarme de la sirène, ils durent prendre une décision rapide. Si lui se trouvait relativement en sécurité à l'extérieur en uniforme, elle serait beaucoup plus repérable si elle ne disparaissait pas dans une cabine.

« Que penseriez-vous de la mienne ? dit-il d'un ton pince sans rire.

— Non, répondit-elle vivement. De plus, il faut que je mette Billy au courant des dernières nouvelles. »

Elle s'en voulut instantanément de l'avoir pris au sérieux.

« Je ne faisais qu'essayer de rester fidèle à mon personnage, dit-il sur un ton sinistre.

— Quel personnage ?

— Allez, filez. Et soyez prudente.

— Vous aussi. »

Il la regarda un instant s'éloigner rapidement, puis détourna les yeux sur la vedette rapide. Jusque-là, personne ne s'était même approché de l'embarcation délétère. Il se mit à réfléchir à ce qu'il avait fait et se sentit gagné par une inquiétude innommable. Et si quelques-uns seulement allaient mourir ou pas un seul ? Qu'arrive-rait-il s'ils mouraient lentement, ou s'ils n'étaient que malades et venaient à comprendre ce qui avait été tenté et s'en vengent de quelque horrible manière ? Il détourna rapidement le cours de ses fantasmes sur une beauté brune du nom de Terri Montgomery, ou était-ce Worthington ? et se dit qu'il voulait absolument se rendre à son rendez-vous du soir. Pour ce faire, il fallait que le navire soit toujours à flot.

A dix-huit milles au sud-ouest, sur le gaillard d'avant de l'*Angela Gloria,* le capitaine Panos Trimenedes eut la chair de poule en entendant la voix puissante du *Marseille* s'adresser à lui par neuf grondements sourds qui représentaient les appels convenus pour leur rendez-vous. Il répondit à l'appel en virant de bord et en fonçant pleins gaz sur le paquebot de la Française atlantique. Parmi ceux de ses hommes qui s'occupaient à descendre les échelles d'embarquement se trouvait Nick Moustakos, le cerveau complè-tement embrumé par l'ouzo. Il ne lui restait plus de colère : saoul et heureux, il ne se sentait plus concerné par rien de ce qui se préparait.

A bord du *Marseille,* la plupart des deux mille et quelques passagers regagnèrent rapidement leurs cabines en toute tranquil-lité d'esprit. Quelques-uns toutefois, certains poltrons dont c'était le premier voyage maritime, voyaient le danger au creux de chaque vague et s'attendaient au désastre à chaque coup de roulis ou de tangage. Ceux-là, partaient vers leurs cabines en se rassurant par des plaisanteries, trop honteux ou embarrassés pour admettre qu'ils eussent été reconnaissants d'une description explicite et apaisante de cette prétendue vérification de matériel, ainsi que d'une explication aux galopades frénétiques sur les ponts supérieurs, aux étranges bruits sourds de martellement de métal et de fracas de verre. Quant à la majorité, les ordres du commandant lui avaient paru assez simples pour ne pas éveiller chez elle de sombres arrière-pensées : quelle que soit cette vérification de matériel, elle ne pouvait durer éternellement ; alors, pourquoi diable s'alarmer ? Ignorant tout des minuteries qui, dans les entrailles du navire, poursuivaient inexorablement leur marche vers 1600 Zulu, ils ne pouvaient donc en concevoir aucune inquiétude.

En revanche, Billy Berlin, lui, se trouvait en proie à une grande agitation. Agitation cependant sans nul rapport avec ce que Julie venait de lui raconter de l'intervention osée d'Harold Columbine sur la vedette rapide. Il ne put même s'empêcher d'éprouver un certain respect pour cet homme en dépit de sa défiance envers son côté coureur de jupons. Le trouble de Billy Berlin provenait d'une constatation angoissante : son écoute de la bande des vingt mètres s'était brutalement interrompue en plein milieu d'un début de liaison avec Brian Joy. Il n'avait eu, au milieu d'un fort parasitage, que le temps de l'entendre lui dire :

« J'ai du trafic urgent, une mise en garde urgente, Billy. Comment me ?... »

Et, comme cela, sans même l'occasion de répondre : « Continue », ou « Je suis à l'écoute », ou « De quoi s'agit-il, Briney, de quoi s'agit-il ? » — le récepteur était devenu muet. Une vérification rapide de l'émetteur l'avait montré muet lui aussi. Dans un éclair, il avait compris ce qui se passait :

Il n'avait plus d'antenne.

Quelqu'un devait avoir arraché l'antenne.

Il bondit du lit pour aller presser son visage contre le hublot, se retourna vers Julie et dit :

« Je ne peux pas me rendre compte d'ici.

— Je vais aller voir ce qui se passe, répondit-elle en amorçant un mouvement vers la porte.

— Non ! dit-il abruptement. Ce serait trop dangereux.

— Billy, il faut que nous sachions ce qu'était ce message, cette mise en garde.

— Nom de Dieu ! tu attendras ici qu'ils aient quitté le bateau. Tu ne vas pas aller te faire tuer pour un message.

— Tout le monde doit mourir un jour », répondit-elle en sortant de la cabine avant qu'il n'ait le temps de se mettre en travers de son chemin.

La coupure brutale du microphone sur le plateau du bureau résonna comme une explosion dans le petit matin calme de Beverly Hills.

« Il a disparu, dit Brian sur un ton incrédule. C'est à n'y pas croire, il a disparu.

— Il va revenir, dit Maggie.

— Bon sang ! Il ne s'est pas estompé peu à peu, il a disparu brutalement !

— Il lui est peut-être arrivé quelque chose.

— C'est tout ce que tu trouves à dire ? lui hurla-t-il.

— C'est tout, répondit-elle. Il faut aussi l'envisager. »

Il décrocha le téléphone et composa le numéro du domicile d'Arkady Slocum.

« Mauvaises nouvelles, lui annonça-t-il. Je n'ai pas réussi à lui transmettre le message. Je l'ai eu en ligne quelques instants et notre liaison s'est brutalement interrompue.

— Vous savez bien que c'est là que le bât blesse, répondit l'homme de Remo.

— Si seulement vous autres génies aviez pu vous montrer brillants au cours de la nuit dernière plutôt que ce matin !

— Nous ne sommes que des ordinateurs monsieur Joy, nous ne sommes pas humains, lui répliqua calmement Arkady Slocum.

— C'est bon, excusez-moi.

— Vous aurez encore davantage de regrets si vous ne le joignez pas à temps. Et maintenant, si vous n'y voyez pas d'inconvénient, pourrais-je aller dormir ?

— Et si je vous disais non ? »

Puis Brian Joy se leva de son bureau pour se rendre jusqu'au buffet et se versa un verre. Plus question de boire du café. Il espérait que Maggie proteste. Cette fois, elle allait l'entendre. Mais elle resta silencieuse, la sagace chipie.

Sur le solarium du *Marseille* qui n'avait plus d'autre impulsion que celle des vagues, on se serait cru à bord d'un vaisseau fantôme. Julie avançait à pas prudents et allait arriver à découvert quand elle entendit soudain un bruit de pas derrière elle. Elle se retourna. Le jeune steward qui se précipitait sur ses pas était blême de peur.

« Vous ne devriez pas vous trouver à l'extérieur, madame, lui dit-il avec des trémolos dans la voix.

— Je sais, répondit Julie. Je regagne ma cabine.

— S'il vous plaît, madame. Merci, madame. »

Il s'en fut rapidement, ne voulant pas être témoin de sa désobéissance. Elle attendit de le voir disparaître et poursuivit résolument son chemin. Elle leva la tête vers les mâts et les cheminées qui se découpaient sur le ciel. Billy avait raison : l'antenne à laquelle il s'était trouvé secrètement relié avait disparu. Ainsi que toutes les autres. Elles avaient probablement dû être jetées par-dessus bord, car il n'en restait pas une seule en vue. Si elle retournait le lui raconter, que pourrait-il faire ? Rien. Rien avant le départ de l'ennemi.

Son attention fut attirée par le cargo. Elle se dirigea vers le bastingage de tribord. Il venait droit sur eux maintenant, vite. Lui aussi se mettrait bientôt en panne. Et bientôt, ces gens embarqueraient dans le bateau blanc vers une destinée dont ils n'avaient jamais rêvé. Ils ne pouvaient imaginer que la vedette rapide allait transporter leurs âmes de morts à travers le Styx, de l'autre côté des enfers.

Cette pensée fit frémir Julie. Elle voulut la repousser, mais elle lui résistait obstinément. Harold se trouvait en dessous, là-bas, quelque part sur le pont des embarcations. Il verrait probablement tout. Il se trouverait probablement assez près pour tout voir, à condition que ça se passe vite, avant qu'ils ne soient trop éloignés. Elle ne l'enviait pas. Elle avait bien de la chance de ne pas se trouver près de ces hommes et de ces femmes quand ça leur arriverait.

Elle prit tout à coup conscience que jamais auparavant elle n'avait pensé à eux comme à des hommes et à des femmes, comme à des individus, à des êtres humains. Elle se les désignait toujours collectivement comme « ces gens » ou « l'ennemi ». D'une certaine manière, c'était elle, Julie Berlin, qui les assassinerait. C'était elle qui avait remis les instructions fatales à Harold. Il n'avait fait que les mettre au point. Elle aurait pu les détruire quand elle avait appris qu'il était impossible de joindre le commandant. Mais elle ne l'avait pas fait. Inconsciemment, automatiquement, elle avait décidé que « ces gens » devaient mourir : pour la sécurité du navire, ou à cause de leurs actes, ou pour le repos de ceux qui étaient morts de leurs mains. Il devait y avoir une raison.

Elle ne se sentait plus très sûre de ce qu'elle pouvait être. Elle se demanda si Harold la connaissait. Tout ce dont elle se sentait certaine, c'était de ne pas vouloir assister à leur mort.

Elle se détourna du bastingage et partit en direction de l'escalier des cabines. Mais ses pensées continuaient à l'obséder. Harold et elle n'avaient aucun droit de se charger de rendre la justice. Le commandant n'avait donné aucun ordre. Il ignorait même tout de ce qui était sur le point de se passer. Elle avait avec Harold élaboré le meurtre prémédité de cent soixante-quatorze hommes et femmes sans même savoir précisément pour quelle raison.

Harold se trouvait sur le pont des embarcations. Il fallait qu'elle lui parle sans retard. Peut-être saurait-il la rassurer. Peut-être saurait-il la débarrasser de ces pensées avant qu'elles ne la rendent folle...

Il entendit frapper à la porte, débrancha la prise de courant, dévissa le connecteur du coaxial, demanda :

« Qui est là ? »

En entendant des voix bizarres lui répondre, il dissimula son équipement sous le lit en lançant :

« J'arrive tout de suite. »

Puis il alla déverrouiller la porte qui s'ouvrit sur deux hommes qu'il n'avait jamais vus, habillés en vêtements de sport.

« Vous êtes son mari ? lui demanda le premier homme.

— Le mari de qui ?

— De Mme Berlin, lui dit le second.

— Oui, je suis le docteur Berlin. Vous désirez ?

— Votre femme. Où est-elle ?

— Mais qui diable êtes-vous ?

— Où se trouve votre femme ? Où est-elle allée ?

— Je n'en ai pas la moindre idée. Elle est allée se promener je ne sais où. Ce bateau est grand, vous savez.

— Des ordres ont été donnés pour que tous les passagers restent dans leurs cabines. Elle ne les a pas entendus ?

— Si. Elle a dit que la France est le pays de la liberté et qu'il en était de même de ses navires. Elle est partie se promener.

— Vous êtes un connard, docteur.

— Je sais, répondit Billy Berlin. Mais je me soigne. »

Ils se détournèrent et partirent.

Il repoussa la porte et la verrouilla.

Que diable se passait-il ?

Ces gens ne devaient-ils pas quitter le *Marseille* pour rejoindre ce cargo qui les attendait au large ? Que voulaient-ils à Julie ? Que se serait-il passé si elle s'était trouvée là ?

Il alla jusqu'au placard, en tira des vêtements, et commença à s'habiller.

Il fallait qu'il la trouve et qu'il la prévienne.

Harold Columbine n'était pas le seul vêtu en officier sur le pont des embarcations. Maintenant que tous les passagers se trouvaient dans leurs cabines, l'équipage se remarquait davantage. On ne voyait plus que ses membres partout. Il n'était plus que l'un d'eux. Du moins, en apparence. Il faisait semblant de s'occuper de l'embarcation de sauvetage au poste voisin du 23, tirant sur les amarres de son prélart, vérifiant ses bossoirs, restant à portée de vue et de voix de la vedette rapide empoisonnée sur laquelle René Derbos montait la garde.

Il savait qu'ils allaient à présent apparaître d'un instant à l'autre. Les moteurs du cargo s'étaient tus. Il se trouvait maintenant à la panne, à tribord de la proue, assez loin pour que la peinture noire qui couvrait son nom sur la coque et son faux pavillon libérien dissimulent sa véritable identité. On pouvait imaginer le mouvement des matelots sur son pont et les échelles d'embarquement se balançant sur ses flancs.

D'un instant à l'autre...

Il entendit leurs voix et leurs rires avant de les voir. Ils cacardaient comme des oies. C'était un peu comme si on approchait d'une maison où, portes ouvertes, se tenait une fête à laquelle participait une foule bruyante ; à cette différence près que c'était la foule qui s'avançait vers le pont des embarcations. Il les vit apparaître par les portes proches de l'avant et venir vers lui, vers la vedette rapide accrochée par ses bossoirs qui les attendait. Ils portaient des valises et des appareils de photo, des sacs de toile et, quelques-uns, des revolvers qu'ils ne se donnaient même pas la peine de cacher. Les femmes étaient vêtues de pantalons et de blouses multicolores ; les hommes de chemisettes et de Levis, ou de pantalons de cotonnade. Tous étaient habillés pour se sentir à l'aise et libres de leurs mouvements. Certains avaient même revêtu des shorts de tennis et des T-shirts. Tous portaient des masques de Mardi gras, ce qui leur donnait l'air encore plus détendus et joyeux.

Harold Columbine les regardait approcher et eut l'impression d'entendre appeler son nom au milieu du charivari. Mais l'appel lui sembla venir de l'autre direction, derrière lui. Il se retourna et, jetant un coup d'œil sur le pont arrière, aperçut une silhouette en sweater bleu pâle à col roulé et jeans blancs. Il se demanda un instant pourquoi elle ne se trouvait pas en compagnie du reste du groupe avant de voir que c'était Julie, et qu'elle lui adressait des signes frénétiques.

Il partit rapidement à sa rencontre et l'entraîna dans l'ombre d'un passage en disant :

« Que diable faites-vous ici ?

— Il fallait que je vous voie.

— Ça ne pouvait vraiment pas attendre ?

— Harold, nous avons peut-être fait une erreur...

— Nous le saurons d'ici peu, dit-il en se tournant. Regardez-les. Ils s'apprêtent à grimper à bord.

— Je voulais dire : peut-être devrions-nous les prévenir pendant qu'il en est encore temps. »

Il se retourna vers elle et dit :

« Les prévenir ?

— **Oui.**

— Quelle mouche vous pique ?

— Avons-nous raison de les tuer, Harold ?

— Et comment !

— Pourquoi ? »

Il la saisit par les épaules.

« Mais qu'est-ce qui vous prend ? demanda-t-il.

— Répondez-moi, Harold. »

Il la regarda fixement en sentant la colère le gagner.

« Parce que c'est fait. Voilà pourquoi. Parce que vous me posez cette question environ une heure trop tard. Plus moyen de faire machine arrière.

— Est-ce une raison suffisante ?

— Pour moi, oui. »

Les lèvres tremblantes, elle regardait au-delà de lui, sans qu'ils sachent ni l'un ni l'autre ce qu'elle allait faire...

« Aidez-moi, Harold, s'il vous plaît... »

Il hésita un instant, puis la gifla à la volée. Les larmes lui vinrent aux yeux. Il la gifla de nouveau et elle leva les mains en haletant :

« Assez...

— Très bien, dit-il doucement en lui entourant les épaules d'un bras et en la serrant contre lui. Vous avez raison, Julie, continua-t-il. Nous n'aurions pas dû, mais nous l'avons fait. Je l'ai fait. Pas vous. Mais nous n'y pouvons plus rien. Demandez-vous ceci : voulez-vous ou non vivre paisiblement ce qui vous reste de vie ? »

Elle le regarda en gardant le silence.

« Moi aussi, dit-il. Imaginez juste un instant ce qu'ils vous feraient, ainsi qu'à moi, si nous les avertissions maintenant. »

Elle le dévisagea avec de grands yeux bleus écarquillés comme ceux d'un enfant apeuré.

« Continuez à y penser, et ne le perdez pas de vue », dit-il.

Il la fit avancer d'un ou deux pas dans l'entrée du couloir parce qu'il voulait observer le groupe bruyant pendant qu'il prenait place à bord de la vedette rapide. Ils étaient attroupés devant le petit portillon où se trouvait René Derbos. Ils avaient l'air un peu ridicules avec leurs masques. Il se demanda pourquoi il les portaient. En fait, deux des hommes les arrachèrent et les lancèrent sur le pont : Craig Dunleavy et cet homme qui se trouvait presque toujours en sa compagnie, celui qui s'appelait Kleinfeld. Dunleavy dut donner un ordre quelconque qui fut accueilli par un concert d'acclamations. Ils commencèrent soudain à se précipiter tous par le portillon et à grimper à bord de l'embarcation blanche, lançant leurs affaires devant eux, tendant les mains dans le bateau qui se balançait pour se retenir à tout ce qui pouvait les aider à maintenir leur équilibre : main courante, flèches de mâts, épontilles, toit de la cabine, tout ce qui se présentait.

Julie détourna la tête.

« Ne vous inquiétez pas, lui dit-il en continuant à observer la scène. Les choses ne se passent pas obligatoirement si vite. Il se pourrait même qu'il ne leur arrive rien. Est-ce que cela vous remonte le moral ? »

Elle ne lui répondit pas. Elle venait juste de remarquer deux passagers qui traversaient rapidement le promenoir désert et qui ralentirent en l'apercevant. Elle se demanda pourquoi ils avaient quitté leurs cabines, puis pourquoi ces deux hommes en vêtements de sport, à l'expression tendue et déterminée, s'avançaient vers elle. Elle le tira par la manche et il se retourna juste comme ils arrivaient à leur hauteur.

« Vous savez que vous êtes plutôt difficiles à trouver. Pourquoi ne laissez-vous donc pas de message derrière vous ? demanda l'un d'eux d'un ton plaintif.

— Peut-être parce que nous aimons rester en tête à tête, répondit Harold Columbine en le détaillant attentivement.

— Dunleavy désire vous faire ses adieux, vu ?

— Non merci, répondit-il en sentant le regard ébahi de Julie sur lui. Vous le saluerez de notre part. Adieu à vous aussi, les gars. »

Une expression navrée s'inscrivit sur le visage du deuxième homme qui répliqua :

« Voyons, Columbine, vous savez bien que vous allez nous accompagner jusque là-bas. Alors, ne nous faites pas perdre de temps, voulez-vous ? »

Julie essaya de s'enfuir, mais le premier homme l'attrapa sans effort et la fit virevolter. Harold Columbine la prit par la main en disant rapidement :

« Elle vient. »

Puis il l'entraîna sur le pont des embarcations en direction de la vedette rapide. Les deux hommes leur emboîtèrent le pas.

« Harold, que se passe-t-il ?

— Vous avez entendu ce type, non ?

— J'ai peur.

— Il est toujours pénible de se dire adieu. »

La foule s'était amincie devant le portillon. Ils avaient presque tous embarqué. Craig Dunleavy tourna la tête et les vit approcher. Il avait l'air détendu.

« Salut vous deux, leur lança-t-il. Je suis à vous dans un instant. »

Il sortit une enveloppe de la poche intérieure de son veston de serge de coton bleu et, se tournant vers René Derbos, lui dit :

« Puis-je compter sur vous pour nous descendre en douceur, monsieur ? »

L'officier s'efforça de demeurer courtois :

« C'est automatique, monsieur. Tous nos canots de sauvetage descendent en souplesse. »

Dunleavy lui tendit l'enveloppe en disant :

« Immédiatement après notre départ, vous remettrez ceci au commandant. Il va de soi que c'est important.

— Très bien, monsieur, dit René Derbos en prenant l'enveloppe. »

Dunleavy se retourna vers eux. Un sourire flottait sur son visage pendant qu'il leur annonça :

— Madame Berlin, monsieur Columbine, c'est votre jour de chance. Puisqu'il faut quelqu'un pour reconduire ce ravissant canot de sauvetage à son bâtiment d'origine, vous avez tous deux été élus à l'unanimité pour nous accompagner jusqu'au cargo.

— Non, dit Julie calmement. Non.

— Mais si, répliqua Dunleavy souriant.

— Je ne veux pas aller dans ce bateau. »

Harold Columbine ravala sa salive et dit :

« Vous feriez mieux de choisir quelqu'un d'autre, Dunleavy. Nous ne savons pas manœuvrer ce machin.

— Vous apprendrez. Nous vous montrerons. Embarquez, je vous prie.

— Ecoutez, j'y vais. Mais laissez-la ici. D'accord ? »

Dunleavy hocha lentement la tête et dit d'une voix sourde :

« Pourquoi voulez-vous faire attendre mes amis ? Montez dans ce bateau, et vite.

— Je ne veux pas y aller, cria Julie. Je ne veux pas y aller. »

Dunleavy regarda par-dessus son épaule et appela :

« Sam... Jack...

— Harold, dites-lui ! »

Harold Columbine la saisit par le bras d'une main de fer et l'entraîna par le portillon, lui murmurant avec une sauvage intensité :

« Ne touchez à rien d'autre que moi, c'est compris ? Accrochez-vous à moi, et à rien d'autre.

— Mon Dieu, gémit-elle.

— M'avez-vous entendu ?

— Oui... oui...

— Ne bougez pas. »

Il prit appui sur elle pour sauter sur le pont de l'embarcation blanche qui se balançait. Il écarta les jambes pour assurer son équilibre, lui tendit la main et la souleva auprès de lui. Elle vacilla un instant, mais il lui passa le bras autour de la taille jusqu'à ce qu'elle ait retrouvé son aplomb, puis, la tenant par la main, il la conduisit à l'arrière jusqu'à un petit banc sans dossier qui donnait sur la longue cabine. Il y prit place à côté d'elle et, se souvenant du soin avec lequel il avait traité ce banc ainsi que toute l'embarcation avec la solution délétère, se dit qu'il y avait de quoi mourir de rire.

« Serrez vos mains sur vos genoux et ne les en bougez plus, lui dit-il à mi-voix.

— Oui, répondit-elle en observant la foule qui se pressait dans la cabine avec une expression hantée.

— Tout se passera bien, dit-il. Ne craignez rien, mon chou.

— Oui », fit-elle, assise raide et immobile.

Quelques masques de Mardi gras étaient tournés vers eux et il sentait leurs regards posés sur eux avec curiosité. Les autres se trouvaient trop occupés pour prendre garde à eux, trop occupés à trier leurs affaires et à s'installer sur les banquettes intérieures de la cabine ou sur celles du pont, pérorant sur cette nouvelle aventure excitante. Il vit les nommés Sam et Jack grimper à bord, puis, enfin, Dunleavy lui-même, se tenant aux parois de la cabine de ses mains nues. Debout sur le pont arrière, il répondit aux applaudissements par une révérence moqueuse, puis se tourna vers René Derbos qui attendait sur le pont des embarcations et lui lança :

« Rez-de-chaussée, s'il vous plaît ! »

Le petit officier s'avança jusqu'au poste de contrôles du bastingage et appuya un bouton : l'embarcation se mit à descendre lentement comme un ascenseur vers les flots. Harold Columbine vit, derrière Julie blême et rigide, les visages ahuris qui, par les hublots du *Marseille*, regardèrent l'élégante embarcation blanche glisser sur le flanc tribord du paquebot. Il baissa les yeux et, devant les vagues qui montaient à leur rencontre, passa un bras autour de la taille de Julie et la maintint fermement. Il y eut un bruit mat, les câbles mollirent comme l'embarcation entrait en contact avec la mer au milieu des ovations qui s'élevèrent de l'intérieur de la cabine et du pont.

Les amarres larguées, l'homme chauve qui tenait la barre démarra les starters des bimoteurs diesels qui ronflèrent et s'allumèrent. Il passa les gaz et la vedette rapide bondit à l'assaut des flots. Elle décrivit un arc d'écume au sud-ouest avant de s'élancer droit sur le cargo qui l'attendait.

Craig Dunleavy vint vers eux en se tenant tout le long de son chemin à la main courante pour lutter contre le mouvement du bateau.

« Si vous voulez apprendre à naviguer, vous devriez aller à l'avant où se trouve le professeur », leur dit-il.

Il y avait quelque chose dans le ton de sa voix qui sonnait faux et même menaçant.

« Nous ne bougerons pas d'ici si vous n'y voyez pas d'inconvénient », lui répondit Harold Columbine.

Malade d'angoisse, Julie ne prononça pas un mot.

« C'est votre arrêt de mort, dit Dunleavy en haussant les épaules.

— N'en soyez donc pas si sûr que ça », Dunleavy, lui répliqua Harold Columbine en levant les yeux sur lui.

Craig Dunleavy le regarda un moment dans les yeux avant de tourner les talons et de descendre à l'intérieur de la cabine.

Julie lui lança un bref coup d'œil de reproche.

— Je sais, murmura-t-il sur la défensive. Je sais.

Pourquoi ne se passait-il rien ? Pourquoi cela mettait-il si longtemps ? Et tout d'abord que faisait-il là ? Ce genre de choses n'arrivent qu'aux autres. Harold Columbine ne pouvait pas se trouver assis dans un bateau empoisonné auprès de la femme d'un autre, plongé dans une histoire de fous, essayant de survivre parmi une bande de cinglés qui portaient des revolvers dans leurs ceintures. Sa place était sur la plage en face du Carlton, sur le grand plongeoir d'Eden Roc, en croisière dans les îles grecques sur son yacht, accompagné des Playmates de l'année et des suivantes. Tout ce qui pouvait arriver à Harold Columbine, c'était d'écrire un roman de temps à autre si quelqu'un insistait vraiment ; d'acheter un avion ; de payer une dette ; de changer d'épouse ; de conduire une Silver Shadow. Jamais rien de moins. Moins, c'était bon pour les autres, les malchanceux, les pauvres et les laids. Il y avait maldonne quelque part. Quelqu'un avait sûrement dû le confondre avec un autre ; il était impossible que

Harold Columbine se trouve dans une impasse, exposé aux menaces de tordus déments, se demandant s'ils allaient le laisser vivre une heure ou deux encore. Allons, les gars, j'ai rendez-vous avec une mignonne brune qui s'appelle Terri Worthing-quelque-chose. Ne me mettez pas en retard, les gars. Je ne voudrais pas lui poser un lapin. Il faut que je retourne sur ce grand bateau retrouver celle qui m'y attend ce soir. Il faut que j'explore l'Europe cet été pour y réunir la documentation érotique de mon prochain roman qui sera numéro un sur la liste des best-sellers pendant quarante-neuf semaines, cette fois. Les numéros deux et trois, c'est pour les autres, pour ceux à qui je fais de l'ombre et qui s'en étranglent de rage en appelant ça de l'emphysème...

Il ne voulait pas écouter cet homme mais s'y trouvait obligé : il avait besoin de lui, besoin de sa radio. C'était la seule intacte. Il en avait besoin pour faire savoir au monde que Charles Girodt avait retrouvé le commandement du *Marseille,* que la crise était terminée. Il attendait là, au milieu de la salle des transmissions, que les hommes de Christian Specht aient terminé de remonter une nouvelle antenne pour le petit émetteur-récepteur gris et noir, en écoutant les récriminations du jeune médecin américain affolé. Il opinait avec sympathie, l'air compatissant, tout en ne souhaitant qu'une seule chose : savourer le plaisir de se sentir à nouveau bien dans sa peau de commandant. Il ne restait plus maintenant personne à bord pour se mettre en travers de son chemin. Et, dans sa poche, se trouvait le message d'adieu de Dunleavy avec ces mots rassurants :

Pardonnez-moi de vous avoir trompé, disait-il. *Quand les minuteries atteindront 1600 Zulu, tout s'arrêtera automatiquement. Vous n'aurez pas à intervenir. Quel qu'ait été notre sort, votre navire se serait trouvé hors de danger à 1600 Zulu. Bon voyage à tous et mes compliments à votre chef.*

Qui voulait entendre parler de plans d'extermination et du danger couru par deux passagers sur deux mille ? ou d'une vague mise en garde urgente en provenance de Californie dont on ignorait la teneur ? Il écoutait l'homme en hochant la tête, l'esprit ailleurs : bien en dessous, où cinquante-sept membres de son équipage se tenaient devant cinquante-sept boîtiers rouges au doux cliquetis qu'ils regardaient et écoutaient mais ne touchaient pas. Dans exactement trente-huit minutes, le cliquetis s'arrêterait et on lui annoncerait la bonne nouvelle que tout était vraiment terminé, de l'histoire ancienne.

Il n'en pouvait plus de cette anxiété, de cette réflexion négative.

« Vous *me* le devez, insistait l'Américain. Vous le *leur* devez...

— Vous savez à quel point nous vous sommes reconnaissants, docteur Berlin...

— Alors, faites quelque chose, nom de Dieu ! Envoyez vos hommes dans des chaloupes à moteur tout de suite. Qu'attendez-vous, qu'il soit trop tard ?

— Ces gens sont armés, répondit Charles Girodt en contrôlant son impatience. Nous observons le cargo attentivement. Dès qu'il reprendra sa route, nous saurons que les meurtriers sont montés à son bord. Il sera alors temps d'envoyer de l'aide à votre femme et à M. Columbine sans mettre des vies en danger. Montrez-vous un peu raisonnable, s'il vous plaît, docteur.

— Raisonnable, *merde* ! »

Il avait l'impression de s'adresser à un mur. Il tourna la tête et vit Christian Specht qui entrait en compagnie d'Yves Chabot.

« C'est prêt. L'avez-vous essayée ? demanda le radio-chef à Billy.

— Non, j'étais trop occupé à m'époumonner pour du vent.

— Et le vent vous répète de cesser de vous inquiéter pour rien ! » lança Girodt sur un ton furieux.

Marmonnant entre ses dents, Billy s'assit devant son appareil dans la salle de transmissions ravagée, coiffa ses écouteurs et alluma sa radio.

Yves Chabot observait Girodt avec insistance et lui demanda :
« Vous vous sentez bien, commandant ? »

Girodt sourit de toutes ses dents au médecin-chef et lui répondit sur un ton haut perché qui dénotait l'hystérie :
« Bien sûr que je me sens bien ! Qu'est-ce que c'est que cette question idiote ? Je ne me suis jamais senti mieux de toute mon existence. »

Chabot comprit sur-le-champ qu'il n'allait pas bien.
« Les passagers ont quitté leurs cabines, monsieur, lui dit-il. Ils sont joyeux, mais posent des questions.

« Bien ! cria Girodt. Bien ! Car maintenant, nous avons toutes les réponses. »

Chabot ne le quittait pas des yeux.
« Ça marche ! lança Billy Berlin. C'est parfait...

— Je veux que vous essayiez de joindre votre ami, le coupa Girodt, ou n'importe qui d'autre, et que l'on transmette à Paris que le *Marseille* est libéré et hors de danger. »

Billy baissa la tonalité et leva les yeux vers lui.
« En êtes-vous bien certain, commandant ? lui demanda-t-il

d'une voix amère. Je veux dire, à cela près que deux passagers ne se trouvent pas exactement à son bord, croyez-vous vraiment le *Marseille* hors de danger ? »

Girodt serra les lèvres. Cet Américain insolent commençait à lui taper sur les nerfs.

« Tenez ! dit-il en sortant le message de Dunleavy et en le lui lançant. Lisez ! »

Billy attrapa le message et le parcourut rapidement. 1600 Zulu... Il jeta un coup d'œil sur la pendule murale. Puis il tourna les yeux vers Girodt et dit :

« Il n'est que 1526 Zulu. Ne devrions-nous pas attendre encore trente-quatre minutes avant de crier victoire ? Ne pensez-vous pas que vous anticipez un peu, commandant ? Ou suis-je trop technique ?

— Nom de Dieu ! Berlin, lança Girodt d'une voix tremblante en désignant la radio du doigt. Je vous ai donné un ordre. Voulez-vous faire ce que je vous demande ? »

Yves Chabot et Christian Specht échangèrent un bref coup d'œil. Billy commença à se lever, puis se rassit lentement. A quoi cela servirait-il ? L'homme était fou. Il remonta la tonalité et se mit à la recherche de Brian Joy. Cela l'aiderait peut-être à oublier Julie, là-bas, sur l'eau. Mais il ne voulait pas l'oublier vraiment. Il ne voulait rien d'autre que la retrouver près de lui. Il voulait pouvoir commencer à lui prodiguer l'amour dont il l'avait en quelque sorte frustrée depuis trop longtemps, trop longtemps. Elle ne demandait pas autre chose. S'il vous plaît, mon Dieu...

Elle vit les événements se déclencher quelques secondes avant lui : il observait le marin qui, du cargo, venait vers eux dans une chaloupe. Puis il vit également la femme qui, à moitié levée à l'intérieur de la cabine, arracha frénétiquement son masque de caoutchouc, le jeta sur le plancher de la cabine et se mit à frotter ses bras nus, à se gratter la tête, tandis qu'une expression reflétant une douleur intense s'inscrivait sur son visage. L'homme assis à côté d'elle, son mari, le nommé Kleinfeld, la regardait faire d'un air ahuri. Il la fit rasseoir à côté de lui, manifestement en lui demandant ce qui n'allait pas. Elle paraissait pleurer et secouer la tête en disant : « Je ne sais pas, je ne sais pas, Herb. » Elle continuait et continuait à se lacérer le visage et les bras avec ses ongles longs. Un homme qui se trouvait non loin d'elle arracha également son masque. Le visage tordu par une grimace de douleur, il se pencha en avant sur son siège comme s'il voulait vomir, comme s'il avait le mal de mer.

Julie s'entendit gémir et sentit la main d'Harold se poser sur les siennes pour la rassurer ou, peut-être, pour se rassurer lui-même car sa main était aussi glacée que l'étaient les siennes. Craig Dunleavy avait dû s'apercevoir que quelque chose se passait autour de lui car il se mit soudain à courir au travers de la cabine en criant :

« Enlevez vos masques ! Il doit y avoir un vice quelconque dans ces masques ! Enlevez vos masques ! »

Puis il monta sur le pont crier la même chose, suivi de nombre d'entre eux qui sortirent de la cabine pour trouver de l'air. Quand ils arrachèrent leurs masques, bouches grandes ouvertes, ils bâillaient comme des poissons hors de l'eau. Se soutenant les uns les autres au milieu de la confusion et de l'horreur, ils allaient se pencher au-dessus du bastingage, comme pour chercher quelque chose dans l'eau, et glissaient lentement sur le pont où ils s'immobilisaient dans des postures grotesques, visages contorsionnés et les yeux fixes. D'autres, sur le toit de la cabine, poussaient des hurlements qui conduisirent Julie à se couvrir involontairement les oreilles de ses mains. Harold lui enjoignit de garder les mains sur ses genoux et de ne pas bouger. La femme de Dunleavy sortit de la cabine en trébuchant, ses grands yeux bleus reflétant l'agonie au milieu de son visage griffé et sanglant. Dunleavy commença à lutter avec elle en criant :

« Non, Betty ! Ecoute-moi ! Ne fais pas ça ! »

Mais elle criait de son côté :

« Je ne peux pas le supporter ! Je ne peux pas le supporter ! »

Elle échappa à son étreinte et courut se jeter par-dessus le bastingage dans les flots apaisants où elle disparut dans le sillage de la vedette rapide. D'autres furent nombreux à l'imiter sans que personne n'essaie de les en empêcher. Ils étaient tous trop occupés à essayer d'apaiser leurs brûlures en lacérant leurs corps torturés. Puis, des larmes ruisselant sur ses joues, Dunleavy s'approcha de Julie. Il baissa sur elle et sur Harold un regard désespéré, en criant :

« Ce sont eux qui nous ont fait cela, n'est-ce pas ? Dites-moi si ce sont eux qui nous ont fait cela. »

Elle ne répondit pas et Harold non plus. Ils se contentèrent de le dévisager en silence. Il tira son revolver de sa ceinture en criant :

« Dites-le moi, il faut que je sache ! Dites-le moi ! »

Puis il se raidit soudain et commença à chercher sa respiration en haletant, la bouche grande ouverte, comme s'il n'arrivait pas à croire l'énormité de ce qui lui arrivait. Sa gorge commença à se serrer, son visage à se tordre en une horrible grimace d'agonie et Julie entendit Harold qui lui disait :

« Ce ne sont pas eux qui vous l'ont fait, Dunleavy. Mais moi. »

Il commença à glisser lentement sur ses genoux, haletant : « Aidez-moi, aidez-moi. »

Il se pencha en avant, avançant sa bouche ouverte à la rencontre du canon de son revolver levé dans sa main. Elle ferma les yeux et entendit la déflagration assourdie qui fit éclater son crâne, frissonnant sous l'étreinte rassurante du bras de Harold. Quand elle rouvrit enfin les yeux, au-delà de ce qui restait de Dunleavy, elle aperçut dans la cabine les corps enlacés de Kleinfeld et sa femme, allongés sur le plancher dans une dernière étreinte dont ils ne se dépendraient jamais plus, bras et jambes emmêlés comme s'ils venaient juste de terminer de se faire l'amour à en mourir de plaisir, immobiles pour l'éternité...

A 1531 Zulu, Billy Berlin, assis dans la salle des transmissions du *Marseille,* établit une liaison avec Brian Joy à Beverly Hills en Californie. Charles Girodt insista pour que leur conversation soit branchée sur le haut-parleur afin que Christian Specht et Yves Chabot puissent la suivre.

Billy Berlin raconta à Brian Joy comment les conspirateurs avaient quitté le navire, lui parla des petits boîtiers rouges qui cesseraient de cliqueter à 1600 Zulu, dans vingt-neuf minutes, puis il lut le message d'adieu de Craig Dunleavy. Comme Charles Girodt ne cessait de le déranger en insistant pour que l'on informe Paris, Billy dut lui demander de cesser de parler.

Brian Joy parut très bizarre quand il répondit à Billy. Il annonça qu'il avait bien copié le message de Dunleavy et que Maggie se trouvait près de lui et parlait au téléphone à un certain docteur Slocum de la Remo Corporation, un homme très brillant à qui elle était en train de lire le message.

« Pourquoi fait-elle cela ? demanda Girodt.

— S'il vous plaît, monsieur, le coupa Yves Chabot.

— Pourquoi fait-elle cela, Brian ? » demanda Billy dans le microphone, bien qu'il en eut une idée assez nette.

Brian Joy expliqua qu'il avait essayé de joindre Billy depuis une demi-heure mais qu'il avait disparu. Que diable s'était-il passé ? Il dit que quelques-uns des plus grands cerveaux des Etats-Unis tenaient à ce que le commandant soit informé de n'attacher aucune crédibilité à aucun propos rassurant des conspirateurs, parce que l'intention première des conspirateurs avait été et était probablement encore de détruire le navire et tous ceux qui se trouvaient à son bord.

Billy ne put entendre la suite de la transmission car les trois officiers qui se trouvaient derrière lui entamèrent une vive conversation en français en parlant très fort. Ils parlaient de partir pendant qu'il en était encore temps, et il souhaita qu'ils débarrassent le plancher et le laissent en paix, car il ne pouvait plus entendre un traître mot de ce que disait Brian. Il dut leur hurler de s'arrêter. Le commandant proféra encore un « absolument pas » avant de finir par se taire. Il demanda à Brian de tout répéter après : « détruire le navire et tous ceux qui se trouvaient à son bord ».

A 1534 Zulu, Brian Joy lui dit que le Dr Slocum appelait un Dr Wibberly sur son autre téléphone, mais qu'il avait du mal à le joindre parce que la femme de Wibberly ne voulait pas réveiller son mari. Mais Slocum s'efforçait de l'en convaincre.

« Hé bien, pour l'amour de Dieu, dis-lui de se dépêcher.

— Je veux savoir ce qui se passe, intervint Charles Girodt. Que faites-vous sur cette radio ?

— Nous devrions indiquer notre position immédiatement, monsieur, lui dit Christian Specht.

— Reste à l'écoute, Brian, dit Billy dans le microphone.

— Je veux que Paris soit immédiatement informé que le *Marseille* est libéré et sous mon commandement, dit Girodt.

— Voulez-vous, s'il vous plaît, vous asseoir, lui dit Yves Chabot.

— Quelle est notre position ? demanda Christian Specht à son supérieur.

— Hors de danger, voilà notre position, dit le commandant.

— Quelle est notre position, monsieur ?

— Douze degrés nord, quarante-huit degrés ouest et hors de danger. Dites-leur *cela*.

— Transmettez notre position, s'il vous plaît », demanda calmement Christian Specht à Billy Berlin.

A 1536 Zulu, pendant que le commandant et son radio chef échangeaient des propos animés, Billy Berlin indiqua la position du *Marseille* à Brian Joy.

Brian Joy lui en accusa réception et dit que Slocum était en train de lire le message de Craig Dunleavy au Dr Wibberly par téléphone. Il ajouta que Slocum et Wibberly étaient tous deux parmi les cerveaux les plus renommés des Etats-Unis. Billy avait-il bien copié cela ?

« Oui, oui, je te copie très bien. Veux-tu les presser, Brian ?

— Maggie veut savoir comment va Julie. Va-t-elle bien ?

— Oui, dis-lui que oui. Elle se porte comme un charme. Que se passe-t-il maintenant, pour l'amour de Dieu ? »

A 1539 Zulu, Brian Joy annonça d'une voix un peu hystérique que le Dr Wibberly était non seulement un penseur de renommée mondiale, mais également prix Nobel de Physique.

Selon l'opinion de Wibberly, le message de Craig Dunleavy était un mensonge prémédité destiné à leurrer le commandant d'une illusion de sécurité.

Billy Berlin répéta ce qu'il venait de copier pour s'assurer qu'il l'avait reçu correctement, ce qui, avec Christian Specht derrière lui qui en était venu aux mains avec Charles Girodt qui protestait violemment contre quelque chose pendant qu'Yves Chabot le ceinturait pour le faire asseoir dans un fauteuil.

« Veux-tu parler plus fort, Briney ? A toi.

— Le Dr Wibberly dit qu'aussi sûr qu'il y a des étoiles dans le ciel, et le Dr Slocum est d'accord avec lui à cent pour cent, aussi sûr qu'il y a des étoiles dans le ciel, quand les minuteries atteindront 1600 Zulu le *Marseille* explosera en miettes. As-tu reçu ça, Billy, as-tu reçu ça ?

Billy Berlin enfonça le bouton du microphone mais rien ne voulait sortir de sa bouche desséchée. Il s'éclaircit la gorge à plusieurs reprises avant de répéter dans le microphone comment le *Marseille* devait exploser en miettes quand les minuteries atteindraient 1600 Zulu. Il hurla pour réclamer le silence mais, dans son fauteuil, le commandant était secoué de sanglots incontrôlables et Christian Specht et Yves Chabot hurlaient des ordres auxquels il ne comprenait rien. Au milieu de tout ce vacarme, Billy Berlin n'était plus très sûr d'avoir entendu la voix de Brian Joy lui demander quelle était l'heure là-bas dans l'Atlantique, d'autant qu'une sonnerie stridente se mit brusquement à lui déchirer les tympans. Mais il répondit tout de même à Brian Joy :

« La même heure qu'à ta montre, espèce de crétin, 1543, 1543. Dis adieu à ma mère pour moi, et adieu à toi aussi, mon vieux Briney.

Puis il laissa tomber le microphone et se mit debout parce qu'il ne pouvait plus rien entendre avec cette sonnerie qui l'assourdissait...

Panos Trimenedes le saisit par le col et lui cria de s'arrêter, de s'arrêter, mais Nick Moustakos continuait à bafouiller hystériquement pendant que de la salive lui coulait sur le menton. Il fallut plusieurs bonnes gifles pour le calmer suffisamment avant qu'il soit capable d'articuler de façon compréhensible que, oui, ils étaient tous morts sur le bateau blanc qui dérivait, à l'exception de la femme assise à l'arrière, et de l'homme à côté d'elle qui avait essayé de l'empêcher de sortir de sa chaloupe, en agitant les bras et en lui criant de ne pas approcher, de ne pas monter à bord. Mais il ne l'avait pas écouté parce qu'il avait des ordres. Le commandant lui avait ordonné de trouver leur chef, leur leader, le nommé Dunleavy, c'était pourquoi il était monté à bord et était allé dans la cabine. Les expressions qu'il avait vu sur les visages torturés, c'était ça qui le hantait maintenant, tous ces gens, quelle horreur, quelle horreur, vautrés les uns sur les autres dans leur sang et leur vomi. Il se remit à nouveau à larmoyer et Panos Trimenedes le poussa rageusement de côté, sachant qu'il n'y aurait plus d'argent à espérer de la part d'Otto Laneer. Il cria avec amertume l'ordre qui fit démarrer l'*Angela Gloria* vers le sud, le poussant au maximum de sa vitesse, parce que, maintenant, il tenait à mettre la plus grande distance possible entre son bateau et le grand *Marseille*, tenant à ce que jamais personne ne soit capable d'identifier le cargo au faux pavillon libérien et au nom couvert de peinture noire, surtout à présent qu'une mort tellement mystérieuse s'était abattue sur ceux qu'il était venu chercher. Il n'aurait pour rien au monde ralenti la vitesse de son bâtiment, ou viré de bord pour retourner en arrière. Même l'immersion de Nick Moustakos eut lieu à pleine vitesse, deux ou trois heures plus tard, quand après s'être arraché la chair pour la dernière fois il avait emporté le souvenir des visages tourmentés dans sa tombe marine...

Ils entendirent le grognement des moteurs et surent ce que cela signifiait sans même avoir besoin de se retourner. Ils tournèrent prudemment leurs corps sur le banc qui se balançait, détournèrent les yeux des formes grotesques et sans vie étendues tout autour d'eux, et virent le cargo virer de bord et filer vers le sud. Ils ne prononcèrent pas un mot. Ils se trouvaient maintenant solitaires sur les profondeurs glacées de la mer, piégés dans la prison de leur propre rigidité, apeurés par leur embarcation empoisonnée.

Ses diesels silencieux, son gouvernail abandonné, le mince bateau blanc roulait et tanguait au gré des flots furieux, donnant de la gîte d'un bord sur l'autre, s'éloignant de plus en plus du *Marseille*, leur foyer, leur sanctuaire. Le grand paquebot se profilait majestueusement sur l'horizon, énorme et superbe contre le ciel gris, mais à une éternité d'eux.

Harold Columbine jeta un coup d'œil sur le visage de Julie, et n'aima pas ce qu'il y lut. Sa bouche serrée et ses yeux hagards le remplirent d'appréhension. Il y avait trop longtemps qu'elle prenait sur elle-même ; elle venait de supporter une tension nerveuse qui faisait beaucoup pour une frêle jeune femme de Bel Air, Californie. Il eut peur de la réaction qu'elle risquait d'avoir si elle regardait une fois de plus à l'endroit où aurait dû se trouver la tête de Dunleavy. Il avait peur non seulement pour elle, mais aussi pour lui. Leurs chances lui paraissaient bien minces s'ils se contentaient de rester assis là en attendant qu'on leur porte secours ; ils risquaient fort de dériver et de se perdre dans la nuit ou de se trouver submergés par une vague plus forte que les autres.

Lentement, en restant assis, il commença à sortir ses bras de son veston d'uniforme.

« Je n'ai pas froid à ce point-là, dit Julie.

— J'ai l'impression que vous avez maintenant le sang chaud », dit-il en défaisant le veston et en le posant sur ses genoux.

Il l'examina et vit une couture au milieu qui se terminait par un rabat. Il saisit chaque côté du rabat d'une main, tira de toute la force de ses triceps et déchira pratiquement la veste en deux. Ça servait tout de même à quelque chose de prendre de l'exercice sur les courts de tennis à la mode de East Hampton et de l'hôtel du Cap.

« Qu'est-ce que vous faites ? lui demanda Julie.

— Je me transforme en fabricant de gants.

— Vous n'allez pas m'abandonner ?

— Diable non, mon chou, vous êtes du voyage.

— Pour où ?

— Vers le *Marseille*. Nous rentrons au bercail. »

Elle le regarda avec des grands yeux bleus étonnés. Il arracha le col du veston et termina de le déchirer en deux. Il en déposa une moitié sur les genoux de Julie sous ses mains serrées. Puis, prenant sa propre moitié, il passa sa main gauche dans la poche droite du veston et sa main droite à l'intérieur de la manche, laissant flotter son tissu à quelques centimètres au-dessous de sa main.

« Regarde, m'man, plus de mains ! dit-il. »

Julie le dévisagea sans rien dire.

« Allons, lui dit-il, faites-en autant. »

Elle hésitait.

« Allons. »

Il lui souleva les mains, prit sa moitié de veston, plaça l'une de ses mains dans la poche et l'autre dans la manche et lui montra comment saisir l'étoffe par l'intérieur en pliant et dépliant ses doigts. Puis, tenant devant lui ses mains protégées par sa moitié de veston, il se mit lentement debout, jambes écartées pour conserver son équilibre au milieu du violent roulis de l'embarcation.

« Très bien, dit-il. Accrochez-vous à moi, et ne regardez rien d'autre que mon dos. »

Elle resta assise immobile pendant un bon moment. Puis, serrant les lèvres d'un air résolu, elle se leva et lui entoura la taille de ses bras.

« Prêt ? lui demanda-t-il.

— Oui.

— Qui m'aime me suive », dit-il

— Allez-y doucement », fit-elle d'une voix peureuse.

Il envisagea tout d'abord d'aller prendre la barre à l'avant de la cabine. Mais quand ils arrivèrent en bas des marches, il se rendit compte que le spectacle était plus que lui-même n'en pouvait supporter. Rien, pas même le vent mordant, ne pouvait en nettoyer l'horreur et la puanteur. Il ramena donc Julie sur le pont, avançant avec précautions au milieu des corps emmêlés. Il sentit ses bras le serrer convulsivement quand ils arrivèrent au pire de tout, près de ceux étendus sur le dos qui fixaient le ciel de leurs regards aveugles. Il s'entendit haleter sans pouvoir se contrôler tandis que Julie poussait des gémissements d'incrédulité. Il perdit un instant sa concentration et trébucha. Elle le suivait dans sa chute, cramponnée à sa taille. Mais il put saisir la main courante et s'y retenir. La manche protectrice avec sa doublure de soie était assez épaisse pour s'interposer efficacement entre la mort et l'étreinte de ses doigts.

Ils continuèrent à avancer lentement sur le bateau tanguant et roulant, et finirent par atteindre le bas de l'escalier de la passerelle. Il leva les yeux et vit la barre de gouvernail et le second écran de contrôle. Il tendit sa main gauche dans la poche du veston et sa main droite dans la manche pour saisir les deux rampes de l'escalier ; il commença à monter, suivi de Julie qui continuait à utiliser son corps comme guide.

Les deux femmes étendues sur la passerelle, la tête reposant sur leurs bras, paraissaient simplement endormies. La blonde, moulée dans une étroite salopette bleue, avait une telle grâce de formes, qu'il se demanda comment une femme pouvait paraître aussi désirable jusque dans la mort, comment il pouvait lui venir de semblables pensées dans un moment pareil, et qui de Julie ou de lui se portait le mieux.

Il lui jeta un coup d'œil : les lèvres blêmes, elle sembla ne même pas prêter attention aux deux cadavres quand ils les enjambèrent. Il la fit asseoir sur le siège de droite et prit la place du

470

barreur derrière le gouvernail. Par-dessus son épaule gauche il repéra la position du *Marseille* sur l'horizon. Puis il localisa la position des starters sur le panneau des contrôles et mit rapidement les diesels en marche. De sa main droite protégée, il poussa lentement les gaz jusqu'à ce qu'il entende les moteurs ronfler derrière lui et sente la vedette commencer à résister à l'assaut des vagues. Il poussa la barre à gauche, attendit que le *Marseille* se trouve droit devant lui, redressa la barre, mit pleins gaz. Le bateau bondit en avant, prit de la vitesse. Cap sur son bâtiment, la vedette fendait les flots en aspergeant leurs visages solennels d'une écume glaciale.

Il regarda Julie pelotonnée et silencieuse à côté de lui.

« Ça va ? lui demanda-t-il.

— A merveille », dit-elle en claquant des dents.

Et il comprit qu'elle disait vrai.

A sa manière, semblable à nulle autre, elle était plus merveilleuse qu'aucune de toutes les femmes qu'il avait pu connaître. Elle le resterait à tout jamais. Il se sentit soudain triste et dépossédé, sachant qu'il n'aurait jamais la chance qu'elle lui appartienne et redonne un sens à sa vie.

Peut-être qu'il serait tout de même capable de s'en sortir sans elle. Cela lui semblait à présent la peine d'essayer...

Les yeux fixés sur le *Marseille,* ils suivaient l'un et l'autre le fil de leurs pensées dans lesquelles il était question de chaleur du foyer et de sécurité ainsi que de la fin de ce cauchemar sanglant. Julie pensait à Billy, à son petit Billy, avec tendresse et un désir impatient de rattraper les années gaspillées. Dans son cœur et dans son esprit elle sentit une porte de sortie grand ouverte se refermer doucement à tout jamais.

Assis côte à côte sur l'embarcation chahutée par les houles, animés par la volonté de la reconduire à bon port, au milieu des embruns glacés qui gênaient leur visibilité, du vent mordant et des vagues qui s'écrasaient contre les bossoirs, ils apercevaient parfois très nettement les superstructures du grand paquebot et, à d'autres moments, plus du tout. Ils s'efforçaient de ne pas penser à leur chargement de morts, l'attention tout entière tournée vers le havre qui les attendait, ce grand transatlantique où s'étaient croisés leurs destins et qui les remporterait sous peu vers un point d'où ils repartiraient chacun vers sa vie qui, pour n'être pas commune, ne serait plus vraiment tout à fait séparée.

Un bruit de tonnerre déchira soudain l'air et ils crurent voir leur navire saisi par une vague gigantesque qui l'emportait loin d'eux. Ils le virent soulevé sur le flot, trembler et frissonner, puis prendre une forme brouillée avant de disparaître dans le néant dans un fracas de tonnerre assourdissant qui roula son grondement dans le ciel et sur l'eau en les remplissant de terreur. Ils levèrent les yeux à la recherche des éclairs qui devraient accompagner un pareil tonnerre mais les lueurs de la foudre s'élevèrent de la mer au lieu de zébrer le ciel d'orange à travers les nuages noirs qui venaient d'apparaître. Le tonnerre gronda de nouveau, réverbéré sur les eaux et finit par s'éteindre, les laissant ahuris, angoissés par le brusque silence, cherchant leur bateau, le *Marseille* qui avait disparu.

Le *Marseille* n'était plus là.

Il avait éclaté.

Il s'était soulevé dans un lent mouvement avant de retomber et d'exploser en cessant d'exister comme entité cohérente. Un tout naguère harmonieux venait de s'éparpiller au hasard en miettes. Il n'avait pas coulé. L'eau ne l'avait pas envahi car il ne lui restait plus rien à envahir. Il s'était simplement brisé et dispersé, ne faisant plus qu'un avec la mer.

Quelques minutes auparavant, dans toute sa splendeur, le *Marseille* s'offrait à leur vue, retenant toute leur attention, leur offrant son havre. A l'endroit où il s'était trouvé, ils ne voyaient plus maintenant que les houles de la mer sur lesquelles bondissaient des épaves.

« Billy », se mit-elle à gémir doucement, « Billy... Billy... »

Et Harold Columbine pleurait à chaudes larmes sans essayer de les dissimuler...

Engourdis par le choc, ils regardaient droit devant eux continuant à diriger la vedette blanche au ralenti, obstinément, vers l'horizon maintenant désert, comme s'ils déniaient la réalité de ce qu'ils venaient de voir et d'entendre. Ça ne pouvait être qu'une vision, un fantasme. Dans un instant, le *Marseille* sortirait du brouillard devant leurs yeux, attendant leur arrivée, attendant qu'ils remontent à son bord.

Oui, bien sûr, ils étaient là, les bateaux venaient les accueillir. Tout s'était passé dans leur imagination. Vous les voyez ? Bateau après bateau, remplis d'hommes et de femmes qui les hélaient, venus à leur rencontre pour les mettre à l'abri. Des bateaux bondissant sur les flots, pleins de femmes, d'hommes, d'enfants, en gilets de sauvetage.

Yves Chabot, Geneviève Bordoni, Olga Shanelli, Christian Specht... On aurait dit que tout ce que le *Marseille* comptait d'âmes avait pris la mer dans les chaloupes de sauvetage pour venir les accueillir, les sauver, les aider à rejoindre le navire. Billy aussi se trouvait là. Il l'appelait. Julie. Billy. Des larmes ruisselaient sur ses joues...

Qu'est-ce qui n'allait pas ?

Ne pleure pas, Billy. Nous sommes sauvés. Nous allons bien. Le *Marseille* est sauvé et nous allons bien. Ils n'ont pas gagné au bout du compte. Nous les avons arrêtés. Nous les avons arrêtés...

Elle tremblait et pleurait en même temps. Harold la porta dans ses bras jusqu'en bas de l'escalier, sur le pont. Il leur cria de ne pas approcher trop près, de ne rien toucher et, avant de la remettre dans leurs bras tendus, il l'apaisa en lui parlant doucement, s'efforçant de lui faire comprendre pourquoi toutes les chaloupes de sauvetage venaient à leur rencontre, pourquoi l'horizon était aussi désert.

« Mais nous sommes vivants, lui dit-il. Nous sommes tous vivants, m'entendez-vous mon amour ? Nous sommes tous vivants... »

Épilogue

Georges Sauvinage a perdu quinze kilos depuis qu'il est devenu président-directeur général de la Compagnie française atlantique à la suite de la démission de Max Dechambre. Depuis qu'il occupe son nouveau poste, son action la plus populaire a été sa recommandation au conseil d'administration et au gouvernement français que le *Bordeaux* soit rebaptisé *Marseille II* avant son voyage inaugural en juin.

Aristide Bonnard a officiellement endossé la paternité de la proposition et présidé aux cérémonies en compagnie de Mme Josette Girodt, veuve du défunt commandant, qui fut le seul à sombrer avec son bâtiment. Bonnard n'a pas réussi à demeurer président et s'est retiré dans sa maison de campagne de Saint-Germain-en-Laye, où il travaille au premier tome de ses mémoires, avec l'assistance de son épouse aimante, Althéa. Bonnard n'a pas encore décidé de la présentation de son rôle dans l'affaire du *Marseille*. Aussi longtemps que Jean-Claude Raffin sera vivant, il lui serait délicat d'altérer la véracité des faits. L'ancien président se console toutefois en pensant qu'il n'aura pas à traiter de cette situation problématique avant le tome quatre, qui sera tout entier consacré à l'interruption brutale de sa vie publique.

Avec la confiance de la Chambre des Députés, Jean-Claude Raffin a conservé son poste de directeur général de la Sûreté nationale. Mais son propre sens des responsabilités l'a poussé à remettre sa démission. Il ne s'est pas pardonné la perte de l'or de la France, sinon celle du *Marseille*. Il vit maintenant avec sa femme et sa fille à Pointe-à-Pitre, dans l'île de la Guadeloupe, aux Antilles françaises. On prétend qu'il y est employé par l'organisation de police internationale, Interpol, bien que personne ne soit en mesure de le prouver.

Lisa Briande a consacré bien des efforts à essayer de le vérifier, dans l'espoir de mettre au point le manuscrit de son livre. Mais Raffin n'a jamais répondu ni à ses lettres, ni à ses appels téléphoniques. Quant à Arsène Schreiner, Lisa n'a jamais réussi à en obtenir autre chose qu'un sec : « Pas de commentaire ». Elle a commencé à écrire son livre pendant son séjour à l'hôpital américain de Neuilly, en a terminé les trois quarts en attendant son jugement pour le meurtre de Julian Wunderlicht. Peu après son rapide acquittement, l'ancienne reporter du *Herald Tribune* a remis un manuscrit terminé à son éditeur américain. Elle se rendra à New York sur le *Marseille II* lors de son voyage inaugural, dans la première semaine de juin, pour assister à une réception donnée en son honneur par son éditeur. Elle a précisé à Mary Blume, dans une interview, qu'elle faisait ce voyage strictement pour affaires.

Leonard Ball, qui ne croit jamais ce qu'il lit dans les journaux et ne fait confiance qu'à ce qu'il voit à la télévision, a refusé l'offre d'ABC parce que ça lui aurait fait passer l'été sur la côte Ouest. Il apprécie New York quand tout le monde l'a désertée. Amanda se trouvera dans le Vermont avec les enfants. Il acceptera la proposition de l'une des chaînes vers septembre. Il préfère passer un été tranquille en ville pendant qu'il le peut. Surtout le mois de juin.

Brian Joy, sans raison, a brusquement décidé de ne plus situer l'action de son nouveau feuilleton à Seattle. Son directeur de production prétend que Brian ne fait cela que pour s'offrir un voyage d'études aux frais de la chaîne. Mais Brian dit que le gars est cinglé : pourquoi aurait-on envie de se rendre à New York en juin quand il y fait aussi chaud qu'en enfer ? Maggie Joy qui se pose la même question a décidé de l'accompagner. Selon le *Daily*

Variety, le voyage serait repoussé et toute la situation de l'action remise en question.

Julie Berlin a dit à Maggie Joy que si Brian et elle décidaient tout de même d'aller à New York, ils pourraient dîner ensemble là-bas, la veille de son départ avec Billy pour la France sur le *Marseille II,* lors de sa première traversée vers l'est. Julie trouve qu'ils doivent faire ce voyage maintenant, pendant que le petit Harold est encore un nourrisson. Billy a demandé à Julie si elle ne voyait pas d'inconvénient à ce qu'il emporte son miniordinateur. (Sa nouvelle marotte, les miniordinateurs). Julie a répondu que Billy pouvait emporter tout ce qu'il voulait, pourvu que ce soit assez petit pour tenir dans le lit avec eux.

La paternité de cette répartie revient à Harold Columbine. Il s'en était servi dans sa réponse à la lettre par laquelle Julie lui avait annoncé la naissance du bébé. Il lui avait fait part de sa rupture avec Terri Montgomery après un été fantastique sur la Costa del Sol, et lui avait paru déprimé et désemparé. Mais c'était avant qu'il rencontre Delphine. Bien faite mais plutôt petite, de grands yeux bleus, elle travaillait pour un agent littéraire. Parmi les relations de Harold Columbine, nul n'aurait pu prévoir qu'il l'inviterait même à dîner, et encore moins qu'il l'épouserait au bout d'une semaine. Ils semblent très heureux, et Harold mène une vie rangée qui écœure pas mal de monde dans les environs de Wesport, des Hamptons et en ville — particulièrement les racoleuses de grand luxe. Son avocat raconte à qui veut l'entendre, avec son expression sarcastique habituelle : notre Harold travaille sur un roman *sérieux* en ce moment, un truc intitulé *Le Bateau Blanc*... Il redeviendra pareil à lui-même ensuite.

Il avait dérivé quand arrivèrent les navires, les avions et les hélicoptères. Sans but, il erre sur les vastes étendues désertes de l'Atlantique Sud, loin des routes maritimes fréquentées, loin des regards curieux des avions qui laissent des traînées dans le ciel à des centaines de milles au nord. Depuis longtemps lavé de ses toxines mortelles par les brisants et les pluies torrentielles, le bateau blanc vagabonde sur l'océan au gré des vents et des marées, atten-

dant une fin à son voyage : sur les sables déserts d'un rivage désolé ou dans le courroux d'une tempête qui l'enverra vers un repos éternel au fond de la mer. Peut-être qu'un jour un navigateur solitaire croisera par hasard l'embarcation sans barreur et l'approchera lentement en cercles concentriques pris d'une fascination morbide. Peut-être même lui viendra-t-il à l'idée de monter à son bord. Mais quand il verra de plus près ce qui s'entasse sur ses ponts et dans sa cabine, hochant la tête, il poursuivra son voyage en laissant le bateau blanc dériver à tout jamais sur la mer sans limite.

ACHEVÉ D'IMPRIMER SUR LES
PRESSES DE L'IMPRIMERIE
HÉRISSEY A ÉVREUX (EURE)

ISBN : 2-7107-0146-4
Numéro d'éditeur : 659
Numéro d'imprimeur : 22493
Dépôt légal : 1e trimestre 1979